DEMONENBLOED

DE WOUDZEE KRONIEKEN

BOEK 1 VAN DE WOUDZEE KRONIEKEN

DEMONENBLOED

USCHI ZIETSCH

ZILVERSPOOR

Reeds verschenen van Uschi Zietsch:

In de reeks DE WOUDZEE KRONIEKEN

Boek 1 – Demonenbloed
In voorbereiding:
Boek 2 – Nachtvuur
Boek 3 – Parelmaan

Bij uitgeverij MACC verschenen (onder pseudoniem Susan Schwartz):

Perry Rhodan: Quinto-Center

© 2011 Uschi Zietsch

© 2012 Nederlandse vertaling
Uitgeverij Macc, Rijen
Uitgeverij Zilverspoor, Maastricht
Oorspronkelijke titel: Dämonenblut
Oorspronkelijke uitgever: Lübbe GmbH

Vertaling: Theo Barkel
Redactie: Jos Weijmer
Line-edit: Cocky van Dijk en Chrissy van der Haven
Omslagillustratie: Marlon Teunissen (www.dreamchasergallery.com)
Tekeningen binnenwerk: Gabriele Scharf, Markt Schwaben
Omslagontwerp & zetwerk: JW Art Studio

ISBN: 978-94-90767-11-2
NUR:334

www.uitgeverijmacc.nl
www.zilverspoor.com
www.artbooksshop.com

Deel 1

Inniu

HOOFDSTUK 1

Een spoor van bloed

Rowarn sliep en was zich van nog geen kwaad bewust.

Behoedzaam beschenen de eerste zonnestralen het landschap op deze onschuldig lijkende ochtend. Het beloofde een stralende dag te worden. De sterren vervaagden in het opkomende licht en een zachtroze luchtstrook waaierde uit vanaf de horizon. Het zachte piepen van jonge vogels weerklonk uit de bosjes, terwijl hun ouders hun verenkleed opschudden voordat ze zich uitvoerig gingen poetsen om daarna voedsel te gaan zoeken.

De laatste nachtdieren trokken zich moe in het woud terug zonder nog achterom te kijken. De ochtendnevel kroop over de zachtgroene weiden en de bloemen, nat van de dauw, openden zich en gaven hun zacht geurende hart prijs.

Rowarn draaide zich met een gelukzalige glimlach om in het gras. *Anini* ... verzuchtte hij in zijn droom, die niet van echt te onderscheiden was. Een droom, die gisteren gedurende de schemering met het feest was begonnen.

De viering ter ere van het groeiende koren was dit jaar uitgelaten en vrolijk geweest. Rowarn had zich de hele tijd een beetje aan de rand van het feest opgehouden, dichtbij en toch ver weg. Hij zweeg en had zich bijna onzichtbaar gemaakt. Hij had maar één reden gehad om er te zijn en hij keek alleen maar naar haar: *Anini, de schoonheid van de stad.* Zo werd ze genoemd en zo fluisterde Rowarn haar naam ook heimelijk in zichzelf, waarbij hij elke lettergreep proefde als zoete honing. Terwijl de anderen aten en dronken en heerlijke geuren zijn neus binnendrongen, had Rowarn geen behoefte aan het sappige gebraden vlees, bereid met de eerste voorjaarskruiden, of het nog dampende brood dat zo uit de houtovens kwam, of het zware honingbier.

Anini was voor hem genoeg. Ze was een lust voor het oog en zijn maag zweeg.

Het licht van de maan verbleekte bij haar uitstraling. Haar koperkleurige, met bloemen omkranste haar en ogen als korenbloemen. Haar rode lippen, die ofwel vrolijk lachten of zacht kusten – de ene keer een jonge aanbidder, dan een klein kind met rode wangen. Anini kon kieskeurig zijn met wie ze danste, maar op deze lange avond, onder het betoverende schijnsel van olielampen en kaarsen, danste ze met vele aanbidders.

Met de voortschrijdende duisternis veranderde de sfeer zienderogen in een soort beschonken vrolijkheid. Gezichten glansden, neuzen werden rood van bier en wijn. Het nieuwe voorjaar moest uitbundig gevierd worden, zodat er een goede oogst zou volgen. De voortekenen waren goed: het was een heldere nacht, de temperatuur was mild en de lucht rook naar bloemen.

Naarmate het middernacht werd, de muzikanten vermoeid op rustiger wijsjes overgingen en de feestvierders langzaamaan richting huis gingen, liep Anini onverwacht op Rowarn af, die de hele avond zijn plaats op de bank aan de rand van de lichtkring niet verlaten had. Hij kon nauwelijks geloven dat ze werkelijk op hem af kwam.

Verheugd maar ook onzeker zag hij haar naderbij komen. *Was dit nog zijn droom? Of was het al een herinnering? Of ... werkelijkheid?*

Ze bleef voor hem staan, met haar handen op haar heupen.

'Nou Rowarn,' begon ze streng. 'Je zit hier nu al urenlang en staart me maar aan. Beval ik je niet?'

Hij keek geschrokken en schudde verlegen zijn hoofd.

'In... integendeel. Uhm ... ik vind je wonderschoon,' antwoordde hij uiteindelijk onhandig.

'Zo?' Haar ogen lichtten op. 'En waarom heb je me dan niet ten dans gevraagd? Ik heb er de hele avond op zitten wachten!'

Hij knipperde verrast met zijn ogen. 'Ik durfde niet ...' Dat terwijl hij graag danste. Hij kon zich erg soepel en expressief in harmonie met de muziek bewegen, een aangeboren talent zo leek het.

Ze lachte. 'Rowarn, wat ben je toch onnozel. Ben je zo bang dat ik je af zal wijzen, dat je het niet eens probeert? Wat moet je nog veel leren. Je moet je meer onder menselijk gezelschap begeven, waar je thuishoort, en niet alleen maar bij je gehoefde pleeg-

ouders rondhangen. Ze hebben je meer als een van hen opgevoed, dan als een mens.'

'Het ... het spijt me,' stamelde hij. 'Ik wist niet of ik welkom
was, na al de verschrikkelijke dingen die er de laatste tijd ... '

'Tsk-tsk.' Anini legde een vinger op zijn lippen. 'Laat de anderen maar kletsen, ze zijn gewoon jaloers. Ze zijn bang voor wat ze
niet kennen, maar ik weet dat je een goed hart heb. Ik zie het in je
ogen.' Ze stak haar hand naar hem uit. 'Kom, laten we niet nog
meer van deze prachtige nacht verspillen.'

Hij nam haar hand en stond op. 'Maar ... waar gaan we naartoe?' mompelde hij verward, terwijl zij kirrend lachte.

'Je wilt me toch niet wijsmaken dat je nog nooit de nacht met
een meisje in de buitenlucht hebt doorgebracht?'

'Oh ...' Hij begreep het, een beetje laat weliswaar, maar toch.
Nee, het was niet de eerste keer. Zo was er Rubin geweest, de
dochter van de kolenboer. En ... Malani, de dochter van de visser.
Dat was ook niet zo vreemd; hij was praktisch met hen opgegroeid omdat hun ouders, net als Rowarns pleegouders, op afgelegen erven buiten Madin woonden. Op een dag, toen ze ontdekten dat ze geen kinderen meer waren, hadden ze onschuldige en
schuchtere kussen uitgewisseld en wellicht iets meer, naarmate ze
ouder werden en meer ontdekten.

Rowarn had echter nooit durven hopen dat een stadsmeisje,
en dan nog wel Anini, zich voor hem zou interesseren. Voorzichtig keek hij om zich heen, maar niemand lette op hen. Anini's
vader lag met zijn zware hoofd op zijn bord en snurkte zo hard
dat de bladeren van de bomen vielen. Aan het begin van het feest
had de één of andere stadsrat Rowarn met tot spleetjes dichtge-
knepen ogen aangekeken, toen hij zich te dicht bij het feest had
gewaagd. Nadat hij de hele tijd rustig op een bankje was blijven
zitten, waren ze hem uiteindelijk vergeten.

De beide jongelingen verlieten het feest en liepen hand in
hand door de door de maan verlichte omgeving. Anini bleef afzijdig van de paden en liep over de heuvels, altijd met Rowarn op
sleeptouw. Op haar blote voeten leek ze over het vochtige, jonge
gras te zweven, Rowarn zachtjes toelachend. Uiteindelijk, bijna bij

het woud, bleef het meisje staan en pakte Rowarn bij beide handen. Een ogenblik lang keek Anini hem zwijgend met glanzende ogen aan. 'Als je jezelf eens kon zien ...' fluisterde ze haast peinzend. Precies hetzelfde hadden Rubin en Malani hem ook al gezegd, volkomen onafhankelijk van elkaar en in nachten als deze. Sindsdien wilden ze hem het liefste met volle maan in de buitenlucht ontmoeten.

Rowarns ogen, helder blauw als een ongerepte ijskap in de zon, lichtten in het donker op als verre sterren. Zijn haren waren blond als een korenaar in de sneeuw en zo licht, dat hij iemand onmogelijk 's nachts kon besluipen. En zijn huid, zo effen en bleek als marmer, blonk als parelmoer in het licht van de maan.

'Je overdrijft,' onderbrak Rowarn haar verlegen.

'Absoluut niet,' sprak Anini hem tegen, terwijl ze leek te spinnen. 'Juist daarom ben ik nu hier met jou.' Ze liet zich in het gras vallen, Rowarn met zich meetrekkend. Toen kuste ze hem ...

Nog steeds in de ban van zijn droom draaide Rowarn zich opnieuw om en voelde naast zich, waar hij warmte voelde, de nabijheid van zijn geliefde ...

Nee, dit was geen droom meer, aangevuld met het hoogste genot. Hij voelde *kou*, een ijzige verstijving die via zijn vingers omhoog kroop, zich razendsnel over zijn gehele lichaam uitbreidde en hem deed ontwaken.

Met een verstikte kreet sprong hij op, terwijl het laatste droombeeld in hem verstierf. Slaapdronken staarde hij naar zijn handen en kleding die onder het bloed zaten ... en langzaam drong het tot hem door.

Niet schreeuwen, niet schreeuwen! Rowarn beet zijn knokkels kapot, trachtend terug te dringen wat zich met geweld een weg naar buiten zocht. Een onvoorstelbare pijn, verzameld in een enkel woord, omdat er verder niets was dat tot uitdrukking bracht wat hij zag ...

Nee ...

Anini was dood. Haar eens zo sprankelende ogen staarden glazig in de opkomende morgen. Het korset was aan flarden, haar borstkas opengereten, de ribben opengebroken en het hart eruit gerukt. Overal lag bloed ...

Dat was wat Rowarn zag, wat hij begreep ... maar niet verklaren kon.

Rowarns ogen brandden, zijn hart bonsde hevig en een onderdrukt gejammer wrong zich uit zijn dichtgesnoerde keel. Hij sprong op en rende snikkend over de weide naar het woud.

Rowarn had altijd al van het woud gehouden. Het spel van licht en schaduw, de waardigheid van de eeuwenoude bomen, de tjilpende, kwetterende en brommende wezens, verborgen en slechts zelden zichtbaar. De lucht was hier koel en rijk aan de geuren van mos en vochtig gesteente, aarde en paddenstoelen, honing en bloemen. Als hij zorgen had, ging hij naar het woud en vond er troost. Hij kende de paden van de vele dieren van het woud en zij wisten het op waarde te schatten dat hij zich als één van hen gedroeg – stil en onopvallend.

Maar vandaag niet, niet op deze bloederige dag. Als een lomp stadsmens, zo stampte hij over de paden, zonder ook maar een moment op zijn omgeving te letten. Uiteindelijk wierp hij zich blindelings in de bosjes waarbij hij allerlei dieren op liet schrikken, die zich krijsend en sissend uit de voeten maakten. Hij verstoorde het baltsgedrag van de vogels, struikelde over wortels waaronder mieren en kevers leefden en veroorzaakte zo'n herrie, dat het hele woud protesteerde en de gaaien schel alarm sloegen.

Bloed! Bloed! hoorde Rowarn hen roepen en ze achtervolgden hem de hele weg, dwars door het woud. *Wat is er gebeurd?*

'Ik weet het niet,' snikte hij met hese stem. 'Ik sliep ... '

En het bloed? En het bloed? Je handen, kleding, gezicht en haren ...

Rowarn sloeg zijn handen tegen zijn oren. 'Nee! Nee! Nee! Oh, Goden, sta me bij! Ik was het niet ... Anini, Anini ... waarom werd dat je aangedaan?'

Uiteindelijk kon hij niet meer. Hij bleef staan, niet meer in staat om iets te zien door zijn tranen heen. Hij ademde zwaar, zijn hele lichaam was nat van het zweet en zat onder het bloed, bloed vermengd met aarde. Precies zo, herinnerde hij zich, had de moordenaar Hegen eruit gezien toen hij als een krankzinnige het woud uit was komen rennen en onsamenhangend vertelde wat hij zijn vrouw aangedaan had.

Rowarn had toen, ondanks de afschuw, medelijden met de man gehad, die niet eens wist waarom hij het gedaan had en niet veel later stierf als een gebroken man. De stadsoudsten hadden nog niet eens de kans gehad om hem te berechten.

En nu zag het er voor hem exact hetzelfde uit. Hij kon niet verklaren wat er was gebeurd en hoopte vertwijfeld dat hij onschuldig was. Wie zou, wie *kon* hem geloven? Wat moest hij doen? Waar kon hij naartoe? Naar huis gaan kon niet, zijn ouders zouden van ver alles ruiken; de afschuwelijke stank van bloed en schuld, lafheid en vluchten.

Hij had alles verkeerd gedaan. Hij had meteen naar de stad terug moeten keren om tegen Anini's vader te zeggen dat zijn dochter in de weide lag, op gruwelijke wijze vermoord. Dan hadden ze haar gehaald, gezalfd en op waardige wijze opgebaard. Dan zou ze niet eenzaam in het natte gras liggen, zoals nu op deze zonnige ochtend.

'Ze zouden niet geloofd hebben, dat ik onschuldig ben ...' verdedigde Rowarn zich tegen zichzelf. 'Ze zouden me gevangen genomen hebben en geboeid. Waarschijnlijk geslagen en opgehangen nog voordat mijn ouders ook maar van iets hadden geweten ...'

Het zou beter zijn als hij zich nu meteen uit de voeten maakte en wel voor altijd. Natuurlijk zouden zijn pleegouders veel verdriet hebben en waarschijnlijk aan hem twijfelen, maar hij kon hen in ieder geval geen schade meer berokkenen en hen in diskrediet of zelfs gevaar brengen. Ooit zou dit alles overwaaien, waarna ze hun oude leven weer op konden pakken.

Rowarn kromp in elkaar toen hij van richting wilde veranderen en plotseling in een paar grote bruine ogen staarde. Het was een jonge Elenki, een schuw en angstig bokje. De eerste knobbels van zijn gewei waren zich net aan het vormen, de lichte vlekken van zijn jeugdige vacht waren bijna niet meer te zien.

Rowarn slikte. 'Je kunt maar beter gaan, zodat je nooit de

gruwelen hoeft mee te maken die ik ervaren heb,' fluisterde hij.

Het bokje hield zijn kop een beetje scheef, zonder de ogen van de jongeman af te nemen. Zijn grote, met donzige vacht begroeide oren gingen heen en weer.

'Wat doe je hier?' vroeg Rowarn zich vertwijfeld af. 'Heb je niet gehoord dat de gaaien me al schuldig bevonden hebben?'

De kleine Elenki reikte net tot aan Rowarns heup, terwijl hij bij een volgroeid hert niet over de schoften heen kon kijken. Het jonge dier deed vergeefse pogingen om rechtop te staan. Het had zich helemaal verstrikt in het kreupelhout en kon zich op eigen kracht niet meer bevrijden.

'Waarom ben je zo onhandig?' zei Rowarn. 'Heb je niet opgelet toen je ouders je wat probeerden te leren? Kom op, neem mijn geur in je op, ik stink naar dood en geweld! Leer datgene te herkennen wat je in gevaar brengt, wat je moet vermijden! Als je ooit volwassen wilt worden, kun je je geen fouten veroorloven!'

De Elenki rekte zijn hals uit en duwde zijn snuit tegen Rowarn. Zijn trillende bruine neus was vochtig, zijn ogen groot en zacht. Dit jonge dier geloofde in zijn onschuld. Het vertrouwde erop dat Rowarn hem zou helpen.

Hij stapte op het bokje af, bukte zich en voelde voorzichtig aan de in de slingerplanten verstrikte poot. 'Blijf stil staan, ' fluisterde hij. 'Je hebt jezelf echt goed in de nesten gewerkt ... een makkelijke prooi voor roofdieren of jagers ...'

Het jonge dier verstarde, terwijl Rowarn zijn best deed om de poot uit het struikgewas te bevrijden. Uiteindelijk trok hij de sierlijk gevormde hoef met een rukje uit het struikgewas.

Rowarn kromp in elkaar toen hij op hetzelfde moment een diep geloei hoorde. De machtige kop van een volwassen Elenki, getooid met een indrukwekkend gewei, brak door de boojco. Het gewei met zijn van dodelijke punten voorziene uitwassen mat een lengte van meer dan twee man. Naast hem verscheen de sierlijke gestalte van een hinde met een slechts enkele dagen oud kalf aan haar zijde.

De jongeman verstijfde. Elenki, de mannetjesherten in het bijzonder, behoorden tot de gevaarlijkste dieren van het woud. Ze waren vechtlustig, snel en dodelijk. Slechts een ervaren en uitgehongerde panter zou het aandurven om een volwassen bok aan te vallen.

Het jonge reebokje stiet een hoog jammerend geblaat uit en sprong toen naar zijn ouders. Zonder verder op Rowarn te letten, verdween de familie uit het zicht.

Rowarn liet zijn ingehouden adem ontsnappen en wreef met zijn handen over zijn gezicht, waarbij hij het zweet, bloed en vuil vermengde. Deze hele gebeurtenis had hem weer bij zinnen gebracht. Weglopen was geen optie, besefte hij. Hij moest uitzoeken wat er precies gebeurd was en zijn ouders, net als de stadsbewoners, bewijzen dat hij geen moordenaar was. 'Ja, ik zal naar huis gaan,' mompelde hij. 'Maar eerst ... eerst moet ik me minstens even opfrissen.' Een innerlijke stem dwong hem echter om een andere richting uit te lopen. Zo snel en zo ver weg als maar mogelijk was, totdat niemand hem meer in kon halen en hij een nieuw leven kon beginnen. Rowarn zag echter nog steeds de bruine ogen van de jonge Elenki voor zich, die hem moed in leken te spreken en hem waarschuwden geen dingen te doen waar hij later spijt van zou krijgen. Zijn familie zou hem nooit in de steek laten.

Als iemand begrip voor hem op zou brengen, dan waren het wel zijn pleegouders. Ze zouden alles voor hem doen, ondanks – of misschien juist wel dankzij – het feit dat hij niet hun echte zoon was. Ze zouden weten wat hij moest doen. Ze waren ongetwijfeld allang bezorgd, omdat hij nog steeds niet thuis was. Misschien hadden ze zelfs al van Anini's dood gehoord.

Rowarn sprong op en begaf zich naar het meer, dat zich niet ver van zijn huis bevond. Daar zou hij zich kunnen opfrissen. Nu hij zijn besluit genomen had, begon hij haast te maken. Het woud verschafte hem altijd troost, maar het water bood hem bescherming. Zo had hij het altijd al gevoeld.

Het meer herbergde een zuiverheid en helderheid, die Rowarn op het land nooit ervoer. De beperkingen van het lompe voortbewegen over het land golden niet meer. Alles wat daar in de diepte leefde, was met elkaar vertrouwd en op een unieke manier onderling verbonden.

Als kind had Rowarn al veel tijd in het meer doorgebracht. Hij was een geboren zwemmer en kon langer dan wie ook onder water blijven. Hij zou echter nooit voor altijd in het water willen blijven, zoals Malani op een voorjaarsochtend eens grappend geopperd had toen ze blauw van de kou de warmte van de zon opzocht, terwijl Rowarn nog steeds in het water rondspatte.

Hoe prettig hij zich ook in het water voelde, hij hoorde er toch niet thuis. Het was een vreemde gewaarwording die hij niet helemaal kon verklaren, maar die hem steeds ervoor behoedde om over zijn grenzen heen te gaan.

Nu verlangde hij er echter naar om zich helemaal onder te dompelen en alle vuil en schuld van zich af te wassen, om vervolgens gereinigd en misschien ook wel gelouterd zijn pleegouders onder ogen te komen.

Rowarn zuchtte toen hij het meer uiteindelijk bereikte. De zon was al opgekomen en overgoot het glinsterende oppervlak met zijn zilveren stralen. Zonder een moment te twijfelen sprong Rowarn in het water en dook naar onder. Het duurde niet lang voor het wateroppervlak weer stil en kalm was.

Toen kleurde het water zich zwart.

Verschillende hoogwaardigheidsbekleders van de stad, met Anini's vader - een grijsharige en forse kerel genaamd Daru - voorop, trokken met paard en wagen richting Weideling, de woonplaats van de beide Velerii. Rowarns pleegouders woonden al sinds jaar en dag in Inniu, ver weg van hun eigen volk, waar ze optraden als beschermers van Weideling. Een stoffig pad, net breed genoeg voor een kar, voerde van het goed begaanbare karrenspoor af, dat naar de belangrijkste handelsstraten van Valia voerde.

De wagens waren dankzij het hoog opwervelende stof al van ver zichtbaar. Hallim, Anini's moeder, zat huilend naast haar man. Haar gezicht ging schuil achter een grote doek. Daru zelf staarde grimmig voor zich uit en zei gedurende de hele rit geen woord. Hij hoestte ingehouden als er stof in zijn mond kwam en wreef af en toe in zijn ogen

Toen de stoet uiteindelijk tot stilstand kwam, ging de deur van Weideling al open. Daru en Hallim stegen van de wagen af, terwijl hun talrijke begeleiders bleven zitten.

Schaduwloper trad naar buiten, in het heldere licht van de voormiddag. Zijn donkere, markante gezicht had een vriendelijke uitstraling. Hij hief zijn hand op. 'Ik groet u, Daru de Sterke, op deze prachtige lentedag na een, hoop ik, geweldig feest.' Het lag in de aard van de Velerii om tegelijkertijd zowel hoffelijke als bloemrijke taal te gebruiken. Ze hadden voor iedereen een bijnaam.

Nu pas bemerkte Schaduwloper echter het van tranen gezwollen gezicht van Hallim. Bezorgd keek hij haar aan. 'Ik geloof dat mijn groet te voorbarig was. Ik vraag u mij te verontschuldigen. Hallim de verstandige, wat is er gebeurd?'

'Anini is vermoord!' barste Daru uit. Nu verloor hij ook zijn zelfcontrole en barste in tranen uit. 'Onze zoon Rayem vond haar vanmorgen op de weide, ze was verschrikkelijk toegetakeld! Haar hart is uit haar borst gerukt, terwijl ze nog leefde. Kan iemand zich dat voorstellen? Alleen een beest doet zoiets verschrikkelijks!'

De pekzwarte manen van Schaduwloper liepen over zijn menselijke schouders naar beneden, helemaal tot aan de schoften van zijn paardenlichaam. Zijn lange staart sloeg eenmaal tegen zijn blauwzwart glanzende flanken, terwijl hij de verwijtende, soms zelfs beschuldigende blikken in zich opnam. Hij streek door zijn baard en plaatste een hoef naar voren. 'Welnu, ik ben geen beest,' zei hij rustig met zijn diepe stem. Er was slechts treurnis in zijn grote donkere ogen te lezen.

'Waar is Rowarn?' riep Rayem, Anini's broer, vanaf de wagen.

De omgeving leek op te lichten, zodra Sneeuwmaan naast Schaduwloper kwam. Haar vacht blonk haast zilverkleurig in het zonlicht, terwijl haar zijdeachtige manen dansten op het ritme van de milde bries. Sneeuwmaans barnsteenkleurige ogen schoten vuur. Ze was geenszins zo zachtmoedig als haar man.

'Rowarn is ook geen dier,' zei ze met heldere stem. De dreigende ondertoon was echter duidelijk hoorbaar.

'En hoe weten we dat zo zeker?' riep iemand. Meerdere stadsbewoners betuigden luidkeels hun instemming.

De stadsoudste, Larkim de strenge, klom met stijve benen van
de wagen en liep, ondersteund door zijn stok, naar de Velerii toe.
Net als Daru bleef hij echter op respectvolle afstand staan. Al
waren ze nog zo boos, ze vergaten niet met wie ze te doen hadden. De schoften van Sneeuwmaan en Schaduwloper kwam bij de
meeste mensen ter hoogte van hun voorhoofd. Met hun menselijke bovenlichaam en hoofd meegerekend, waren ze meer dan een
halve manslengte groter dan iedereen die aanwezig was.

'Het kan wel zo zijn,' sprak de oude man met een verrassend
krachtige stem, 'dat Rowarn er uitziet als één van ons en onze
spraak machtig is. Jullie schijnen echter te vergeten hoe onbe-
heerst hij is en hoe snel hij in blinde razernij kan ontsteken. Dat is
toch juist, Ondur? Of niet?'

De aangesproken jongeling sprong op en liet het opvallende
litteken in zijn nek zien. Vervolgens werd de ene na de andere
jonge man naar voren geroepen, allen ongeveer van Rowarns
leeftijd. Allemaal lieten ze hun litteken zien, een litteken dat door
Rowarn, Schaduwlopers beschermeling, was veroorzaakt.

Hallim, die nooit iemand iets kwaads toe zou wensen, zelfs
niet onder deze verschrikkelijke omstandigheden, zei nu echter
trillend van de emoties: 'We weten zeker dat Rowarn dat alles
niet met opzet gedaan heeft. Er is iets dat op zulke momenten
bezit van hem neemt, want nadien heeft hij altijd berouw en doet
hij heel erg zijn best om het niet nogmaals tot zo'n uitbarsting te
laten komen.'

'Maar hoe wilt u ons dan bewijzen dat hij het niet geweest is?'
onderbrak Hallim hem. 'Er zijn ooggetuigen die hem samen met
Anini het feest hebben zien verlaten. Hij was de laatste die mijn
dochter ...' Ze slikte een brok weg en was niet in staat om verder
te spreken. Vervolgens viel er een stilte, niemand durfde ook
maar iets te zeggen. Zwijgend staarden ze allemaal naar de
grond. Uiteindelijk wist Anini's moeder zich genoeg bijeen te
pakken om verder te praten. 'Hij is als laatste in haar gezelschap
gezien, dat is bewezen.'

Daru balde zijn hand tot een vuist. 'Hij heeft haar waarschijnlijk willen aanranden en zij heeft zich verzet waardoor hij in dolle razernij ontbrandde en …'

'U heeft gezegd dat Anini's hart eruit is gerukt,' onderbrak Sneeuwmaan met ijzige stem. Haar anders zo zachte gezichtsuitdrukking was veranderd in een star en wit masker. 'Op dezelfde manier dus als de drie meisjes die de afgelopen weken gevonden zijn. Wilt u beweren dat dit ook het werk van Rowarn is geweest?'

'Ja!' schreeuwde Rayem, ondersteund door enkele anderen. De stemming begon langzaam om te slaan, hier en daar werden er zelfs messen getrokken. Schaduwlopers gezicht verduisterde bij de aanblik van de wapens. Zijn staart sloeg opgewonden tegen zijn flanken en hij stampte met zijn hoef. Sneeuwmaan keek Daru aan, vervolgens Hallim. 'Denken jullie er echt allemaal zo over?'

De rouwende ouders ontweken haar blik en zwegen. Als verdoofd hief Sneeuwmaan haar hoofd. 'Beseffen jullie wel wat jullie zeggen?' riep ze. Alle boosheid was vervlogen, in plaats daarvan overheerste de pijn in haar zachte ogen. 'Rowarn is samen met jullie opgegroeid. Hij heeft les gehad van ons, geleerd om respect te hebben voor het leven, de zon en de maan. Hij is amper volwassen en vastbesloten zich te bewijzen! Hoe kunnen jullie denken dat hij in staat zou zijn om zulke verschrikkelijke daden te begaan en toch rustig verder te leven, als was er niets gebeurd?'

Haar intense blik gleed over de jongemannen. 'Ja, hij heeft jullie pijn gedaan en hij heeft een tomeloos temperament dat hem soms tot heftige uitbarstingen verleidt. Desondanks heeft hij nog nooit iemand levensgevaarlijk verwond, ook al had hij vaak goede reden om zichzelf tegen jullie te beschermen, is het niet? En dan nog iets, hoe vaak was hij er voor jullie, heeft hij jullie uit de knoei geholpen? Een pak rammel gekregen voor jullie daden, zodat jullie de dans ontsprongen, in de hoop zo jullie achting te krijgen?'

Ze hief haar armen op. 'Zeker, we hebben Rowarn ervoor gewaarschuwd zich niet teveel onder mensen te begeven. Niet om jullie voor hem te beschermen, maar juist andersom!'

Schaduwloper voegde eraan toe: 'We weten best dat wij slechts geduld worden, zolang we nuttig zijn in jullie ogen. Jullie nemen maar al te graag onze diensten aan als het gaat om genezing en bescherming. Als de deuren echter gesloten zijn, spreken jullie hele andere woorden die alles behalve vriendelijk zijn. Sinds wij Rowarn op hebben genomen, kennen jullie wilde speculaties geen grenzen. Jullie hebben Rowarn nooit als iemand van jullie in jullie midden opgenomen. Om deze reden nemen wij ook nooit aan jullie feesten deel en houden wij ons verre van jullie. Maar hoe kan Rowarn dat ooit begrijpen? Een jonge man die er precies zo uitziet als jullie?'

Iedereen zweeg. De een keek onzeker om zich heen, de ander weer woedend of zelfs vijandig. Hallim huilde zachtjes, de naam van zijn dochter fluisterend in een stil gebed.

Sneeuwmaan, inmiddels gekalmeerd, hief nogmaals haar handen omhoog in een vriendelijk gebaar. 'We zijn allemaal woedend, omdat in korte tijd al vier meisjes op verschrikkelijke wijze zijn vermoord. We weten niet waarom of door wie zulke onvoorstelbare daden begaan zijn. Desondanks mogen we ons niet ervan af laten leiden om de moordenaar op te sporen – *samen.*'

'Het begon allemaal op die dag, toen de Witte Valk niet kwam.' stiet Daru uit. 'Dat was een slecht voorteken en wij hebben het genegeerd! We hadden het feest nooit mogen houden en ik had Anini nooit …' De rest ging verloren in een ongecontroleerd snikken.

'Een slecht voorteken? Dat kan zeker zo zijn,' antwoordde Schaduwloper rustig. 'Want de Witte Valk kwam alleen voor Rowarn. Daru, je bent oud genoeg om te weten dat hij voor het eerst kwam toen onze pleegzoon nog geen jaar oud was. Jullie hebben altijd gedaan alsof deze traditie al veel ouder was, maar je weet dat het niet zo is. Jullie hebben iets overgenomen, dat alleen voor ons van betekenis is.'

Anini's vader werd zo mogelijk nog bleker.

'Woorden! Er wordt alleen maar gepraat, terwijl we in actie moeten komen,' riep een van de stadsvaders. 'Het had nooit zover mogen komen. Rowarn moet bewijzen dat hij het niet heeft gedaan, dan trekken wij ons terug om te beraadslagen hoe we onze dochters kunnen beschermen en de moordenaar vinden!'

'Als hij onschuldig is, waarom is hij dan niet hier?' riep Rayem vechtlustig.

'Ik ben hier,' klonk Rowarns stem op datzelfde moment. Moedig ging hij voor zijn ouders staan.

Enkele ogenblikken lang heerste er een verbaasd en verlegen stilzwijgen. Larkim de Strenge keek hem met toegeknepen ogen aan. 'Hoeveel heb je gehoord?'

'Genoeg,' antwoordde Rowarn.

Hallim kon er niet meer tegen. Huilend rende ze naar de wagen. Daru hielp haar erop, ging naast haar zitten en hield haar hulpeloos in zijn armen.

Rayem liep dreigend op Rowarn af. 'Wat heb je met mijn zus gedaan?'

'Ik heb haar niets aangedaan,' antwoordde Rowarn. 'Ik was op weg naar huis en ze wilde graag een stuk met mij meelopen. Dat is alles.'

'Je liegt,' siste Rayem met gebalde vuisten.

'Terwijl ik wakker was en mijn ogen geopend had, leefde ze nog,' reageerde Rowarn. 'Ik weet ook niet wat er gebeurd is.'

Rayem wilde zich op Rowarn storten, maar Larkim sloeg zijn stok tegen diens borst en hield hem zo tegen. 'Beheers je,' beet hij de jongeman toe. 'Is deze dag al niet bloederig genoeg? Moeten de Velerii soms gelijk krijgen met hun verwijt, dat wij te voorbarig zijn met onze conclusie en hen uitbuiten? Wil je ons echt zo vernederen?'

'Het is beter als jullie nu gaan,' zei Sneeuwmaan langzaam. 'Ik heb geen enkele reden om aan Rowarns woorden te twijfelen. En denken jullie eens goed na: *iedereen* die niet bewijzen kan waar hij vannacht geweest is, kan de schuldige zijn. Als jullie echt naar de schuldige willen zoeken, zullen wij helpen. Bewijs Anini nu echter de laatste eer en gedenk haar, zoals het hoort.'

De mensen twijfelden. Larkim draaide zich, na een kort oogduel met de Velerii, om en hief zijn stok op. 'We gaan! De eerwaardige Sneeuwmaan heeft gelijk, de dag van vergelding en verzoening zal nog komen. Nu moeten we aan de levenden denken, die vol verdriet zijn, en hen helpen de doden te eren.'

Niemand waagde het hem tegen te spreken. De vechtlust week voor Larkims autoriteit. Zwijgend, zonder de Velerii en Rowarn nog een blik waardig te keuren, keerden de mensen om en gingen naar hun stad terug.

'Laten we naar binnen gaan,' zei Sneeuwmaan tegen haar pleegzoon. Rowarn gehoorzaamde. Onzeker bleef hij midden in de kamer staan en waagde het niet omhoog te kijken naar zijn moeder. Sneeuwmaan kruiste haar armen voor haar borst en keek met fonkelende ogen op hem neer. 'Wat is er vannacht gebeurd?'

Rowarn slikte. 'Precies wat ik gezegd heb.'

Het volgende moment lag hij op de grond en voelde zijn wang gloeien. Enkele ogenblikken lang voelde hij alleen maar pijn en begreep hij niet wat er was gebeurd. Geschrokken staarde hij naar Sneeuwmaan. Voor het eerst in zijn leven had ze hem geslagen. Nog nooit had ze haar hand naar hem opgeheven. Hij merkte dat ze hem niet alleen uit boosheid had geslagen. De angst en bezorgdheid waren duidelijk van haar gezicht af te lezen.

'Ik heb je niet opgevoed om tegen me te liegen,' snauwde ze. 'Hoe durf je het om me zo te behandelen?'

Tranen sprongen in Rowarns ogen. 'Omdat de waarheid alleen maar verdriet brengt,' fluisterde hij.

Hij trok zich haastig op handen en voeten een stuk terug, haar stampende hoeven ontwijkend. 'Wij hebben je grootgebracht, Rowarn!' riep ze schril. 'Wil je alles verloochenen wat we je geleerd hebben? Vertrouw je ons niet? Minacht je ons?'

Zwijgend schudde hij zijn hoofd. Gelaten stond hij op en wachtte met hangend hoofd zijn straf af.

Schaduwloper plaatste zich snel tussen hen in en greep haar bij de schouders. 'Kalmeer mijn liefste,' zei hij zacht. 'Het verdriet heeft je overweldigd en je zegt dingen die je niet echt meent.' Hij keerde zich naar Rowarn. 'Wacht hier tot ik terugkom, mijn jongen. Dan praten we verder. Beloof je me dat?'

Rowarn knikte. 'Ik beloof het,' fluisterde hij.

Schaduwloper lachte hem kort toe. Vervolgens leidde hij Sneeuwmaan met zachte hand het huis uit. Al snel galoppeerden ze over de heide in de richting van de bergrug.

Het was niet voor het eerst dat Rowarn hen zo zag. Op de een of andere manier troostte het hem. Nog nooit in zijn jonge leven had hij mooiere en perfectere wezens gezien als zijn pleegouders. Hun hoeven schenen de grond amper te beroeren, hun paardenlijven glansden zilver en blauwachtig. Sneeuwmaans blouse glom veelkleurig in het licht van de zon en fladderde alle kanten op. Daaronder droeg ze een hemd in dezelfde kleuren als haar manen.

Schaduwloper daarentegen droeg een zwart hemd, met daaroverheen een zwart leren vest dat tot aan zijn paardenborst reikte. Net als bij Sneeuwmaan was zijn kleding op zijn rug vastgesnoerd, zodat zijn manen zich vrij konden bewegen.

Als licht en schaduw, in gracieuze harmonie, zo galoppeerden ze over de weide. Het was moeilijk te zeggen wie van hen sneller was. Schaduwloper was zwaar en gespierd. Sneeuwmaan was sierlijker en had meer uithoudingsvermogen.

Op deze manier probeerde hun soort in tijd van grote spanning hun kalmte terug te vinden, want het bloed van het paardenvolk was vurig en ze waren ondanks hun zachtmoedigheid onberekenbaar en gevaarlijk. Geen wonder dat hun volk Velerii werd genoemd, zo-snel-als-de-wind. Ze waren ook bijna net zo oud als de eerste wind die ooit, vele eonen geleden, over de pasgeboren wereld had gewaaid. Ze waren een van de eerste volken die Woudzee bewoond hadden, gezegend met een lang leven en vervuld van wijsheid en geheimzinnige krachten.

Net zoals Rowarn soms op de mensen vreemd en andersoortig overkwam, had hij zijn pleegouders nooit werkelijk kunnen doorgronden, ondanks de openheid en de alles opofferende liefde waarmee ze hem omgaven. Hij had veel respect voor hen, en soms ook ontzag. Hij had het nooit gewaagd hen tegen te spreken.

Hij wachtte geduldig en doodstil tot zijn pleegouders hun

wilde tocht beëindigden en met bezwete flanken maar duidelijk gekalmeerd terugkeerden.

HOOFDSTUK 2

De Witte Valk

De Velerii hurkten in een sierlijk soort half liggen. De paardenlijven lagen op zachte fluwelen kussens terwijl het menselijke bovenlichaam comfortabel tegen een hoge leuning rustte. Op deze manier sliepen ze ook, hoofd aan hoofd. Sneeuwmaan aan de linkerkant en Schaduwloper rechts.

Rowarn kroop in een lage, eveneens met fluweel overtrokken stoel. Voor hem stond een tafel met een schaal gedroogde vruchten en noten, die hij echter niet aanraakte. De zon stond al hoog aan de hemel en hij had sinds gistermiddag niets gegeten, maar hij had geen honger. Zijn maag voelde aan als een steen, hard en verkrampt.

'Vertel ons wat er gebeurd is,' beval zijn pleegvader.

Rowarn had beschuldigingen verwacht. Ze hadden hem verboden om naar het feest te gaan, en al helemaal om de hele nacht weg blijven. Zijn pleegouders hadden hem er vaak voor gewaarschuwd om naar de stad te gaan, zeker nadat de eerste moord was gepleegd. 'Je bent niet één van hen,' had Sneeuwmaan gewaarschuwd. 'Dan is een schuldige snel gevonden.'

Niemand had hem tot nu toe ergens van beschuldigd, maar Rowarn had wel gemerkt, dat men hem sinds kort met andere ogen bekeek. Normaal gesproken had hij dan ook wel naar zijn ouders geluisterd, maar nu ... hij moest Anini gewoon zien ...

Hij sloot zijn ogen en hoorde de roep van de gaai schril in zijn hoofd echoën. *Bloed! Bloed!*

Hij wist dat zijn ouders de natte geur van het meer nog konden ruiken, ondanks de warme voorjaarszon en de wandeling naar huis was zijn kleding nog niet helemaal droog.

'Vertel eens,' vroeg Sneeuwmaan prompt daarop alsof ze zijn gedachten had gelezen, 'waarom je met kleding en al in het meer bent gesprongen om je te wassen, voordat je ons onder ogen durfde te komen?'

Rowarn wreef zich over zijn gezicht. 'Het water werd helemaal zwart en ik stikte bijna,' fluisterde hij. 'Heel even dacht ik dat ik zou verdrinken, totdat eindelijk al het bloed weggewassen was. Misschien ben ik het toch wel geweest. Ik heb geen idee wat er gebeurd is ...'

'Van voren af aan,' onderbrak Schaduwloper. 'Vertel ons alles wat je weet, Rowarn. Wij luisteren.'

Rowarn zuchtte en ademde een keer diep in. Toen vertelde hij wat hij zich kon herinneren, zonder ook maar iets weg te laten, ook als dat moeilijk voor hem was en hij hoogrood aanliep. Het was hem echter duidelijk dat zijn ouders allang doorhadden wat hij en Anini die nacht gedaan hadden.

'Vanaf dat moment weet ik niets meer.' Het verschrikkelijke moment was nu daar. 'Ik herinner me dat ik droomde ... om vervolgens wakker te worden, en ... en ...' Rowarn zag Anini weer liggen, badend in haar eigen bloed, met opengescheurde borstkas en zonder hart. Het was gedaan met zijn zelfbeheersing. Kokhalzend sprong hij op en rende naar buiten waar hij snikkend in elkaar zakte en braakte. Eindelijk, na al die uren van angst, verwarring en afschuw liet hij zich gaan en slaakte een kreet die al die tijd vast had gezeten. Zijn stem sloeg over totdat hij hees was en hij opnieuw moest kokhalzen, maar zijn maag was leeg.

Jammerend bleef hij liggen in de warme zon. Terwijl de vogels en vlinders van het weer genoten, had Rowarn het gevoel dat hij stierf. Hoe kon de wereld zo lief en onschuldig zijn op de dag dat zijn leven in elkaar stortte en er niets als twijfel overbleef?

Rowarn kromp in elkaar toen iemand zachtjes zijn schouder aanraakte. Sneeuwmaan boog over hem heen en hield hem een dampende schaal voor. 'Drink op,' zei ze teder.

'Ik ... ik kan het niet,' snikte hij en wreef de tranen uit zijn ogen. Hij schaamde zich voor wat hij was en wat hij gedaan had. Dat hij deze plek en dag bezoedelde, zoals hij het water van het meer bevuild had. Was hij maar weggelopen! Alles was alleen nog maar erger geworden. *Ik heb het je toch gezegd?* zei een hatelijk stemmetje diep in zijn binnenste. *Had je echt verwacht te kunnen leven volgens de gebruiken van de Velerii?*

'Je moet het opdrinken,' drong zijn moeder aan. 'Of je hart

wordt net zo zwart als het water. Dat was een waarschuwing. Laat je helpen, mijn zoon.'

Gehoorzaam dronk Rowarn. Hij wist de smakeloze hete drank zijn keel in te werken en zowaar binnen te houden. Een comfortabele warmte verspreidde zich in hem en leek de angst en pijn te verdrijven.

Schaduwloper bukte zich en hield hem in zijn sterke armen, net als vroeger toen hij nog een kind was. Rowarn schaamde zich, maar durfde zich niet te bewegen. Het was ook een troost dat ze hem nog steeds beschermden. Schaduwloper droeg hem terug naar binnen en zette hem op de stoel. Vervolgens liet de Paardmens zich op de kussens zakken met Sneeuwmaan aan zijn zijde.

Een tijdlang heerste een duistere stilte.

'En als ik het nou was?' fluisterde Rowarn uiteindelijk moedeloos. 'Ze hebben gelijk, ik kan me niet beheersen en ben vaak blind van woede. Dan ben ik mezelf niet en kan het me later amper herinneren ...'

'Ik kan geen schuld in je vinden,' zei Sneeuwmaan.

'Omdat ik me niet bewust ben van mijn schuld,' antwoordde Rowarn. 'Ik ben de laatste tijd wel vaak 's nachts onderweg geweest. Ik kon niet slapen en iets dreef me naar buiten. Vaak werd ik dan wakker op een onbekende plek en kon me niet herinneren hoe ik daar gekomen was ...'

'Ik geloof er niks van,' volhardde zijn peetmoeder zachtjes.

Rowarn streek door zijn warrige haardos. 'Hoe wil je dat weten, moeder? merkte hij vermoeid op. 'Wat weten jullie nou van mij? Een vrouw bracht me bij jullie toen ik nog een baby was en ze stierf voordat ze iets over mij kon vertellen.'

'Meer kunnen we je niet over je verleden vertellen,' zei Schaduwloper rustig. 'Maar we zien je goede hart en je reine ziel.'

'Misschien ben ik wel bezeten,' antwoordde Rowarn. 'Er is genoeg duisters in mij waar jullie je zorgen om maken, ik weet het best. Ik zie toch ook hoe jullie mij bekijken als ik me niet kan beheersen? Jullie begrijpen het niet, net zo min als ik en probeer het maar niet te ontkennen. Ik ben nu twintig en jullie zorg zo langzaamaan ontgroeid. Wie weet, wat er allemaal in mij is ontwaakt!'

Schaduwloper hief zijn hand op. 'Je bent niet weggelopen Rowarn, wat ieder ander waarschijnlijk gedaan had. Je bent naar ons gekomen, wat inhoudt dat je onze lessen niet alleen maar gehoord, maar ook begrepen hebt. Het toont voor ons aan dat je onschuldig bent en wij zullen het bewijzen.'

'Maar hoe?' Rowarn leunde vermoeid achterover. Hij voelde de werking van het drankje nu in zijn hoofd. Nog even, en hij zou zijn ogen niet meer open kunnen houden.

'We zullen een manier vinden,' zei zijn peetmoeder beslist.

'We *moeten,* de vrede in dit dal wordt bedreigd. Sneeuwmaan en ik laten niet toe dat Inniu, dat ons thuis is geworden, in duisternis wordt ondergedompeld.'

'Ik hoop, dat je gelijk hebt,' fluisterde Rowarn terneergeslagen. 'En ik dank jullie, dat jullie nog steeds in me geloven, ondanks het feit dat ik voor zoveel ellende zorg. Ik vertrouw mezelf niet eens, en misschien heb ik wel ... ben ik wel ... schuldig ...'

Hij zakte opzij weg en viel in slaap zonder zijn zin af te maken.

De dagen gleden voorbij en het voorjaar vorderde. Anini had een mooie begrafenis gekregen en Daru had bij haar graf gezworen dat hij de moordenaar te pakken zou krijgen.

Iedereen zette zich weer aan zijn dagelijkse arbeid, maar 's avonds en 's nachts lagen alle wegen en straten er stil en uitgestorven bij. Niemand durfde meer naar buiten als de schemering inviel. Een avondwandeling was er niet meer bij, al helemaal niet zonder begeleiding.

De stadsoudsten hadden een groep uitgestuurd om naar sporen te zoeken. De Volerii ondersteunden hen hierbij, zoals ze beloofd hadden. Niemand sprak zich ook meer openlijk tegen Rowarn uit, maar hij wist dat velen dachten dat hij schuldig was en alleen maar op het juiste moment wachtten om gerechtigheid te eisen. Hij vermeed de stad dan ook, verliet zelfs Weideling maar amper, omdat hij zich daar veilig voelde en bang was dat hij anders misschien stommiteiten zou begaan.

Hij verbleef grotendeels in zijn kamer, nadenkend hoe hij zijn onschuld zou kunnen bewijzen. Hij bekeek zichzelf daarbij constant. 's Nachts schrok hij vaak wakker en staarde in de spiegel, om te zien of hij nog wel zichzelf was. Misschien was hij wel bezeten, overgenomen door een of andere duistere Demon en had hij, zonder het zelf te weten, diens vuile werk opgeknapt. In dat geval trof hem natuurlijk geen blaam, maar het zou wel verklaren waarom hij zich niet kon herinneren wat er die nacht gebeurd was. Hoe zeer hij het zich ook probeerde te herinneren, het bleef een zwart gat in zijn geheugen. Hij had slechts mooie herinneringen, verder niets.

Rowarn had slechts één hoop en dat was de Witte Valk.

Als kleine jongen al was Rowarn op deze dag, als de milde lentelucht zwanger was van de geur van bloemenhoning, op de hoogste top van het dal van Weideling te vinden om daar in een grote oude boom te klimmen. Een reus uit vergane tijden, half versteend, maar die nog steeds bladeren droeg. De schors gaf genoeg houvast om tot de eerste knoestige tak te komen. Van daar uit ging hij helemaal, van tak tot tak, naar de kroon met al zijn twijgjes en frisse bladeren. Het leek alsof hij de hemel kon grijpen. De boom was zo oud dat hij in de herfst niet al zijn bladeren verloor, waardoor zich in de lente naast het jonge groen soms ook nog een verschrompeld bruin blaadje van vorig jaar hardnekkig aan een tak vastklemde. De overgebleven bladeren van het voorgaande jaar leefden nog min of meer, al waren ze dun als papier. Ze lichtten rood, geel en oranje op in het zonlicht. Hier had de oude reus dan ook zijn naam "de veelkleurige" aan te danken.

Hij kon vanuit de boom helemaal tot aan het rotsige gebergte van Fûr Gari, de "koude rots", kijken dat geheel Inniu als een onoverkomelijke muur omsloot. Rowarn keek over het groene land uit. Vele beekjes meanderden door het landschap, langs de akkers en om de nederzettingen heen. Rowarn moest zijn gevoelige ogen beschermen als hij de omgeving zo bekeek, want de zonnestralen schenen fel neer vanuit een wolkeloze hemel. Zijn ogen waren veel beter dan die van de andere mensen, zelfs beter dan die van zijn pleegouders.

Kleine met riet overgroeide vijvertjes, waarin de vissen loom zwommen, glinsterden in het voorjaarslicht. Bloeiende bomen stonden rondom de velden en strekten zich uit tot aan de ver verwijderde heuvels, zwaar van vruchten. Ze zaten vol in de knop. Nog even en dan zou de lucht heerlijk zoet ruiken en zou het violette, witte, rode en gele bloembladeren regenen, waar men ook zou gaan. De oude en donkere wouden wisselden zich af met jongere bossen tot aan de horizon. De karrensporen trokken er duidelijk zichtbaar doorheen, als eindeloze bruine slangen.

Het kwam maar zelden voor dat een eenzame reiziger zich vergiste en tijdens zijn tocht het vredige dal doorkruiste. Er waren ook geen kostbare mineralen, slechts vruchtbare bodem, geschikt voor de landbouw. Inniu lag dan ook buiten de normale handelsroutes van Valia, aan de andere kant van de bergen – een rijk dat Rowarn alleen maar uit de verhalen kende.

In het dal waren slechts enkele menselijke nederzettingen. De grootste was de stad Madin die meteen aan de handelsroute lag en waar alle onverharde wegen van Inniu uitmondden. Het was steeds druk bij de markt en er werden altijd nieuwtjes uitgewisseld. Tevens kwam er om de vijf jaar een handelskaravaan uit Valia, waarvan ooit een man genaamd Erun het erfrecht verkregen had; elke mannelijke nakomeling van de familie die de karavaan overnam, verkreeg deze naam en dat al duizend jaar lang. Een oeroud verdrag tussen de stadoudsten van Madin en de familie Erun regelde de vijfjaarlijkse handel. Het was voor beide partijen een goede overeenkomst: vee, paarden, genezende kruiden, vruchten, meel en talloze voedingsmiddelen uit het dal werden tegen stoffen, gereedschap, bestek en andere zaken uitgewisseld. Het was het enige contact met de buitenwereld; voor de rest leidde iedereen in Inniu zijn eigen rustige leventje.

Rowarn was altijd de eerste die de Witte Valk zag.

Zijn plaats in de oude woudreus was nog door niemand betwist – grotendeels omdat de mensen in de stad niet wisten wanneer de juiste dag zou aanbreken.

Ieder jaar weer, zo lang als Rowarn het zich kon herinneren, was de vogel vanuit het oosten, met de opkomende zon, in het dal verschenen en met een schril geluid in het loof van de knorrige veelkleurige boom gaan zitten. Zijn veren waren sneeuwwit en voorzien van zwarte punten aan de topjes. Zijn scherpe snavel was geel en de grote ronde ogen stonden donker en wild.

Jaar na jaar had Rowarn gehoopt dat de majestueuze vogel, al was het maar voor enkele ogenblikken, op een tak naast hem zou gaan zitten. Op de een of andere manier voelde hij zich verbonden met de valk en iedere keer als de vogel verder trok zonder ook maar een keer te landen, leek het alsof er een stukje van Rowarn meeging. De Witte Valk vloog twee maal over Weideling heen en slaakte een hoge en eenzame kreet voordat hij, gedragen door de wind, over Madin vloog en Inniu via het oosten weer verliet.

Na de laatste winter was de vogel echter niet verschenen, voor het eerst sinds negentien jaar zoals Rowarns pleegouders hem hadden verteld. Hij zelf had de vogel al gezien vanaf het moment dat hij een peuter was. Rowarn begon eerst aan zichzelf te twijfelen, hij moest zich in de dag vergist hebben. De hele week was hij iedere ochtend naar de boom gegaan en had gewacht, de ijzige wind, natte sneeuw en regen trotserend. Iedere dag waren zijn zorgen toegenomen. Was de Witte Valk misschien te oud geworden en gestorven? Negentien jaar was tenslotte lang. Maar Rowarn kon zich daar niet mee troosten. Hij had van het begin af aan geweten dat het geen normale vogel was, maar een magisch wezen waar de regels voor de sterfelijke wereld niet voor golden.

En het scheen gevolgen te hebben, want met het uitblijven van de Witte Valk, werd ook de eerste moord gepleegd.

Rowarn herinnerde zich nog goed hoe geschokt iedereen was geweest. Zoiets vreselijks was nog nooit gebeurd en niemand wist dan ook wat hij moest doen. Natuurlijk, men ging op zoek naar de dader ... totdat het tweede meisje op een gruwelijke manier vermoord werd ... en de derde.

Desondanks, of misschien juist wel daarom, werd het eerste voorjaarsfeest gehouden ter ere van het groeiende koren om daarmee het groeiende onheil af te wenden. Hopelijk zou de Witte Valk dan ook terugkeren en zou alles worden zoals het was geweest.

Diep van binnen wist Rowarn, hoe zinloos het was om hier op zijn eenzame post op de Witte Valk te wachten. Maar wat kon hij anders doen? Hij durfde zich niet onder de mensen te begeven, zijn pleegouders hadden hem dat verboden. Hij kon dus ook niet meedoen aan de zoektocht of iets op eigen houtje ondernemen. Rowarn gehoorzaamde nu nog, maar hij bereidde reeds zijn eigen plannen, voor als de zoektocht nog lang vruchteloos zou blijven.

Er zou een dag komen dat de mensen hun geduld zouden verliezen en dan zouden ze terugkeren naar Weideling, maar dan met fakkels en wapens, daar was hij van overtuigd.

Dus volharde hij maar in de top van de Veelkleurige en bad tot elke god van Woudzee die hem te binnen schoot – dat kon immers nooit kwaad - dat de Witte Valk toch nog zou komen en alles weer in orde kwam.

Onverwachts fladderde een zwerm gele rietvlechters uit een parasolboom en in de verte hoorde Rowarn de gaaien roepen. Hij was meteen op zijn hoede en keek spiedend om zich heen. De rietvlechters keerden terug naar de boom, maar Rowarn zag hoe twee gaaien uit de kroon van een andere boom opstegen en vervolgens leek het hele oostelijke deel van het bos in oproer te komen. Kraaien fladderden krijsend weg en hij ontdekte heftige bewegingen in de bosjes. Snelle schaduwen schoten door eenzame zonnestralen en enkele eendjes waggelden over een open plek, op zoek naar beschutting.

Rowarn richtte zich op en speurde ingespannen de omgeving af. Wat was er aan de hand? Was de onbekende vijand daar misschien? Was het nieuw onheil?

Uiteindelijk kwamen ze uit het woud tevoorschijn, vijftien, nee twintig ruiters in volle wapenrusting en zwaar bewapend. Hun gelaat was onzichtbaar door de gesloten vizieren en wapperende vaandels, vastgemaakt aan de rug van hun harnas. Rowarn zag slechts één symbool – de witte kop van een mythologisch dier op een blauwe achtergrond.

Koortsachtig dacht hij na. Wat moest hij doen? Het was te laat om uit de boom te klimmen en naar Weideling te lopen. De ruiters zouden hem zien en snel inhalen, want er was zo goed als geen dekking onderweg. Hij besloot om in de boom te blijven totdat de soldaten voorbij waren, dan kon hij binnendoor naar Madin lopen om de mensen te waarschuwen.

Hij verborg zich in de wirwar van takken en bladeren, op een plek waar geen zonlicht hem kon bereiken en ademde zo zachtjes als maar mogelijk was. Hij zat doodstil toen een grote, zwarte spin langzaam naar beneden kwam en een web begon te spinnen tussen zijn haren en arm.

De ruiters hadden geen haast en het interesseerde ze duidelijk niet dat ze een behoorlijke opschudding in het vreedzame dal veroorzaakten. De ruiter die zich in de voorhoede bevond, bestudeerde een kaart en wees naar voren. Fier liepen de paarden in een langzame draf onder Rowarns boom door en sloegen het pad in dat naar Weideling liep.

Er waren reeds achttien ruiters gepasseerd, twee ruiters vormden de achterhoede. Ze voerden zachtjes een geanimeerd gesprek. Rowarn hield zijn adem in, toen ze de Veelkleurige bereikten. Zelfs de spin hield op met zijn web, alsof ook zij begreep hoe belangrijk dit was.

Juist op dat moment hield een van de ruiters, een kleine maar zwaar gebouwde man, zijn paard recht onder de boom in. Luidruchtig snoof hij de lucht op door zijn gesloten vizier.

'Wat ruik ik nu toch,' zei hij toen met grommende stem in een voor Rowarn apart accent. 'Volgens mij zitten in deze boom niet alleen maar wormen en kevers, maar ook nog een ander schadelijk dier van het soort dat men niet vaak aantreft!'

'Ik denk dat je gelijk hebt,' beaamde de andere man. Zijn stem klonk rauw maar accentloos. Hij sprak zorgvuldig, alsof hij wat voorlas.

'Zal ik hem uitroken? Zou wel zonde zijn van die mooie boom.'

Rowarn kon zijn adem niet langer inhouden. Zweetdruppeltjes waren op zijn voorhoofd verschenen en de spin was van zijn trillende arm gevallen en bungelde nu aan zijn zijden draad.

De grotere ruiter lachte kort. 'Het is eerder zonde dat jij je daar druk om maakt.' Vervolgens hief hij zijn hoofd op en leek Rowarn recht aan te kijken. 'Ik zou als ik jou was maar door ademen, jongen, als je geen jammerlijke verstikkingsdood wilt sterven. En kom nu maar naar beneden! We hebben je felle blonde haardos al van ver opgemerkt. Al dat verstoppertje spelen was dus zinloos. Maar maak je geen zorgen, we komen in vrede, ook al zien we er niet zo uit.'

Rowarn twijfelde, toen ademde hij krachtig uit en in en klauterde langzaam langs de boomstam naar beneden. 'Tot nu toe kon ik me altijd prima verborgen houden,' zei hij, terwijl hij op de laatste tak bleef zitten.

'Hij kent het Algemeen Beschaafd! Met een flink accent weliswaar, maar toch!' riep de kleinere verheugd uit.

'Dan heb je je tot op heden waarschijnlijk alleen maar voor blinde mollen verstopt,' meende de grotere man vriendelijk en hief zijn hand op in een groet, 'Ik herhaal, we komen niet als vijand. Daarom wil ik je vriendelijk om inlichtingen vragen, want we zijn vanzelfsprekend niet zomaar naar deze mooie maar afgelegen streek afgereisd.'

'Door onherbergzame streken, over stormachtige en onvriendelijke bergpassen, met de laatste vorst en zonder enige vorm van comfort als ik zo vrij mag zijn,' bromde zijn begeleider.

'Zonder comfortabele pensions met zachte bedden en donzen kussens. Er is niet eens een baal stro in dit Godverlaten gebied te vinden.'

Rowarn zag dat de hele groep inmiddels stil had gehouden. Hij keek de grote man rustig aan. 'Waar kan ik u dan mee van dienst zijn, heer?'

De soldaat opende zijn helm en nam hem af. Rowarn keek in het door ervaring getekende gezicht van een man van ongeveer vijfenveertig jaar. Zijn vermoedde klopte: hij was absoluut geen geboren boer, handwerker of handelaar. Vast ook geen huurling of eenvoudige soldaat, maar iemand van een hogere komaf, een leider. Iemand die men gehoorzaamde. Er zaten strengen grijs in zijn schouderlange, blonde haren. Hetzelfde gold voor de kort gehouden baard. Zijn heldere ogen, groen als een berkenblad, schenen te lachen. 'Het doet me deugd te horen dat dit dal inderdaad zo gastvrij is als men in de schaarse verhalen die in Valia de ronde doen over Inniu al beweerde. Mijn naam is Noïrun, men noemt mij ook wel vorst Zonderland omdat ik mijn rijk jaren geleden verloor en het mij tot op heden nog niet is gelukt om het terug te winnen. En hij ...' hij stootte zijn begeleider aan die vervolgens ook zijn helm afnam.

'Mijn naam is Olrig,' vervolgde de kleine man zelf met een zware stem. 'Krijgskoning van de Dwergen uit de stam Kúpir van Valia.' Zijn lange, warrige haardos was bijna helemaal grijs en zijn gezicht verdween bijna helemaal in een woekerende, donkere baard. Twee staalblauwe ogen keken vanonder borstelige wenkbrauwen helder de wereld in. 'En als jij je afvraagt, mijn jongen, waarom een man als ik met de respectabele leeftijd van tweehonderdachtendertig jaren nog zo dom is om op zo'n tocht als deze mee te gaan, waar je op zijn best alleen maar zadelpijn en spierkrampen van krijgt, laat het je dan duidelijk zijn dat ik geen keus had. Mijn volk houdt mij voor de beste in de edele krijgskunsten. Ondanks het feit dat ik daar alleen maar om kan lachen, moest ik toch mijn paard zadelen.'

'Het klopt inderdaad, in de grond van zijn hart is hij altijd de onontdekte dichter gebleven. Praatziek en humeurig als een oude vrijster,' merkte de vorst lachend op. 'En met wie hebben wij de eer?'

'Ik ben Rowarn.'

'Rowarn, en verder...?'

'Verder niets. Alleen maar Rowarn.'

De Dwergenkoning stiet een krakend geluid uit. 'Goed dan, Gewoon Rowarn en Verder Niets, zou jij ons de weg kunnen wijzen?'

Noïrun schudde zijn hoofd. 'Zo is het wel genoeg, oude vriend. Het is niet passend om in een voor ons onbekend land zulke grappen uit te halen. Wat zal men wel niet van ons denken?'

'Niet veel goeds, zoals overal,' bromde Olrig.

Noïrun keek Rowarn aan en zei toen vriendelijk: 'We zijn op zoek naar Weideling, de woonplaats van twee Velerii, namelijk Schaduwloper en Sneeuwmaan.'

'En waarom?' vroeg Rowarn.

'Hela,' riep Olrig. 'Zoveel wantrouwen in dit mooie dal, dat de wolken zelfs niet durven te bezoeken opdat het zonlicht niet vertroebeld zal worden?'

Rowarn draaide zijn hoofd weg. 'Jullie hebben geen idee...' fluisterde hij.

Er flitste een kort licht in de groene ogen van de vorst. 'Verdriet heeft je naar deze eenzame plaats toe gedreven, is het niet?'

Rowarn streek met zijn hand door zijn haar en ging wat makkelijker zitten, alsof hij de boom weer in wilde klauteren. 'U heeft mijn vraag niet beantwoord.'

'U heeft gelijk, verontschuldig mij alstublieft.' Noïrun lachte voorkomend. 'Wij brengen nieuws, dat voor de Velerii van groot belang is. Helaas is het geen goed nieuws. Tegelijkertijd zijn wij op zoek naar versterking. In het kort: we zoeken raad en hulp.'

Rowarn nam hen onderzoekend op, zich afvragend of hij het risico kon nemen om hen mee te nemen naar zijn ouders. Er school volgens hem geen gevaar in. En de Velerii waren sterke, imposante verschijningen. Desnoods konden ze het tegen honderd van zulke soldaten opnemen. 'Ik zal vooruit gaan en uw komst melden,' meende hij toen.

Het lachen van de vorst verdiepte zich. 'Je kent ze goed.'

'Ze zijn mijn pleegouders,' gaf hij toe.

Olrig knipperde verbaasd met zijn ogen. 'En dan noem jij, boomaap, zichzelf "verder niets"?' zei hij verbluft. 'Heb je dat ooit meegemaakt? Jongeheer Rowarn, jij moet iets heel bijzonders zijn!'

'Uw behoedzaamheid spreekt voor zich,' zei Noïrun. 'Het is voor ons echter eenvoudig om u te volgen en we kunnen u zelfs moeiteloos inhalen zodra we weten wat uw doel is. Ik vraag u, als man van eer, om ons te vertrouwen, zodat wij u tegelijkertijd een betere en snellere manier van voortbewegen kunnen bieden.'

Rowarn overlegde bij zichzelf. De vorst had in de weinige ogenblikken dat ze elkaar nu kenden, al dieper in zijn ziel gekeken als de stadoudsten van Madin en die kende hij al toen hij klein was. Hij voelde dat hij deze man echt kon vertrouwen, meer als hij dat ooit bij andere mensen had gehad. 'Ik zal u brengen,' stemde hij uiteindelijk toe. 'Het is niet ver meer. U had het zelf waarschijnlijk al binnen het half uur gevonden.'

'Wat kan men daar nu op zeggen,' lachte vorst Zonderland schijnbaar verrast. Rowarn had echter het gevoel dat hij het de hele tijd al geweten had.

'Kun je paardrijden, jongen?' vroeg Olrig.

'U maakt een grapje, mijn heer.' Voor het eerst sinds die veelbewogen nacht moest Rowarn lachen. 'Weet u dan niet, wie de Velerii zijn, die mij hebben opgevoed?'

'Ga dan achter me zitten, boomaapje, en hou je goed vast,' nodigde de krijgskoning hem met een wijds gebaar uit.

Rowarn liet zich vanaf de tak naar beneden zakken en kwam precies op de rug van het paard terecht. Het paard vertrok geen spier toen het extra gewicht op zijn rug landde, hetgeen ook Olrig tot een opmerking verleidde. 'Zit je al, vlieggewicht? Twee keer zo groot als ik ben, maar half zo zwaar!' Hij lachte dreunend en gaf zijn paard de sporen.

Noïrun en Olrig gingen aan de kop van de stoet rijden en Rowarn wees hen de kortste weg, dwars door de bloeiende weides en zwermen jonge vliegjes en vlinders die fladderend voor hen wegvlogen. Hij leidde hen over twee heuvels, voordat hij bij de derde heuvel bleef staan en naar beneden wees.

'Weideling,' zei hij trots en bekeek vergenoegend de verbaasde gezichten van de door de wol geverfde krijgers, alhoewel ze ongetwijfeld al veel op hun reizen gezien hadden.

Het onderkomen van de Velerii was deels een duizenden jaren oude koningswilg. Zijn kunstig vervlochten stam was zo dik dat er minstens vijftien man voor nodig waren om hem te omsluiten. Zijn veelvoud aan takken hingen boven bijna de hele akker. De vlezige schors deelde zich in honderden vergroeide en verknoopte verticale banen. Zijn laaghangende takken waren rijk aan smalle, diepgroene bladeren, terwijl de bladeren aan de hogere takken juist breed en lichtgroen waren. De schaduw die deze koningswilg wierp was groter dan twee akkers, maar nam niet al het zonlicht weg omdat vele lichtpunten speels door het bladerdak heen prikten. Nu, in het voorjaar, was zij de eerste die stralend wit in volle bloei stond en heerlijk rook.

Zover de takken reikten - sommige hingen zelfs tot op de grond - groeide er green gras, maar een zachte, vettige mossoort die door een zweem van sterrenbloem bedekt was. De groene kruin was net zo goed als het dak van een huis en bood zelfs bescherming tegen het guurste weer.

De helft van de boom was uitgehold en fungeerde als het huis van de Velerii. De machtige takken had men tot wanden vervlochten en ze hadden er zelfs vensteropeningen in gemaakt waar het glas op een kunstige manier in vervlochten was. De wanden zelf waren met leem en kleine stenen afgedicht, zodat de wind er niet doorheen kon blazen. De takken leefden nog en er groeiden zelfs jonge twijgjes aan.

Aan de buitenkant zorgde een schoorsteen voor de afvoer van rook, voor als de kou tijdens de winter verdreven moest worden, terwijl de schuine stand van het bladerdak voor de afvoer van het regenwater zorgde. Die hield tevens het gewicht van de sneeuw in de winter. Grote bladeren, die als de schubben van een vis over elkaar heen lagen, zorgden voor een waterdicht dak. Het dak was drie manslengtes hoog, maar het huis had maar één verdieping, hetgeen logisch was, want de Velerii die er leefden waren grote wezens.

Een karrenspoor voerde tot aan het tapijt van mos. In het westen glinsterde in de verte het meer en niet ver daar vandaan lag het woud dat Weideling van Madin scheidde en waar de handelsroute tot aan het afbuigende karrenspoor voerde.

Het levende huis was zo in de boom ingebouwd, dat de hogere takken er nog bovenuit staken en het op het eerste gezicht goed verborgen. Om de ingang te kunnen zien moest eerst een voorhang van bladeren opzij geschoven worden. De deur zelf was vrij klein, niet groter dan de deur van een normaal mensenhuis en amper hoger.

'Zou je onze komst willen melden?' vroeg de vorst.

'Ze weten het al,' antwoordde Rowarn. 'Het is beter dat je de paarden niet laat draven, maar te voet verder gaat. Hou de teugels echter goed beet, het kan zijn dat ze schichtig reageren. Laat ze onder geen voorwaarde er vandoor gaan!'

'Waar ben je bang voor, jongen?' vroeg Olrig.

Rowarn gleed van de paardenrug af. 'Jullie paarden hebben nog nooit een Velerii gezien en omgekeerd hebben mijn ouders nooit paarden gezien die ze niet zelf gefokt en grootgebracht hebben. Het kan zijn dat ze hun zelfbeheersing verliezen.'

'Wie?'

'Mijn eerwaardige krijgskoning, onderschat nooit een Velerii. Hoe zachtmoedig hun aard ook zijn mag, het bloed dat door hun aderen stroomt, kookt.'

Olrig snoof ongelovig, hij was er stellig van overtuigd dat hij één was met zijn paard. Hij had het ten slotte zelf grootgebracht en ze hadden samen al vele veldslagen en gruwelijke bloedbaden doorgemaakt. Ze had haar beheersing nog nooit verloren. 'Ik ken mijn ros beter dan ik mezelf ken.'

Rowarn trok zijn schouders op en liep weg.

De vorst gaf zijn gevolg duidelijke aanwijzingen. De paarden moesten aan de teugels gehouden worden en men moest snel reageren mochten ze onrustig worden. Hij gaf zijn koperkleurige hengst weinig teugel. Olrig daarentegen liet zijn schimmel achter Rowarn aanlopen.

'Vader! Moeder!' riep Rowarn, terwijl hij nog maar net aan de voet van de heuvel stond en nog enkele speerworpen van Weideling verwijderd was. 'We hebben gasten van ver! Ze komen uit Valia!'

Vervolgens bleef hij staan en gaf de groep een teken dat ze ook moesten blijven staan. Olrig bracht zijn paard tot naast Rowarn.

'En wat gebeurt er nu?'

'We wachten.'

'En hoe lang gaat dat duren?'

'Ze zijn niet thuis. Misschien willen ze wel geen gasten ontvangen, vaak zijn ze er niet voor in de stemming.'

De Dwerg bromde wat in zijn baard, maar hield zich verder stil.

Het duurde echter niet lang.

Rowarn had ervoor gewaarschuwd en wie naar zijn raad geluisterd had, slaagde er nog in om zijn paard in toom te houden. Degene die echter nalatig en er met hun gedachten niet bij waren geweest, hadden nu spijt dat ze niet naar de schijnbaar zo onervaren jongen hadden geluisterd.

Plotsklaps ontstond er onrust in de groep. Enkele paarden hinnikten en trappelden, draaiden rond in kringetjes en staken elkaar met hun ongedurigheid aan. Ze steigerden, bokten of gingen er vandoor. Olrigs schimmel steigerde en hinnikte opgewonden. De Dwerg, die er niet op voorbereid was, verloor zijn evenwicht. Met een stevige vloek werd hij van de rug van zijn paard gesmeten en zijn rijdier ging er al bokkend vandoor.

Rowarn draaide zich om met zijn handen in de lucht. 'Rustig, rustig!' riep hij de paarden beheerst toe. 'Alles is in orde, het is goed. Rustig maar!' Hij keek de vorst indringend aan, wiens hengst brieste en wild met de ogen rolde maar zich desondanks wist te beheersen. 'Verzamel snel uw paarden, mijn heer. Alstublieft!'

Noïrun knikte en zette zijn hengst in beweging, die meteen begreep wat zijn meester van hem verlangde. Hij hinnikte luid en liep in draf om de troep heen, dreef ze allemaal samen en bracht ze tot rust. Olrig rende samen met enkele anderen vloekend en scheldend achter hun paarden aan. De vorst vergrootte zijn cirkel en de arme dieren, die niet meer wisten wat ze moesten doen, waren dankbaar dat ze de krachtige stem van hun leider hoorden. Het wees hen de weg en ze keerden om.

Terwijl ruiter en paard druk bezig waren om de chaos te bedwingen, doken in de verte achter de heuvel twee machtige gestalten op. Al galopperend kwamen ze de heuvel op.

'Ze komen!' riep Rowarn. 'Houd jullie nu gedeisd en maak

geen fouten!'

Noïrun kwam naast hem staan. 'Ik ga met je mee, jongen.' Vervolgens keek hij de Dwergenkoning aan die eindelijk zijn schimmel gevangen had. 'Olrig, kom mee, maar houd afstand. En bij Manurs vulkaan, als je je paard niet onder controle kunt krijgen, ga dan lopen!'

'Het lukt me wel!' snauwde de krijgskoning woedend en richtte zich tot de mannen naast hem: 'Jullie allemaal, rij een stuk terug en wacht daar op ons. En hou de paarden in toom!'

Rowarn kon zijn leedvermaak niet verbergen toen Olrig woedend met zijn paard aan de teugel naar hen toe liep, maar hij zei geen woord. Vergenoegend keek hij naar de vorst op, die naast hem reed en met een ondoorgrondelijke blik naar de beide Velerii keek die aan de rand van het mostapijt voor hun onderkomen wachtten. Rowarn had graag wat gezegd, maar hield zich liever op de achtergrond. Hij had echter het lichte trekken bij de mondhoeken van de vorst gezien.

Hij groette zijn ouders, die de groet meteen beantwoordden. 'Dat is een goed teken,' fluisterde hij. 'Jullie zijn welkom.'

De hengst was nerveus en trappelde ongedurig. Ook de schimmel was onrustig, zijn borst en flanken waren nat van het zweet, maar hij gehoorzaamde. De neusgaten van beide paarden waren opgezet, ze snoven en briesten, probeerden te begrijpen wat ze daar zagen en roken.

Plotseling werden ze echter rustig. Ze lieten hun hoofd hangen, hun oren draaiden speels in het rond en ze kauwden op hun bit. Dat was precies het moment waar Rowarn op gewacht had. 'Laat jullie paarden hier achter,' zei hij tegen de twee mannen. 'Ze zullen niet weglopen, maar hier op jullie wachten.'

Koning Noïrun steeg af en bond de teugel aan het zadel vast, zodat zijn paard rustig kon grazen.

Verrast stelde Rowarn vast dat de koning een stuk kleiner was dan hijzelf, terwijl Olrig juist groot leek, wat vooral kwam door zijn schouders die bijna twee keer zo breed waren als van een mens. Dwergen als "klein" betitelen klopte niet helemaal. Rowarn had in Madin al kleinere mensen gezien.

Ze volgden de jongen op enkele passen afstand.

'Moeder, vader, dit is koning Noïrun Zonderland en krijgskoning Olrig van de Kúpir uit Valia.' stelde Rowarn hen voor en
wende zich toen tot zijn gasten. 'Dit zijn de Velerii Sneeuwmaan
en Schaduwloper, de bewakers van Weideling, mijn pleegouders.'

Koning Noïrun trad naar voren en maakte een lichte buiging.
'Achtenswaardige Sneeuwmaan, geëerde Schaduwloper. Ik kom
met nieuws uit Ardig Hal. Ik ben echter bang dat het geen goed
nieuws is.'

Sneeuwmaans gezicht vertrok een beetje en Schaduwloper
fronste zijn voorhoofd.

'Wees welkom en treed binnen,' zei hij met zijn diepe stem en
maakte een uitnodigend gebaar. De beide Velerii draaiden zich
gracieus om en gingen hun gasten voor naar binnen.

HOOFDSTUK 3

Laatste der Nauraka

Het was nog altijd een bijzondere gebeurtenis die Rowarn zelfs uit het diepste dal kon halen. Voorzichtig opende hij het gebladerte dat het onderkomen afsloot. De omringende lucht was zwaar van de zoete geur van bloesem. Talloze bijen, hommels en kleurrijke, tjilpende vogels zoemden tussen de bloesem door en deden zich tegoed aan de kostbare nectar – één van de weinige schatten van Inniu waar vooral helers en magiërs van wisten, maar ook kwakzalvers en vervalsers.

Pure nectar werd per druppel verhandeld, de honing per vingerhoed. De bloesemolie en koningsweide werd per vedergewicht gemeten. Er was geen beter medicijn en men kon het bij bijna alle ziektes en verwondingen gebruiken. Het werd zelfs ingezet bij het versterken van magische krachten. De koningsweide was Lúvenors heilige boom, het was zijn geschenk aan Woudzee. Op de hele wereld waren er waarschijnlijk nog maar twintig stuks. Iedere boom werd dan ook door een wachter uit het Oude Volk beschermd en verborgen voor de ogen van anderen.

Sinds Rowarn dit wist bekroop hem iedere keer weer een gevoel van trots en verhevenheid als hij Weideling betrad. Trots, om verkozen te zijn om hier, onder beschutting van deze boom, te mogen leven. Zo dicht bij de scheppende kracht van de god te zijn. Hij had aangenomen dat de koningsweide op de een of andere manier zijn schuld in hem zou zien en hem niet meer zou toelaten. Dat was echter niet gebeurd. Ondanks alle twijfel die hij aan zichzelf had na de vreselijke moord op Anini, klampte hij zich hieraan vast als aan een laatste strohalm.

Hij ademde diep in toen hij naar binnen liep en het zachte mostapijt onder zijn laarzen voelde.

'D... die bijen en wespen ...' begon Olrig wantrouwig.

Rowarn lachte zachtjes. 'Gewoon doorlopen. Sla niet om je heen en sta niet stil, dan zal je niets gebeuren. Ze willen slechts de zoete honing en niet een droge, grijze baard.'

'Je hebt lef jongen, om zo tegen mij te spreken,' bromde Olrig. Het klonk eerder geamuseerd dan geïrriteerd.

'En jij bent een slimme man, als je dit keer naar hem luistert,' meende de koning.

Ze bereikten het voorportaal, waar Rowarn hen er op wees dat ze hun laarzen moesten reinigen. Dat duurde even, omdat ze gefascineerd staarden naar de Velerii die handig hun hoeven schoonkrabden.

Schaduwloper opende de deur en liet Sneeuwmaan voor. Ze trokken hun hoofden in en de mensen volgden het paar snel.

Eenmaal binnen keken de gasten hun ogen uit, want ook daar was alles groen van de bladeren, licht als in een zonovergoten bos en aangenaam warm. Ze stonden op een stevig aangestampte vloer in een ruime woonkamer die een kookstel en open haard bevatte. Twee grote met fluweel beklede ligstoelen met daarnaast, tegen één van de muren, een kleinere met dezelfde stof beklede stoel.

Op een lage tafel, amper een handbreedte hoog, stonden dure porseleinen schalen met gedroogde vruchten, gekruide paddenstoelen en noten. In kandelaars op de muren en tafel staken van bijenwas gemaakte kaarsen. Overal stonden kunstige, uit hout gesneden figuren. Ze waren levensecht en tot in de kleinste details uitgewerkt. Van draken en eenhoorns tot vlammenpaarden en kristalrossen. Maar ook panters, sterrenwolven, eieren en slangen. Mystieke figuren als goden, onsterfelijken en ook enkele symbolen van het Dromende Universum die de eenvoudige stervelingen nauwelijks bekend waren.

De beide krijgers keken vol bewondering om zich heen. 'Wie heeft dit gemaakt?' vroeg Olrig onder de indruk.

Schaduwloper lachte. 'Als je lang genoeg leeft, leer je het een en ander,' gaf hij toe.

Koning Noïrun streek voorzichtig over de bevallige vrouwelijke gestalte van een sterrenkind, die ondanks het zware hout etherisch overkwam. 'Ik heb op mijn eerdere reizen deze figuren al eens gezien,' bekende hij. 'In de troonzalen van burchten en kastelen, met zware kettingen beveiligd.'

'Het zijn maar figuren,' meende de centaur. 'Ze zijn vervangbaar.'

'Het is kunst!' snoof Olrig. 'Het is prachtig. U behoeft niet zo bescheiden te zijn, edele Schaduwloper! Ik ben ervan overtuigd, dat anderen hun geld verdienen dankzij de handel in uw kunstwerken.'

Rowarns peetvader lachte, terwijl hij twee dikke zittapijten neerlegde. 'We hebben slechts één stoel, maar ik ben er ben zeker dat u hierop ook comfortabel zal zitten.'

Wederom keken de gasten hun ogen uit, maar nu vanwege de tapijten. De bovenkant was uit fijne zijde geknoopt, terwijl de onderkant uit wol bestond. Mystieke, in elkaar vervlochten figuren liepen in een grote kleurenrijkdom over het tapijt heen.

'Daar kunnen we toch niet op gaan zitten!' protesteerde Olrig.

Nu was het de beurt aan Sneeuwmaan om te lachen. 'Ze kunnen aardig wat hebben, ze zijn namelijk gemaakt van het beste spinnenzijde en nagenoeg onverwoestbaar. Zelfs de kleuren verbleken amper. Maakt u zich geen zorgen heren. Ik heb deze tapijten zelf geknoopt en heb er vele van. Op bestelling van de adel maak ik ook wandtapijten met afbeeldingen uit legendes, die vind ik zelf ook waardevol. Deze zijn slechts gemaakt om te gebruiken.'

'Hebben de tekens een magische betekenis?' vroeg Noïrun. Hij probeerde om op een van de tapijten te gaan zitten, maar zijn zwaard zat in de weg en hij stond weer op.

'Olrig, waar zijn onze manieren gebleven. We zijn hier in volle wapenrusting binnen gekomen, als waren we een troep eenvoudige, slechtgemanierde soldaten!'

De krijgskoning reageerde haastig en mompelde een verontschuldiging. Vervolgens legden ze beiden hun wapens af.

'Maakt u zich geen zorgen, we voelen ons niet beledigd,' stelde Sneeuwmaan de gasten op hun gemak. 'Om uw vragen te beantwoorden, koning Noïrun. Deze symbolen bevallen me maar betekenen verder niets.'

Uiteindelijk gingen ze zitten en namen de roemers met kruidige honingwijn aan. Schaduwloper schonk nog drie roemers uit en zetten een volle karaf neer voordat hij zelf ook plaats nam. Hij hief zijn bokaal op. 'Op uw gezondheid.'

'Op onze gastheren,' antwoordden Noïrun en Olrig en dronken, eerst voorzichtig, maar dan met grotere slokken.

'Voordat we op de reden van uw bezoek komen,' begon Schaduwloper, 'moeten we eerst voor een onderkomen voor de nacht zorgen.' Hij wees op Sneeuwmaan. 'Mijn gemalin zal u later vandaag naar Madin begeleiden, geërde koning en eerbiedwaardige krijgskoning, waar zich een herberg bevindt welke u en uw manschappen ongetwijfeld zal bevallen. U zult daar ook spijzen aantreffen, welke waarschijnlijk meer naar uw smaak zullen zijn.'

'Tegen een knapperig gebraad zal ik zeker geen nee zeggen,' merkte Olrig op en deed een greep in de schaal met gedroogde vruchten, gevolgd door de noten. 'Deze zijn waarachtig een genot, maar een Dwerg heeft zo af en toe iets krachtigs nodig.'

Sneeuwmaan lachte. 'Dan zal je in Madin op je wenken bediend worden. Ze hebben een uitstekende keuken en zullen je zeker iets goeds voorzetten.'

De Dwerg probeerde nu ook de gekruide paddenstoelen en keerde zich naar Rowarn die geduldig in zijn stoel zat. 'Hoe hou je het uit, jongen?' vroeg hij onverbloemd.

Rowarn kleurde licht. Het was voor hem taboe om over het eten te praten. Hij wist dat zijn ouders nooit vlees aten. Desondanks zetten ze altijd uitgelezen spijzen op tafel, zodat hij altijd iets goeds te eten kreeg, met voldoende afwisseling. Toch kwam het af en toe voor, dat hij ontzettend veel trek kreeg in vis. Als dat gebeurde, vroeg hij of hij enkele dagen bij een visser of kolenboer mocht blijven slapen om zijn honger daar vervolgens te stillen. Alhoewel hij altijd welkom was, hielp hij vervolgens bij het werk.

'Hij heeft vanzelfsprekend zijn behoeftes,' antwoordde Sneeuwmaan in zijn plaats.

'Ik bedoel, hij is flink uit de kluiten gewassen, maar toch vrij mager van postuur,' meende Olrig, al kauwend een slok van de honingwijn nemend.

Koning Noïrun probeerde de aandacht van het pijnlijke onderwerp af te leiden. 'U begrijpt dat ik gewoonlijk voor mij en mijn mensen zelf dit soort zaken regel.'

Sneeuwmaan lachte. 'Laat u het onderhandelen maar aan mij over, mijn beste koning. Inniu mag dan een afgelegen dal zijn, de burgers van Madin weten klinkende munt zeker op hun waarde te schatten.'

Schaduwloper keek Noïrun aan. 'Legt u mij eens uit hoe u aan uw bijnaam komt, koning Zonderland?'

'Maar natuurlijk,' antwoordde de edelman. 'Ik stam van het vorstendom Lingvern, dat zich aan de grens van Valim bevindt. Zes jaar geleden overviel een leger van een onbeduidende burchtheer uit Dalim mijn land. Tot mijn schande moet ik bekennen, dat ik volledig overrompeld werd en mijn land was verloren voordat ik het goed en wel in de gaten had. De overval was goed georganiseerd en al lang van tevoren gepland, terwijl ik niets in de gaten had. Er bleef mij niets anders dan te vluchten. Ik heb sindsdien vanuit den vreemde geprobeerd om mijn land terug te krijgen, maar tot nu toe is dat mislukt door een gebrek aan genoeg manschappen en goud.'

'Dus de vorst heeft zich ten dienste gesteld van het leger van Ardig Hal,' merkte Olrig op. Hij schonk zichzelf nog een roemer honingwijn in, het smaakte hem duidelijk uitstekend.

Daar was het weer, Ardig Hal. Rowarn bekeek alles stilletjes en zag dat zijn ouders alweer in elkaar krompen bij het horen van die naam. De woorden die de vorst bij hun ontmoeting had gesproken, schoten hem weer te binnen. Hij had geen goed nieuws. Ze moesten dus al vermoeden, waar het om ging.

Schaduwloper schudde zijn manen. 'Laten we het dan over de reden van uw bezoek hebben.'

Noïrun knikte. Olrig wees met zijn duim naar Rowarn. 'Mag hij het horen?'

'Hij moet het horen,' antwoordde Sneeuwmaan.

Rowarn hart begon plotseling heftig te bonzen.

Er trok een schaduw over het gezicht van koning Noïrun, evenals het gezicht van Olrig. Hij bleef doodstil zitten, zijn blik strak op zijn roemer gericht. 'Ik werd met de last van een slecht bericht hierheen gestuurd,' begon de vorst in een officiële toon. 'Er is oorlog in Valia. Femris is terug.'

Sneeuwmaan sloeg haar hand voor haar mond. Haar barnsteenkleurige ogen waren groot van schrik, iets dat Rowarn nog nooit gezien had.

'Femris,' zei Schaduwloper tussen opeengeklemde tanden door. 'We dachten dat we hem uiteindelijk overwonnen hadden. We hebben tenslotte al zo lang niets meer van hem gehoord.'

'De onsterfelijke is vanaf zijn kasteel Dubhan met zijn leger naar Ardig Hal gemarcheerd, sindsdien wordt er gevochten.' De vermoeidheid tekende zich duidelijk op Noïruns gezicht af. 'En dat al een jaar.'

'Maar waarom? Hoe kan ...' fluisterde Sneeuwmaan, haar zin niet afmakend.

Olrig woelde door zijn baard. 'Men zegt dat de eeuwige strijd haar hoogtepunt bereikt en er snel een beslissing zal vallen. Het gaat om regenbogen en duisternis, eerbiedwaardige Sneeuwmaan. Uiteindelijk gaat het daar altijd om. Beide machten willen Woudzee helemaal veroveren. Degene die de wereldheerschappij heeft, zal zegevieren.'

'Onder de goden van Woudmeer is ook strijd uitgebroken,' ging de vorst verder. 'Er zijn verschillende fronten, er is geen eenheid meer. Het verdrag van het vreedzame samenleven geldt niet langer.'

'En waar is Lúvenor, beschermer van Woudzee dan? Hij heeft destijds het verdrag tot voorwaarde gesteld waaronder andere goden en volkeren zich hier mochten vestigen,' merkte Schaduwloper op.

Rowarn verbaasde zich over deze vraag. Weideling was hun heilige boom, zijn ouders moesten het antwoord op deze vraag beter kennen dan wie dan ook!

'Als zelfs jullie dat niet weten ...' zei de krijgskoning prompt. 'Wij hadden gehoopt dat u het ons kon zeggen, want ook in de Vrije Huizen is niets over zijn verblijfplaats bekend. Het staat vast dat degene die de strijd om Valia wint, zal zegevieren over geheel Woudzee en dan zal deze wereld ten onder gaan. Het maakt dan niet meer uit aan welke kant je staat. Alles, waarvoor wij duizenden jaren lang stonden, zal verloren gaan en daarmee alle machtige artefacten die hier rusten.

'Het Dromende Universum is in gevaar, als het evenwicht verstoord wordt,' fluisterde Sneeuwmaan. 'De Slapende Slangen zullen wakker worden ...'

Er viel een drukkende stilte. Niemand durfde zich te verroeren. Terwijl buiten de vogels kwetterend langs vlogen en het zonlicht zijn lichtspel op het gordijn aan de ingang speelde, leek het binnen donkerder te worden.

Na een tijdje nam Noïrun het woord. 'De Eeuwige Strijd is nu ook op Woudzee ontbrand, in Valia, want onze vijand Femris vecht voor de duisternis, op macht belust. Wij hebben alles gedaan wat in ons vermogen lag, achtenswaardige Velerii, maar Ardig Hal is gevallen en met haar, koningin Ylwa.'

Rowarn zag dat zijn vader zijn adem inhield en zijn moeder haar tranen amper kon bedwingen. Zo had hij zijn pleegouders nog nooit gezien. Angst maakte zich gestaag meester van hem.

'Ylwa ... dood?' bracht Sneeuwmaan er uiteindelijk met moeite uit. Ze probeerde niet meer om haar tranen tegen te houden. 'Dat ... dat is niet waar ... ze was de laatste Nauraka ... en mijn hartsvriendin ...'

'Hoe is het gebeurd?' vroeg Schaduwloper met trillende stem.

'We waren te laat,' antwoordde koning Noïrun rauw. 'Men zegt dat het de Demon Nachtvuur is geweest. Er is geen enkele reden om daaraan te twijfelen, want koningin Ylwa was machtig. Niemand anders zou in staat geweest zijn om zo dichtbij te komen, en ... en haar aan te vallen.'

'Nachtvuur? Ik heb nog nooit van hem gehoord,' zei Schaduwloper.

'Van de meeste Demonen is niet veel bekend,' antwoordde Olrig. 'Femris heeft er enkele aan zich gebonden. Voor deze bijzondere opdracht moet hij Nachtvuur aan zich onderworpen hebben. Niemand heeft er iets van gemerkt of hem gezien. Hij moet wel over bijzondere krachten beschikken.'

'Een Schemerwezen,' zei Sneeuwmaan. 'Dat zou wel verklaren

dat hij ongezien in Ardig Hal kon komen.'

'Toen wij het hoorden, hebben we meteen het slot bestormd, maar we waren te laat,' vervolgde de vorst zijn verhaal. 'Koningin Ylwa ademde niet meer. We vonden haar badend in haar eigen bloed.'

Schaduwloper richtte zich op. 'En dat is nog niet alles, denk ik ...'

Olrig en Noïrun sloegen allebei hun ogen neer.

Sneeuwmaan sprong op en stampte opgewonden met haar hoef op de grond. 'Spreek!'

Rowarn was nu zo geschrokken, dat hij helemaal wegkroop in zijn stoel. Hij herkende zijn pleegouders niet meer en vroeg zich af of hun gasten nog wel veilig waren. Maar wat kon hij doen?

'Femris heeft de derde splinter,' zei de vorst uiteindelijk zacht. Zijn stem brak toen hij vervolgde: 'De slag om Ardig hal is nog niet beslist, eerwaardige Sneeuwmaan, tot nu toe konden wij zijn aftocht verhinderen. We hebben onze stelling nog altijd kunnen behouden. Sindsdien belegeren we elkaar. Er zijn constant schermutselingen, maar niemand wint terrein. Het is echter een kwestie van tijd voordat Femris onze verdediging zal doorbreken en dan moeten we gereed staan om hem de splinter te ontnemen.'

'Wanneer zal dat zijn?'

'We denken dat we nog een half jaar hebben om genoeg versterking bij elkaar te krijgen voor de laatste slag. Zolang moet onze stelling het nog uit kunnen houden. Maar Femris zal zich ook voorbereiden.'

'En dat is de tweede reden voor onze reis,' nam Olrig het over. 'Er zijn bodes gestuurd naar iedere uithoek van het land, om iedere Dienaar van de Regenboog die een wapen kan dragen, op te roepen. We moeten de splinter terug veroveren en Femris voor altijd van deze wereld wegvagen.'

Noïrun knikte instemmend. 'Men zegt dat zich hier, verborgen voor het oog van de wereld, een oud krijgslustig geslacht verborgen houdt, dat al in de eerste strijd tegen Femris roemrijk gevochten heeft om zich vervolgens terug te trekken. Dit wel met de belofte dat ze terug zouden keren als de nood het hoogst was.'

Sneeuwmaan en Schaduwloper keken elkaar aan. Toen zei de centaur langzaam: 'Wij leven hier al sinds duizend jaar, vorst. Wij kennen iedere boom, alle dieren en elk intelligent wezen van Inniu en alle verhalen. Een geslacht van krijgers zoals u ze beschrijft, is er nooit geweest.

De beide gasten staarden hem met open mond aan. Zelfs de vogelgeluiden buiten verstomden, alsof ze hadden gehoord wat er gezegd was.

'Maar ... maar ...' begon Olrig stotterend. 'Dan heeft iemand een slechte grap met ons uitgehaald.'

Schaduwloper schudde zijn hoofd zo hard dat de manen heen en weer vlogen. 'Een sprookje, waarde krijgskoning. Vermoedelijk ooit verzonnen door de eerste mensen die zich hier vestigden om zich de rovers en dieven van het lijf te houden.'

'Dat geloof ik niet,' fluisterde de vorst terneergeslagen. 'We hadden zo gehoopt ...'

Sneeuwmaan liep op en neer. 'Het spijt me zeer, edele vorst, om u zo teleur te moeten stellen.'

'Dan zullen we ...' begon Olrig, maar Noïrun onderbrak hem.

'Nee, het is slechts een tegenslag. Een hindernis op onze weg vol doornen, maar dat wil niet zeggen dat we opgeven. We hebben nog niet verloren. Ook zonder deze legende waren we hier naartoe gekomen. U beiden, de Velerii, moesten absoluut op de hoogte gesteld worden van hetgeen er in Ardig Hal gebeurd is, het was Ylwa's laatste wens, en hij is door haar lijfknecht in de vorm van een verzegelde brief aan ons overgedragen.'

'U hebt daar goed aan gedaan.' Schaduwloper boog zich voorover en schonk honingwijn in.

Het duistere ogenblik was voorbij, besefte Rowarn. De vogels buiten zetten hun concert voort en door het raam zag Rowarn dat de insecten hun weg ook weer vervolgden. Achter het verlichte loofvoorhang, dat speels heen en weer bewoog op de zachte bries en af en toe de goudkleurige zonnestralen doorliet, lagen de glooiende weides. Het leek haast een ingelijst schilderij met de prachtige bossen en heides die zich voortzetten tot aan Madin.

Rond deze tijd waren er vele dieren die zich lieten zien op

klaarlichte dag, genietend van de lentezon. Velen hadden hun kroost al of waren nog in het liefdesspel verzonken. Anderen stortten zich hongerig op het frisse gras, de kruiden of de eerste bloemen. Ze hoefden niet bang te zijn voor roofdieren, die waren druk met hun eigen jongen en gingen de eerste uren van de nacht pas op jacht.

De dieren buiten wisten niets van het wegblijven van de Witte Valk en de daaropvolgende gebeurtenissen. Rowarn twijfelde er niet meer aan, dat het allemaal met elkaar te maken had. Zijn slechte geweten speelde hem weer op, omdat hij zijn ouders zoveel pijn deed. Alsof hij iets anders kon! De dood van de koningin van Ardig Hal had zijn ouders diep getroffen. Als het probleem met Anini er niet geweest was, hadden ze het ongetwijfeld beter opgenomen en Rowarn er niet in verwikkeld.

Hij beet op zijn tanden en staarde naar de tafel. Hij leefde hier in een idyllisch dal, terwijl aan de andere kant van de bergen een oorlog woedde. Onschuldige mensen werden het slachtoffer Ellende en vernietiging. Was dit gerechtigheid?

Absoluut niet! Rowarn had graag meer over het onbekende volk van de Nauraka geweten, waartoe de koningin behoord had, wat Ardig Hal nou precies was en waarom het noemen van de derde splinter zijn ouders zo had geraakt. Ze vergaten zowaar hun verdriet omdat deze Femris, die al heel lang hun grote vijand moest zijn, het gestolen had. Maar Rowarn stelde nog steeds geen vragen, het was er het moment niet voor.

Hoe dan ook, één ding stond vast: zijn leven zou nooit meer hetzelfde zijn. Sinds de dood van Anini was het totaal veranderd en dat zou alleen nog maar erger worden. Deze beide mannen hadden de buitenwereld meegebracht en hem laten zien dat er meer was.

Veel meer.

Weideling was te klein geworden voor hem, vooropgesteld dat hij onschuldig was en daar hield hij zich aan vast.

Schaduwloper stond op, met de gratie die een Velerii eigen was. Rowarn had nog niet veel van de wereld gezien, maar was ervan overtuigd dat deze schepsels van Lúvenor tot de meest perfecte van deze wereld behoorde. Hun glanzende vacht scheen het licht van Lúvenor zelf in zich te herbergen.

'Het is van grote betekenis dat u deze boodschap aan ons gebracht heeft,' zei de centaur. 'Ook al moeten we u teleurstellen wat betreft het oude krijgslustige geslacht, ik ben ervan overtuigd dat er jonge mensen zijn die de wapens op zullen nemen. Ik zal het bericht over heel Inniu laten verspreiden en u zult een tijd en plaats bepalen waar de vrijwilligers u zullen ontmoeten. Verder zullen we u alles geven dat u nodig heeft voor de strijd.' Hij keek Sneeuwmaan aan. 'Wij zijn aan deze plaats gebonden en kunnen u niet begeleiden. Ook ben ik bang dat u niet veel aan onze vechtkunst zult hebben.'

'Daar zou ik u ook nooit om hebben gevraagd,' antwoordde koning Noïrun verlegen. 'Het feit u te ontmoeten, is een grote eer voor mij. Geen weg is te lang of te zwaar voor deze eer.'

'En daar sluit ik me bij aan,' zei Olrig, en hief zijn roemer op. 'De laatste slok drink ik op u, achtenswaardige Velerii. Vervolgens zullen we met onze ongeduldig wachtende mannen verder reizen naar Madin om een goede herberg te zoeken.'

Schaduwloper knikte. 'Morgen zullen we verder praten, edele heren. Nu heeft u rust en ontspanning nodig en wij moeten overleg plegen. Ik beloof u echter dat uw oponthoud hier niet van lange duur zal zijn, zodat u zo snel mogelijk terug kunt naar Ardig Hal.' Hij stak zijn hand op toen Sneeuwmaan op wilde staan. 'Ik zal de heren naar Madin begeleiden, mijn dierbaarste. Ylwa's dood is hard aangekomen en je moet je nu niet teveel inspannen. Ik ben snel weer terug.'

'Mag ik jullie begeleiden?' riep Rowarn opgewonden. Schaduwloper keek hem streng aan. 'Jij blijft hier.'

Rowarn kromp in elkaar, hij wist dat hij niet in Madin mocht komen zolang de omstandigheden rondom Anini's dood nog niet opgehelderd waren. Hij had echter gehoopt dat hij samen met de ruiters en Schaduwloper wel mee had gekund.

'Ja, vader,' mompelde hij gehoorzaam. Hij maakte een lichte buiging voor de koning en Olrig. 'Als u mij wilt verontschuldigen ...' Vervolgens draaide hij zich om en ging naar zijn kamer. Hij sloot de deur niet en hield zich muisstil, zodat hij alles nog in de gaten kon houden.

Koning Noïrun en krijgskoning Olrig stonden op en maakten een lichte buiging. 'Eerbiedwaardige Sneeuwmaan, we danken u voor uw gastvrijheid en hartelijke woorden, ondanks de slechte omstandigheden.'

Samen met Schaduwloper verlieten ze het huis. Rowarn kon nog net zien hoe ze hun paarden bestegen die hen vrolijk hinnikend verwelkomden. Met zijn drieën galoppeerden ze vervolgens naar de wachtende troep soldaten.

Besluiteloos, met zijn handen in zijn zakken, stond hij daar en vroeg zich af wat hij zou gaan doen. Het liefst was hij ze stiekem gevolgd. Hij had maar al te graag de verbaasde gezichten van de mensen in de stad gezien wanneer ze de zwaar bewapende soldaten zouden zien. En daar kwamen de beide edelen en Schaduwloper ook nog bij, die al sinds maanden niet meer in de stad was geweest.

Sneeuwmaan nam de beslissing echter voor hem, want ze stond hem, diep gebukt vanwege de voor haar te lage deur, aan te kijken.

'Kom Rowarn,' merkte ze serieus op. 'We moeten praten.'

Het was alsof een ijskoude hand zich om zijn hart sloot.

HOOFDSTUK 4

Waarheid en legende

Sneeuwmaan nam plaats op haar ligbed en strekte haar armen uit naar Rowarn. 'Kom hier, mijn zoon,' zei ze zacht. Er lag zo'n zachtaardige, treurige klank in haar stem, dat Rowarn meteen gehoorzaamde. Sneeuwmaan drukte hem stevig tegen zich aan en Rowarn voelde hoe haar menselijke bovenlichaam trilde, alsof ze haar gevoelens in bedwang probeerde te houden.

'Vergeef me,' vervolgde ze toen, 'dat ik je heb geslagen. Dat had ik nooit mogen doen. Maar ik was zo buiten mezelf van angst en bezorgdheid ...'

Rowarn was geheel ontdaan. 'U hoeft niet om vergeving te vragen, moeder,' antwoordde hij, terwijl hij zijn moeder omarmde. 'U had een goede reden. U heeft me zoveel liefde gegeven en zoveel voor mij gedaan.' Hij ging rechtop zitten en keek haar aan. 'Dit alles heeft wat met mij te maken, hè?' vroeg hij toen langzaam. 'Daarom ging vader ook mee. U moest hier blijven om het mij uit te leggen, klopt dat?'

Ze knikte. 'Ja, Rowarn. 'En ook daarom moet ik om jou vergeving vragen.'

'En het heeft ook met de Witte Valk te maken die dit jaar niet gekomen is.'

'We hebben er vol verlangen naar uitgekeken, net als jij ieder jaar doet. We waren al bang dat er iets ergs gebeurd was toen hij niet kwam. En toen kwamen de vreemdelingen ... Maar ik ... ik wilde het niet geloven ... omdat ik altijd van Ylwa gehouden heb.'

'Ylwa ...?' echode Rowarn verbaasd.

Sneeuwmaan knikte. 'De valk was van haar. Als de valk kwam, dan wisten we dat alles in Ardig Hal in orde was – en andersom wisten zij dat hier alles ook in orde was, met jou. Hij was geen voorbode van een goede oogst of zo, men heeft hem slechts als symbool daarvoor genomen omdat hij ieder jaar op dezelfde dag boven het dal verscheen, om vervolgens weer te verdwijnen. De Witte Valk kwam echter alleen vanwege jou, al twintig jaar lang.'

'Oh ...' bracht Rowarn er verbaasd uit en greep naar zijn borstkas. 'Ik geloof dat ik even moet gaan zitten.' Hij strompelde naar zijn stoel en leek er helemaal in weg te willen kruipen, zoals hij de laatste dagen wel vaker had gedaan.

Sneeuwmaan zuchtte. 'Luister nu goed, Rowarn, want dit verhaal gaat ver terug en waarheid is met legende verweven. Zo erg zelfs dat ook wij de achtergrond niet helemaal kennen.'

Rowarn knikte en luisterde.

Het verhaal van de tabernakel

De Nauraka leven sinds mensenheugenis in de Omsluitende Zee. Men noemt hen ook wel het Zeevolk. Net als de Velerii behoren ze tot de Oude Volken en werden in de vroegste tijden door Lúvenor geschapen.

Ze zijn niet onsterfelijk, maar leven zeer lang.

Op een dag waren enkele jonge Nauraka nieuwsgierig. Dat gebeurde ook bij de landvolkeren regelmatig, maar deze Nauraka waren zeer volhardend. Ze ontdekten in de dieptes van het meer, op een plaats waar niets zou moeten zijn en geen leven mogelijk was, een koepel. Hun nieuwsgierigheid was gewekt en ze braken de koepel, die er uitzag als een tempel, open en vonden daar een artefact in.

Het zou beter geweest zijn, als ze het daarbij gelaten hadden. Ze namen het echter mee naar hun koraalstad en lieten het aan hun wijzen zien, omdat ze verwachtten dat men hen met eer zou overladen. De wijzen zagen echter meteen wat ze daar in hun handen hielden. Ze eisten van de dwaze kinderen dat ze het arte- fact onmiddellijk terugbrachten naar de plek waar ze het gevon den hadden. Het was ten slotte niet voor niets zo goed verborgen geweest. En zo gebeurde het ook.

Eén van de jongelingen gehoorzaamde echter niet. Hij wachtte totdat de tempel gesloten was, om het vervolgens weer te pakken en bij zichzelf thuis te verstoppen. Hij had gevoeld hoeveel macht er vanuit ging en wilde het bij zich hebben. Toen zijn familie zag wat hij gedaan had, was het al te laat. Ze durfden nu zelf niet meer toe te geven, dat hun kind ongehoorzaam geweest was.

Dat bleek een enorme fout te zijn.

De aanhangers van de duisternis wisten al wat er gebeurd was. Ze overvielen het Zeevolk en gingen op zoek naar het artefact. Hoe ze dat deden, hoef ik niet te vertellen, denk ik. Dood en verwoesting overspoelden de Nauraka. Ze betaalden een hoge prijs voor de nieuwsgierigheid van de jongelingen.

Wat was dat artefact nou precies, dat men er zo'n bloedige prijs voor moest betalen? Het werd een "tabernakel" genoemd, naar de houder waarin men het had gevonden. In het dialect van de Nauraka betekende het "geheim". De tabernakel zag eruit als een van klei gemaakte schijf van twee handbreedtes groot en een vinger dik. De schijf was in drie ringen onderverdeeld die door verbindingsstukken met elkaar verbonden waren. De buitenste ring was met de symbolen van de Eersten versierd, de middelste met symbolen van de zon, planeten en nevels. De binnenste ring symboliseerde het centrum van het universum, de Slapende Ogen van Ishtrus.

De eenvoudige tabernakel verborg echter ongekende krachten. Erenator, de Eerste Gedachte, die ook Woudzee gemaakt heeft voordat hij de wereld aan Lúvenor schonk, heeft de tabernakel gemaakt. Erenator heeft de tabernakel na het begin van de Eeuwige Strijd diep in de zee verborgen, om een reden die alleen hem bekend is. Naar zeggen was hij voorbestemd om daar verborgen te blijven, totdat men hem nodig zou hebben. De wil van Erenator was duidelijk: regenboog noch duisternis mochten nooit van het bestaan van de tabernakel afweten en hem al helemaal niet bezitten!

Dankzij de nieuwsgierige jongelingen, werd het machtige artefact echter voor zijn tijd gevonden en was zijn bestaan aan beide machten bekend.

In een vertwijfelde poging om het volk te redden, probeerden de wijze van Nauraka de tabernakel te activeren en hem op die manier tegen hun duistere aanvallers in te zetten. Ze waren echter niet in staat om hem te gebruiken, want Erenator had een horde ingebouwd: alleen de *Tweegespletene* kan de tabernakel voor zijn oorspronkelijk bedoelde taak gebruiken.

Het artefact was gevonden, maar bleek nutteloos te zijn. Niemand wist wie de Tweegespletene was. Dat maakte de aanhangers van de Duisternis niet uit. Zij wilden eerst de tabernakel hebben en vervolgens het raadsel oplossen. Ze begonnen met het uitroeien van de Nauraka.

Toen de familie van de onfortuinlijk jongeling doorhadden, dat hun handelswijze de ondergang van hun volk betekende, namen ze een moeilijke beslissing. De gehele familie verliet het volk en ze kozen een vrijwillig ballingschap aan land. De tabernakel namen ze mee, enerzijds ter boetedoening en anderzijds om zo hoeder te zijn van de oorsprong van alle tegenspoed. Zo zou Erenators wil toch vervuld worden en zou de tabernakel noch voor Regenbogen, noch voor Duisternis toegankelijk zijn.

Het waren Ylwa's voorouders die de zee verlieten. Ze behielden de naam van hun volk, de Nauraka, echter met trots. Ze bundelden hun magische krachten en bouwden Ardig Hal, het Vredeslot dat voortaan als beschermplaats van de tabernakel zou dienen. Alhoewel het gehele volk de machten van de Regenboog diende, volgden ze Erenators wil op en beschermden hem tegen beide machten. Tot de dag dat de Tweegespletene zou komen, de persoon die voorbestemd was om de macht van de tabernakel te benutten.

Steeds weer ontbrandden er oorlogen om de tabernakel, maar de behoeders van de tabernakel hielden altijd stand, totdat op een dag Femris, een grote onsterfelijke van de kant van de Duisternis, Ardig Hal voor de eerste keer veroverde.

Ylwa's moeder was toentertijd koningin en hoedster van de tabernakel. Slechts zij en de jonge Ylwa waren nog over. Na hun vertrek uit de zee, had men het lange leven behouden, maar niet hun vruchtbaarheid. In de loop der tijd was hun aantal gestaag uitgedund, totdat slechts Ylwa en haar moeder overbleven. Het was een zware last, voor zowel moeder als dochter. Voordat Femris de tabernakel kon pakken, sloeg de koningin het voor zijn ogen kapot. De tabernakel spatte in zeven delen uit elkaar.

Femris slaagde er in om één splinter te pakken te krijgen, voordat hij het bewustzijn verloor door de magische storm die volgde op de vernietiging van de tabernakel. Vier splinters werden door het zware weer in alle windrichtingen verspreid. Het was een vreselijke orkaan, die nu nog steeds opgetekend staat in de analen van vele volkeren, want er is nooit meer een storm geweest die vergelijkbaar was. Zeven dagen lang dacht men dat de wereld zou vergaan. De verwoestingen waren dan ook verschrikkelijk. De magie was volledig oncontroleerbaar en stortte Woudzee in een ongekende chaos waar niemand, ook de grootmachten van het land, iets tegen kon ondernemen.

De stervende koningin kroop naar haar dochter Ylwa, toen nog een kind, en gaf haar de zesde splinter. Vier splinters werden later door andere hoeders gevonden, de zevende splinter bleef onvindbaar.

De koningin blies haar laatste adem uit en droeg haar macht over aan haar dochter. Deze trok zich terug in Ardig Hal, met de splinter.

Femris overleefde de chaos. In de luwte van de achtste dag, toen de storm even plotseling tot rust kwam als dat hij begonnen was, was hij nagenoeg van al zijn krachten beroofd. Hij slaagde er niet meer in om naar het kind en het brokstuk te zoeken en kon de veroverde burcht ook niet houden. Zwaar aangeslagen trok hij zich terug in zijn eigen burcht.

Zijn krachten waren maar amper teruggekeerd of hij ging op zoek naar de overige splinters. Het lukte hem in de jaren daarna om één splinter te vinden.

Hij brandde zijn vingers echter niet meer aan Ardig Hal, waar Ylwa ondertussen de scepter zwaaide, de laatste van haar familie – tot vorig jaar, zoals nu blijkt.

Er daalde een stilte neer, toen Sneeuwmaan haar verhaal beëindigde en haar stem wegstierf in de in elkaar gevlochten takken. De bladeren trilden

Rowarn had even tijd nodig om hetgeen hij gehoord had te verwerken..

'Wanneer is de tabernakel kapot gegooid?' vroeg hij uiteindelijk.

'Ylwa's familie verliet het meer vele duizenden jaren geleden. De tabernakel zelf is achthonderd jaar geleden kapot gegooid,' antwoordde Sneeuwmaan. 'Ylwa was nog erg jong voor een Langlevende toen ... toen Femris haar liet vermoorden.'

'Femris voelt zich dus weer sterk genoeg – en terecht zo te merken,' ging hij verder. Zijn linkerhand streek over het groene zijde van de armleuning. 'Hij heeft nu dus drie van de zeven splinters, bijna de helft. Maakt hem dat machtiger?'

'Nee, maar ons wel moedelozer.'

Rowarn knikte en dacht verder na. 'De Demon Nachtvuur, hij heeft de koningin in opdracht van Femris vermoord.'

'Zo werd het ons verteld, je was erbij.'

Rowarn zweeg opnieuw. Hij wist allang wat hij ging zeggen, maar hij kreeg het niet over zijn lippen. Alles viel op zijn plek en het verbindende element was de Witte Valk. Zijn hart voelde zwaar, leek hem diep in de zitting te drukken en hij kon amper nog ademen.

Hij probeerde om niet naar Sneeuwmaan te kijken, die zei echter niets. Rowarn had gedacht dat zijn leven in puin lag, toen hij naast Anini's verminkte lijk wakker was geworden. Wat was hij onschuldig geweest!

Hij had nooit kunnen vermoeden, dat het allemaal nog veel erger zou worden. Nu waren de puinhopen van zijn leven ook nog eens tot fijn stof vervallen, als was het tussen molenstenen terecht gekomen en door de wind weggedragen en alles dat voor hem lag, was duisternis.

Zijn oude leven leek verder van hem verwijderd dan ooit, als was het nooit gebeurd.

Rowarn opende zijn mond, maar kreeg er geen woord uit. Hij schraapte zijn keel en probeerde het opnieuw. 'En ...'

Nu ving zijn blik toch die van Sneeuwmaan, die lijkbleek en doodstil op haar ligbed lag. Ze moedigde hem niet aan om verder te praten, maar gebood hem ook niet om te stoppen. Ze wachtte slechts af.

'En ...' probeerde hij voor een tweede keer, maar zijn stem brak weer.

Hij voelde zich hulpeloos, vertwijfeld en alleen. Alles scheen van één woord af te hangen. Hij zou het horen, zo gauw hij de vraag uit had gesproken. Sneeuwmaan verlangde dat hij zelf de conclusie zou trekken en daardoor de volledige draagwijdte van de situatie zou begrijpen.

Eén woord, meer niet. Eén van twee mogelijkheden. Welke was de betere? Welk antwoord hoopte hij te horen? Zou hij niet ieder antwoord vervloeken en gewoon wegrennen? Gewoon alles achterlaten en ergens een nieuw leven opbouwen? Had hij dat al niet moeten doen, toen hij naast Anini wakker werd en haar bloed aan zijn handen kleefde?

Ik heb het je gezegd,' hoonde een stemmetje in hem. *Jij wilde niet luisteren en nu moet je met het schuldgevoel leven. Dat wordt wel minder na een tijdje, maar je zult met een schuldgevoel moeten leren leven. Misschien dat je het ooit zult vergeten. Nu is het echter te laat, voor altijd. Je zit hier vast en zult nooit meer kunnen ontsnappen. Het is voorbij.*

Rowarn moest hoesten en greep naar zijn dichtgesnoerde keel. Het moest eruit! Er was geen andere mogelijkheid en ook geen hoop. Vanaf dit moment had hij maar één keus.

Opnieuw schraapte hij zijn keel. 'En ... Ylwa ...' begon hij opnieuw, maar hij kon niet meer verder. Dat was alles dat hij uit kon brengen. Sneeuwmaan moest hem wel helpen. Medelijdend keek ze hem aan en stak haar hand uit in een hulpzoekend gebaar. Ze sloeg haar ogen neer en slaakte een diepe zucht.

'Ja,' zei ze uiteindelijk helder en dat ene woord bezegelde zijn toekomst. 'Ylwa was je moeder.'

Rowarn zat op de heuvel onder de Veelkleurige en keek uit over het land. Hij keek niet eens op toen hij vanuit de verte hoefslagen zijn richting uit hoorde komen om vlak bij hem te stoppen.

'Kunnen we praten?' hoorde hij de diepe, rustige stem van Schaduwloper.

Rowarn trok zijn schouders op, vervolgens knikte hij.

De paardmens liep om hem heen en knielde bij hem neer. Een tijdje keken ze hoe de zon in het westen onderging. De hemel kleurde bloedrood en het werd snel donkerder. De eerste sterren verschenen aan het firmament.

Rowarn bekeek hoe een stoet mieren delen van een grashalm naar hun, onder een wortel verborgen, mierennest sleepten 'Wie is mijn vader?' vroeg hij langzaam.

'Dat weten we niet,' antwoordde Schaduwloper. 'Ylwa heeft het ons nooit verteld. Het zou kunnen dat ze met een Nauraka geweest is. Je hebt heel veel trekken van een Nauraka.'

'Bestaat het volk dan nog?'

'Wie weet? Het kan goed zijn dat enkele het overleefd hebben, de zee is erg groot. Het kan zijn dat de Duisternis de vervolging gestaakt heeft, toen de Tabernakel weg was.'

'Het kan dus iedereen zijn.' Rowarn staarde naar de grashalmen naast zijn voeten om ze vervolgens met zijn gebalde vuist plat te slaan 'Waarom?' siste hij. 'Waarom hebben jullie mij nooit de waarheid gezegd?'

'Omdat dat Ylwa's wens was,' antwoordde Schaduwloper. 'We mochten het pas op je eenentwintigste verjaardag vertellen. We hebben haar wens altijd gerespecteerd, konden niet anders. Tot nu, nu ze dood blijkt te zijn en alles ineens heel snel lijkt te gaan.'

Rowarn keek Schaduwloper aan. 'Vertel me alles.'

Schaduwloper legde een hand op Rowarns schouder. Zijn gezicht was getekend door verdriet. Zijn manen bewogen zachtjes mee op het ritme van de wind, maar zonder de gebruikelijke harmonie.

'We waren al bijna duizend jaar de hoeders van Weideling,' begon hij, 'toen Ylwa, nu twintig jaar geleden, bij ons aanklopte. Vroeger zijn we vaak naar Valia gereisd en verbleven we in Ardig Hal. Haar moeder kenden we daarom vrij goed. Toen Femris, nu achthonderd jaar geleden, voor het eerst Ardig Hal onder de voet liep, zijn we dag en nacht onderweg geweest. Dag en nacht galoppeerden we, maar toen we aankwamen, bleken we toch te laat te komen. De tabernakel was al kapot. Femris was in ieder geval verslagen en Ylwa leefde nog – en was in het bezit van één van de splinters.

Ze vertelde ons wat er gebeurd was. We wilden blijven om haar te helpen, maar ze sloeg het af. Ze had liever dat we onze taak als hoeders van Weideling niet verwaarloosden. Zij zou haar taak doen, als kind. Ylwa was toen slechts zeven of acht jaar, maar in haar ogen lag een blik die geen tegenspraak duldde. We zijn altijd goede vrienden gebleven, door de eeuwen heen.'

'Totdat ze ineens voor jullie deur stond.'

'Ja, ze kwam onverwachts en we schrokken van de treurige blik in haar ogen. Hetgeen ons echter het meest verbaasde, was dat ze op dat moment al hoogzwanger was. Ylwa werd namelijk in vele liederen bezongen als de Eeuwige Maagd. Ze had altijd alleen geleefd en ons nooit van een man verteld. Ze vroeg ons om haar te helpen en geen vragen te stellen. Vanzelfsprekend namen we haar op. Toen het eenmaal zover was, werd jij geboren. Je was een gezonde jongen en Ylwa was gelukkig. Wij allemaal trouwens.'

Schaduwloper onderbrak zijn verhaal en streek door zijn baard. Hij staarde in de heldere avondlucht. Alle kleuren leken helderder te zijn, maar tegelijkertijd ook zachter. Een rode gloed overspoelde de heuvel en de Veelkleurige straalde in alle kleuren van het jaargetijde: groen, purper, goud, bruin en gevlekt wit. De schaduw van de takken kroop langzaam in de richting van het oosten, reikten naar de horizon om daar op de opkomende zon van de nieuwe dag te wachten.

Uiteindelijk vervolgde Schaduwloper zacht zijn verhaal.

'Ze zei dat ze je niet kon houden, omdat je je leven bij haar geen moment zeker zou zijn. Ze was bang dat ze je niet zou kunnen beschermen, bevreesd dat ze haar plichten als hoedster van Ardig Hal zou verwaarlozen en daardoor de burcht een makkelijke prooi zou worden. Niemand mocht weten, dat ze geen maagd meer was, maar een kind gebaard had. Ze weende toen ze jou zag. Ik geloof dat ze vanaf die dag nooit meer heeft gelachen.'

Rowarn probeerde de brok in zijn keel weg te slikken. Het leek wel of daar ineens een herinnering was, een herinnering aan twee liefdevolle armen die hem teder vasthielden. Herinneringen aan ... aan een borst die hem voedde en hem voldaan en tevreden maakte. Een geur, intens en vol als het diepste water, warm en koel tegelijk. Fris en zoet. Hij probeerde er een beeld van te krijgen, maar het lukte hem niet. 'Is ze het?' fluisterde hij. 'Kan ik haar voelen?'

Schaduwloper legde zijn grote hand op Rowarns voorhoofd en sloot zijn ogen. 'Ja,' antwoordde hij even zacht. 'Ja, dat is wat ze jou meegaf. Hetgeen je je zou herinneren, zodat je weet dat ze van je houdt. Ze heeft je opgegeven om je te beschermen. Om je een vrije en onbezorgde jeugd te geven.'

Hij zuchtte. 'Daarom drukte ze ons op het hart om je niets over je herkomst te zeggen, totdat je eenentwintig zou zijn. Pas dan zou je oud genoeg zijn om alles te begrijpen, sterk genoeg om naar Ardig Hal te gaan en aan haar zijde de hoeder van Ardig Hal te zijn. Ylwa wist dat Femris op een dag terug zou keren, machtiger dan ooit. Dan zou jij haar moeten steunen.'

'En nu is alles ineens zo snel gegaan,' concludeerde Rowarn bitter.

'Ja, Rowarn,' zei Schaduwloper zacht. 'Maar bedenk, dat Ylwa's plan toch geslaagd is. Femris mag dan een splinter hebben, hij weet niets van jouw bestaan. Hij gelooft dat de laatste erfgename van de hoeders gestorven is. Zolang er nog een Nauraka leeft, is Ardig Hal niet verloren.'

'Je denkt dat er een opdracht op mij wacht?' vroeg Rowarn. Toen knikte hij met een duister gezicht. Zijn ogen lichtten op met een onheilspellende gloed. 'Nachtvuur zal boeten voor hetgeen hij mijn moeder aan heeft gedaan. Ik zweer een bloedwraak, vader.' Hij blikte wild om zich heen en stak zijn vuist in de lucht. 'De dood van mijn moeder zal niet zonder wraak zijn!'

Er lag een treurige blik in Schaduwlopers ogen. 'Ik wou dat je dat niet gedaan had.'

'Ik zal haar wreken!' bevestigde Rowarn nog een keer. 'Dit is mijn doel!' Hij keek zijn peetvader strak in de ogen. 'En niemand zal me tegen kunnen houden, ook jullie niet.'

Er bleef een beladen stilte tussen hen in hangen, toen stond

Schaduwloper op en schudde zijn lange, zwarte manen. Hij stak zijn hand naar Rowarn uit. 'Op mijn rug, jongen. We moeten naar huis. Het wordt al donker en Sneeuwmaan is vast en zeker ongerust.'

Heel even twijfelde Rowarn, maar pakte toen de uitgestoken hand. Schaduwloper trok hem met een krachtige ruk op zijn brede rug. Niet lang daarna galoppeerden ze over de heuvel naar Weideling.

Sneeuwmaan had het avondeten al klaar. De kaarsen waren aangestoken en ze stond hen al op te wachten voor de oude, grote boom. Ze leek wel een standbeeld, fel verlicht tegen de zwartblauwe achtergrond van de hemel.

Het avondeten verliep in stilte. Rowarn had tijd nodig om wat hij gehoord had te verwerken. Maar ook om in het reine te komen met de eed die hij in zijn woede gezworen had. Hij wist nu in ieder geval waarom hij soms zo'n trek had in vis of vlees. Het verklaarde echter nog steeds niet, waarom hij soms verschrikkelijke woedeaanvallen had en waarom hij vervolgens vergat wat hij daarbij had gedaan. Hij was daarna altijd verward en vaak helemaal overstuur.

Zijn pleegouders zeiden niets, terwijl hij slechts wat zat te spelen met zijn eten en niets at. Hij kreeg niets weg.

Kon hij de Velerii geloven? Waarom had zijn moeder hem hier gelaten? Om hem te beschermen? Dat zou kunnen. Of omdat ze hem niet wilde zien! Zeker, misschien had ze geleerd om van hem te houden, als ze hem voelde bewegen tijdens haar zwangerschap. Maar wat was er met zijn vader? Had ze ook van hem gehouden? Of ... hem gehaat? Waarom had ze nooit over hem gesproken?

En hadden zijn pleegouders deze keer de waarheid gesproken of hadden ze weer wat voor hem verborgen gehouden om hem te beschermen? Het was zinloos om daar nu vragen over te gaan stellen. Zelfs al wisten de Velerii meer, ze zouden het hem nu niet vertellen. Ze hadden een geheel eigen mening over wat ze hem op welk tijdstip moesten prijsgeven – zelfs al ging het om zoiets belangrijks als Rowarns herkomst.

Hij besloot uiteindelijk dat hij genoeg had gepiekerd. Hij schoot er niets mee op, niet nu in ieder geval. Hij moest gaan slapen. Morgen zou hij alles waarschijnlijk veel helderder zien. Het volgende moment kromp hij in elkaar, toen hij merkte dat Sneeuwmaan hem aankeek.

'Ons onderricht is niet vergeefs geweest,' sprak ze toen.

Rowarn knikte. Hij beheerste zich, liet niet toe dat de storm die binnenin hem woedde, de overhand kreeg. 'Ja, jullie hebben me goed onderricht.' Hij stond op. 'Ik wil alleen zijn, dat begrijpen jullie vast wel.' Zonder op antwoord of toestemming te wachten, verliet hij de kamer en sloot zachtjes de deur achter zich.

Toen hij alleen was, ging hij op de vloer van zijn kamer liggen en ademde tweemaal diep in, sloot zijn ogen en liet zijn gedachten de vrije loop. Alhoewel er geen enkel geluid over zijn samengeknepen lippen kwam, klonk er nog altijd genoeg herrie in zijn oren.

Uiteindelijk, naarmate ze zich te vaak herhaalden en afsleten en hun betekenis verloren, verbrokkelden de zinnen in zijn hoofd tot enkele woorden en vervolgens tot lettergrepen, die geluidloos verdronken in de ruisende schuimgolven van zijn bloed, die donderend op zijn oren braken.

Op dat punt begon Rowarn bewust te ademen. Inademen door de neus, en uit door de mond, rustig en langzaam. Zijn buik rees en daalde. Nog enkele lettergrepen weerklonken gebroken in de wegtrekkende vloed en er bleef slechts leegte en duisternis achter. Rowarn zonk diep weg in zichzelf, ver weg van alle bewuste gedachten liet hij zich meedrijven.

Zijn razende hartslag werd rustiger, zijn trillende armen en benen ontspanden zich en hij verzonk in een troostende, diepe rust die hem als een beschermende mantel omgaf.

Het was bijna alsof hij in een beschermende zee was gesprongen en tot aan de grens van licht en diepte was gedoken, omgeven door een gewichtloze wereld waarin alles mogelijk was.

Toen Rowarn zijn ogen weer opende, was de nacht al gevallen. Een tijdje bleef hij slechts liggen en luisteren. Het was stil in het huis. Traag bewoog hij zijn armen en benen en langzaam ging zijn bloed weer circuleren. Uiteindelijk stond hij op en liep naar het raam.

Buiten was alles eveneens rustig en donker. De sterren drongen maar amper door het bladerdak en het licht van de maan was te zwak om tot hier te kunnen reiken.

Hij opende het raam en zoog de nachtelijke lucht diep in zijn longen. De geur was heel anders dan overdag, ze kende geen licht en de geuren die ze inzamelde en met zich meenam, waren puur en onvervalst. Een traan rolde over Rowarns wang; hij merkte het niet, maar bleef slechts staan en keek naar buiten.

Nadat zijn ogen aan het spaarzame licht gewend waren geraakt, slaagde hij er toch in om enkele contouren te zien. Bladeren die zich traag bewogen en af en toe heel even een eenzaam en dun straaltje licht doorlieten. Het was niet veel meer dan het glitteren van een verre ster, maar het was genoeg voor Rowarn om de vage schaduw van een genetkat te ontdekken, die onder het loof doorliep, op zoek naar een onvoorzichtige muis.

Terwijl hij zo doodstil bleef staan, hoorde hij al snel ook het geknisper van een vlinderrups, die zich gretig door het jonge groen heen werkte. Hij hoorde geknak op een jonge tak, daar bevochten twee vliegende herten elkaar met hun machtige kaken. Ze gingen zo op in hun gevecht, dat ze hun houvast verloren en, elkaar nog vasthoudend, op de grond vielen en gewoon weer verder vochten.

Eekhoorntjes renden over de stam op en neer: als er dan één "gevangen" werd, ging er een luid, half boos, half opgelucht gekwetter op, waarop de jacht meteen weer werd hervat.

Slechts enkele nachten geleden, toen de maan vol was en het feest in voorbereiding was, had Rowarn hier ook gestaan en zich verloren in romantische dromen, terwijl hij de bedrijvigheid van het voorjaar volgde. Zuchtend had hij zich afgevraagd of Anini, waar hij al heel lang een oogje op had, hem maar zelfs zou zien staan.

Dat leek nu zover van hem verwijderd te zijn, dat het wel een ander leven leek. Toen was hij nog een onschuldige, ja naïeve, jongenman geweest die zijn liefdesverdriet voor het ergste hield dat hem kon overkomen. Hij had niet eens gezien hoe gelukkig hij eigenlijk was, om de eenvoudige reden dat hij het niet geweten had.

Deze periode was voorbij, voor altijd. Hij was over een drempel gestapt en de deur was achter hem dichtgeslagen om vervolgens te verdwijnen. Nu droomde hij niet meer van avonturen en heldenverhalen, hij zat er middenin.

Rowarn stond de hele nacht bij het venster en dacht na. Pas toen de ochtend zich al aan de hemel af begon te tekenen, ging hij naar zijn bed. Hij had zijn ogen nog maar net gesloten of hij viel al in een diepe, droomloze slaap.

Zijn beslissing was genomen.

HOOFDSTUK 5

Bloedschuld

Toen Rowarn wakker werd, was het al ver in de middag. In de woonkamer stond een kleine maaltijd voor hem klaar. Van zijn pleegouders was geen spoor te bekennen. Ze waren waarschijnlijk richting de weide vertrokken om de pasgeboren veulens te controleren.

Des te beter. Rowarn was er dankbaar voor, want op dit moment sprak hij liever nog niet met hen. Er stond veel tussen hen in dat hij eerst moest verwerken. Bijvoorbeeld het feit, dat hij een Nauraka was, nakomeling van een volk dat in de zee leefde. Hij wilde ook niet beïnvloed worden in zijn beslissing of verhinderd worden om naar Madin te gaan, hetgeen hij nu van plan was.

Hij ontbeet en ging op weg. Hij nam de binnendoor route langs het meer, direct door het bos en over de weide. Hij liep met een boog om de heuvel heen waar Anini gestorven was. Het duurde niet lang voordat Rowarn de rokende schoorstenen van de stad zag.

Op de hoofdstraat heerste de gebruikelijke drukte van handelaren en Rowarn mengde zich onder de mensen. Zo viel hij nog het minst op. De handelsstad had geen vestingmuur, dus ook geen poort of wachter. Iedereen kon ongehinderd de stad betreden. Het afgelegen Inniu had geen vijanden en er was geen echte bedreiging voor Madin. Niet zolang het onder de bescherming van Weideling stond.

De straten vertakten zich vanuit de handelsweg en waaierden uiteen in een waar netwerk, de huizen waren kriskras en ongelijkmatig verdeeld. Iedereen had zijn huis gebouwd zoals het hem uitkwam. Alhoewel er gebouwen waren met één verdieping, overheersten de huizen met meerdere verdiepingen. De meesten stonden scheef van de wind of waren heel smal, alsof men bij het bouwen niet precies had geweten hoeveel plaats men nodig zou hebben.

In elke straat vond men werkplaatsen en winkeltjes en meestal woonden de eigenaren en hun gezinnen op de verdiepingen erboven. Zoals altijd was de marktplaats het centrum van het stadje, hier prezen de handelaren hun waren luidkeels aan. De tafels en kraampjes waren rondom de waterput en de smidse opgesteld.

Het was een wirwar van stemmen en diergeluiden. Schapen, dwergrunderen, hanen en zwijnen stonden in een omheining en werden te koop aangeboden. Daar kwamen nog eens de talloze zangvogels bij die in kleine houten kooitjes te koop stonden.

Rowarn struinde wat rond. Hij kon niets kopen, omdat hij geen geld had, maar hij hield van de bedrijvigheid en de bonte handel. In dit geval had hij een bepaald doel voor ogen: de *Gouden Boom*, het logement met de enige herberg van Madin. Het was een groot gebouw dat uit meerdere verdiepingen bestond en zich over de halve straat uitbreidde, met stallen voor de paarden en berging voor koetsen en karren. Het was van Daru en Hallim, Anini's ouders, en Rowarn besefte maar al te goed wat er kon gebeuren als hij het waagde om er naar binnen te gaan.

Koning Noïrun en zijn gevolg bevonden zich in de gelagkamer, precies zoals hij gehoopt had, en schenen het naar hun zin te hebben. De Dwergenkoning hief net een schuimende roemer bier, toen hij Rowarn zag.

'Kijk eens wie ons komt bezoeken!' riep hij. 'Kom hier, boomaapje!'

Rowarn perste zijn lippen op elkaar. Hij hield er niet van om zo in het openbaar genoemd te worden, en zeker niet hier in Madin. Olrig scheen het door te hebben, want hij voegde er snel aan toe: 'Verontschuldig mij, dat was ongepast. Wees welkom aan onze tafel, Rowarn van Weideling!'

Rowarn maakte een afwerend gebaar. Zoveel opzien had hij helemaal niet willen baren, zeker niet omdat alles tot nu toe goed was gegaan.

Het was al te laat. Als uit het niets kwam Rayem aangelopen, Anini's broer, en versperde hem de weg. Hij had een mes in zijn hand en zijn schort zat onder het bloed van een haan die hij net geslacht had, de veertjes kleefden nog aan de rode vlekken.

'Je waagt het hier naar toe te komen?' siste hij. 'Ga weg hier, voordat ik vergeet wat ik mijn moeder beloofd heb!'

'Ik heb een opdracht,' antwoordde Rowarn koel, maar deed toch een stap achteruit. Hij was niet gewapend en zeker niet opgewassen tegen Rayem. Daar kwam nog eens bij dat hij iedere vorm van geweld wilde vermijden, het zou alles alleen maar erger maken.

'Weg hier, bastaard!' schreeuwde Rayem.

Rowarn slikte. Zijn trots verhinderde hem om zich om te draaien en weg te lopen, maar de angst voor een ongecontroleerde uitbarsting dwong hem om te blijven staan alsof hij wortel had geschoten. Hij overlegde vertwijfeld bij zichzelf wat hij nog kon doen om een gewelduitbarsting te vermijden.

De stem van de vorst weerklonk achter Rayem. 'Is er een probleem?'

Rayem keerde zich half naar hem om zonder Rowarn uit het oog te verliezen, het mes nog steeds dreigend naar hem wijzend. 'Niets dat u aangaat, edele heer,' stiet hij uit. 'Dit is onze aangelegenheid.'

'Ik ken Rowarn,' zei Noïrun echter bedaard. 'Hij is mijn gast.'

'Nee!' Rayem kon zich niet beheersen en draaide zich om naar de vorst. 'Dat kan niet, begrijpt u? Hij heeft mijn zuster vermoord! En wij dulden hier geen moordenaars!'

Rowarn voelde zijn hart zwaar worden. Het was waarschijnlijk toch beter als hij nu ging. Hij kon de koning alles later uitleggen.

De koning keek hem heel even aan met zijn groene ogen en Rowarn had het gevoel dat hij tot op de bodem van zijn ziel doorgrond werd. Toen vroeg de man aan Rayem: 'Is dat bewezen? En zo ja, waarom is hij dan niet in hechtenis?'

Anini's broer knarste met zijn tanden. De hand met het mes trilde. 'Het is niet bewezen,' perste hij er tussen zijn op elkaar geklemde tanden door uit.

'Goed dan,' zei Noïrun vriendelijk, legde een arm op Rowarns schouder en trok hem mee.

'Maar iedereen weet dat hij het was!' riep Rayem zo luid en

beschuldigend dat alle gesprekken verstomden en iedereen Rowarn aankeek. De punt van Rayems mes wees naar Rowarn. 'Er is geen twijfel mogelijk dat hij de moordenaar van mijn zus is en alleen maar de gerechtigheid ontloopt, omdat de stadoudsten bang zijn voor de wraak van de Velerii. Schande aan diegene die zich hun vrienden noemen, ook al zijn het vreemden! Ze zijn hier niet welkom! Ze zijn niets beter dan aan lager wal geraakt uitschot!'

Koning Noïrun liet zijn arm van Rowarn schouder glijden en leek uit steen gehouwen te zijn.

Het werd doodstil. Niemand bewoog zich en enkele soldaten hadden plotseling messen in hun hand en waren half opgestaan.

Wachtend, als een pijl die op een gespannen boog lag, staarden ze naar hun koning.

Rayem hield geschrokken in. Hij bemerkte te laat dat hij te ver was gegaan. Zijn ogen sperden zich wijd open toen de vorst zich langzaam omdraaide en hij kromp in elkaar toen hij de blik uit die strenge ogen op zich gericht voelde. Alle vriendelijkheid was eruit verdwenen. Het mes viel uit zijn hand en viel kletterend op de houten vloer. Hij merkte het niet eens. Hij staarde Noïrun aan zoals een konijn naar een slang kijkt, niet bij machte om een vin te verroeren.

De koning wilde een stap naar voren zetten, terwijl zijn hand naar zijn gordel gleed, maar op dat moment stond Olrig naast hem. Hij raakte Noïruns arm kort aan, liep toen verder naar Rayem, pakte hem beet en schoof hem ruw in de richting van de keuken. 'De pijn van het verlies van je zus zal je deze woorden in de mond gelegd hebben, jongeman.' zei hij luid en duidelijk. 'Daarom vergeeft de zoals altijd grootmoedige edele vorst je dit mateloze gebrek aan respect. Hij weet hoe dwaas en onwetend de jeugd nou eenmaal is. Ga nu en wijd je aan je werk, voordat je een pijnlijke berisping van je vader krijgt.'

Hij gaf Rayem zo'n harde duw, dat hij tegen de deur van de keuken smakte, draaide zich vervolgens om en riep vrolijk: 'En laat ons nu wat drinken en een goed gesprek voeren, zoals dat hoort tussen lieden van stand!' Met een wijds gebaar maakte hij duidelijk dat het geschil voorbij was en iedereen zich weer met zijn eigen aangelegenheden kon bemoeien.

De bewoners van Madin deden dit dan ook meteen, ze wendden zich haastig af en vervolgden hun gesprekken. De soldaten ontspanden zich ook en staken hun zwaarden en messen terug.

Rowarn stond nog steeds als versteend toe te kijken hoe Olrig de koning op de schouder klopte. 'Hij is de moeite niet waard, mijn vriend, en het was zeker geen roemvolle daad geweest om je zwaard op zijn ongewassen nek uit te proberen.' Hij wenkte Rowarn. 'Kom mijn jongen, neem plaats aan onze tafel en neem een slok van mijn bier.'

Rowarn volgde hem. Zijn knieën voelden nog steeds aan als was en hij durfde koning Noïrun niet aan te kijken toen deze zwijgend naar zijn plaats terugkeerde. Daru kwam al gauw aanlopen met een dienstmeid in haar kielzog, die een dienblad vol bierpullen droeg en nog iemand met een dienblad vol heerlijk geurende etenswaren: vers brood, gerookte ham, kruidige kaas en smeuïge honing. Anini's vader was lijkbleek toen hij een buiging maakte voor Noïrun, terwijl de tafel gedekt werd. De soldaten tastten meteen hongerig toe, zonder zich te bekommeren om hetgeen zich aan het andere einde van de tafel afspeelde.

'Duizendmaal vergeving, edele heer ...' begon Daru en keek de krijgskoning hulpzoekend aan. Olrig wendde zich echter af en stootte zijn bierpul krakend tegen de pullen van de soldaten.

Rowarn had nog nooit angst in de ogen van de zwaar gebouwde man gezien, die vanwege zijn bouw alom gerespecteerd werd. Plotseling had hij medelijden met de man en was hij boos op zichzelf. Dit was alweer zijn schuld! Leed Daru niet al genoeg vanwege de dood van Anini? Nu had ook Rayem bijna zijn leven verloren! Rowarns keel was kurkdroog en hij wenste dat hij wat kon doen of zeggen, de juiste woorden vinden om het leed te beëindigen.

'Mijn zoon is zichzelf niet meer, sinds de dood van zijn zuster,' ging de herbergier verder. 'Ik weet niet hoe ...'

'Genoeg,' onderbrak de koning hem kwaad. 'Uw verontschuldigingen kunnen de woorden van uw zoon niet ongedaan maken.' Hij richtte zijn ogen op de waard. 'Maar ik neem ze toch aan,' voegde hij eraan toe. 'En uw gave om het weer goed te maken.' Hij wees op de gedekte tafel. 'Daar is het mee afgedaan. Ga nu, we hebben hier wat te bespreken.'

Daru maakte een buiging, dankbetuigingen mompelend en liep achterwaarts weg. Vlak voordat hij zich omdraaide, wierp hij een blik op Rowarn die de jongeman zich deed verslikken. De blik verried een veelvoud aan gevoelens – woede, haat. Maar bovenal onzekerheid en angst.

Noïrun keek Rowarn aan. Hij was nu weer volledig ontspannen. Het groen van zijn ogen leek nu meer op een bos tijdens een zomerse namiddag. Zijn stem maakte echter duidelijk dat hij antwoorden wenste en niet van plan was om over koetjes en kalfjes te gaan praten. 'Vertel, waar heb ik me voor laten beledigen.'

Olrig, die een dampend stuk vlees in de ene hand had en een stuk brood in zijn andere, draaide zich ook naar Rowarn toe en knikte hem bemoedigend toe, terwijl hij beurtelings een hap vlees en een hap brood nam. Zijn vingers en lippen dropen van het vet en in zijn snor en baard hingen enkele druppels honing die hij er met zijn tong aflikte.

Er lag een verontschuldiging op zijn lippen, maar hij wist zich in te houden. Hij wilde de vorst niet nog meer ergeren.

Hij ademde nog een keer diep in en vermande zich. In de hoop dat zijn stem vast klonk, begon hij uiteindelijk: 'Daarom ben ik ook hier naar toe gekomen.' Vervolgens vertelde hij alles en hij was verbaasd hoe makkelijk het hem ditmaal afging. Bijna afstandelijk vertelde hij van het begin af aan, van de moord op het eerste stadsmeisje tot aan Anini. Op dit punt aangekomen, moest hij toch even stoppen. Hij zag het verschrikkelijke beeld weer voor zich, maar hij liet zich er ditmaal niet door overweldigen. Hij had de hele nacht tijd gehad om erover na te denken en zich voor te bereiden. Nu kon hij het verhaal tenminste goed vertellen en dat zou hij tot aan het eind doen.

Noïrun en Olrig luisterden aandachtig, zonder hem te onderbreken. Aan hun gezichtsuitdrukking was niets af te lezen. 'Dus als ik het goed begrijp,' zei de krijgskoning nadat Rowarn zijn verhaal had beëindigd en een flinke slok uit zijn pul had genomen, 'ben je, ondanks het verbod van je pleegouders om hierheen te komen, toch gekomen om ons om hulp te vragen?'

Rowarn knikte. 'Aan wie zou ik het anders moeten vragen?' merkte hij zacht op. 'Hier in de stad is iedereen ervan overtuigd dat ik schuldig ben. Ik kan het ze niet eens kwalijk nemen, want ik weet zelf niet wat er gebeurd is. Mijn pleegouders hebben beloofd te helpen zoeken naar de daders, maar ik kan niet doelloos rondhangen.' Hij keek de koning smekend aan. 'Ik weet dat het brutaal is om u om hulp te vragen. U bent tenslotte hier gekomen, omdat u hulp van ons verwachtte. Maar ... begrijp alstublieft, dit meisje ... het zal niet ophouden. Het is altijd vredig geweest in Inniu en ik zie dit als een bedreiging voor Weideling, omdat de burgers van Madin mijn pleegouders nu wantrouwen. Ik zie geen andere mogelijkheid meer.'

'Hm.' De koning greep zijn roemer en nam in gedachten verzonken een slok. 'Wat kan jij mij bieden als ik jou mijn ondersteuning toezeg?'

Rowarn schaamde zich. 'Mijzelf heer. Ik bezit verder niets.'

'Wat kan je dan, jongen?' vroeg Olrig, terwijl hij de dienstmeid wenkte die hem meteen een nieuwe roemer met bier bracht.

'Niet veel,' moest Rowarn bekennen. 'Ik kan niet vechten, noch spoorzoeken. Ik begrijp niets van wapens en ik heb nooit met mijn handen leren werken.' Hij keek de vorst vertwijfeld aan. 'Maar ik kan lezen en schrijven, met paarden omgaan. En ik kan leren, want ik ben niet dom, maar sterk en gezond.'

'En trots en ongehoorzaam,' lachte Olrig. 'Niemand, die bij zijn volle verstand is, zou jou als dienaar aannemen, om maar te zwijgen om je als schildknaap aan te nemen.' Hij nam Rowarn op met fonkelende blauwe ogen. 'Ik heb geen idee van wie jij afstamt, boomaapje, maar jij bent niet zomaar iemand, zoals die jonge knaap daarnet. Ik betwijfel zelfs of je wel een mens bent. Ik moet toegeven, dat jouw geschiedenis overtuigend klinkt, maar jij bent onberekenbaar en levert slechts problemen op.' Hij wees met zijn duim in de richting van de keuken en voegde er spottend aan toe: 'Zoals je net ook hebt laten zien.'

Rowarn perste zijn lippen op elkaar. Het leek hem beter om niets te zeggen.

Noïrun dacht zwijgend na. 'Goed dan,' zei hij uiteindelijk. Hij keek Rowarn aan. 'Ik accepteer je aanbod.'

Olrig verslikte zich en het schuim van zijn bier spetterde alle kanten uit. 'Je doet ... wat?' hoestte hij half verstikt. Verbijsterd staarde hij zijn vriend aan.

'We moeten op de nieuwe rekruten wachten,' legde de koning uit. 'Zelfs al duurt dat maar drie dagen, tegen die tijd is iedereen dronken en dik en verzadigd van het vele eten. We moeten de mannen bezig houden en aan onze slagkracht werken. Als we hen een taak geven om aan te werken, dan motiveren we ze een stuk makkelijker.'

Hij stond op, ging aan de kop van de tafel staan waar de soldaten het er van namen en sloeg met zijn gebalde vuist op tafel. 'Discipline!' tierde hij, zodat ogenblikkelijk werkelijk iedereen in de herberg in elkaar kromp om vervolgens rechtop te gaan zitten. 'We zijn hier niet ter ontspanning! In de wapenen en in de houding!'

De soldaten lieten onmiddellijk alles vallen en verlieten het vertrek haastig, sommigen nog nakauwend en hun kleding rechttrekkend.

Rowarn zat er beduusd bij. Olrig lachte bulderend en sloeg zich op zijn dijen van plezier. Hij wiste de tranen van zijn behaarde wangen en klopte de jonge Nauraka op de schouder. 'Arme jongen, je hebt werkelijk geen idee waar je je mee ingelaten hebt. Het zal je nog bitter berouwen, geloof me!'

'Klets niet,' merkte Noïrun streng op vanuit de achtergrond. 'Zorg er liever voor dat die mislukte, lamme bende in beweging komt.'

'Ai, maar natuurlijk mijn vorst,' hikte Olrig. Hij stond echter meteen op, veegde de kruimels van zijn omvangrijke buik en stampte in de richting van de stallen.

'Nou, waar wacht je op, jongen?' Noïrun liep naar hem toe. 'Ik ... ik had niet verwacht, dat u zo snel ...' stotterde Rowarn.

De koning trok zijn wenkbrauw op. 'Wen er maar aan. Ik heb je voorstel aangenomen, daarmee ben je met onmiddellijke ingang mijn schildknaap. En ga nu naar Olrig en help hem met de paarden. Je kunt met hem meerijden.'

Rowarn sprong op. Zijn gelaat glom van opwinding. 'Ja, mijn heer.' Hij wilde al gaan, maar Noïrun zei nog wat. 'Hij heeft gelijk, weet je. Olrig bedoel ik.'

Rowarn slikte. Het was nu te laat voor berouw. 'Ja, mijn heer.' Vervolgens haastte hij zich naar de stallen.

Een uur later vertrok de groep. Onder het toeziend oog van de burgers van Madin, met inbegrip van de stadoudsten. Het nieuws dat ze naar de moordenaar van Anini gingen zoeken, had zich als een lopend vuurtje door de stad verspreid en bijna de hele stad was er dan ook.

Koning Noïrun had een kort onderhoud met Larkim de Strenge gehad en uitgelegd wat hij van plan was. De oude man scheen aan de ene kant opgelucht te zijn dat hij deze verschrikkelijke zaak uit handen kon geven. Anderzijds zag hij het als een inmenging van buitenaf, in een zaak die ze zelf op zouden moeten lossen.

'We doen dit in dienst van u,' verklaarde de koning rustig. 'Met alle respect, achtenswaardige Larkim: de burgers van Madin zijn geen soldaten en zijn hier niet voor opgeleid. Het is onze taak om dit soort zaken tot een goed einde te brengen.'

'Maar de jongen ...'

'Als hij schuldig is, dan is hij bij ons veilig.'

'U begrijpt het niet,' zei Larkim duister. 'Als hij de controle verliest, is hij gevaarlijk. Je hebt veel mensen nodig om hem tegen te houden.'

De koning lachte toegeeflijk. 'Niet bij deze mensen, mijn beste man. Geloof me.'

En nu ging het gebeuren. Rowarn zat achter Olrig op zijn schimmel, overspoeld door een wirwar van gevoelens. Om zichzelf wat af te leiden, vroeg hij de Dwerg: 'Dat dier op het wapen ... wat is het?' Het was een witte kop van een fabeldier op een blauwe achtergrond. Een lange snuit met vlijmscherpe tanden, ovale ogen, hoorns en een baard. Het wezen had een soort afschrikwekkende schoonheid en was omsloten door enkele eenvoudige versierselen.

'We dragen het wapen van Ardig Hal, omdat we in zijn dienst staan,' antwoordde Olrig. 'De zeedraak, het symbool van de Nauraka, is een machtig wezen uit de tijd dat de wereld nog jong was.'

'Bestaat hij nog?' vroeg Rowarn opgewonden.

'Wie weet, ik ben nog nooit bij de zee geweest.'

'En wat is er met de Nauraka gebeurd, die het herkenningsteken hebben gemaakt?'

'Ook over de Nauraka is mij niets bekend. Koningin Ylwa heeft zich al tachtig jaar lang aan niemand meer laten zien, zodat zelfs Noïrun zich er geen beeld van kan vormen. Olrig schudde zijn hoofd. 'Ik hecht er ook geen waarde aan.'

Noïrun kwam naast hen rijden. 'Rowarn, beschrijf ons heel exact de plek waar jij en Arilni geweest zijn.'

'Het is niet ver meer, heer.' Rowarn wees naar voren. 'Voorbij deze heuvel, vlak voordat het bos weer begint.'

Sinds het voorval was hij hier niet meer geweest en hij was bang. Hij moest echter met zijn angst omgaan als hij de waarheid wilde weten.

Vooral de waarheid over zichzelf.

Nadat ze over de heuvel heen waren, hield de koning halt. 'Rowarn, Olrig, jullie komen met mij mee. En de spoorzoeker!' riep hij over zijn schouder.

Ze stegen af en liepen met zijn vieren de noodlottige heuvel op. Rowarn had het gevoel alsof er lood in zijn benen zat. Hoe dichter ze de plaats des onheils naderden, hoe minder lucht hij kreeg. Het gras stond intussen hoger, fris en groen, en overal bloeiden bloemen waartussen de vele insecten rondvlogen. Hoe verder Rowarn echter vorderde, hoe meer de dag aan vrolijkheid verloor. De anderen volgden op korte afstand.

De rest van de groep wachtte aan de voet van de heuvel, tot tevredenheid van de paarden, die midden in de overvloed stonden. Hun hoofden hingen naar beneden en men kon hen goed horen snuiven en eten.

Rowarn slikte. Zijn angst, om de juiste plek niet meer terug te vinden, bleek dwaas geweest te zijn. Het was er dor en bruin. Niets groeide er meer en overal zat nog bloed. Het was duidelijk zichtbaar, vooral aan de verwelkte gelige grashalmen.

Ook Olrig en Noïrun hielden kort in toen ze Rowarn inhaalden.

'Bij Lugdurs gloeiende eten,' zuchtte de krijgskoning ontstelt. 'Dit moet een bloedbad geweest zijn ...'

Rowarns maag draaide zich om toen hij de verschrikkelijk toegetakelde Anini weer voor zich zag liggen.

'Olrig, haal hem hier snel weg,' zei Noïrun haastig. 'Ik wil niet dat hij sporen uitwist.'

De Dwerg pakte Rowarn beet en verwijderde hem een stukje. Hier zag het gras er nog fris en onschuldig uit, hetgeen het volgende moment niet meer het geval was, omdat de jonge Nauraka zich niet meer kon beheersen. Vervuld van medelijden streek de Dwerg over Rowarns blonde haardos toen hij trillend en verkrampt in het gras lag.

'Arme jongen,' mompelde hij. 'Je zou nog eens na moeten denken over je aanbod, want je zult toch moeten wennen aan deze beelden.'

'Ik b-ben een v-verplichting aangegaan,' stotterde hij. 'En ik zal volhouden. Ooit moet ik dat toch doen.' Hij voelde zich beschaamd en was woedend op zichzelf, omdat hij zich niet in had kunnen houden.

'Hoe gaat het met hem?' riep de koning.

'Beter,' antwoordde Rowarn snel, voordat Olrig iets kon zeggen. 'Alles is in orde.'

'Kom dan hierheen en kijk toe hoe Morwen zijn werk doet. We hebben al enkele interessante zaken gevonden.'

Olrig ondersteunde hem toen hij, nog wat wankel op zijn benen, terugkeerde.

De spoorzoeker was bijna net zo groot als Rowarn, maar slank gebouwd voor een man die de eerste baardgroei nog moest krijgen. Hij was gekleed als een woudloper met een leren broek en leren laarzen met daarop een grof geweven, donker hemd met kap en een leren wambuis met talloze kleine zakken en sierkoordjes. Aan de brede gordel die om de smalle taille zat, hingen verschillende messen die voor vele doeleinden gebruikt konden worden. Hij droeg dunne, leren handschoenen die bij de vinger toppen open waren. Zijn hoofd werd bedekt door een lederen helm, die zijn gezicht vrijwel helemaal verborg.

Rowarn gaapte de spoorzoeker verbluft aan toen deze de helm opende, afnam en met een schuddende beweging een bos donkerbruin haar bevrijdde die een gelijkmatig gezicht omlijste, waarvan de kin nooit een baard zou dragen.

'Een ... een vrouw ...' stamelde hij verbaasd.

En de allerbeste,' merkte de koning tevreden op.

Morwen sloeg hem geamuseerd gade met haar levendige bruine ogen. Hij schatte haar ongeveer vijfentwintig. 'Dacht je dat er alleen maar mannelijke soldaten waren?' Ze had een verrassend zachte stem, maar Rowarn twijfelde er niet aan dat die ook snijdend scherp kon klinken.

'Dat ... dat dacht ik,' stotterde hij verward en liep rood aan toen hij bemerkte dat iedereen om hem heen zich amuseerde. 'En je naam ...'

'Kan voor zowel jongens als meisjes, ik weet het,' onderbrak de jonge vrouw. 'Over het algemeen een voordeel.' Vervolgens richtte ze haar aandacht weer helemaal op haar werk. Ze werkte van binnen naar buiten en leek iedere grashalm met haar ogen af te tasten en te onderzoeken. Regelmatig maakte ze gebruik van haar vingers of een van de messen. Ze maakte al snel grotere kringen en kwam bij een stuk terecht, waar volgens Rowarn niets meer te vinden was.

'Is er na zoveel tijd nog wat te vinden?' fluisterde hij tegen Olrig.

'Dat is zelfs voor onze slechte ogen duidelijk zichtbaar,' bromde de Dwerg. 'Maar Morwen is echt de beste. Ze kan zelfs sporen vinden, waar al nieuwe sporen overheen liggen. Er ontgaat haar niets.'

De koning verroerde zich de hele tijd dat Morwen bezig was niet en verloor haar geen moment uit het oog.

Uiteindelijk kwam ze terug. 'Helaas hebben de sporen van de stedelingen die het meisje hebben gehaald, nogal wat uitgewist. Maar hetgeen over is, moet genoeg zijn. Eén ding kan ik al met zekerheid zeggen,' begon ze haar verslag en keek Rowarn aan. 'Dit heb jij absoluut niet gedaan Rowarn. Je bent onschuldig.'

'Nou, kijk aan!' merkte Olrig op en klopte Rowarn op zijn schouder. Ook de koning knikte naar hem met een kort lachje.

Rowarn voelde hoe een enorme opluchting zich meester van hem maakte, maar hij was nog niet helemaal overtuigd. 'Hoe kun je daar zo zeker van zijn?'

'Het was niet het werk van één persoon,' antwoordde Morwen. Ze wees op de toegetakelde plek in het midden. 'Hier heb jij gelegen, arm in arm nadat jullie in slaap gevallen waren. Toen zijn zij gekomen.' Ze wees naar het bos, maar niet naar Weideling, maar naar het noorden. 'Uit die richting. Om verwarring te zaaien, liepen ze achter elkaar, in elkaars voetstappen lopend.'

'Om hun ware gevechtskracht te verbergen,' viel de koning in.

'Het zijn geen krijgers, mijn koning. Ze deden dit slechts om hun sporen uit te wissen. De eerste en de laatste droegen schoenen, zware maar lage schoenen. Degene in het midden echter niet, ik zal het jullie laten zien.' Morwen gebaarde hen om dichterbij te komen en wees naar een afdruk die tot dan toe onder het frisse jonge gras verborgen was gebleven.

Rowarn had nog nooit zo'n merkwaardige afdruk gezien. Een deel was vlak en vervaagd met een hak die veel op die van de afdruk van een schoen leek. Er vlak naast zagen ze echter iets heel anders. 'Klauwen ...?' fluisterde hij en werd bleek.

Morwen knikte. 'Aan de diepte van de afdruk te zien, waren ze waarschijnlijk met vijf man – maar met hetgeen ik nu weet, is dat slechts een grove schatting. Ik kan niet zeggen wie de echte sporen achterliet, degene die de schoenen droeg, of degene die de afdruk van de poten heeft gemaakt. Misschien is alles slechts ter misleiding, want de schoenen zijn zeer groot – groter dan die van een normaal mens. Ik bedoel, degene die dit gedaan heeft, is groter dan bij ons normaal is. Aan de andere kant duidt de diepte van de sporen op iemand met een behoorlijk lichaamsgewicht.'

'Dus in geen geval een mens,' mompelde Noïrun.

Morwen knikte. 'Dat neem ik aan. Het enige dat ik met zekerheid kan zeggen, is dat het tweebeners zijn, die gewend zijn om op twee benen te lopen.'

'Demonen,' bromde Olrig en Rowarn voelde hoe zijn hart een slag oversloeg.

Morwen stak haar hand op. 'Schepsels van de duisternis, absoluut. Demonen zouden echter nooit in het spoor van de ander lopen. Ze verbergen hun ware identiteit maar zelden en als ze dat wel doen – dan veranderen ze eenvoudigweg hun sporen. We zoeken naar iets anders ... naar *beesten.*'

Rowarn slaakte een kreet. *Beesten* was een verzamelnaam voor wezens die er uitzagen als dieren en beschikten over een redelijke intelligentie en licht magische krachten. Ze werden gedreven door een onstilbare honger naar bloed en geweld. Ze waren overal op Woudzee voorgekomen en hadden hele landstreken verwoest voordat men hen een halt toegeroepen had. Ze stonden vaak zelfs in dienst van een hogere macht.

Rowarn wiste zich met een vertwijfeld gebaar het zweet van zijn voorhoofd. 'Maar waarom hebben ze mij dan in leven gelaten? En waarom heb ik niets gemerkt?'

'Zijn de andere meisjes op dezelfde manier vermoord?' vroeg Morwen. 'Miste bij hen ook het hart?'

'Ja.'

'Dat is de verklaring. Ze zijn om een heel bepaalde reden alleen maar op zoek naar harten van jonge meisjes. Waarschijnlijk een magisch ritueel om bijzondere krachten te verkrijgen.'

'Daar ben ik het mee eens,' zei Olrig. 'Bij wezens die tot op zekere hoogte magische krachten bezitten, zijn harten van jonge meisjes en vrouwen erg in trek. Bij een juiste toepassing versterken ze hun magische krachten. Hun vruchtbaarheid heeft zelfs een verjongende uitwerking. Zo kan iemand vrij eenvoudig en zonder opgemerkt te worden, zijn macht uitbreiden. Dat geldt trouwens ook voor mensen, niet alleen voor beesten.'

Koning Noïruns gezicht verstrakte. 'Meen je dat serieus?'

'Helaas wel,' verzekerde de krijgskoning. 'Hoe meer meisjes ze ombrengen, hoe meer kans op succes ze hebben. Dat houdt in dat ze voorlopig nog door zullen gaan. Ik denk dat minstens nog drie meisjes zullen sterven voordat ze voldoenden macht en kracht verzameld hebben. Het zou natuurlijk goed kunnen dat ze ook daarna verder zullen moorden. Het is voor hem net zo verslavend als alcohol en verdovende kruiden.'

'*Hem?*'

'Ik denk dat we voornamelijk met de leider te maken hebben. De anderen zijn slechts handlangers. Beesten hebben een strakke hiërarchie en zulke rituelen zijn voorbehouden aan degene die de hoogste rang bekleedt.'

Rowarn bemerkte hoe een ijzige kou hem bekroop. 'En wat beoogt hij?'

'Waar het altijd om gaat: macht,' antwoordde Olrig met een spottende ondertoon. 'Hij wil zich hier vestigen, zich voeden met angst en mensenvlees en een heleboel kleine beesten op de wereld zetten. Waarschijnlijk zal hij regelmatig meisjes als offer verlangen en in ruil daarvoor zijn bescherming, tegen wat dan ook, aanbieden.'

'De terugkeer van Femris heeft de aanhangers van de duisternis overmoedig gemaakt,' overlegde de vorst. 'Het is dus mogelijk, dat hij zich hier wil vestigen voordat iemand anders hem hier zijn leiderschap zal betwisten. Of hij werd vooruitgestuurd.'

'Maar de beschermers van Weideling zullen dat niet toelaten!' riep Rowarn.

'Het is grotendeels de invloed van Ardig Hal en de Witte Valk geweest, die Inniu voor de rest van de wereld verborg,' antwoordde Olrig. 'De beschermende werking van Weideling heeft zijn grenzen, hij gaat niet voor heel Inniu op. Ik vermoed weliswaar dat de beesten zich hier op de lange duur niet kunnen handhaven, maar tot die tijd zal dat aardig wat mensenoffers kosten die jouw pleegouders niet kunnen verhinderen. Zeker niet zolang ze niet weten met wie ze te doen hebben.'

Rowarn schudde zijn hoofd en staarde naar beneden. 'Dat

verklaart nog steeds niet waarom ik niets gemerkt heb – en waarom ik nog leef.'

'Dat kan ik je vertellen,' zei Noïrun. 'De beesten werken nu nog in het verborgene en zullen er dus altijd voor zorgen dat de verdenking op iemand anders valt. En waarom je niets gemerkt heb ...'

Morwen liep naar Rowarn toe en hij ademde de frisse geur die om haar heen hing, in. Hij rook de diepe geur van het van honing bezwangerde sparrenbos en het maakte hem duizelig. Gespannen keek hij haar aan, vervolgens wist hij niets meer.

Toen Rowarn weer bijkwam, lag hij op de grond en hij keek de rest wat duf aan. 'Wat is er gebeurd?'

Morwen reikte Rowarn haar hand en ze trok hem omhoog. Ze raakte de zijkant van zijn hals aan, twee vingers aan de ene kant en haar duim op dezelfde plek aan de andere kant. 'Hoofdzenuw en slagader,' zei ze. 'Ieder hoofdlier weet dit. De juiste druk op de juiste plaats en je bent bewusteloos. Druk harder en constant, en je bent dood. Een vorm van genade voordat het slachtoffer aan stukken wordt gescheurd.'

Rowarn wreef geschrokken over zijn hals. 'Zo is het dus gebeurd ...'

'Ja,' zei koning Noïrun. 'En laten we hopen dat ze het beklagenswaardige meisje die genade ook gegund hebben, voordat ze haar zo gruwelijk hebben toegetakeld. En nu moeten we de confrontatie aangaan met degene die hiervoor verantwoordelijk is en zijn handlangers. Laten we naar de groep terugkeren, de tijd staat tenslotte niet stil.'

Niet lang daarna waren ze weer onderweg. Morwen liep nu voorop, met haar paard aan de teugels. Ze voerde de troep het noordelijke deel van het woud in, naar een uitgestrekt rotsachtig gebied. Hier was het vochtiger, koeler en donkerder.

'Er zijn daar veel plaatsen waar je je kunt verstoppen,' zei Rowarn. 'De mensen van Madin en mijn ouders hebben hier al naar sporen gezocht.'

Morwen kwam terug. 'Verderop is er geen doorkomen meer

aan voor de paarden,' merkte ze op. 'Ik heb veel sporen gevonden, maar geen van allen geeft uitsluitsel. Er zijn hier veel wilde dieren en de groep uit Madin heeft ook nogal wat sporen achtergelaten. Ze zijn als een kudde wilde dieren tekeer gegaan, het is niet te geloven! Maar zoals Rowarn al zei, de beesten zijn hier ergens.'

De koning dacht na. 'Het kan ook zijn dat het hen al te heet onder hun voeten is geworden en ze hun praktijken ondertussen ergens anders uitvoeren.'

U wilt al opgeven?' flapte Rowarn er uit. Hij wende zijn blik verlegen af toen Noïrun hem streng aankeek. 'We keren terug en gaan onze verdere stappen met de stadoudsten overleggen,' zei hij. 'Jouw pleegouders moeten het eveneens weten. Je mag blij zijn dat we jouw onschuld zo snel bewezen hebben.'

'Het spijt me, heer,' mompelde Rowarn. 'Het is alleen ...'

'Je bent ongeduldig, vanzelfsprekend, en je wilt Anini wreken,' zei Olrig goedmoedig. 'Het is een erezaak, een soort bloedschuld. Je zult die gelegenheid zeker nog krijgen, Rowarn. Tegelijkertijd vraag ik me af hoe je dat wilt doen. Van vechten heb je namelijk geen verstand.'

'Er is altijd wel een manier,' zei Rowarn koppig.

HOOFDSTUK 6

De beesten

Het overleg vond dezelfde avond nog plaats en wel op de markt-plaats, zodat de Velerii er ook bij konden zijn. Er was geen enkel huis waar hun machtige lijven in hadden gepast. Bijna iedereen uit het stadje was aanwezig, zodat het een ge-drang van jewelste was. Daru was, ondanks het verlies van Anini, nog steeds op geld belust en serveerde spek, brood en bier waar hij wel gunstige prijzen voor rekende. Hallim, zijn vrouw, was ook aanwezig. Ze was bleek en zag er vermoeid uit, maar ze liet er niets van merken.

In het midden van de open plaats stonden stoelen opgesteld. Larkim de Strenge kreeg een ereplaats in het midden, een stoel met een extra hoge leuning. Aan beide zijden zaten de stadoud-sten en de families van de vermoorde meisjes. Koning Noïrun stond voor hen en Sneeuwmaan en Schaduwloper hadden achter hen plaats genomen, samen met Rowarn, Olrig en Morwen. De rest van de groep stond in de menigte.

Het begon reeds te schemeren en fakkels en olielampen wer-den aangestoken. Het was een milde avond, alhoewel in de verte wolken aan kwamen drijven die regen met zich meebrachten. En dat werd ook hoog tijd, zoals een van de boeren opmerkte, want het gewas had dringend water nodig. De aarde was droog, hier en daar was de bodem zelfs gespleten. Maar voor de jacht was de regen een nadeel, stelde een van zijn buren.

De menigte was constant in beweging. Sommige schoven naar voren om een beter zicht te hebben. Anderen, die bekenden zagen die ze lang niet hadden gezien, werkten zich naar elkaar toe om elkaar vervolgens hartelijk te begroeten. Over en weer werden namen geroepen, namen die over het plein echoden voordat ze de juiste persoon bereikten.

Jongelingen trokken zich terug in de donkere hoeken van de omliggende steegjes voor gefluisterde gesprekken en heimelijke kussen. Sommige kinderen grepen de gelegenheid aan om tussen de benen van de ouders door krijgertje te spelen of allerlei dingen te ruilen. Er klonken luidkeelse protesten toen een fokzeug vrolijk knorrend met haar vijftien biggetjes door de versperring van haar hok heen brak, hetgeen de wilde wolfsnatuur bij verschillende honden hoog deed opvlammen. Het gevolg was chaos, totdat één van de soldaten van het gevolg van koning Noïrun, onder luid gelach, ingreep en een einde aan de jacht maakte.

Dit alles dingen gebeurde meer aan de rand van het plein. In het centrum was het rustiger. Iedereen leek zelfs doodstil te wachten.

De huizen staken in hun onverstoorbare rust af tegen de steeds troebeler wordende hemel. Ze wierpen hun lange schaduwen tegen het licht van de lampen en fakkels, schaduwen die niets bedreigends hadden. Iedereen had zijn aandacht op het fel verlichte centrum van het plein gericht, waar ook het bier werd geschonken.

Rowarn kon de merkwaardige stemming die er in de stad heerste bijna fysiek voelen. Het gebeurde maar zelden dat alle burgers van Madin, de bewoners van Weideling en de vissers en kolenboeren met hun families zo samenkwamen. Het was dan ook begrijpelijk dat de meesten zich onzeker voelden. Ze wisten niet wat ze van deze samenkomst moesten verwachten.

Met een mengeling van wantrouwen en bezorgdheid keek men de koningen aan. Het kwam tenslotte niet iedere dag voor dat een gevechtsklare groep soldaten in het dorp opdook en de zaken ter hand nam. En dat niet alleen: overal was het nieuws verspreid dat men soldaten zocht om te vechten voor de Regenboog in het land Valia.

Alleen de beide Velerii lagen er ontspannen bij. Maar dat was ook geen wonder. Te oordelen naar hetgeen men de laatste tijd over hen gehoord had, moesten ze zeker tweeduizend jaar oud zijn, als het niet meer was. Ze moesten in die tijdspanne zoveel beleefd hebben, dat niets hen meer kon verrassen of uit hun evenwicht brengen. En waarschijnlijk hadden ze voordat ze hierheen kwamen enige tijd in gestrekte galop rondgereden.

Rowarn zocht Rubin en Malani in de menigte. Toen hij ze gevonden had, twijfelden ze alle drie even, maar knikte elkaar toen toe en de beide meisjes begonnen te lachen. Rowarn voelde hoe een gewicht van zijn schouders viel. Ze geloofden allebei nog in hem en dat gaf hem al een bevrijd gevoel.

Morwen, die naast hem stond, porde hem in zijn zij. 'Versierder,' fluisterde ze zachtjes, met een lach van oor tot oor.

'Onzin,' antwoordde Rowarn, terwijl hij rood aanliep. 'Het gaat je ook helemaal niets aan.'

'Dat klopt. Wat zou ik ook aan moeten vangen met een groentje zoals jij, die nog eens veel jonger is dan ik?'

'Hou je mond.'

'Hé, jullie twee,' snauwde Olrig. 'Hou op met dat gebekvecht. Het gaat hier om serieuze zaken.'

Morwen haalde haar schouders op, sloeg haar armen over elkaar en keek naar de koning. Rowarn ontweek Olrigs fonkelende blik en keek eveneens naar de koning.

Koning Noïrun begon zijn toespraak met het bedanken voor de gastvriendelijkheid en het nieuws dat de eerste rekruten al onderweg waren. Om het aanwezige volk meteen gerust te stellen, kondigde hij aan om binnen enkele dagen alweer af te reizen. Mocht er later nog iemand besluiten om dienst te nemen in het leger van Valia, dan kon hij de groep gewoon achterna reizen. Men kon Ardig Hal nauwelijks missen, het lag precies in het centrum van Valia.

De opluchting was inderdaad van de gezichten van de mensen af te lezen. De oorlog moest daar blijven, waar hij hoorde: zo ver mogelijk van Inniu verwijderd. Rowarn kon het de mensen niet eens kwalijk nemen, het was tenslotte een van de redenen dat men in dit afgelegen dal was gaan wonen, bijna niemand wist van het bestaan ervan af. Maar het was in dit voorjaar wel duidelijk geworden dat men de ogen niet helemaal kon sluiten.

Rowarn kromp in elkaar toen hij onverwacht zijn naam hoorde. De koning keek hem aan en knikte hem bemoedigend toe. 'Kom hier, Rowarn.'

Hij haastte zich om de koning te gehoorzamen en voelde hoe alle ogen zich op hem richtten, terwijl hij naast de koning ging staan, die een hand op zijn schouder legde.

'Ik weet wat de goede burgers van Madin de laatste weken mee hebben moeten maken,' sprak Noïrun luid en duidelijk, terwijl hij zich een beetje omdraaide. 'En ik weet ook dat men dan meestal de schuldige gaat zoeken onder degenen die men het minst mag of die onder wat geheimzinnige omstandigheden een deel van de gemeenschap geworden zijn.'

Er klonk gemompel, wrevel en misnoegen was van de gezichten af te lezen. Bij anderen was het duidelijk dat ze Rowarn nog steeds voor de schuldige hielden, ook nu een vreemde het voor hem opnam.

Rowarn keek Rayem strak aan. Haat brandde in de ogen van de zoon van de waard, maar de jonge Nauraka vertoonde geen spoortje van angst of onzekerheid meer. Hij wist nu dat hij onschuldig was en zou zich door niemand meer aan laten klagen. Toch voelde Rowarn zich nog verantwoordelijk voor de dood van Anini. Deze verwijten zou hij waarschijnlijk zijn hele leven met zich mee moeten dragen, ook al zei zijn verstand dat hij er niets aan kon doen. Was hij maar niet met haar weg gegaan.

'We hebben de sporen nauwkeurig onderzocht,' ging koning Noïrun verder. 'En het is absoluut zeker dat Rowarn onschuldig is.'

Het volgende moment was het doodstil, zelfs de kinderen huilden niet. Verbazing en ongeloof was op de gezichten van de mensen te zien.

Rayem, die helemaal niet blij was met deze openbaring, riep luid: 'Kunt u dat bewijzen?'

Instemming weerklonk alom, maar de aanzwellende bijval stierf snel weg toen Koning Noïrun zijn hand omhoog stak. Zijn linkerhand ruste nog steeds op Rowarns schouder, die wat begon te trillen toen hij besefte dat een vreemde man, van hoge adel nog wel, het voor hem opnam, terwijl hij bijna niets wist van zijn afkomst!

'Ja,' zei Noïrun rustig. 'En we zullen u de ware schuldigen brengen.'

Toen er opnieuw onrust uit dreigde te breken, siste Larkim de

Strenge en sloeg met zijn staf op de grond. Niet lang daarna heerste weer een respectvol zwijgen.

'Dappere woorden,' verhief de oudste zijn stem. 'U, koning Noïrun, beweert in één middag bereikt te hebben wat ons in de afgelopen dagen niet gelukt is? Ondanks de hulp van de Velerii?'

'Larkim de wijze, we hebben u reeds op vele onvolkomenheden gewezen en onze vermoedens geuit, maar u heeft dit vervolgens als lege woorden van de hand gewezen en geweigerd om naar ons te luisteren, ondanks dat u ons eerder om hulp heeft gevraagd,' wierp Sneeuwmaan tegen, heel goed beseffend dat ze de oude man daarmee belachelijk maakte. Maar de paardvrouw was meedogenloos, zoals de meesten wisten of in ieder geval vermoeden. Het was niet voor niets dat ze zowel gevreesd als bewonderd werd om haar heelkunsten.

'We zijn tot de conclusie gekomen, dat het hier om een ritueel gaat,' zei Noïrun. 'Uitgevoerd door wezens die hier levenskracht uit willen halen: de beesten zijn Innin binnengevallen en willen zich hier vestigen.'

Rowarn zag hoe gespannen Daru en Hallim waren. En toch ... voor het eerst sinds de dood van haar dochter lag er een zweem van hoop op het gelaat van Anini's moeder. Toen ze Rowarn naar haar zag kijken, gaf ze een knikje en glimlachte. Hij moest een brok wegslikken en liet zijn hoofd zakken.

De koning was ondertussen verder gegaan. 'We weten nog niet om welke beesten het precies gaat, maar het is zeker dat ze zich het dal toe willen eigenen. Ze hebben waarschijnlijk zelfs de opdracht gekregen hier een steunpunt van de aanhangers van de duisternis te vestigen. Om dat te bereiken, ze zijn tenslotte in de minderheid, bereiden ze een magisch ritueel voor, dat ze uit willen voeren met de eerste volle maan.'

'Ik geloof er geen woord van!' riep Rayem.

'Hou je mond, stomkop!' riep zijn vader en hij hief zijn hand op, alsof hij uit wilde halen om hem te slaan. 'Heb je nog niet genoeg ellende veroorzaakt? Wil je de mildheid van deze edelman nog verder op de proef stellen?'

'Het is hem slechts om mij te doen,' hoorde Rowarn zichzelf

tot zijn verbazing zeggen. Geschrokken wilde hij zichzelf het zwijgen opleggen, maar het was al te laat. 'Rayem haat mij, omdat Anini met mij praatte,' ging hij daarom dapper verder en keek haar ouders beschroomd aan. 'En ik, maar dat heb ik u al verteld, heb haar nooit iets aangedaan. Anini was een wonderschone jonge vrouw, slim en met haar beide voeten op de grond. Ik heb haar altijd in ere gehouden.'

'Ben je bereid om daarvoor te vechten?' snauwde Rayem, voordat zijn vader hem de mond kon snoeren.

'Ik heb een beter voorstel,' antwoordde Rowarn koel. 'Je gaat samen met mij op jacht naar de beesten en we zullen op die manier gezamenlijk Anini's dood wreken.'

'We kunnen alle steun gebruiken, zelfs die van een hersenloze heethoofd als jij,' merkte de vorst droog op, naar Rayem wijzend. 'Als Rowarn bereid is om voor jou in te staan, dat je niet in de weg loopt en doet wat men je zegt. Als Rowarn ons kan verzekeren dat de zoon van de waard geen lafaard is, dan is hij welkom in onze groep en kan hij morgenochtend mee op jacht.'

'Ik sta voor hem in!' Hallim stond op. 'Dat zal hij, bij de goedheid van Lúvenor,' vulde ze bijna feestelijk aan. 'Ik sta diep bij u in de schuld, mijn koning. Niemand wil de dood van mijn dochter liever opgeklaard hebben als haar ouders.'

'Goed, dan zijn we het eens,' merkte Noïrun tevreden op. 'Dan zal ik verklaren wie er nog meer deelneemt aan de jacht en hoe we te werk zullen gaan.'

Later, toen de bijeenkomst afgelopen was, verliet Rowarn samen met de koning het plein. Het was ondertussen zwaar bewolkt en buiten de verlichte straten en huizen om was het donker. Het meest opvallende was het pension van Daru met zijn grote, van metaal gemaakte uithangbord. Er stond een goudkleurig geschilderde boom op afgebeeld, met in zijn takken brandende fakkels en een rokende schoorsteen die de geuren van heerlijk gebraad aankondigden.

'Ik ben u dank verschuldigd,' zei hij zacht.

'Ik ben een verplichting aangegaan en die zal ik tot een goed einde brengen,' wimpelde de vorst hem af. 'Als mijn schildknaap sta je onder mijn bescherming. En bedank me niet met lege woorden, maar met gehoorzaamheid, toewijding en het werk van je handen. Daar heb ik veel meer aan.'

'N... natuurlijk, heer,' mompelde Rowarn schuchter.

'Zorg dat je morgen op tijd bent,' beval Noïrun. 'En zorg ervoor dat die leeghoofdige zoon van de waard zich gedraagt.' Zonder een antwoord af te wachten, liep hij door naar de Gouden Boom.

'Heb ik het je niet gezegd?' hikte Olrig achter Rowarn.

'Ja,' zei Rowarn enthousiast en bleef abrupt staan toen hij merkte dat hij in de verkeerde richting liep. Hij was gewoon de koning en massa achterna gelopen die naar de herberg gelopen waren om onder het genot van bier en wijn over de vele gebeurtenissen te praten die heel Madin in hun ban hielden. Maar hier hoorde hij niet.

'Mijn lieve hemel,' riep Morwen uit die vanuit het niets op scheen te duiken en met haar ogen draaide. 'Hij geniet er nog van ook!' Haar hoofd schuddend haakte ze bij de Dwerg. 'Kom, wij hebben allebei wel een slok verdiend, voordat we morgen in de modder moeten kruipen en ik naar sporen op zoek ben die onder de stront of in water verborgen zijn.'

'Laten we dobbelen wie de eerste ronde voor zijn rekening neemt,' stelde Olrig voor. De rest van zijn woorden ging verloren in het lawaai en hun poging om nog een goede plaats te bemachtigen.

Ja, ik geniet ervan, dacht Rowarn vol zelfvertrouwen. *Ik ben onschuldig, Anini's dood zal gewroken worden en ik ben in dienst van koning Noïrun. En dat niet alleen, hij heeft het voor mij opgenomen. Ik ben nu op een plaats waar ik hoor, waar ik kan leven en mezelf bewijzen. Leren om mezelf te bewapenen voor mijn wraak.*

Hij draaide zich om en liep naar zijn pleegouders, die hem aan de andere kant van het plein geduldig op stonden te wachten.

Sneeuwmaan lachte naar hem, maar ze kon het verdriet dat in haar ogen te lezen stond, niet verbergen.

In de nacht begon het te regenen en in de ochtend hield het onverminderd aan. Het waterniveau van de beekjes en rivieren steeg. De wegen en weiden werden in de kortste keren zo goed als onbegaanbaar en de lucht koelde snel af.

Geen dier liet zich zien of horen toen Rowarn naar buiten liep. Hij droeg over zijn gebruikelijke kleren een witleren mantel met capuchon, die tot de onderkant gesloten kon worden. Zijn laarzen had hij stevig dichtgesnoerd en met leer afgedekt zodat ze niet zo snel door zouden gaan lekken. Hij had een jachtmes, dat hij vaak bij het vissen gebruikte, in zijn gordel gestoken. Verder bezat hij geen wapens en had ook nooit geleerd om er mee om te gaan.

Zijn pleegouders wachtten hem bij de voorhang op. De kroon van bladeren was zo dicht, dat het mostapijt hier ondanks de stromende regen slechts licht vochtig was. De eerste druppels drongen ondertussen toch door de bladeren heen en rolden via de twijgjes naar beneden. De dieren, die de beschutting van de boom opgezocht hadden, moesten hun heenkomen nu toch in holletjes gaan zoeken – of het slechte weer stoïcijns proberen te verdragen.

'Ben je gereed?' vroeg Schaduwloper.

Rowarn knikte. 'Het is een passende dag,' vond hij. 'Dit soort dingen behoren niet in een stralende voorjaarszon te gebeuren.'

'Daar heb je gelijk in.' Sneeuwmaan keek of hij goed aangekleed was. Een moederlijk neiging, want haar pleegzoon was al volwassen. 'Rowarn,' ging ze vervolgens weifelend verder. 'Ik zou willen, dat je alleen maar meeging om te helpen en niet uit dorst naar wraak. Het onvermijdelijke geweld dat er uit voort zal komen, bevalt me niet. Je bent er te jong voor.'

'Ik weet het.' Hij wist hoe zijn ouders over wapens en doden dachten. Hij schaamde zich dan ook, omdat hij ze in dit opzicht teleurstelde, want hij voelde de drang om te doden. De moordenaar van Anini moest gestraft worden en er was maar één straf mogelijk. 'Ik zal goed op mezelf passen en niet alleen handelen, dat beloof ik.' Hij sprong op de rug van Schaduwloper en dook in elkaar toen een druppel in zijn nek viel. Haastig trok hij zijn capuchon over zijn hoofd en sloeg zijn kraag naar boven. Wind noch regen kon hem nu nog wat doen. 'Ik ben klaar.'

Zijn pleegouders droegen eveneens beschermende kleding over hun menselijke bovenlichamen. De manen waren gevlochten en zaten eveneens onder hun jassen. De dichte manen op hun hoofd moesten hen genoeg bescherming bieden tegen de nattigheid. Een beetje regen had tenslotte nog niemand schade toegebracht, vonden ze. 'Laat ons gaan. De koning zal ons reeds verwachten,' zei Sneeuwmaan en ze draaiden over de heuvel naar het noordelijke deel van het woud waar het afgesproken trefpunt lag.

'Verbazingwekkend,' stelde Schaduwloper vast toen ze vanaf de heuvel neerkeken op de mensen. 'Ik had met dit weer niet zo'n opkomst verwacht.'

De groep van Ardig Hal was al aanwezig en vanuit Madin kwam een ononderbroken stroom van dik ingepakte mensen, de meesten bewapend met een hooivork of een zeis, anderen weer met lange messen, hakbijlen en soms zelfs zwaarden. Ditmaal waren ze vastbesloten. Rowarn kon zijn hart horen kloppen. 'Dit heeft de koning bereikt,' bracht hij opgewonden uit. 'We zullen ze krijgen!'

Ze galoppeerden de heuvel af en begroetten de vorst, die al met de indeling van de groepen bezig was. Een klopjacht zoals nu plaats ging vinden, zou Inniu voor het eerst beleven en daar zouden de beesten zeker niet op rekenen.

'Wat een geluk dat u juist nu gekomen bent,' merkte een knecht op. Hij was duidelijk opgelucht dat iemand die ervaring met dit soort dingen had de verantwoording op zich nam.

'Dat moet nog blijken,' meende de koning. 'Waar is de onnozele hals met die grote mond?''

Een krachtige, maar zeiknatte gestalte kwam naar voren. 'Ik ben hier, heer. En mijn naam is Rayem.'

'Ik had het kunnen weten. Jij blijft bij Rowarn, hij is verantwoordelijk voor jou. Rowarn, jij sluit je aan bij Morwen en haar groep. Het is jullie taak om de beesten te vinden, maar niet om de confrontatie aan te gaan. Dat laat je aan ons over, begrepen?' Noirun keek de jonge vrouw streng aan. 'En dat geldt voor jullie allemaal!'

'Begrepen,' zei Morwen en ging in de houding staan.

'Goed.' De vorst stak tevreden zijn hand op.

'Ik beloof, mijn koning en krijgsheer, dat ik slechts op uw bevel zal handelen,' voegde ze er formeel aan toe.

'Uitstekend,' bromde hij tevreden en wendde zich nu naar Rayem. 'Het is jouw taak om rugdekking te geven aan de spoorzoekers en hun groep en om op aanvallen vanuit de achterhoede te letten. Je bent sterk en je kunt in ieder geval met een mes overweg.'

Toen keek hij om zich heen en verhief zijn stem, zodat iedereen hem kon horen. 'En dat geldt voor u allemaal, dit is geen spelletje! We hebben met uiterst gevaarlijke en krachtige wezens te maken. Ze zijn bloeddorstig, kennen geen genade en zullen niet twijfelen om u te doden, ook als ze zelf daarbij sterven. Ze zullen vechten tot hun laatste ademtocht. Onze enige mogelijkheid is dan ook om hen te doden – en we zullen daar grondig en snel bij moeten handelen want het zal niet eenvoudig zijn.

Zolang we niet weten, om welke beesten het gaat, weten we niet wat hun zwakke punt is. Dus wees verstandig en op uw hoede. Ga niet fluitend wat rondlopen als u denkt een pauze nodig te hebben!'

Er klonken wat mompelende antwoorden, die in het geruis van de regen ten onder gingen. Rowarn had de indruk dat de vorst zuchtte. Toen stak hij beide armen op.

'Goed, de jacht begint. Iedere groep heeft een hoornblazer bij zich die het doorgeeft zodra hij de vijand heeft gezien. We vertrekken, de verkenners voorop!'

'Hij bedoelt ons,' zei Morwen, terwijl ze Rowarn aanstootte. Lichtvoetig liep ze weg. Haar voeten leken amper in het mos te verzinken en de modder spatte nauwelijks op. Ze was dan ook al gauw in het regengordijn verdwenen.

Rowarn haastte zich om haar te volgen. 'Kom op!' riep hij naar Rayem.

De andere spoorzoekers en hoornblazers hadden hen intussen ook al ingehaald. De beide jonge mannen versnelden hun pas en doken onder in het natte gordijn van bladeren van het woud.

Rowarn verhardde een ogenblik onder het kletteren van de regen, dat hier harder klonk ondanks het feit dat de bomen veel tegenhielden. 'Dat is juist goed,' stelde hij vast. 'Zo horen ze ons niet aankomen.'

'Maar omgekeerd ook,' merkte Morwen op, die om zich heen spiedde en vervolgens een bepaalde richting insloeg.

Zo vervolgden ze hun weg, steeds dieper het woud in. Rayem was al gauw buiten adem. Hij hoestte en proestte en Rowarn moest, tot zijn ergernis, voortdurend op hem wachten. Hij was blij dat Morwen op een gegeven moment stopte.

'Dit is een beslissend punt,' zei ze. 'Rowarn, waar voeren deze wegen naartoe?'

Eigenlijk kon je het geen wegen meer noemen, het waren eerder wandelpaden die ook door dieren gebruikt werden. Vier voerden vanaf de open plek verder. 'Ze gaan allemaal dieper het woud in, grotendeels in noordelijke richting,' antwoordde hij. 'Het rechterpad kunnen we echter uitsluiten, dat leidt naar een weg die oostelijk voert en die ligt te dicht bij Weideling.'

'Blijven er nog drie over.' Morwen inspecteerde de paden één voor één. Net als smalle steegjes slingerden ze door het dichtbegroeide bos en kon men al gauw niet meer zien waar ze heen liepen.

'Ik ken geen van de paden goed genoeg om te weten waar ze naartoe gaan.' Ondanks dat bekeek Rowarn de paden nauwkeurig. De bodem was zacht, bedekt door rottend loof waar de zware druppels op neer kwamen. Hij onderzocht de knoestige takken.

'Stel dat ze de paden niet gebruiken?' merkte één van de spionnen op.

Morwen schudde haar hoofd. 'Te vermoeiend. Het zijn grote en zwaar gebouwde wezens die zich niet gemakkelijk door het dichte woud heen werken.

'Morwen!' Rowarn wenkte haar en wees naar een duimgrote afdruk aan de rand van het pad, verborgen tussen enkele bladeren. 'Wat is dat?'

Morwen schoof de bladeren verder uit elkaar. Meer was er

echter niet te zien. 'Zeg jij het maar,' nodigde ze hem uit.

'Een klauw, die niet ingetrokken kan worden,' antwoordde Rowarn. 'Een kat is dus uitgesloten. Aan de grootte te zien, een achterpoot – en aan de diepte van de afdruk te zien, lijkt het mij van een tweebener. En dan wel van een die geen schoeisel ter bescherming of vermomming draagt, of ze hebben alles uitgetrokken omdat ze dan sneller vooruitkomen en dat hun natuurlijke manier van voortbewegen is. De schoenen dienden dan dus inderdaad als vermomming.'

Morwen bekeek hem lang en kritisch. 'Je kan sporen lezen,' zei ze uiteindelijk.

'Een beetje maar.' Rowarn haalde zijn schouders op. 'Ik vond het als kleine jongen leuk om de sporen van dieren te volgen. Deze sporen heb ik nog maar één keer gezien en dat was gisteren. Mijn conclusies trek ik uit hetgeen jij op de heuvel gezegd hebt.'

'Je leert snel en je hebt een scherp oog.'

Vergiste hij zich of klonk er waardering door in haar stem?

Morwen draaide zich om. 'Goed, dit is de juiste weg. Tarro, geef een kort signaal als we uit het zicht zijn, laat een teken achter voor de rest en volg ons dan.'

Rowarn liep naar Rayem, die tot dan toe voorovergebogen, met zijn handen op zijn bovenbenen steunend, had staan wachten. Hij hijgde zwaar. 'Misschien is het beter als je hier op de anderen wacht,' stelde hij voor.

Rayem keek hem woedend aan. 'Dat zou jij wel fijn vinden, hè?' siste hij.

Rowarn haalde onverschillig zijn schouders op. 'Het was maar een idee.' Hij liep op Morwen af, die net wegliep en Rayem had geen andere keus dan hen snel te volgen.

Des te verder ze in het woud doordrongen, des te donkerder werd het. Naaldbomen kregen de overhand en het pad was dan ook bedekt met gevallen naalden. De bodem was zacht en meegevend en daardoor gleden ze niet meer zo snel uit. Ze zonken wel dieper in de bodem weg en Morwen ontdekte daarom meer van de verraderlijke sporen. 'Ze hebben zich steeds zekerder gevoeld en zijn slordiger geworden,' merkte ze tegenover Rowarn op.

'Het verbaast me dat ze hun sporen zo goed hebben weten te verbergen,' antwoordde hij. 'Heb je al enig idee om welk soort beesten het gaat?'

'Er zijn meerdere mogelijkheden,' zei Morwen ontwijkend. 'Wat denk jij?'

'Ik heb geen idee,' gaf hij eerlijk toe. 'Mijn pleegouders hebben me zulke dingen nooit verteld. Ik wist niet eens dat er zoiets als beesten bestond.'

'Onschuldig en gelukkig kind,' mompelde ze. Hij hoorde de afgunst in haar stem.

Op dat moment hoorde Rowarn een maar al te vertrouwd geluid en hij pakte Morwen bij haar arm beet. 'Stil,' siste hij en beduidde de rest van de groep om stil te blijven staan. 'Elenki!'

Het was slechts een kort en dof geluid geweest, maar voor een jongeman die als klein kind bijna gespietst was door het gewei van een reuzenhert, maar al te herkenbaar en beangstigend.

Verrassend genoeg begreep Rayem de ernst van de situatie meteen en trok zijn mes, terwijl hij spiedend om zich heen keek.

De spoorzoekers leken verbaasd, ze waren echter goed opgeleid en stelden geen overbodige vragen als er ergens voor gewaarschuwd werd.

Het volgende moment begrepen ze waarom Rowarn gewaarschuwd had.

Overal rondom hen loeiden herten, een geluid dat door merg en been ging. Een dof trommelen weerklonk op de zachte bodem en het versplinterende geluid van barstend hout kondigde een grote groep van de reuzenherten aan. Rowarn wees naar rechts, waar de eerste bruine lijven al zichtbaar werden. Het was wonderbaarlijk hoe het ze lukte om zich zo snel en elegant tussen de dicht op elkaar staande bomen door voort te bewegen met hun wijd uitgegroeide geweien.

Onwillekeurig drukte de groep zich op het pad tegen elkaar aan toen links en rechts van hen de Elenki over het pad heen donderden. Uit de tegengestelde richting weerklonk een enkel, bronstig loeien, een geluid dat ver door het woud echode.

Vervolgens dook de heerser van het woud op, de grote Elenki die Rowarn al eerder gezien had. Hij was groter dan zijn pleegouders en minstens zo zwaar. Hij had een lange grijze baard en de manen op zijn hals golfden langs hem heen. De vacht van zijn rug glansde in zilverachtige strepen. Hij kon zich niet meer zo snel bewegen dankzij het formaat van zijn gewei, maar hij had het makkelijk tegen tien andere mannetjes op kunnen nemen.

Hij hoefde ook niet snel te zijn. Er gloeide een wild vuur in zijn donkere ogen, toen hij op het pad stapte. Zijn lichaam nam praktisch de gehele breedte van het pad in beslag en hij liep zelfbewust op de groep mensen af.

'Rayem, steek je mes weg, ga tegen het struikgewas staan en beweeg je niet meer!' siste Rowarn. 'Dat geldt voor jullie allemaal – en bega geen stommiteiten.'

Iedereen volgde Rowarns raad op en even later stonden ze, als in een parade, opgesteld langs de struiken. Langzaam kwam het reuzenhert er vervolgens aanlopen. Dampend en snuivend blies hij zijn adem door de neusgaten naar buiten. Rowarn slikte en voelde dezelfde doodsangst die hij als kind had gevoeld.

Hij bleef voor de Elenki staan en strekte zijn lege hand uit. Hij had zijn ogen op de grond gericht en zong zacht een melodie die hij van zijn pleegouders geleerd had om wild geworden paarden die op het punt stonden om aan te vallen tot rust te manen. Eigenlijk was het een slaaplied dat moeders 's avonds gebruikten om hun kinderen in slaap te zingen, maar het werkte ook op dieren.

'Kom tot rust, mijn kleine schat,
je vader komt zo thuis.
De hemel wordt al donker,
en de hut glanst in de het schijnsel van kaarsen.
Denk aan mij, de hele nacht,
en ween toch niet, mijn kleine schat,
de jacht was goed, de buidel vol,
en je vader komt zo thuis.

Heb geen angst, mijn kleine schat,
zie je daar die eerste ster?
Met het maanlicht op zijn weg,
je vader is niet ver,
sluit je ogen en droom maar fijn,
de tafel zal rijk gedekt zijn.'

De Elenki verstarde. Hij leek besluiteloos, de kop met het gewei dat recht op hen gericht was, ging wat omhoog.

'Eerbiedwaardige oude,' fluisterde Rowarn. 'Verontschuldig ons dat wij uw weg betreden. We zijn slechts gasten die om vrije doorgang vragen. We zijn hier niet lang en zullen uw rijk snel weer verlaten.'

Zijn linkerhand rommelde in een zak onder zijn mantel, vervolgens haalde hij iets tevoorschijn dat hij op zijn uitgestrekte rechterhand legde. Hij waagde nog een stap naar voren.

De smalle, donkere lippen trilden. De oude Elenki nam twee stappen in zijn richting, strekte zijn nek en likte vervolgens met zijn lange tong zijn hand schoon. Vervolgens schreed hij met hoog opgeheven hoofd aan de mensen voorbij, zonder ze nog een blik waardig te keuren. Hij verdween vervolgens in het nat geregende woud.

Rowarn haalde opgelucht adem en wendde zich naar Morwen. Zweetdruppels parelden op zijn voorhoofd. 'Dat scheelde weinig,' zei hij. 'Ik heb geen idee, wat we van de beesten kunnen verwachten – maar hier in het woud is de Elenki het machtigste en gevaarlijkste wezen. Zelfs de grote katten mijden ze.'

Morwen knikte. Ze was wat bleek geworden. 'Ik had tot nu toen alleen maar van Elenki gehoord. Ze in levende lijve tegenkomen is toch heel wat anders. Wat heb je hem gegeven?'

'Zout. Dat heb ik altijd bij me. Nou ja, als het zo blijft regenen, niet lang meer.'

'Bij het vuur in de keuken van mijn vader,' zuchtte Rayem. 'Wat was dat voor een braadstuk geweest!'

'Een taai en stinkend braadstuk, zonder twijfel,' merkte de hoornblazer droog op. 'Geef mij maar een zacht, jong kalfje.' Onwillekeurig smakte hij.

'Vergeet het maar snel,' zei Morwen streng. 'We moeten verder, de dag wordt er niet langer op.' Toen ze weer op weg waren keek ze Rowarn even aan. 'Dat was goed.'

Hij lachte verheugd. Zoals het er nu uitzag, was hij toch niet geheel nutteloos en hoefde hij zich niet al te zeer te schamen voor zijn aan de koning aangeboden diensten.

Tegen de middag bereikten ze de rotsachtige gedeeltes van het woud. Ze waren de beesten nog steeds op het spoor. Korte hoornsignalen uit de verte gaven aan dat ook de rest van de groep over een breed front dichterbij kwam en de ring om het gebied in kwestie steeds kleiner werd.

'Denk je dat we ze al opgeschrikt hebben?' vroeg Rowarn in het algemeen.

'Dat kan nooit lang meer duren,' antwoordde Morwen. Ze bleef voor de boven hen uittorende rotsmassa staan. 'Zijn hier de grotten?'

'Ja, een erg onoverzichtelijk gebied. Moeilijk om ongezien te benaderen en makkelijk te verdedigen,' antwoordde Rowarn. 'Ik ben hier ooit via een andere weg gekomen, in een grote boog over de weide toen ik ...toen ik van huis weg ben gelopen.'

'Doet iedereen dat niet een keer?' mompelde Morwen afwezig, terwijl ze alles heel nauwkeurig onderzocht.

'Ik had me voorgenomen om me hier te vestigen en mijn eigen leven op te bouwen,' ging Rowarn verder. 'Er zijn hier veel grotten die best wat te bieden hebben in dat opzicht.'

'En hoe oud was je toen?'

'Zeker vijf. Misschien zelfs al zes,' grijnsde Rowarn. 'Ik had een halve dag nodig, om spijt te krijgen van mijn beslissing en de rest van de dag om mijn weg naar huis terug te vinden.'

'Een flink stuk voor een kind. Je bent niet bang uitgevallen, dat moet ik je toegeven.'

'Integendeel. Ik kan gewoon niet stoppen, ook al ben ik heel erg bang.'

Hij vond Rayems blik, die met zijn ogen rolde. Nadat Anini's broer er het grootste deel van de weg genoeg aan had gehad om de groep bij te houden, leek hij nu duidelijk wat bij te komen.

'Dus, wat doen we nu?' vroeg de hoornblazer.

'De rotsen zijn kaal en het regent al te lang. Ik zie geen enkel spoor meer dat ons verder kan helpen.' zei Morwen. 'Het zijn er te veel. Zowel oude als nieuwe en ze lopen overal naar toe. We moeten uit elkaar gaan, een soort ketting vormen en op roepafstand blijven. Niets op eigen houtje ondernemen, duidelijk? Goed op jezelf en elkaar letten en altijd in dekking blijven. Het vechten laten we aan de anderen over, die zullen hier zo meteen wel zijn. Rowarn, jij neemt met Rayem de westelijke route, zoals je toentertijd als kind ook gegaan bent. Die vind je het makkelijkst terug.'

Morwen deelde de rest in en liet voor de troepen die er aan kwamen duidelijke markeringen achter in de takken en boomstammen, vervolgens vormden ze een ketting om de beesten zo weinig mogelijk gelegenheid te bieden er tussendoor te glippen. Ze hadden weinig keus, of ze vielen aan, of ze trokken zich verder terug.

'Dit is toch tijdverspilling?' mokte Rayem onderweg. 'We zullen hier niets vinden!' Zo ging hij de hele tijd door. Het was veel te nat – en hier kon Rowarn hem niet helemaal ongelijk in geven, want ondertussen begon het water ook bij hem door te sijpelen. Zijn vingers waren klam en hij rilde. De rotsen waren inderdaad glibberig en koud. Ze waren allebei al een keer weg gegleden. Ze hadden kneuzingen en schaafwondjes opgelopen. De grotten waren tochtig en vochtig en het stonk er naar dierlijke uitwerpselen.

De dag kroop verder voorbij, terwijl ze geen spoor van de beesten vonden. Ook de anderen hadden niets te berichten, steeds weer klonk het door het regelmatige geruis van de regen: 'Imrick, alles in orde! Glattfus, alles in orde!' En zo ging het door totdat de hele ketting aan de beurt was geweest. Zichtcontact hadden ze allang niet meer in het onoverzichtelijke terrein, afgezien van bewegende takken en wegrollende stenen. Iedere keer als iemand riep, hoopte Rowarn op een spoor, maar werd telkens weer teleurgesteld. 'Rowarn en Rayem, alles in orde!' Voor de rest klonk dit waarschijnlijk even ontmoedigend als voor hem.

Van de troepen die achter hen aankwamen, had niemand meer wat vernomen. Morwen had een keer opgemerkt dat als er in geval van nood hulp nodig was, die er ook zou zijn. Desondanks moest je onmiddellijk in dekking gaan als er een aanval plaatsvond. Met de eeuwig mopperende Rayem op sleeptouw, had Rowarn helemaal geen tijd om over dat gevaar na te denken.

De dieren, die hen vanuit hun holletjes en nestjes bekeken, lachten vermoedelijk die domme mensen uit, die zich met ontoereikende kleding en zonder vacht in dit weer hier hadden gewaagd.

Rayem had constant wel ergens last van. Was het geen honger, dan wel dorst. Hij was moe of alles deed hem pijn. Hij had op iedereen wel wat aan te merken, om te beginnen bij de koning, Morwen en als laatste ook op Rowarn.

Uiteindelijk hield de Nauraka het niet meer uit. Hij bleef staan en draaide zich om naar Anini's broer.

'Vertel me nou eens wat je wilt?' viel Rowarn woedend uit. 'Ik dacht dat we hier waren om Anini te wreken! Hoe had je je dat voorgesteld? Thuis behaaglijk achter bij de open haard zitten, totdat de moordenaar binnen komt lopen en deemoedig zijn hoofd op tafel legt zodat je het eraf kan slaan?'

'Alsof jij weet wat werken is,' beet Rayem opgewonden van zich af. Rowarn keek hem vol minachting aan. 'Het klopt dat ik onbezorgd en beschermd ben opgevoed. Maar in tegenstelling tot jij, weet ik dat dat een gunst was, terwijl ik geen enkele aanspraak op welke gunst dan ook kan maken. Maar jij hebt een grote mond en loopt de kantjes er vanaf. Het enige dat je kunt, is jezelf opwinden!'

'Zo laat ik me niet ...'

'Ik ben nog niet klaar! Je jammert als een klein meisje, wiens pop afgepakt is! Ik ben je constant slechte humeur zat en je grote mond al helemaal. Ik vraag me serieus af wie de koning meer bestrafte toen hij ons samen wegstuurde!' Hij duwde de grof gebouwde jongen opzij. 'En ga nu aan de kant! Ik zal wel een smoesje verzinnen voor de koning, zodat we niet allebei ons gezicht verliezen. Ga naar huis, Rayem, ga je zelf warmen bij het vuur en vraag je moeder of ze een beker warme melk voor je maakt. Ik kan niet én sporen zoeken én tegelijkertijd op jou passen.' Hij liet Rayem staan en vervolgde zijn weg.

Zodra hij een beweging achter zijn rug bespeurde zei hij, zonder zich om te keren: 'Zelfs jij kan niet zo dom zijn, Rayem. Iedereen weet dat we samen onderweg zijn en als er iets met mij gebeurd, ben jij de klos. De koning heeft zo al genoeg redenen om je te doden. Om nog maar te zwijgen over het hetgeen mijn pleegouders met jou zouden willen doen. Het is waarschijnlijk maar beter dat je dat niet weet.'

'Ik zou kunnen zeggen, dat het een beest was,' klonk Rayems verbeten stem.

Rowarn lachte. 'Natuurlijk, met een mes. En kun je het beest ook waarheidsgetrouw beschrijven?' Hoofdschuddend vervolgde hij zijn weg. Hij zocht steun bij de volgende rotswand en trok zich omhoog om vervolgens over het uitsteeksel uit te kijken over een smal pad dat naar een volgende reeks holen leidde. Naderbij sluipen was zinloos, het halve woud had vermoedelijk van hun ruzie mee kunnen genieten. Waarschijnlijk konden de beesten hen ieder moment aanvallen, maar dat kon Rowarn op dit moment niets schelen, zo boos was hij.

Na een tijdje haalde Rayem hem in en gezamenlijk vervolgden ze zwijgend hun weg.

Anini's broer kon zich in ieder geval in zoverre beheersen, dat hij Rowarn eindelijk steunde. Hij zocht naar sporen, spiedde de omgeving af en wees hoe ze hun weg het beste konden vervolgen.

Een uur later, toen ze net hadden gemeld dat ze in orde waren en een korte rustpauze inlasten, fluisterde Rayem: 'Zijn we van het pad afgeweken? Het is hier verdomd stil.' Ze bevonden zich midden tussen steen en rotspartijen. Zelfs van bovenaf hadden ze amper overzicht. Spitse, zwarte naaldbomen omringden hen met hun lange, afhangende takken. De dichtbegroeide takken leken op gordijnen en een grijze en natte hemel overspande het geheel.

Rowarn knikte. Hij haalde een kleine buidel met brood en spek uit de binnenzak van zijn mantel en bood Rayem er wat van aan. Deze twijfelde heel even om zich vervolgens met oplichtende ogen op het eten te storten. Olrig had Rowarn de buidel vanmorgen met een knipoog meegegeven, hij had wijselijk gewacht tot de Velerii op voldoende afstand waren. 'Dan heb je onderweg in ieder geval wat te eten, jongen. Zo blijf je op krachten.'

Het klopte wat Rayem had gezegd, het *was* erg stil. Het regende nog steeds, maar minder hard. Het ruisen was in volume afgenomen en je hoorde niet eens een ritselen of knakken van de takken van de bomen. Het was volledig windstil en de regen viel recht naar beneden. Het geroep van de anderen klonk als vanuit de verte en Rowarn had bij het antwoorden het gevoel dat zijn stemgeluid verstikt werd door de rotsen.

'Ik voel me niet op mijn gemak,' merkte hij zachtjes op. 'Alle dieren hebben zich verscholen, dat is niet normaal. Er lopen hier al urenlang honderden mensen rond, daar zouden ze allang aan gewend moeten zijn. Dieren begrijpen al heel snel wie op hen jaagt en wie niet, vervolgens gaan ze verder met hun bezigheden.'

Rayem hield plotseling op met kauwen en staarde Rowarn aan. 'Denk je ... denk je ... dat de beesten ...'

Rowarn haalde onbehagelijk zijn schouders op. 'Ik hoop dat we op tijd worden gewaarschuwd door de gaaien. Die vliegen over het algemeen jammerend en gillend weg als een roofdier in de buurt is. Dat hoor je in de wijde omtrek.'

Rayem slikte hoorbaar. 'Zeg me dat je alleen maar wat moppert, ik voel me niet erg op mijn gemak.'

Rowarn wilde zich niet door het gevoel aan laten steken, maar hij kon er niets tegen doen. Hij moest Rayem gelijk geven. Er klopte iets niet. Een plotselinge ingeving volgend, zei hij: 'Kom.'

'Wat? Wat is er nu weer aan de hand?' Rayem keek hem geschrokken aan, toen Rowarn de weg die ze net af hadden gelegd, terug begon te lopen en zich klaarmaakte om langs om de rotswand naar beneden te klimmen.

'Je bent gek, weet je dat? Echt, ik begrijp niet hoe mijn zus het met jou heeft uitgehouden.'

'Ze heeft het niet met mij uitgehouden,' antwoordde Rowarn, kreunend een uitsteeksel vast houdend toen zijn voeten weggleden op de gladde rotsen. Zijn knokkels waren wit, terwijl hij koortsachtig naar steun voor zijn benen zocht. Uiteindelijk vond hij met één voet steun en hij ontspande zich weer. Zijn andere voet zocht verder en hij vervolgde zijn afdaling.

'Wat is er nou?' riep Rayem.

Rowarn rolde met zijn ogen. 'Wat is er? Wat is er? Is dat alles wat je kunt zeggen?' riep hij terug. Hij was bijna beneden, overwon de laatste twee meter en keek met zijn armen in zijn zij naar boven. 'Waar blijf je nou, watje!'

Rayem kwam eindelijk naar beneden. Volledig buiten adem en met trillende handen kwam hij tenslotte aan. 'Ik vroeg ...'

'Ik weet wat je gevraagd hebt,' onderbrak Rowarn. Hij ademde één keer diep in, en vervolgde toen: 'Oké, laten we het daar eerst hier en nu over hebben, dan is dat in ieder geval achter de rug, begrepen?'

Rayem sloeg zijn armen over elkaar. 'Mee eens,' zei hij met een niet veel goeds voorspellende uitdrukking op zijn gezicht.

'Goed dan. Jouw zus en ik waren maar eenmaal samen, tijdens die verschrikkelijke nacht. Ik was op het feest, maar heb me de hele tijd afzijdig gehouden. Op een gegeven moment, de meesten waren al naar huis, kwam ze naar me toe en liep ze met me in de richting van Weideling. Ik wist niet waarom ze dat deed, ik had zelf nooit gedurfd om naar haar toe te gaan, maar was blij dat zij het wel deed en heb er verder geen gedachten meer aan verspild. Niemand, die bij zijn volle verstand was, zou haar hebben afgewezen.

'Hebben jullie ook ...'

'Wat bedoel je daar nou weer mee?' Rowarn wendde zich vuurrood af en ging haastig verder. 'Daarna kwamen de beesten en verdoofden mij. Toen ik weer bijkwam, was alles al voorbij. Ik kon me niet herinneren wat er gebeurd was en ... geloofde dat ik de schuldige was, totdat Morwen de sporen vond en ontdekte wat er gebeurd moet zijn. Dat is alles, begrepen? Ik heb niet voor deze schande gezorgd. Anini is naar mij toe gekomen en alhoewel ik mezelf hierover verwijten maakt, heb ik geen directe schuld aan haar dood. Je kunt alleen zeggen dat ik geen getrainde krijger ben en niet op een aanval van de beesten rekende. Ik heb haar niet kunnen beschermen, dat is waar. Daarom ben ik hier, om dat goed te maken en haar minstens op deze manier te eren.' Hij maakte een afsluitend gebaar. 'Dat was het einde van het verhaal en de verklaringen.' Hij knikte kort naar Rayem en liep toen over het smalle wildpad in de richting van de rand van het woud zonder verder op hem te wachten.

Net als eerder, kwam Rayem hem zwijgend achterna. Vermoedelijk moest hij eerst over Rowarns woorden nadenken. Hij was zeker niet dom, maar zijn verstand was niet getraind en daardoor wat traag. Rayem stampte onhandig door de zompige aarde en vloekte zachtjes toen de modder tot aan zijn gezicht opspatte. Hij was het waarschijnlijk helemaal zat.

'Weet je zeker dat we nu in de goede richting lopen? Ik kan de anderen niet meer horen. Wat is je bedoeling?' vroeg hij, toen Rowarn schijnbaar doelloos langs het struikgewas liep, weer stopte en de takken en het terrein onderzocht om vervolgens weer verder te lopen.

'Slechts een stomme gedachte,' antwoordde Rowarn. 'Stel dat de beesten allang wisten dat we eraan kwamen? Als ze ons al dagenlang geobserveerd hebben en op dit moment hebben gewacht?'

'Om wat te doen?' vroeg Rayem onwetend. Toen drong het langzaam tot hem door en hij staarde Rowarn geschrokken aan. 'Mijn God,' zei hij, bleek weggetrokken. 'Je bedoelt dat ...'

Rowarn knikte heftig. Hij scheen op de goede weg te zijn, als zelfs Rayem hem zo snel begreep. 'Madin is nagenoeg onbeschermd, bijna iedereen is bij de jacht. De beesten kunnen net als ik toentertijd, de weg over de weide genomen hebben. Misschien zelfs afgelopen nacht al en vanmorgen vroeg gewoon afgewacht hebben tot we weg waren.'

'Ze hebben ons erin geluisd ...' fluisterde Anini's broer. Hij pakte Rowarns arm. 'Maar dat betekent dat ... mijn moeder ...

vader ...'

'Ik weet het niet, het is maar een gedachte,' meende Rowarn. 'Ik zie hier geen enkel spoor, daarom moeten we ...'

'Nee!' onderbrak Rayem hem panisch. 'We hebben al genoeg tijd verspild. Blijf maar hier of kom mee, maar ik moet meteen naar huis! Het volgende moment rende hij weg, zijn vermoeidheid totaal vergetend.

Rowarn volgde hem ditmaal zonder tegenwerpingen. Hij lette niet meer op het weer en dacht ook niet meer aan Morwens strenge waarschuwing om niet zonder enige vorm van ruggespraak weg te gaan. Zonder enige rustpauze renden de beide mannen over de zompige, gladde heuvel naar Madin, gedreven door hun stijgende bezorgdheid.

Het was stil in Madin, de straten waren volledig uitgestorven. Slechts de rook uit de schoorstenen, die vervolgens door de regen uit elkaar geslagen werd, toonde aan dat de huizen bewoond werden.

De beide jonge mannen slopen van achter de Gouden Boom het dorp binnen en betraden via een zijingang een lange, lege stal waar zich slechts een eenzaam paard ophield.

'We zouden ons beter moeten bewapenen,' fluisterde Rayem en pakte een zeis. Rowarn zocht een hooivork met lange tanden uit. Hij lag goed in de hand.

In het troebele licht haasten ze zich naar de ingang van het aangrenzende huis en drukten met ingehouden adem hun oor tegen de deur aan.

Rowarn merkte dat hij in een plas stond, en deed een stap terug. Toen hij de donkere plas beter bekeek, voelde hij hoe zijn maag zich verkrampte. Hij stootte Rayem aan, legde een vinger op zijn lippen en maakte hem opmerkzaam op het bloed dat vanonder de deur binnen was gedropen en zich in een plas verzameld had.

Ze keken elkaar aan. Ze waren lijkbleek. Rowarn had gelijk gekregen. De beesten waren hier. Wat moesten ze nu doen?

Rowarn zag de angst op Rayems gezicht, niet om zichzelf,

maar om zijn ouders. Was dit het bloed van zijn vader, dat ...? Hij legde een hand op Rayems arm en keek hem smekend aan, om niets ondoordachts te doen. Hij voelde de spieren spannen onder zijn vingers, en bereidde zich voor op het ergste. Vervolgens stootte Rayem zijn ingehouden adem uit en knikte langzaam. Hij beduidde Rowarn om weg te duiken, wat hij zelf ook deed, en de hooivork gereed te houden. Toen opende hij heel voorzichtig de deur.

Ze schrokken allebei terug, toen ze daarbij een lijk opzij schoven – hij voelde zich schuldig toen hij opgelucht vaststelde dat het een onbekende was. Vervolgens wierpen ze een snelle blik door het pension. Rowarn zag Rayems vader Daru in de buurt van de bar. Niet ver daar vandaan een angstige groep bij elkaar gedreven mensen: twee grijsaards, een kleine jongen en een oudere vrouw.

Toen zag hij ook Hallim, in de klauwen van een ... wezen. Het had zijn rug naar de stal toegewend, wat ook maar goed was voor hen. *Een beer,* was het eerste dat Rowarn dacht, want het had het postuur, de grootte en de massa van een volgroeide Bruine Beer, maar dan met de langere, boomstamachtige benen van een wezen dat het gewend was om rechtop te lopen.

Rayem glipte door de deuropening en verstopte zich achter een vat naast de bar. Rowarn volgde hem even later, maar zocht aan de andere kant dekking achter een omgevallen tafel.

De ruimte was een puinhoop. Kapotte stoelen, tafels, roemers en borden lagen overal, met daartussen bebloede en toegetakelde lijken.

Het beest hield Hallim met zijn sterke klauwen bij haar hals vast en siste woedend naar Daru. Zijn vreselijke en amper verstaanbare stem klonk vlak en toonloos: 'Als jee veerstaandig beent, zal juullie nietss gebeurren ... nogg niett.'

'Doe – het – niet ...' stootte Hallim er met moeite uit en haalde piepend adem. 'Ze ... zullen ons ... sowieso ... allemaal doden.'

'Laat haar vrij!' smeekte Daru. 'Ik zal alles doen wat je wilt, maar spaar haar!'

Rowarn had genoeg gehoord. Hij herinnerde zich heel goed

de waarschuwende woorden van de koning. Hij wierp een blik naar Rayem, die al naar hem keek en was verbaasd, hij zag een volledig ander persoon voor zich. De stompzinnige aanvalslust was weg, zijn ogen stonden helder en klaar en hij straalde vastberadenheid uit. Hij knikte in de richting van het beest en gebaarde Rowarn dat ze gezamenlijk aan moesten vallen.

Rowarn knikte en Rayem stak drie vingers op. Geluidloos vormde zich de getallen op zijn lippen en één voor één verdwenen de vingers. De tweede, de derde...

Onder luid gebrul stormden ze van twee kanten op het beest af. Rayem zwaaide met zijn zeis en Rowarn hield zijn hooivork als een lans voor zich uitgestoken.

Het beest liet Hallim los en draaide zich om. Rowarn was bijna blijven staan. Dit was niet de kop van een beer of welk dier dan ook. Het vlakke, brede gezicht was volkomen haarloos. Borstelige wenkbrauwen welfden zich over twee buiten proportie grote, roodbruine ogen met gespleten pupillen. De neus was stomp en kort, zoals van een kat, en zijn bek ... die liep bijna van oor tot oor en was bezet met drie rijen scherpe tanden.

Het beest stootte een donderend gebrul uit en hief zijn met een dikke vacht bedekte, gespierde armen op, maar op dat moment waren de beide jonge mannen al bij hem. Zonder er verder bij na te denken, ramde Rowarn, nog steeds schreeuwend, de drie lange tanden van zijn vork in zijn buik, terwijl Rayem vanaf de andere kant, eveneens brullend, de zeis in zijn lendenen dreef.

De kracht van de botsing bracht Rowarn en Rayem uit hun evenwicht en Rayem liet zijn zeis los. Bloed spoot in het rond en Rowarn wist bijna zeker dat het einde van het beest daarmee vaststond.

Hij zat er naast. De koning had hen niet voor niets gewaarschuwd. Het beest slaakte een knorrend, pijnlijk geluid en schudde zich onwillig. Vervolgens pakte hij de hooivork en zeis en rukte deze uit zijn lichaam zonder op de gapende wonden, waar het bloed uitspoot, te letten. Rowarn had nog net tijd om zich achter een tafel te verbergen toen de houten stok van de hooivork krakend op de grond sloeg en versplinterde, terwijl op hetzelfde moment de zeis op een haar na over Rayems hoofd suisde. Anini's broer nam een snoekduik naar de bar waar zijn vader zich bevond.

Rowarn was niet van plan om achter de tafel te sterven. Hij kroop onder de graaiende armen van het beest door, pakte het gedeelte van de gebroken stok waar de hooivork nog aanzat op en stak een tweede maal toe. Hij miste. Het beest was beangstigend snel en kon gemakkelijk uitwijken. Hij kwam dichter bij de bar. Rowarn had Daru en Rayem genoeg tijd gegeven om zich te bewapenen met slachtmessen. Ze sprongen beiden over de houten bar en dreven de scherpe messen in de schouders van het beest.

Nu brulde het beest van woede en pijn, en veegde beide mensen met een veeg van zijn arm dwars door de ruimte. Kreunend klapten ze tegen de muur aan en rolden over elkaar heen.

Rowarn stond nog en hij rende, het stompje met de vork nog steeds als een lans in aanslag, zijdelings op het beest in. Ditmaal lukte het hem om met alle kracht toe te stoten, voordat ook hij een geweldige klap kreeg, die hem als een willoos blad door de lucht deed wervelen. Hij kwam terecht in een stapel kapotte tafels, klapte met zijn hoofd tegen een tafelblad aan en bleef versuft op zijn rug liggen.

Het beest was duidelijk langzamer geworden, wat gezien de zware verwondingen niet zo verwonderlijk was. Maar hij gaf nog niet op. Het bloed stroomde uit vele wonden en bloederig schuim stond rondom zijn muil. Daartussen blikkerden de scherpe tanden echter, terwijl hij op Rowarn afliep.

De jonge Nauraka probeerde zich te bewegen, zich ergens in de puinhopen te verbergen, maar alles draaide om hem heen en hij kon zijn armen en benen amper bewegen. Hulpeloos bleef hij liggen en staarde de naderende dood in het gezicht.

Een donderend gekraak doorbrak de verlammende stilte en als in een waas zag Rowarn hoe de grote, massieve deur van het pension uit zijn hengsels vloog, alsof iemand met zijn vingers een stofkorreltje uit de weg tikte. Hij zag een paar zwarte hoeven voorbij wervelen, terwijl een wilde kreet geslaakt werd.

Het beest bleef abrupt staan. Een glimmende krijgsbijl stak zeker een vinger diep tussen zijn ogen. Een kreun borrelde van diep uit zijn keel, vervolgens viel hij als een gevelde boom op zijn rug, nam nog een tafel mee in zijn val en bleef vervolgens roerloos liggen.

Een enorm kabaal brak uit, maar Rowarn nam alles waar als door een dikke laag watten. Hij zag hoe Hallim naar Daru en Rayem strompelden en hoorde hoe ze hen huilend riep. Een hoop mensen liepen naar binnen, iedereen sprak door elkaar heen, begon de troep op te ruimen en de doden te verzamelen.

Iemand boog zich over Rowarn heen. Hij herkende het bebaarde, grijzende hoofd van Olrig. Zijn ogen kregen een blijde glans.

'Nou, jongen. Je bent nog steeds bij ons,' bromde hij.

Rowarn moest zich inspannen om hem te kunnen verstaan. Hij wilde wat zeggen, maar zijn tong gehoorzaamde hem niet.

De Dwerg streek hem door de haren en keek bezorgd naar zijn vingers, maar begon toen goedmoedig te lachen. 'Dat hebben we snel wel weer verholpen, knul.'

Rowarn merkte hoe Olrig zijn armen onder hem schoof en hem vervolgens moeiteloos optilde, nauwlettend en behoedzaam. Net zoals hij met een volle bierkroes plachte om te gaan. De krijgskoning droeg hem naar buiten, waar in tegenstelling tot eerder, een levendige sfeer heerste. Rowarn zag het bleke gezicht van Sneeuwmaan, toen zij zich over hem heen boog. Het volgende moment lag hij in haar sterke armen, net als vroeger toen hij kind was. Veilig en geborgen.

Eindelijk wilde zijn tong hem dan ook gehoorzamen. 'Het ... het regent niet meer,' perste hij tussen zijn lippen door.

Sneeuwmaan lachte. 'Ja,' zei ze. 'Dat is mij ook opgevallen.'

Rowarn keek haar grijnzend aan. Haar manen waren doorweekt en hingen in strengen naar beneden en een felle lichtkrans lag rond haar hoofd toen de ondergaande zon door de wolken brak. 'Mooi ...' mompelde hij.

'Het is goed, jongen,' zei Olrig naast hem en pakte zijn arm beet. 'Echt verdomd goed gedaan. Maar nu mag je flauwvallen. Ik zal het tegen niemand zeggen.'

Rowarn gehoorzaamde. Hij kon ook niet anders.

Toen Rowarn weer bijkwam, was het nog steeds dag. Het zonlicht viel schuin door de luiken en spleten van het dak en de
wanden naar binnen en schiep een troostende atmosfeer. Hij lag
op enkele strobalen in de stal van de Gouden Boom. Voorzichtig
richtte hij zich een beetje op en betaste zijn achterhoofd. Hij had
het gevoel dat iemand daar constant op een trommel aan het
slaan was.

Hij droeg een verband en op de wond op zijn achterhoofd waren bladeren en een zalf aangebracht. Hij voelde de koelte en als
hij zijn hoofd langzaam van links naar rechts bewoog, liet het
verband langzaam los. Rayem lag naast hem en daarnaast zijn
vader, gevolgd door enkele andere gewonden. Hallim liep heen
en weer tussen haar zoon en haar man. Ze huilde niet meer en
had haar ogen gesloten, verzonken in een stil gebed.

Rayem opende zijn ogen toen Rowarn hem aanstootte. Er verscheen een schuchter lachje om zijn mond. 'Hé,' fluisterde hij.

'Hé,' fluisterde Rowarn eveneens. 'Gaat het weer?'

'Mm, en met jou?'

'Pijn in mijn hoofd en mijn spieren voelen aan alsof iemand er
met een hamer op heeft geslagen.'

'Bij mij ook.'

Ze gingen zitten en zagen Sneeuwmaans glanzende gestalte
die langs de gewonden liep en alles zorgvuldig controleerde.
Toen ze merkte dat de beide jongemannen wakker waren geworden, kwam ze in een drafje naar hen toe. 'Hoe voelen jullie je?'

'Prima,' antwoordde Rowarn.

'Als herboren,' beweerde Rayem.

De heelmeesteres monsterde hen onderzoekend, haar blik
ontging niets, maar ze knikte vervolgens lachend. 'Wat jullie nu
nog voelen, daar kan ik niets aan doen. Dat is de prijs die jullie
moeten betalen voor jullie inspanningen. Jullie kunnen opstaan
als je wilt. De anderen wachten buiten al op jullie beiden. En jullie
willen ongetwijfeld weten, wat er gebeurd is.'

'Absoluut,' gaf Rowarn toe en voelde zich nu werkelijk veel beter.

'Ik kan amper wachten,' bevestigde Rayem.

Kreunend en elkaar ondersteunend, werkten ze zich omhoog en strompelden naar buiten. Onderweg stootte Rayem Rowarn aan en zei: 'Dit betekent niet dat we vrienden zijn, is dat duidelijk?'

'Vrienden, wij? Nooit!' weerde Rowarn ontzet af.

'Goed, dan zijn we daarover eens,' bromde Anini's broer. 'Ik wilde het even duidelijk hebben.'

'Het is goed zo. Dan kan daar geen misverstand over ontstaan.'

Buiten stond de krijgskoning Olrig, steunend op zijn strijdbijl. Rowarn herkende het ding gelijk. De laatste keer dat hij hem had gezien, had hij in het voorhoofd van het beest gezeten. Olrigs gezicht klaarde op toen hij Rowarn zag. 'En, ben je een beetje opgeknapt?'

'Enigszins.' Rowarn drukte de hand van de Dwerg.

'Kom, dan zullen we je alles vertellen.' Olrig gebaarde hen om hem te volgen en ze sloegen de kortste weg naar de marktplaats in. Onderweg verklaarde hij: 'De koning kwam op het idee, dat de beesten de rollen misschien wel om hadden gedraaid. Ik ben met Sneeuwmaan, Schaduwloper en de helft van de mannen omgedraaid, maar naar het bleek waren jullie beide slimmeriken ons al voor en hebben jullie net op tijd ingegrepen.'

'Jullie zijn wel precies op het juiste moment gekomen, want dat verrekte stuk vee wilde simpelweg niet kapot,' verduidelijkte Rayem. 'Hij had *ons* bijna te pakken, en niet andersom.'

'Wie weet,' Olrig lachte fijntjes. 'In het kort, ze waren met zijn vijven, zoals Morwen al vermoedde. In Madin zelf waren er drie, die we meteen over de kling hebben gejaagd. Noïrun heeft het wijfje met haar jong in haar schuilhol te pakken gekregen en ongeveer een uur geleden heeft Schaduwloper de aanvoerder gevonden.'

'Wat zijn dat voor wezens ...?' vroeg Rowarn zich af.

'Grimwari, mijn jonge vriend,' antwoordde Olrig. 'En daar,'

hij strekte zijn hand uit en wees naar het centrum van het plein, 'is Grimwar zelf.'

De halve stad had zich verzameld. Rowarn zag de schare mensen die met geheven wapens om de vorst heen stonden. Aan hun gespannen houding kon hij overduidelijk zien dat ze ieder moment tot actie over konden gaan.

De reden daarvoor stond in het midden van de mensenmassa. Er liep een ijskoude rilling over Rowarns ruggengraat toen hij het enorme beest zag. Hij was nog groter dan het ondier in de Gouden Boom en het had een wrede uitdrukking op zijn gezicht ... vol woede en haat en tegelijkertijd een onbeteugelde woeste drift en meer, veel meer. Roodbruine ogen die vol waren van leven, wetend, waakzaam en oud. Oeroud.

Dit wezen was meer dan slechts een beest, moest Rowarn geschrokken toegeven. Het behoorde tot de Oude Volken.

Het beest was in machtige kettingen geslagen, met zware stalen ringen en verzekerde sloten; hij kon zich maar amper bewegen.

'Bij Lúvenors licht,' fluisterde Rowarn. 'Dat had ik nooit verwacht. Wat gaat de koning met hem doen?'

'Kom,' zei Olrig. Hij baande zich een weg naar de koning, gevolgd door de beide jongemannen. Ze werden opgehouden toen Morwen hen zag en zich naar hen toe werkte.

'Rowarn! Rayem! Dat was echt geweldig!' Ze sloeg hen allebei op de schouder. 'Dat had ik niet verwacht, werkelijk. Zelfs de koning kon een lachje niet onderdrukken nadat hij tot rust was gekomen.'

'Tot rust gekomen?'

Ze grijnsde. 'Hij was buiten zichzelf, dat ik niet beter op jullie gepast heb, omdat jullie opeens niet meer te vinden waren en ... nou ja. De rest weten jullie beter dan ik.' Ze wenkte Rayem. 'Kom maar met mij mee. De koning is nog steeds niet echt te spreken over jou. Hij heeft in ieder geval gezegd dat hij alleen Rowarn wil zien.'

'Is mij best,' bromde Rayem. 'Ik heb sowieso moeite met hooggeboren personen.'

Rowarn vertrok geen spier toen hij weer achter Olrig aanliep. Deze voerde hem door de mensenmassa heen naar Noïrun, een respectvolle afstand bewarend tot het beest. Larkim de Strenge zat naast twee van de stadoudsten op een gammele stoel.

'Noïrun, kijk wie ik je breng,' verkondigde Olrig. 'In één stuk, met alles nog aan elkaar, hetgeen niet slecht is voor een eerste keer.'

De koning draaide zich naar hem om en een ogenblik rusten zijn groene ogen op Rowarn, maar met een uitdrukking die de jonge Nauraka niet kon duiden.

'Kijk hem aan, jongen,' zei hij en wees naar het beest. 'De oorzaak van jouw leed – en het leed dat over deze plaats uit is gestort.'

Rowarn twijfelde, hij naderde dit ondier liever niet te dicht.

'Maak je geen zorgen, hij wordt goed bewaakt.' Noïrun wees naar Schaduwloper die in de buurt stond, zijn handen voor zijn borst gekruist.

Rowarn had hem nog niet zien staan.

'Dit is Grimwar. Dit is toch waar je naar verlangt. Wraak, klopt dat?'

Rowarn perste zijn lippen op elkaar. De kritische toon was hem niet ontgaan en hij bedacht dat het hem eigenlijk om een ander soort wraak te doen was dan dit, maar dat het wel ... overeenkomsten toonde, wellicht de test was of hij voor dat andere klaar was. Het moment van de beslissing, de tweesprong richting zijn toekomstige leven.

Langzaam liep Rowarn naar het beest toe tot waar hij het nog veilig genoeg achtte, maar hij wel het gevoel had dat ze alleen waren.

Het beest was meer dan twee koppen groter dan hem. Zijn vacht had een donkere, goudbruine kleur met aan de randen van zijn kop een krans met grijze haren.

'Jij was het dus ...' fluisterde Rowarn. Hij voelde de verschrikkelijke aura en plotseling voelde hij ook iets aan zijn nek, een korte druk. Zijn hand schoot omhoog, maar hield midden in de beweging op, toen hij besefte dat het niet meer dan een herinnering was.

'De jongen, jij.' De stem van het beest klonk rauw en heet, met een diepe, woeste ondertoon. Hij sprak weliswaar met een vreemd accent, maar was goed verstaanbaar. Heel anders dan het beest in het pension.

'De lichten in de nacht. Ik heb je gespaard. Jij zult *het* daarom niet toelaten.'

'Wie ben jij?' vroeg Rowarn zacht, zonder op zijn woorden in te gaan.

'Ik ben Grimwar,' antwoordde het beest. 'De Maanloper.'

Rowarn begreep het. 'Daarom heb ik jullie niet gehoord. Jij, en de troep die onder jouw bescherming stond, binnen het bereik van jouw beschermende aura. Jullie waren niet meer dan een vluchtige schemering, die tussen het licht en de schaduwen vloeide.'

Grimwar vroeg zachtjes: 'Ze zijn dood, nietwaar?'

Rowarn keek naar de koning. Hij was dichtbij genoeg om de vraag gehoord te hebben. Hij wist wie Grimwar bedoeld had. Niet de Grimwari, zijn lompe aanhangers. Noïrun begreep het ook, want hij knikte bevestigend naar Rowarn. De jonge Nauraka keek het monsterlijke wezen weer in zijn schrandere, oeroude ogen. 'Ja.'

Een luide kreet, vervuld van pijn, ontsnapte aan Grimwar en hij liet zijn grote, zware hoofd zakken. 'Bladfluister was al meer dan drieduizend jaar mijn gezellin,' hijgde hij. 'Het was ons eerste broedsel in lange tijd.'

Werden deze wezens zo oud? Zelfs voor één van de Oude Volkeren was dat ongewoon. Rowarn begreep Grimwars pijn, maar toch voelde hij alleen maar woede.

Hij balde zijn vuisten en liep dichter naar het beest toe. Het broedsel was alleen maar mogelijk geweest, dankzij de meisjesharten die Grimwar verslonden had. Ze hadden voor de benodigde levensenergie en voortplantingscapaciteit gezorgd. Hij was oud en vertwijfeld, dat was duidelijk. Ze hadden geen andere mogelijkheid meer gezien om voor nakomelingen en macht te zorgen, maar ... 'Niet tegen deze prijs,' perste Rowarn er vervuld van haat uit. 'Dat is nooit gerechtvaardigd, noch kan het door berouw goedgemaakt worden. Jullie hebben allemaal gekregen wat je verdiend hebt.

'Hou jij dit voor rechtvaardig?'

'Jij waagt het om dat te vragen?' Rowarn kon zich nog maar amper inhouden. Hij wendde zich af en de vorst gaf een teken, waarop de mensen hun wapens trokken.

Rowarn hoorde hoe Schaduwloper heftig inademde.

Heel even kwam het allemaal onwerkelijk op hem over, alsof hij door een nevel naar het verre verleden keek.

De zon was net ondergegaan en stuurde haar laatste stralen over het plein. De vochtige lucht trilde en de daken, nat van de regen, schitterden en glansden. Door de laagstaande zon vielen er lange schaduwen en gezichtsloze schimmen over het plein. Het waren nu geen mensen meer die hij kende.

Maar Grimwar was werkelijkheid zoals hij daar stond, overgoten door een roodachtig licht, zijn lelijke tronie weer trots opgeheven, ondanks het feit dat hij geketend was. Een schepsel van Lúvenor.

'Nee!' riep Rowarn.

De soldaten lieten verbluft hun wapens zakken. Koning Noirun's hoofd neigde licht naar links en zijn oogleden sloten zich half over het diepe groen van zijn ogen.

'Nee,' herhaalde Rowarn. 'Grimwar heeft gelijk. Ik zal het niet toelaten.' Zijn haat was verdwenen. In plaats daarvan voelde hij medelijden en dat alleen maar dankzij het feit dat hij de scherpe ademtocht van zijn pleegouder gehoord had. Er lag een smeekbede in. Rowarn was zo innig met zijn pleegouders verbonden, dat hij geen woorden nodig had om te begrijpen wat Schaduwloper bedoelde, te weten wat hij voelde. En hij begreep wat het was dat deze twee schepsels van de Oude Volken met elkaar verbond.

Hij draaide zich om naar de Velerii, wiens blik onveranderd op de Grimwar gericht bleef. 'Dit beest is één van de Ouden,' ging Rowarn verder en wees naar Schaduwloper. 'Hij heeft de zelfde natuur als mijn vader, een schepsel uit de Oude Tijd van Lúvenor, toen er nog geen mensen in deze landen waren. Alleen

Schaduwloper heeft het recht om over Grimwar te oordelen en hem te bestraffen, wij daarentegen niet.'

Moedig ging hij voor Larkim staan en weerstond zijn ijskoude blik en vervolgens voor de koning. 'Wij mogen het niet doen. Hij is gebroken en alleen, misschien wel de laatste van zijn volk, wie weet? Hij is oud, zien jullie dat niet? Hij kan ons geen schade meer berokkenen. Daarom kwam hij ook hier, in ons dal, omdat er geen enkele andere plaats meer is voor hem. Hij droomde van een nieuw begin.'

Rowarn zocht naar de juiste woorden.

'Wat Grimwar heeft gedaan was onbeschrijfelijk wreed. Het kan echter niet goed worden gemaakt door hem met geweld te doden. Door hem terecht te stellen zullen we deze gruweldaden niet ongedaan maken. Hij is één van de Ouden en wij ... moeten hem genade tonen. Stuur hem in ballingschap, een eenzame verbanning voor de rest van zijn leven, waarin hij iedere dag zal worden herinnerd aan wat hij heeft gedaan en wat hij heeft verloren.

We hebben al een halsgerecht gehouden waarin we zijn vrouw en kind gedood hebben. Nu moeten we hem dezelfde pijn laten voelen, als wij voelen. Dat is een ergere straf dan de dood, die zal voor hem waarschijnlijk een verlossing zijn. Wij moeten onze grootmoedigheid tonen en ons daarmee tevredenstellen.'

Rowarn keek de vorst smekend aan. 'En ... hij spaarde mij. Dat ben ik hem dus verschuldigd: zijn leven voor mijn leven.' Het was een erezaak. Die was er of wel, of niet. Zo had hij het altijd geleerd.

De koning keek Rowarn doordringend aan. Vervolgens keek hij Schaduwloper aan, die hem eveneens aankeek. Van zijn gezicht was het geluidloze verzoek duidelijk leesbaar. Noïruns wenkbrauwen fronsten zich duister en hij wreef zich over zijn baard, terwijl hij nadacht.

'Onder voorwaarden,' begon hij uiteindelijk. 'Dat hij niemand ooit meer schade kan berokkenen en hij ook nooit meer vrij door het land mag trekken. Hij zal in bewaring gesteld worden in Inniu. Op een plek, waar niemand hem kan vinden, waar hij zijn leven in volledige afzondering, tot op het einde toe, zal leven. Dat moet je aan mij zweren.'

'Bij alle kinderen van Lúvenor, dat zweer ik met mijn leven,' antwoordde Schaduwloper. De opluchting was duidelijk te horen in zijn stem. Hij opende zijn armen en trok aan het einde van de ketting, die hij de hele tijd in de hand had gehouden, zonder dat het iemand op was gevallen. 'We gaan, oude man, en snel want de kortlevenden hebben weinig geduld en ik kan ze in dit geval maar al te goed begrijpen.'

Grimwar zei geen woord meer. Zonder tegenstribbelen volgde hij de paardmens met moeizame, huppende stappen. Achtervolgd door het ontmoedigende hoongelach van de stadslieden, die hierdoor hun angst en spanningen kwijtraakten.

Madin was bevrijd van een boze vloek en er zouden weer zonnige dagen komen, zonder duistere schaduwen en herinneringen aan deze angst en verschrikking.

Zonder op de teleurgestelde en niet-begrijpende gezichten van zijn mannen te letten, riep de vorst: 'Een mooi einde van deze dag en Lúvenor zelf laat ons zijn goeddunken merken door ons dit zachte licht te schenken na deze natte dag! Dit moet gevierd worden en al is de herberg vandaag niet zo gemoedelijk als gisteren, iedereen moet er zijn plaats vinden. Waardzoon, waar ben je?'

Rayem schoof met een angstig gezicht naar voren en probeerde om zijn in slechte staat verkerende kleding wat in orde te brengen en zich een houding te geven.

'Hoe dan ook,' zei Noïrun. 'Zorg dat de mensen ergens kunnen zitten. Schenk bier en verdeel het brood en spek. De hele stad was vandaag betrokken en iedereen was dapper en trouw aan elkaar. Als jouw vader de helft draagt, dan draag ik de andere helft van de rekening. Men heeft dit verdiend en de verschrikkingen moeten met een feest beëindigd worden!'

Een jubelkreet, uit vele monden tegelijk, was het antwoord en Rayem rende snel naar het pension om te doen wat hem gevraagd was en alles te gaan regelen.

Binnen enkele ogenblikken was het plein leeg en stroomde de Gouden Boom vol. Larkim werd door de beide stadsoudsten ook langzaam naar het pension gebracht. Hij keurde noch Noïrun of Rowarn een blik waardig, maar mompelde iets over een kroes bier die hij verdiend had, zeker als het op kosten van de koning was.

Alleen Olrig wachtte nog, zijn hand rustend op zijn bijl.

Rowarn bleef schuchter staan toen de koning naar hem toe kwam. Hij durfde hem niet aan te kijken, maar staarde in de verte.

'Hoe beter ik je leer kennen, jonge Rowarn,' zei hij langzaam. 'Hoe minder ik weet wat ik van je moet denken.'

'Ik vraag u om vergeving, mijn heer.' mompelde Rowarn, naar de punten van zijn laarzen starend. Vanuit het pension klonk gezang en vrolijk gelach, voor Rowarn lag dit gevoel net zover als de sterren aan de hemel.

De koning ging verder. 'Ik kreeg vanmorgen bericht dat de nieuwe rekruten hier morgen zullen arriveren. We zullen dan ook binnen twee dagen vertrekken. Denk tot dan na over je besluit en bedenk goed: vanaf dat moment is er geen weg terug meer, wat je ook kiest.'

Hij draaide zich om zonder op antwoord te wachten en liep naar het pension toe. Olrig keek naar Rowarn die als bevroren was blijven staan.

'Kom je mee, jongen?' vroeg de Dwerg vriendelijk.

Rowarn dacht aan Schaduwloper en Grimwar, die ergens tussen de heuvels onderweg waren, beide leden van de Oude Volken en daar waren er niet veel meer van op deze wereld. Ze droegen allemaal een zware last op de schouders. Hij benijdde zijn ouders niet om de beslissing die ze moesten nemen. Hij wist dat hij ook nooit zou vragen hoe het met Schaduwloper en het beest gegaan was. Of het nu levend of dood was, niemand zou ooit meer iets van Grimwar horen, dat was zeker.

En hij dacht aan Sneeuwmaan, die in de stal de wonden van de mensen met behulp van de kracht van de Ouden heelde. Hij dacht ook aan zijn eigen beslissing, waarvan de vorst hem gegund had die nogmaals te overwegen, om welke redenen dan ook.

Hij schudde zijn hoofd. 'Ga maar,' antwoordde hij. 'Ik ga mijn moeder helpen. Die wacht waarschijnlijk al op mij.'

Olrig streek door zijn baard. 'Zeker,' zei hij. 'Ik wens je een rustige nacht zonder dromen, Rowarn. En dat je vrede met jezelf mag vinden. We zien elkaar morgen.'

Rowarn keek Olrig na, tot hij door de kapotte deur was gelopen en het luide "hallo" hoorde waarmee hij begroet werd. Daarna ging hij op weg naar de stal.

Deel 2

De reis naar Valia

HOOFDSTUK 7

Beslissingen en afscheid

De avond was al bijna voorbij toen Schaduwloper terugkeerde. Hij was nat van het zweet en ademde snel; hij moest een flink stuk achter elkaar gegaloppeerd hebben.

Sneeuwmaan en Rowarn waren ook nog maar net thuis. De meeste gewonden hadden hun ziekbed intussen kunnen verlaten en de anderen had de Veleri door familie af laten halen. Vervolgens hadden ze samen de stal opgeruimd, zodat de knechten zich eindelijk om de paarden konden bekommeren die urenlang buiten vastgebonden hadden gestaan.

Het opruimen van de stad schoot ook flink op. Op een veld buiten de stad was een brandstapel gemaakt, waar de Grimwari verbrand werden. Er werden al voorbereidingen getroffen voor de begrafenisplechtigheid van degenen die waren gevallen. De muziek en herrie uit het pension verleende de beestachtige stank van de brandende Grimwari, die zich als een pestwolk in alle richtingen uitbreidde, op de een of andere bizarre manier nog iets troostelijks.

Toen ze klaar waren zei Sneeuwmaan tegen Rowarn: 'Ga maar naar binnen, jij hebt het net zo verdiend als de rest.'

Hij schudde zijn hoofd, waarvan hij meteen al spijt had. Kreunend raakte hij het verband aan. 'Mijn hoofd staat helemaal niet naar feesten. Ik kan nog steeds niet begrijpen dat alles nu voorbij is. Er is zoveel in mijn hoofd, dat ik op een rijtje moet zien te krijgen. Daar zal ik de rest van de nacht wel zoet mee zijn, in alle rust.'

Ze legde teder een hand op zijn hoofd. 'Je bent nog zo jong, je zou een zorgeloos bestaan moeten hebben ...'

'Ik kan het niet,' fluisterde hij. 'Daar is teveel voor gebeurd. Het is alsof ik wakker ben geworden en mijn weg in een nieuwe wereld moet zien te vinden.'

'Natuurlijk, dat begrijp ik. Ga dan met me mee naar Weideling, dan zullen we iets lekkers eten en Lúvenors goedheid prijzen in een lied. Dat biedt ontspanning en je zult je daarna beslist beter voelen.' Ze keek hem onderzoekend aan. 'Hoe is het met je hoofdpijn?'

'Al bijna over,' antwoordde hij waarheidsgetrouw. 'Dank je, mijn eerbiedwaardige moeder. En eerlijk gezegd kom ik bijna om van de honger.'

Ze lachte, en alleen dat klonk hem al als muziek in zijn oren, als was het een van de liedjes waar ze hem als kind mee troostte. Hij sprong op haar rug en genoot van de wind in zijn gezicht toen ze de stad verlieten en over de verwaarloosde weg naar Weideling galoppeerde.

Sneeuwmaan had een totaal andere manier van lopen als Schaduwloper en Rowarn wist niet waar hij meer van hield; haar elegante, lichtvoetige en gelijkmatige snelheid, amper over de bodem vliegend, of Schaduwlopers krachtige, grote sprongen alsof hij van wolk naar wolk sprong.

Ze waren aan het eten toen Schaduwloper binnenkwam, nadat hij zich buiten schoon had gemaakt. De damp sloeg van zijn paardenlichaam af toen hij zich op zijn plaats liet neerzakken. Zwijgend begon hij te eten. Rowarn probeerde om niet aan Grimwar te denken. Hij wilde deze hele dag achter zich laten. Het was voorbij en er behoefden geen vragen meer gesteld te worden, omdat de antwoorden geen nut meer hadden. Tevens wachtte het volgende avontuur hem al op: ze zouden opbreken en naar Ardig Hal vertrekken. Dat hield in dat hij zich op het afscheid voor moest bereiden en veel tijd had hij daar niet meer voor.

De koning had hem wat tijd gegeven om na te denken, maar die had hij niet nodig. Zijn pad was hem duidelijk geworden nadat hij met Grimwar had gesproken.

'Ik ... zal met koning Noïrun meegaan,' flapte hij er uit. 'Ik heb hem gevraagd om mij te helpen in verband met de overval en in ruil daarvoor heb ik hem mijn diensten aangeboden.'

'We hadden al verwacht dat je Inniu zou verlaten ... en ons.' Sneeuwmaans stem klonk heel zacht. 'Het is geen verrassing voor ons en het moest er toch ooit van komen.'

'Het is je goed recht,' zei Schaduwloper. 'Of je nou zuiver

bloed hebt of niet, je bent de erfgename van je moeder en daarmee de heer van Ardig Hal.'

'Nee!' Rowarn wees het beslist af. 'Nee, dat ben ik niet. De traditie waar het huis voor staat, kan ik niet voortzetten. Ik weet niets over het volk van mijn moeder of over hetgeen ze gedaan heeft.'

'Dan zal Ardig Hal dus voor altijd vallen?' vroeg Sneeuwmaan.

'Ik weet het niet,' antwoordde Rowarn oprecht en zonder spijt of onzekerheid. Hij had zich er nog niet voldoende in kunnen verdiepen en stond onverschillig tegenover het slot. Het had, tot op dit moment, geen betekenis voor hem. En als dat ooit al zou veranderen, dan misschien op de dag, dat hij er arriveerde en meer te weten kwam over zijn verleden en afkomst. Als er ten minste nog iets te vinden was, buiten een stapel stenen die alleen nog herinneringen boden voor degenen die er gewoond hadden.

'Ik kan daar nu niets over beslissen, nog niet,' ging hij verder. 'Het is al zwaar genoeg om Weideling te verlaten. De koning heeft me misschien van mijn belofte ontslagen, zodat ik mijn beslissing kan overwegen, maar dat is niet nodig. En dat is ook omdat ik mijn vader wil vinden. Of ... de Demon Nachtvuur. Na alles wat er gebeurd is, is hier ook geen plaats meer voor mij. Ik hoor niet in Madin en ik heb ook geen opdracht in Weideling te vervullen. Op het ogenblik weet ik helemaal niet waar ik thuis hoor of wie ik zelfs maar ben. Een prins? Een koningszoon? Dat zijn slechts titels die ik niet kan invullen. Tot voor kort dacht ik dat ik een moordenaar was, dus hoe goed ken ik mezelf eigenlijk? Ik ken de buitenwereld niet eens, hoe kan ik er dan verantwoording voor nemen? Ik moet nog veel leren, voordat ik mijn weg gevonden heb en dat kan ik het beste door de koning te begeleiden. Dan pas kan ik beslissen wat er met mij of Ardig Hal zal gebeuren.'

Schaduwloper ging met zijn hand door zijn baard. 'Je hebt gelijk,' gaf hij toen toe. 'De zaak moet niet overhaast worden. Voor alles zul je je afkomst niet prijs moeten geven. Bewaar dat geheim zorgvuldig, als je dat niet doet, ben je constant in gevaar en nergens veilig voor Femris. Hij zal je genadeloos laten achtervolgen. Vertrouw niemand, Rowarn, ook de koning of de krijgskoning niet. Ik weet dat je ze nu als je vrienden ziet, maar het is voor je eigen bescherming dat ze er nu nog niets van weten. Je zult zelf het juiste tijdstip uit moeten kiezen.'

Rowarn knikte. Dat was het enige geheim dat hij uit Weideling met zich mee zou nemen. Er was echter iets dat hem bezig hield, al vanaf het moment dat hij het verhaal over de Tabernakel had gehoord. Het was een vaag vermoeden, maar ondanks dat wel iets waar hij bang voor was en nog niet kon accepteren. Hij moest minstens zekerheid hebben, voordat hij de gedachte uit kon bannen.

Hij rechtte zijn rug en gooide het eruit. 'Vertel me – ben ik de Tweegespletene? Hebben jullie me daarom alles verteld?'

De Velerii keken elkaar verrast aan, toen schudde Sneeuwmaan haar hoofd. 'Nee, Rowarn. Dat ben je niet,' antwoordde ze.

De woorden waren allang uitgestorven, toen het uiteindelijk tot Rowarn doordrong. 'Niet ...?' herhaalde hij verbluft. Hij had op een heel ander antwoord gerekend! 'Proberen jullie me te ontzien?'

'Nee, het is de taak van de Nauraka om de Tabernakel te beschermen, totdat het de Tweegespletene zal dienen,' verklaarde Schaduwloper. 'Het is nooit de bedoeling geweest dat ze de Tabernakel zouden gaan gebruiken. Jij bent Ylwa's zoon, een Nauraka. Voor de helft in ieder geval.'

'Ik zou opgelucht moeten zijn, maar ik ben zo in de war,' gaf Rowarn toe.

'Jouw gok lag voor de hand en ik moet me verontschuldigen dat ik het niet aan heb zien komen,' zei Sneeuwmaan. 'Ik had al eerder moeten zeggen dat jij hier niet voor uitverkoren bent. De Tweegespletene zal een schepsel zijn dat een grote macht heeft. Hij is nog niet op de voorgrond getreden. Misschien was zijn tijd honderden jaren geleden al gekomen, als de Tabernakel niet in stukken was gebroken. Misschien dat hij pas wakker wordt, als alle delen weer samengevoegd zijn.'

Rowarn was te zeer in de war om iets te zeggen. Aan de andere kant was alles een stuk eenvoudiger geworden. Hij hoefde zich niet om Ardig Hal druk te maken, maar kon zich helemaal op de Demon Nachtvuur concentreren; de moordenaar van zijn moeder.

Alsof Schaduwloper zijn gedachten gelezen had, zei hij: 'In het begin was ik bezorgd vanwege je dorst naar wraak. Ik was bang dat het je helemaal zou gaan beheersen. Wat je vandaag hebt laten zien, getuigt echter van een vooruitziende blik, die jouw ware grootte laat zien en toont dat je je eigen gevoelens niet voorop plaatst, hoewel je in dit geval voldoende reden had om dat wel te doen. Je moeder zou trots op je geweest zijn.'

'Zoals wij zijn,' voegde Sneeuwmaan eraan toe.

'Dat komt door jullie opvoeding.' Het klonk alsof Rowarn zich wilde verdedigen. 'Ik heb dankzij jullie meer geleerd en ervaren dan alle anderen bij elkaar. Ik zou jullie schande brengen als ik daar niets van ter harte had genomen.'

Sneeuwmaan keek hem liefdevol aan. 'We kunnen je onbezorgd laten gaan. En als ik het zeggen mag ... er bestaat geen twijfel over wiens zoon jij bent als men jouw moeder gekend heeft. Ik wens, dat je in Ardig Hal iets vindt zodat je kunt ervaren wie ze was en wie de Nauraka zijn, want hun bloed stroomt door jouw aderen. Misschien is dat genoeg om jouw erfenis op te nemen.'

Rowarn sliep deze nacht rustig en droomloos en hij werd de volgende ochtend uitgerust wakker. Zijn hoofdwond was helemaal beter en het verband kon eraf. De wond was dicht en was alleen nog pijnlijk als hij hem aanraakte.

Maar de rest van zijn lichaam! Iedere spier deed pijn, en hij kwam kreunend en jammerend uit bed. *Zo zal het voortaan zijn, totdat mijn lichaam gewend is aan dit soort inspanningen,* dacht hij. *Dit is slechts het begin.*

Hij strompelde naar het meer en dook erin. Na de regen van gisteren was het water ijskoud, maar dat deed hem slechts goed. Eerst langzaam, maar al gauw sneller, zwom hij dwars door het meer, terwijl hij zijn baantjes trok en zich al gauw helemaal verfrist en gesterkt voelde.

De hemel toonde zich weer van zijn beste kant. Slechts af en toe schoof een wolk voor de zon om een licht- en schaduwspel op het gras te toveren.

Zijn laatste dag in Inniu, want morgen wilde de koning vertrekken. Wat moest hij vandaag dan doen? Wat verwachtten zijn peetouders van hem? Toen hij druipnat thuiskwam, bleken ze er echter helemaal niet te zijn, maar waren ze al bezig met hun dagelijkse beslommeringen. Sneeuwmaan had een versgebakken notenbrood met honing voor hem klaargezet en een kroes vol water met de verleidelijke geur van lindennektar. Dat, wist Rowarn, zou hij nog het meest missen – de heerlijkheden die hem hier voorgeschoteld werden. De kroes met nektarwater zou hem de hele dag door sterken en hem ook gezond houden. De spierpijn was al snel vergeten en Rowarn vertrok naar Madin, nadat hij alles tot op de laatste kruimel op had gegeten en gedronken.

De lucht was zuiver en fris. Het vuur aan de andere kant van de stad was in de loop van de nacht gedoofd. Na de rouwceremonie zouden er geen uiterlijke sporen van de verschrikkelijke gebeurtenis meer zijn.

Het normale leven was teruggekeerd in Madin. De handelaars boden hun goederen weer aan, de handwerkers maakten hun schoenen, sieraden en gebruiksgoederen. Vrouwen stonden weer te kletsen als ze elkaar op straat tegenkwamen en kinderen liepen spelend door de steegjes.

Voor en in de Gouden Boom werd druk gewerkt. Daru, wiens linkerarm nog in een draagverband zat, zag toe op de herstelwerkzaamheden en commandeerde de werklui rond. Hij knikte Rowarn kort toe toen hij hem aan zag komen, maar besteedde verder geen aandacht aan hem. Voor Rowarn was het meer dan hij ooit verwacht had.

Het was een vreemd gevoel, om plotseling zo vrij te zijn. Hij hoefde zich geen zorgen meer te maken over wat anderen van hem dachten en hij hoefde ook niet meer te doen alsof hij onzichtbaar was, om te voorkomen dat hij anderen boos maakte. Het gevecht tegen Grimwar had alles veranderd. En niet alleen voor hem, zoals hij al meteen vaststelde toen hij Rayem tegenkwam. Dit was niet de agressieve, mopperende broer van Anini, de lompe botterik waar hij als kind zo vaak ruzie mee had gemaakt. De jongeman liep lichtvoetig en zijn ogen hadden een glans die hij er nog niet eerder in had gezien. Hij scheen zijn omgeving zelfs niet waar te nemen. Hij droeg ook niet meer zijn gebruikelijke morsige kleren met het eeuwige, bloederige schort.

'Hallo Rowarn,' zei hij en wees met zijn duimen over zijn schouder. 'De koning zit achter in de nis. Trek in een biertje?'

'Ja, bedankt,' antwoordde Rowarn verbaasd. Dit was hem nog nooit overkomen.

Rayem verdween achter de tapkast, waar zijn moeder Hallim bier stond te tappen. Ook zij was veranderd. Het had er een tijdje naar uitgezien, dat ze de dood van Anini niet zou overleven. Ze was echter helemaal omgeslagen. Ze lachte en knikte vriendelijk naar Rowarn.

'Zo, jonge vriend, je gezicht getuigt van verbazing!' merkte Olrig op toen Rowarn naar de tafel toeliep waar de koning, de Dwerg, Morwen en nog enkele anderen van Noïruns manschappen zaten. Morwen knipoogde hem kort toe, maar wende zich toen weer naar de soldaten. Olrig lachte naar Rowarn, schoof een stukje op en wees uitnodigend naar de vrijgekomen plaats tussen hem en Noïrun in.

'Alles is veranderd,' antwoordde Rowarn, terwijl hij zijn bier in ontvangst nam van Rayem. 'Ik herken gewoon niets meer terug.'

'Ja, het heeft nogal wat invloed gehad,' gaf de krijgskoning toe. 'Eigenaardig, niet waar? Zulke vreselijke en wrede schepsels hebben een verandering ten goede veroorzaakt en de mensen duidelijk gemaakt dat er meer in hen steekt en dat iedere dag het waard is om bewust geleefd te worden.' Hij stootte Rowarn aan. 'Des te meer bewonder ik je moedige beslissing van gisteren dan ook, om jezelf voor Grimwar in te zetten. Je hebt iets begrepen dat veel wijze mensen nooit in zullen zien.'

'Ze zijn anders dan wij,' mompelde Rowarn. 'Het was voor Grimwar geen wrede handeling, maar iets dat onderdeel was van zijn leefwijze. Veel van de Oude Volkeren hebben op eenzelfde wijze gehandeld, voordat de mensen en de Dwergen op het toneel verschenen. Ze zien de dingen anders dan wij ze zien, ze beoordelen alles anders en ze ... denken anders dan wij.'

'De lessen van je peetouders zijn op vruchtbare bodem gevallen,' merkte Olrig goedkeurend op.

'Dat hebben we bij onze eerste ontmoeting al vastgesteld,' sprak de koning, die tot dan toe het gesprek zwijgend had gevolgd. Hij wendde zich nu naar Rowarn. 'Hoe gaat het met je?'

'Uitstekend, heer,' antwoordde Rowarn naar waarheid. 'De heelkunsten van mijn moeder zijn onovertroffen. Hoe laat vertrekken we morgen?'

'Je bent dus vastbesloten?'

'Ja heer, als u mij in uw dienst wilt natuurlijk.'

Noïrun lachte. 'Wat een vraag. Maar vertel, jonge Rowarn, wat is de precieze reden van je besluit?'

'We hebben een overeenkomst gesloten,' antwoordde Rowarn onzeker.

'Die ik gisteren ontbonden heb, hetgeen je absoluut begrepen hebt, dus geef me een direct antwoord op mijn vraag.'

'Er zijn zoveel redenen, edele heer. Hier hoor ik niet meer. Ik wil u volgen. Ik wil weten hoe de wereld eruit ziet en wat er met u gebeurt. En ... ik wil naar mijn ... mijn ouders zoeken.'

'Dat moet genoeg zijn, denk je niet, Noïrun?' mengde Olrig zich in het gesprek.

Over zijn wens om wraak te nemen, die diep in hem brandde, had Rowarn het liever niet.

De koning vertrok geen spier. Rowarn wist zeker dat hij zijn twijfels had, maar zijn verklaring wel zou accepteren.

'Je zult mij dienen,' zei Noïrun toen ernstig. 'Als mijn schildknaap. En ik zal je onderwijzen in de krijgskunst. Je hebt gisteren bewezen dat je moed en talent hebt en wij kunnen de versterking goed gebruiken. Als de tijd daar is, kun je besluiten of je in dienst van Ardig Hal zult treden. Je zult de eed afleggen aan de legerleider en daaraan verbonden blijven, totdat deze strijd om de verloren splinter beëindigd is. Het zal een lange reis worden en je zult vaak spijt hebben van je beslissing.'

'Nee,' sprak Rowarn hem nadrukkelijk tegen. 'Dat zal ik niet. Ik ben geen besluiteloos type en ik sta voor hetgeen ik zeg. En ik zal trouw aan u en aan Olrig zijn, heer, dat is alles wat ik op dit moment wens.'

'Goed gesproken,' bromde de Dwerg in zijn baard.

'Vertrouwen voor vertrouwen.' Koning Noïrun stak zijn hand naar hem uit. 'Wees welkom in mijn leger en in mijn dienst.'

De rest van de dag nam Olrig Rowarn onder zijn vleugels en legde hem zijn plichten uit. Rowarn was er ook bij toen de koning de nieuwe rekruten verwelkomde en ieder van hen nauwgezet onder de loep nam en ondervroeg. Hij nam niet iedereen op, sommige stuurde hij weer terug.

Verbaasd moest Rowarn vaststellen dat Rayem ook in de rij stond. 'Wat krijgen we ...' begon hij.

'Er is gisteren iets met mij gebeurd,' bromde Anini's broer. 'Mijn werk past niet meer bij mij. Ik heb geen zin om nog langer kippen te doden en veren te plukken en dat is jouw schuld!'

'Mij best,' grijnsde Rowarn. 'Je weet hopelijk waar je je mee inlaat?'

'Ik blijf net zolang totdat de koning zich mijn naam gaat herinneren,' merkte Rayem koppig op.

'En je ouders? Zullen zij het niet erg vinden om hun tweede kind ook te verliezen? Je zou de herberg tenslotte erven.'

'Die redden zich ook wel zonder mij en zover ik weet lopen er nog een of twee halfbroers van mij rond in Madin die, om het zo maar te zeggen, ook tot de familie behoren.'

Rowarn floot zachtjes. Hij had de geruchten rondom Rayems vader ook gehoord. Dit soort geroddel drong door tot in de verste uithoeken, zich niets aantrekkend van de belastingambtenaren of de raad van Madin. 'Het klopt dus toch ...'

'Natuurlijk.' Rayem lachte zijn tanden bloot. 'Volgens mij zijn mijn ouders zelfs een beetje trots op mij. De koning heeft gisteren nogal wat indruk gemaakt op hen. Nou ja, vooropgesteld natuurlijk dat hij mij neemt.'

'Dat zal hij, maak je geen zorgen,' weerklonk Olrigs stem, die op dat moment naar hen toe kwam lopen. 'We kunnen sterke en gezonde jonge kerels als jij altijd gebruiken, zolang ze maar gehoorzaam zijn. En als je net zo goed met je zwaard om kunt gaan als met je gezonde verstand, zal je de vijand leren wat angst is.'

Een interessante dag, dacht Rowarn vergenoegd. Hij verheugde zich over het feit, dat Rayem meeging. Zo liet hij zijn thuis toch niet helemaal achter zich.

'Ga niet te laat naar huis,' zei Morwen op dat moment achter Rowarn. 'Het zal lang duren voordat je hier weer terugkeert en er is niets erger dan een half afscheid.'

Dat maakte het slechte geweten binnenin hem wakker en Rowarn bevond zich in een tweestrijd. 'Ja, ik moet inderdaad ook nog enkele zaken inpakken. Als dat ten minste mag, Heer Olrig.'

'Natuurlijk, we zijn zover klaar. We halen je morgen af.' De Dwergenkoning knikte hem kort toe en draaide zich vervolgens weer om naar de rekruten.

Morwen hield onverwachts Rowarns arm beet, hij voelde de vaste greep van haar krachtige vingers. Ze ging dicht bij hem staan en zei zachtjes: 'Je staat altijd minstens één stap naast de koning, maar nooit gelijk aan hem, dat is de eerste en belangrijkste regel.'

'Begrepen,' antwoordde hij.

'Aan de *rechtse* kant, onthoud dat goed. Noïrun is rechtshandig. Deze plaats hoeft niet beschermd te worden. De ereplaats is dus aan de linkerkant, waar Olrig altijd staat. Als ik erbij ben, geldt er nog een tweede regel. Je staat één stap naast en *achter* mij en aan de rechterkant.' Haar stem kreeg nu een indringende en scherpe klank.

Rowarn had het juiste vermoeden gehad toen hij dacht dat ze ook erg fel kon zijn.

'Het maakt niet uit hoeveel vertrouwenspersonen en bevelhebbers om hem heen staan,' ging Morwen verder, 'jouw plaats is altijd de laatste plaats aan de rechterkant, en één stap daarachter. Als je dat ter harte neemt, komen wij elkaar niet in het vaarwater en zul je met mij geen problemen krijgen. Anders wordt het niet alleen op de gewone manier zwaar voor jou, kleintje, maar heel zwaar. Je mag dan de persoonlijke schildknaap van de koning zijn, en misschien ook wel meer, maar ons respect moet je verdienen. Voor alles het respect van de garde, waartoe ook ik behoor – hetgeen een grote eer is, en welke positie we met hard werken en vechten hebben moeten verdienen!'

'Denk je dat ik met jou wil wedijveren om je rang waar ik tot nu toe niet eens een vermoeden van had, laat staan van de rest?' verdedigde Rowarn zich, moediger dan hij zich op dat moment voelde.

'Ik geloof helemaal niets,' zei Morwen koel. 'Ik wil je alleen maar goede raad geven. Je bent nu één van ons en dat verandert alles en zeker onze verhouding tot nu toe. En van rang kan al helemaal geen sprake zijn, die heb je niet. Je moet helemaal van onderaan beginnen, net als de rekruten, met dat verschil dat je door de vorst zelf gerekruteerd bent en daarom constant door ons in de gaten wordt gehouden. Het is dus beter als je geen fouten maakt.'

Rowarn slikte. 'Ik begrijp het,' zei hij.

'Goed.' Ze liet hem los. 'Tot morgen.' Ze draaide zich bruusk om en liet hem staan.

Dit waren dus zijn laatste vrije uren. Rowarn zwierf rond door de straten en stegen van Madin om vervolgens langzaam over de nog vochtige weide, door het woud en langs het meer naar Weideling te lopen. In stilte nam hij afscheid van alles met een soort melancholische voorpret over wat er voor hem in het verschiet lag.

Hij genoot van het pijnlijke gevoel dat zijn hart in tweeën scheen te scheuren. Hij rekte dat gevoel zelfs nog, omdat hij bij zijn lievelingsplaatsen bleef hangen en de herinneringen bleven komen.

Toen hij de koningsweide eindelijk betrad, was de zon al bijna achter de horizon verdwenen en waren zijn peetouders al thuis.

Sneeuwmaan had al zijn lievelingseten klaargemaakt dat met de ingrediënten van dit jaargetijde bereid kon worden – een scherpe wortel-kruidensoep met gekarameliseerde gember en zoete groenten en kruidige taart met een geurige herfstsiroop en nog veel meer. Rowarn had niet verwacht ook maar iets weg te krijgen, maar de heerlijke geuren waren onweerstaanbaar.

Nadat hij genietend had opgeschept, vertelde hij hoe zijn dag verlopen was en lachend over hetgeen Rayem gedaan had. De goede stemming van de namiddag werd afgewisseld door melancholische momenten en ze praatten veel. Het afscheid duurde lang en uiteindelijk ging Rowarn met zowel een volle maag als hoofd naar zijn bed.

Hij lag een tijdje te sluimeren toen een licht kletteren hem uit zijn slaap haalde en hij wakker werd. Hij luisterde in het donker.

Daar was het weer, het lichte geritsel en getrommel ... aan het venster! Rowarn voelde hoe zijn hart sneller ging slaan. Hij stond op en liep naar het raam. Weer dat geritsel – en nu wist hij het zeker, kiezelsteentjes. Iemand wilde hem wakker maken, maar niet de Velerii!

Iemand met slechte bedoelingen zou zich niet zo gedragen. Weideling was immers beschermd tegen zulke aanvallen. Rowarn opende het raam en keek naar buiten, toen hij getroffen werd door een hagel van kiezelsteentjes.

'Au, verdorie!' vloekte hij. Hij haalde zijn hand door zijn haren en wiste zijn voorhoofd.

'Sst, stil. Wil je je ouders wakker maken?'

Rowarn knipperde en wreef de slaap uit zijn ogen. Twee gestalten stonden voor de voorhang van bladeren. Een sporadische lichtstraal van de wassende maan verlichtte de omgeving. Rubin, de dochter van de kolenboer, en Malani, de dochter van de visser.

De beide meisjes wenkten hem om naar hen toe te komen. Rowarn beet op zijn onderlip. Wat wilden ze van hem – op dit uur van de nacht en dan nog wel allebei? Ze gebaarden driftig en vormden geluidloze woorden met hun lippen, zonder ook maar een stap dichterbij te komen. Hij kon er alleen maar achter komen door naar buiten te gaan. Na even getwijfeld te hebben, opende Rowarn het raam wat verder, trok snel een hemd en broek aan, gleed in zijn halfhoge leren laarzen en sprong naar buiten.

De beide meisjes wachtten hem op achter de voorhang van

loof, versmolten met de schaduwen en voor anderen pas zichtbaar als ze vlak naast hen zouden staan, maar niet voor Rowarn.

Rubin, met het weelderige, lange haar en prachtige heupen, waar ze haar handen op had gezet. En de langbenige, bijna jongensachtige Malani, met haar volle lippen en kattenogen. Rowarn staarde hen beide aan.

'Wat doen jullie hier?' fluisterde hij.

'Klopt het dat je weggaat?' vroeg Malani.

Ze keken hem allebei uitdagend aan en Rowarn kreeg een droog gevoel in zijn keel. 'Ja,' gaf hij zonder er omheen te draaien toe. Veel meer had hij er toch niet uit kunnen brengen.

'En hoe lang?' vroeg Malani verder.

'Ik weet het niet.' Rowarn voelde zich ongemakkelijk. Hij wist dat hij hen niet voor de gek kon houden. 'Waarschijnlijk voor jaren.'

'Dat houdt in dat je misschien ... nooit meer terugkomt?' vroeg Rubin langzaam.

Rowarn voelde zich nu ellendig. 'Ik weet het echt niet. Het is ...'

'Gevaarlijk?' Rubin haalde adem om een preek te geven. Als ze eenmaal op dreef was gekomen, was ze niet meer te stoppen. Om nog maar te zwijgen over het feit dat ze geen enkele onderbreking of tegenargument toestond.

'*Natuurlijk* is het gevaarlijk. Waarom zou een jonge kerel als jij, die het beste leven ter wereld heeft anders zo maar weggaan! Maar heb je al bedacht dat zo'n hals over kop genomen beslissing je leven verdomd kort kan maken? Wil je dat? Nee, dat zie ik wel aan je. Blijf dan toch hier!'

'Dat kan niet. Ik moet gaan.'

'Je *moet*? Waarom?'

'Een ... persoonlijke zaak.'

'Oh ja?' Malani ging recht voor hem staan. 'Laat ons dan een *persoonlijke* vraag stellen.'

Rowarn slikte hoorbaar. 'Natuurlijk.'

'Goed.' Malani en Rubin wisselden een blik. De vissersdochter ging tenslotte verder. 'Klopt het dat je met Anini samen was tijdens de nacht dat ze stierf? En ik bedoel ondubbelzinnig *samen.*'

Hij wenste dat hij het raam nooit had geopend. Hij wenste dat hij nog sliep. Diep, vast en onschuldig. 'Ik ... ik ...' Hij begon te stotteren om tijd te winnen, vertwijfeld op zoek naar een uitweg.

Maar ze hadden hem allebei al een oorvijg gegeven. Eén links en één rechts. 'Au,' zei hij zachtjes en verder niets. Hij bewoog zich niet eens.

'Vertel ons maar geen smoesjes!' siste Malani. 'Het licht van de maan is meer dan genoeg voor ons. Je bent zo rood als een kreeft in heet water!'

Van de oorvijg, dacht Rowarn vertwijfeld, alhoewel hij precies wist dat dat maar gedeeltelijk waar was en hij was bang dat ze hem nog een keer om de oren zouden slaan.

'Met iemand uit de stad,' snoof Rubin. 'Je moest je schamen!'

Dat deed hij absoluut niet. 'Luister eens, ik ...' begon hij, maar hij kwam niet verder.

'En nu wil je verdwijnen zonder afscheid te nemen? En misschien nog wel voor altijd?' hapte Malani naar lucht. 'En we zijn met elkaar opgegroeid, je bent zo vaak bij ons te gast geweest. Zijn we dan geen vrienden meer?'

Hij trok zijn schouders op en probeerde zijn hoofd daartussen te verbergen. 'Dat zijn we,' zei hij diep beschaamd. 'Sorry, ik ...'

Malani maakte een afwerend gebaar. 'Bespaar ons dat, daar hebben we niets aan.'

Verbluft keek Rowarn op. Waar waren ze dan op uit?

'Maar ...' Het scheen alsof hij deze nacht geen enkele zin zou kunnen voltooien.

Rubin porde haar wijsvinger in zijn borst. 'Zo makkelijk kom je er niet vanaf!'

Rowarn werd bleek. Hij besloot om alles maar over zich heen te laten komen. Hij had toch geen keus meer. Hoe dan ook, ze zouden met hem doen wat ze wilden.

Ieder van hen pakte hem zonder verdere uitleg bij de hand en trok hem met zich mee, het open land in naar de noordkant van de heuvel.

Na een paar twijfelende voorzichtige stappen zag Rowarn, dat ze stopten bij de kleine weide die direct aan de noordelijke uitlopers van het woud grensden. Een plek waar ze als kinderen vaak gespeeld hadden.

Hij begreep het eindelijk. Zijn hart klopte in zijn keel en hij liet zich van nu af aan gewillig en met de nodige voorpret meevoeren.

De volgende ochtend lag er schone kleding voor Rowarns deur: een donkerblauwe broek, kniehoge snoerlaarzen, een riem met mogelijkheden om buidels en wapens eraan vast te maken. Verder een grijs ingesnoerd hemd en een blauwgrijze wambuis met zwartblauwe overhang en capuchon, die met een zilveren sluiting voorzien was waar de gestileerde afbeelding van de Velerii op stond.

Rowarns hart werd zwaar toen hij zijn kleren aantrok. Ze pasten perfect en hij herkende zichzelf maar amper toen hij in de spiegel keek. Hij draaide zich om en keek voor een laatste keer zijn kamer rond, waar hij in de loop der jaren tal van zaken verzameld had, dingen die hij als kind had gekregen en nooit meer had uitgezocht. Alles, ieder stukje had zijn eigen herinnering.

Vastbesloten opende hij uiteindelijk de deur en ging de woonkamer in, waar zijn ouders al op hem wachtten met het ontbijt.

'Goedemorgen,' zei hij bedeesd toen ze hem aankeken. 'Het ... het is allemaal erg mooi. Bedankt.'

'We wilden het eigenlijk volgend jaar voor je eenentwintigste verjaardag geven,' verklaarde Sneeuwmaan. 'Maar gezien de omstandigheden, krijg je het nu al.'

'Het is dan ook een bijzonder moment, wanneer een veulen volwassen wordt,' merkte Schaduwloper vrolijk op.

Het ontbijt verliep in een prettige sfeer en er ontwikkelde zich een levendig gesprek. Het afscheid hadden ze in principe al gehad, daar viel niets meer over te zeggen.

Toen de koning en de krijgskoning arriveerden, was Rowarn helemaal klaar voor het vertrek. Schaduwloper had hem Stormwind geschonken, een jong, sterk en levendig vaalgrijs paard met korte, rechtovereind staande manen en een zwarte streep die vanaf zijn kop helemaal over zijn rug liep. De jonge Nauraka had hem helpen opvoeden en trainen.

'Je krijgt de groeten uit Madin,' zei Olrig. 'Ze waren blij dat we vertrokken, en benadrukten daarom nog eens extra hoe jammer ze het vonden dat we weggingen en natuurlijk vonden ze het ook jammer dat jij vertrekt, Rowarn. Laat ons gaan, als je zover bent. De manschappen wachten op ons bij de kruising.'

Rowarn knikte. Hij sprong op Stormwind en Olrig vroeg beduusd: 'Geen zadel? Geen tuig?'

'Waar is dat goed voor?' antwoordde Rowarn verbaasd. Hij reed normaal gesproken altijd zonder zadel, alleen bij verdere reizen had hij uitrusting nodig. Voor dit doel had hij een deken met een riem bevestigd, waar tevens een slaapdeken aan hing met extra kleding en een kleine buidel met voorraden en geneesmiddelen.

De Velerii bekeken de verbaasde Dwerg geamuseerd, die uiteindelijk inzag dat iemand die bij de Paardmensen was opgegroeid, waarschijnlijk al van jongs af aan op een paardenrug had gezeten en zo met een paardenrug vertrouwd was, dat hij er bijna mee vergroeid leek en ook geweldig met de dieren om kon gaan.

Ze zwaaiden ter afscheid. Rowarn keek niet meer om.

Olrig, die naast Rowarn reed, keek hem kritisch aan. 'Je ziet er niet echt uitgeslapen uit, boomaapje.'

'Zoals u wellicht kunt begrijpen, heb ik geen bijzonder goede nacht achter de rug,' probeerde Rowarn.

'Het ziet er naar mijn idee meer uit als een veel te goede nacht, die nogal wat van je gevergd heeft,' merkte Olrig op en schoot brullend in de lach toen hij Rowarns verlegen gezicht zag. 'Je hebt groot gelijk, mijn jongen. Probeer altijd het beste ervan te maken en het afscheid zo makkelijk mogelijk.'

Zo makkelijk was dat niet geweest. De meisjes hadden gehuild toen hij bij het eerste ochtendgloren opgesprongen was. Er bleef slechts tijd over voor een laatste, gehaaste omhelzing en enkele troostende woorden. Maar waarom zou hij ook veel zeggen? Hun wegen zouden zich scheiden, hij kon niet blijven. Ze liepen met hem mee tot de laatste heuvel voor Weideling en bleven daar nog lang staan om hem na te zwaaien tot hij het loofvoorhang allang bereikt had.

Hij had het eigenlijk niet willen doen, maar hij had zich nog één keer omgedraaid en het had zijn hart bijna gebroken om hun slanke silhouetten tegen de eerste ochtendstralen te zien, hand in hand, als waren het angstige kinderen.

'Bestaat er dan zoiets als een makkelijk afscheid?' vroeg Rowarn aan de Dwerg.

'Natuurlijk niet, soms wil men helemaal geen afscheid nemen,' meende Olrig goedmoedig.

'Voor wie is het eigenlijk makkelijker?' vroeg Rowarn zich af.

'Voor degene die vertrekt natuurlijk, want op hem wacht de verandering. Degene die achterblijft, heeft het gemis en de gaten in zijn leven, die hij maar moeilijk op kan vullen.'

Noïrun trok aan de teugels en bracht zijn hengst naar Rowarns andere zijde. 'Hebben jouw peetouders eigenlijk zelf kinderen?'

'Niet in Inniu,' antwoordde hij. 'Ze hebben mij ooit verteld dat ze vroeger een veulen groot hebben gebracht, maar ze hebben geen contact meer met hem. Het is bij de Velerii niet gebruikelijk om contact met hun nakomelingen te onderhouden, zodra ze volwassen zijn.'

'Misschien dat ze het gat dat jouw vertrek achterlaat ondanks dat op kunnen vullen,' meende de koning nadenkend.

'Heb je het nou over Rowarns familie of die van jezelf?' meende Olrig boosaardig.

'Niet zo belangrijk,' ontweek Noïrun. 'Laten we doorrijden, de rest wacht.'

HOOFDSTUK 8

Het eerste pad

Even later bereikten ze de kruising. Van daaruit liep een karren-spoor in de richting van Fûr Gari, de koude bergen. Op een veld bij de kruising wachtte de legerschare – met vele rekruten. De meesten waren te voet. Enkele waren, net als Rowarn, te paard. Aan de rand van de groep zag Rowarn Rayem. Hij zat op een plomp uitziend karrepaard. De zoon van de herbergier was geen bijzonder goede ruiter, hij had veel te weinig oefening gehad. Maar op deze manier was hij waarschijnlijk beter af als te voet.

'Hoeveel zijn het er?' vroeg Rowarn verbaasd.

'Honderdvijftig,' antwoordde Olrig trots. 'Geen slecht resul-taat, hè? Er zitten ongeveer twintig vrouwen bij, getalenteerd in boogschieten, met messen of geschikt als spion.'

'We zullen wel zien wie er uiteindelijk overblijven,' bromde de koning.

'Geef hen wat tijd,' meende de krijgskoning. 'Ik denk dat het wel goed gaat komen, maar dat zal niet van vandaag op morgen gaan.'

'Daar hebben we geen tijd voor mijn vriend en dat weet je best,' antwoordde Noïrun. Hij keek onderzoekend omhoog. 'Hel-der en zonnig weer en een goede weg. Dat is mooi voor het eerste deel van de reis. De dagen worden ook weer langer. We zullen nog zeker acht uur onderweg zijn. Het is te doen in een dag.'

Rowarn had medelijden met de rekruten die geen paard had-den. Ze zouden zeker al gauw beginnen te mopperen.

Ze bereikten de groep en Rowarn ving een blik op van Mor-wen die zowel spottend als medelijdend leek te zijn. Onzeker dook hij wat weg, niet wetend wat hij ervan moest denken.

De koning stuurde zijn koperkleurige vos naar het midden van de groep rekruten en richtte zich wat op in het zadel. 'Kan iedereen me goed verstaan?' vroeg hij in het rond. Er weerklonk een algemeen instemmend gemompel. Rowarn stuurde Storm-wind zo dicht mogelijk naar de rand. Rayem had moeite om zijn paard in bedwang te houden. Dat wilde constant naar de naastgelegen weide lopen om daar te gaan grazen.

'Luister dan allemaal goed naar me, want ik zeg dit maar één keer,' vervolgde de koning met krachtige stem. Het was duidelijk niet voor het eerst dat hij zo'n toespraak hield.

'Ik dank jullie, dat jullie je zo talrijk en vrijwillig aangemeld hebben,' vervolgde hij. 'Jullie hebben jezelf aan een nobele zaak verbonden, die niet alleen over het lot van Valia zal beslissen, maar over geheel Woudzee. Daarom wil ik iedereen waarschuwen die zich slechts aan heeft gemeld uit lust naar avontuur, zonder goed na te denken. Dit zal mijn enige waarschuwing zijn.'

Zijn blik zweefde over de rekruten voordat hij met scherpere stem vervolgde: 'Dit is geen spelletje en ook geen gelegenheid om aan de tucht van je ouders te ontsnappen of te ontkomen aan een huwelijk dat je niet zint. Je bent vrij van schuld zolang je trouw en oprecht bent aan onze zaak, je doet wat je bevolen wordt en je helemaal in de dienst van Ardig Hal stelt. Jullie zijn van nu af aan soldaten en trouw verplicht.

Wie zijn beslissing ondoordacht genomen heeft, kan zich hier en nu nog bedenken en in vrede weer vertrekken. Als we eenmaal onderweg zijn, zal ieder ongeoorloofd vertrek uit de groep gezien worden als desertie, hetgeen met de dood zal worden bestraft. Wie blijft, heeft geen keus meer. Hij marcheert mee en gaat waar hem bevolen wordt en zal pas stoppen wanner het hem gezegd wordt.

Ik duld geen enkele verhouding, alleen onderlinge kameraadschap. Dat houdt in, dat als er zich hier een liefdespaar bevindt, ze hier ook als zodanig mee om dienen te gaan. Ze zullen vanaf heden apart van elkaar slapen en eten. Er zal, buiten de strijd en het leed, niets gedeeld worden. Jullie verplichten jezelf om er voor elkaar te zijn. Geef je leven niet onbaatzuchtig omdat een ander sterft, want als er twee sterven, is dat slechts verspilling van een leven. Heeft iedereen me tot nu toe begrepen?'

Iedereen zweeg.

'De koning heeft jullie niet gehoord!' brulde Olrig zo hard dat de meesten geschrokken in elkaar krompen en een haastig 'ja' mompelden.

Maar voor de krijgskoning was dat nog lang niet genoeg. 'Jullie verloederde beestenbende!' schreeuwde hij woedend. 'Jullie hebben helemaal niets begrepen. Koning Noïrun praat tegen jullie! Jullie bevelhebber – dus?'

'Ja, heer!' ontglipte het aan Rowarn voordat hij er goed en wel over na had gedacht. Hij schrok van zichzelf, terwijl de anderen, op wat bijzonder trage exemplaren na, nu ook begrepen wat er verwacht werd en hem bijvielen met een luid 'Ja, heer!'

De koning leek tevreden. 'Goed dan, degene die wil gaan, moet nu gaan. Voor de anderen geldt: er is geen terugkeer meer mogelijk. In voor- en tegenspoed, voor Ardig Hal!'

'In voor- en tegenspoed, voor Ardig Hal!' herhaalde Olrig en stak zijn arm met de krijgsbijl in de lucht.

Nu viel iedereen als koor in, daarna heerste er een korte stilte. Niemand verroerde zich, niemand verliet de groep, niemand wilde de schande van het vertrek dragen.

Rowarn keek naar Morwen, die smalend lachte maar met nog steeds dezelfde medelijdende uitdrukking in haar ogen. Hij voelde een nerveus trekken in zijn maag, maar er was niets ter wereld dat hem nu weg had kunnen laten lopen, alhoewel hij wel vermoedde dat hij, net als alle andere rekruten, een volledig verkeerde voorstelling had van hetgeen hen te wachten stond. Aan de andere kant, Morwen en de rest van de groep hadden exact hetzelfde meegemaakt en het ook gered. Er werd dus niet het onmogelijke verlangd.

Dat hij van nu af aan niet meer vrij was, stoorde Rowarn nog het minst. Hij wilde toch al zo lang mogelijk bij de koning blijven.

'Goed dan!' ging Noïrun verder met zijn toespraak. 'Het duurt jaren voordat jullie bekwame soldaten zullen zijn. Zoveel tijd hebben we echter niet, daarom verwachten we dubbel zoveel opmerkzaamheid van jullie en drie keer zoveel inzet tijdens jullie opleiding, die hier en nu begint. Jullie moeten in een zo kort mogelijke tijd net zo goed worden als iedere andere soldaat van Ardig Hal en dat zal veel van jullie vergen. Daarom heb ik jullie er gisteren zorgvuldig uitgepikt. De armzalige hoop die hier nu

voor me staat, kan het redden – als jullie je inspannen en de wils-
kracht op kunnen brengen. Ik neem met jullie een groot risico,
maar ik geloof nou eenmaal in het goede van de mens.'

'En vergeet dat niet!' riep Olrig ertussendoor. 'De koning gelooft in jullie, stel hem niet teleur!'

En het ging verder. 'Zodra we ons eerste grote doel bereikt
hebben, zullen jullie je eerste soldij krijgen, ook al heb je er nog
niets voor gedaan. Laat dat een prikkel zijn, en onthoud: jullie
krijgen niets voor niets. Zodra jullie soldaten zijn, zal je ook behandeld worden naar je rang en zul je goed betaald krijgen. Wij
zorgen voor je. Je krijgt een dak boven je hoofd en je krijgt je uitrusting.

Als je je afvraagt, wie daar allemaal voor betaalt: Ardig Hal
was rijk en het is ons gelukt het meeste goud in zekerheid te stellen voordat Femris het innam. En als we het slot terugveroverd
hebben, krijgen we ook de rest terug. Femris is niet geïnteresseerd
in wereldse zaken, daarvan bezit hij er zelf genoeg. Hij wil maar
één ding: de Tabernakel in zijn duistere handen krijgen en het is
onze opgave om dat te verhinderen. Daarom zijn jullie ook hier,
om de splinter, die Femris de stervende koningin Ylwa ontnomen
heeft, terug te veroveren. Dat is vanaf het begin van deze oorlog
de grootste uitdaging waar jullie aan deel zullen nemen. Vergeet
dat niet.'

Olrig keek uitnodigend om zich heen.

'We vergeten het niet,' riep de eerste en de anderen herhaalden zijn woorden.

'Zolang we onderweg zijn, staan jullie onder mijn bevel!' ging
koning Noïrun weer verder. 'Ik ben heer en meester over jullie
leven en over jullie dood. Mijn orders worden niet ter discussie
gesteld of becommentarieerd. Mijn woord is wet. Buiten mijn
bevelen zullen jullie echter niet veel van mij horen. Als we Ardig
Hal bereikt hebben, zullen jullie de eed afleggen aan mijn legeraanvoerder. De legeraanvoerder is de legerheer van het leger van
Ardig Hal. Stel geen vragen over hem. Jullie zullen hem zien
wanneer de tijd ervoor rijp is.'

Hij pauzeerde kort en liet zijn strenge blik over de mensen

gaan. 'Wat onze vijand betreft, Femris is een machtige onsterfelijke die al enkele eeuwen de Tabernakel in zijn macht probeert te krijgen. Sinds het artefact kapot is, wint hij steeds meer terrein. Hij heeft reeds drie van de zeven splinters. Als het hem lukt om alle zeven splinters in zijn bezit te krijgen, zal Duisternis over Woudzee vallen en zal de wereld zijn machtscentrum zijn. Dat mag nooit gebeuren!'

De stem van de koning klonk nu gepassioneerd en hij stak zijn gehandschoende vuist in de lucht. 'Zijn leger is drie, misschien wel vier keer zo groot als dat van ons en die verhouding zal niet veranderen, tenzij er een wonder gebeurd. We hebben er nu honderdvijftig man bij, hij heeft er in dezelfde tijd waarschijnlijk vierhonderd man bij gekregen. Begrijpen jullie hoe belangrijk het is wat wij doen? Hoe ernstig de situatie is? Hoe belangrijk de wil van ieder van jullie is om deze overmacht dankzij jullie inzet te compenseren? Om beter te zijn dan drie van Femris zijn krijgers?'

Er volgde een gespannen stilzwijgen. Niemand verroerde zich, maar allen staarden de vorst aan, helemaal in zijn ban.

Hij stak zijn arm in de lucht. 'En het *kan* ons lukken, al lijkt het uitzichtloos! Wij houden al jaren stelling en bieden weerstand tegen een geweldige overmacht. Het is Femris tot op heden nog niet gelukt om met de splinters te ontkomen. De volgende stap zal zijn om hem zijn buit te ontnemen!'

Hij liet zijn arm weer zakken. Meer dan honderdzeventig paar ogen volgden hem toen de koperkleurige vos zich in beweging zette en zijn meester langzaam de groep rekruten uit bracht. Rowarn werd er zich na een tijdje pas van bewust dat hij nog steeds zijn adem inhield en zijn hartslag in zijn oren hoorde dreunen.

'Nou dan,' klonk Olrigs zware basstem toen. 'En hier zijn jullie bevelen ...'

Rowarn wachtte de koning op toen die zijn paard naar hem toestuurde. Alhoewel hem talloze vragen op de lippen lagen, waagde hij het niet om iets te zeggen.

Verbouwereerd staarde hij naar het halster dat Noïrun hem aanreikte. 'Van je paard af en doe hem dit aan.'

'Maar dat is hij niet gewend ...' antwoordde hij in de war, maar steeg toch af.

'Dan begint zijn opleiding tot krijgspaard eveneens,' reageerde de vorst onbewogen. 'Zijn zorgeloze dagen zijn geteld. Hij moet leren om tegen het geschreeuw van het gevecht te kunnen, het gedrang en de geur van bloed. Hij moet leren om op bevel weg te galopperen en alles op zijn weg te vertrappen, of het nou een wapen draagt of niet. Hij mag niet twijfelen of schuw zijn. Geef hem aan Olrig, die zal hem meenemen.'

'En ik?' vroeg Rowarn verbluft en met een nogal domme uitdrukking op zijn gezicht.

'Je hebt hem op dit moment niet nodig. Pak je uitrusting en sluit je aan bij de rest van het voetvolk.' Noïrun wees in de verte, in de richting van het zuidoosten.

'Zie je die punt daar in de verte, tussen de heuvels?'

'Ja, heer,' antwoordde Rowarn. 'Dat zijn wegmarkeringen. Van daaruit vertakken de wegen zich door heel Inniu. Twee boomstammen, zonder takken en bladeren, met twee grote olielampen op de top, die elke vijf jaar ontstoken worden als de handelaars uit Valia verwacht worden.'

'Dat is ons doel voor vandaag,' zei Noïrun.

Rowarn trok bleek weg. 'Maar ... maar ... ik ben nog nooit zo ver weg geweest en men zegt dat het zeker twee dagreizen is!'

'Dan zou ik me maar haasten, anders mis je de aansluiting morgen,' meende de koning gelaten. 'Ik wil binnen enkele dagen in de bergen zijn. We hebben genoeg tijd verloren.' Hij draaide zijn vos om en keek Olrig aan, die net naar hem toekwam.

'Alles is geregeld, Noïrun,' zei de krijgskoning. 'We kunnen vertrekken.'

'Uitstekend.' Zonder ook nog maar één keer om te kijken, gaf hij zijn hengst de sporen en al gauw was alleen maar een stofwolk te zien, die al snel door de hele garde gevolgd werd. Rowarn ving nog net een laatste boosaardige blik van Morwen op, voordat ook zij weg galoppeerde.

De laatste stofkorrels waren weer neergedaald en de laatste hoefslag weggestorven. Een leeuwerik vloog kwetterend op van de weide en de gaaien dropen krijsend af, omdat er niets meer was om zich over op te winden. De stilte keerde terug.

Een verlammende stilte.

Ergens bewoog zich iemand. 'Meende hij dat echt?'

'Wat denk je zelf, sufkop? Natuurlijk meende hij dat.' Een jonge vrouw streek door haar haren en zette haar handen in haar zij. 'Daar ziet het naar uit!'

'Dan kunnen we beter maar gaan lopen,' merkte een lange, magere jongen met zoemersproeten op zijn neus op. 'Anders hebben we helemaal geen tijd meer.' Hij schouderde zijn buidel en begon langzaam te lopen.

Rowarn kreeg een stoot in zijn zij. 'Nu ben je wel diep gevallen, hè, suikerpopje?' Rayem keek hem grijnzend aan. 'Alleen deze aanblik is me al die steken in mijn zij al waard. Ik zal zonder meer één van de laatsten zijn die aankomt. Maar één ding is zeker, ik *zal* aankomen. Al is het alleen maar om mee te maken hoe het jou zal vergaan als zijn schildknaap.'

De zoon van de waard liep weg, terwijl Rowarn bleef staan. Hij kon nog steeds niet begrijpen wat er net gebeurd was.

Een voor een zetten ze zich in beweging en het duurde niet lang voordat er allemaal kleine stofwolkjes op de weg te zien waren.

Het begon steeds meer op een wedstrijd te lijken, bij velen kwam de trots omhoog om als eerste aan te komen en zo de vorst te imponeren. Rowarn schudde zijn hoofd en boorde met zijn voeten in het zand. Geen van hen scheen begrepen te hebben hoe snel ze eigenlijk wel moesten zijn als ze het in acht uur wilden redden en hoe ze daarvoor hun krachten moesten verdelen.

De anderen waren allang niet meer te zien en Rowarn stond er nog steeds. Een test dus. Iedere dag zou zo verlopen. Natuurlijk voelde Rowarn ook de brandende wens om indruk te maken op de vorst, om hem te laten zien dat men hem er niet snel onder zou krijgen. Dat hij iedere uitdaging aankon en het vertrouwen waard was.

Maar daar ging het nu niet om, dat was slechts persoonlijke ijdelheid en daar was de koning absoluut niet in geïnteresseerd. Hij had gezegd dat hij een opleiding die normaal gesproken enkele jaren in beslag nam, nu binnen slechts enkele weken moest doorlopen. Hij twijfelde dan ook of het gros van de groep het wel zou halen.

Zoals ze nu weg waren gestormd, zou de helft de eerste dag waarschijnlijk niet eens doorstaan. Het zou anders moeten. Ze moesten duidelijk leren, luisteren. Precies dat doen wat men hen opdroeg. De kortste en snelste weg vinden die het minste kracht zou vergen om vervolgens klaar te zijn voor andere taken. Het ging er niet om om zich beter voor te doen dan dat ze waren en zeker niet op de eerste dag. Het kwam er nu voor de koning op aan, begreep Rowarn, dat ze überhaupt allemaal aankwamen. En het maakte niet uit wanneer, als het maar voor morgenochtend was. Dan hadden ze de eerste horde genomen en begrepen dat het geen spelletje was. Dat men er geen complimentje voor zou krijgen en ook geen rustpauze. Ze waren in staat van oorlog en al dreigde er hier geen onmiddellijk gevaar, dat zou wel eens sneller kunnen veranderen dan hen lief was. De Grimwari waren misschien een voorbode geweest.

Dus gaan we de uitdaging aan.

Op dit punt aangekomen, zette Rowarn zich langzaam in beweging en liep al snel in een gelijkmatige, lichte tred. Hij lette goed op zijn ademhaling en houding. Al bij het eerste dal verliet hij de handelsweg en liep dwars over de weide, alsmaar dezelfde richting volgend.

De grond was stevig, niet te hard en niet te zacht, want het had niet al te lang geleden geregend en de grond was nog niet helemaal droog. Hij lette erop constant dezelfde snelheid aan te houden, die op het eerste oog langzaam leek, maar hij liet toch al snel de ene heuvel na de andere achter zich. Van vechten had hij geen verstand, maar lopen kon hij wel. Hij had lange benen en was goed getraind doordat hij onder andere regelmatig de paarden van zijn peetouders had moeten volgen om ze te tellen. Kort voor de middag zag Rowarn vanaf een verhoging hoe een groep van ongeveer twintig rekruten over de handelsweg liep. Een goed half uur achter hen bevond zich de grote groep. De hekkensluiters liepen een goed uur achter hen. Gelaten sloeg Rowarn af naar de hoofdstraat en kwam er net even voor de grote groep aan.

Onder hen bevond zich tot zijn verrassing ook Rayem, die steeds langzamer liep en tenslotte verbaasd bleef staan.

'Hoe ... hoe is dat mogelijk?' zei Rayem buiten adem. Zijn gezicht was knalrood, zijn gespierde borstkas ging zwaar op en neer en hij was nat van het zweet. 'Jij bent veel later gaan lopen!'

De anderen gingen boos om hen heen staan. Als ze er de kracht voor hadden gehad, hadden ze hem waarschijnlijk uit pure nijd neergeslagen.

'Twee dingen,' antwoordde Rowarn, die niet eens buiten adem was. 'Ten eerste, ik heb van kinds af aan mijn ouders bij de paarden geholpen, ik ben dus gewend om te lopen. Ten tweede: ik heb nagedacht en simpelweg een stuk afgesneden. De koning heeft niet gezegd dat we de weg moesten volgen. Hij heeft alleen gezegd waar we heen moesten.'

Nu stak Rayem toch zijn gebalde vuist in de lucht. 'Jij verwaande, arrogante ...'

Een jonge vrouw hield zijn arm echter vast. Rowarn herkende haar. Net voordat ze op weg waren gegaan, had ze een van de anderen aangeraden om het bevel van de koning niet al te gemakkelijk op te vatten. 'Hersenloze stumper,' viel ze uit. 'Hij kan heel nuttig voor ons zijn.' Ze keek Rowarn strak aan. 'Ik ben Jelim,' zei ze.

'Rowarn,' antwoordde hij.

'Goed, Rowarn. Blijkbaar ken je de omgeving hier. 'Laat ons zien, wat je in gedachten hebt.'

Niet iedereen was het met Jelim eens en liep verder. Een stuk of vijf man besloot om een pauze in te lassen, ze konden niet meer. Rayem was ook doodmoe, maar hij was veel te boos om dat toe te geven.

'Kom,' spoorde Rowarn de anderen aan. 'Als we voortmaken, hebben we de kopgroep zo ingehaald.' Het was hem opgevallen, dat er niet veel vrouwen bij deze groep zaten. De meesten zaten waarschijnlijk bij de kopgroep, wat hem niet verbaasde. Ze waren

sterker en hadden hun krachten van het begin af aan beter verdeeld, omdat ze geen wedstrijd aan hadden willen gaan met de
anderen. Ze wilden alleen maar bewijzen, dat ze het konden en
hadden langzaam maar zeker de leiding overgenomen.

Hij ging op weg en volgde na de volgende bocht niet de weg,
maar liep weer dwars over de velden. Begeleid door een zachte
bries liepen ze door een zee van bloemen en werden omringd
door myriaden insecten en half verdoofd door de heerlijk geurende bloemen. Onderweg gaf hij aanwijzingen hoe ze het beste
konden lopen. Na een tijdje moest zelfs Rayem toegeven, dat het
beter ging.

Ze oriënteerden zich van heuvel tot heuvel en na een half uur
hadden ze de kopgroep inderdaad ingehaald. Die rekruten waren
inmiddels aan het einde van hun krachten en liepen nat van het
zweet en onder het stof langs de berm van de weg. Ze konden het
amper geloven toen ze de groep, die ze allang achter zich hadden
gelaten, toch dichterbij zagen komen.

Rowarn liep naar hen toe en laste een pauze in, iets waar de
rest van de groep maar al te blij om was.

De zon stond ondertussen hoog aan de hemel en geen van hen
had water meegenomen. Daarnaast waren ze bijna allemaal
doodmoe.

'Als ik dat had geweten ...' kreunde iemand. Een meisje liep
wat achteraf en huilde stilletjes.

'Wat hadden jullie dan verwacht?' vroeg Rowarn.

'Het is de eerste dag!' riep Rayem. 'Het kost tijd om gehard te
worden.'

'Heb je niet geluisterd?' probeerde Jelim hem bij te brengen.
'We hebben geen tijd. Het is onze eigen schuld als we een veel te
romantische voorstelling hadden van ridders, eer en strijd!'

De jongen met de zomersproeten stootte een droog geluid uit.
Net als Rowarn zag hij er nog fris uit en had de hele tijd aan kop
gelegen. 'Als we ooit al tot ridder geslagen zullen worden. De
meesten van ons zullen het niet verder brengen dan soldaat
tweede klas.'

'En wat dan nog?' zei Rowarn zacht. 'De soldaat is de derde

arm van een ridder.

'Goed gesproken schildknaap,' spotte Rayem.

Het huilende meisje sprong plotseling op. 'Dat kan me alle-maal niet schelen,' riep ze doodmoe. 'Ik heb er genoeg van, hier heb ik me niet voor aangemeld. Ik heb niet alles opgegeven om me nu als een stuk stront te laten behandelen. Op deze manier laat ik me niet bevelen!'

Voordat de anderen iets konden doen rende ze weg in de rich-ting van het woud, vermoedelijk om van daar uit via de koele paden terug te lopen.

Rowarn hield Jelim tegen, die achter haar aan wilde rennen. 'Spaar je krachten,' riep hij. 'Als ze niet wil, kun je haar niet te-genhouden, en ben je helemaal voor niets van de weg afgewe-ken.'

Het meisje had het bos intussen bereikt en verdween tussen de bomen. Niet lang daarna klonk een huiveringwekkende kreet.

'We moeten haar ...' begon de jongen die onder de zomer-sproeten zat. Op dat moment brak een ridder door de bosrand en galoppeerde naar hen toe. Het schreeuwende meisje had hij voor zich over het zadel liggen.

Rowarn herkende het wapen. 'Iemand van de garde,' fluister-de hij.

'Erger nog, een ridder,' mompelde Jelim.

De ridder had zijn vizier gesloten en hij remde zijn paard zo hard af toen hij bij de groep kwam, dat het gras en de stukken aarde in het rond vlogen. Hij gooide het meisje van zijn zadel en steeg af.

'Laat me!' krijste het meisje. 'Je hebt het recht niet om ...' Ze verstomde toen hij haar met de gepantserde vuist in het gezicht sloeg. Haar hoofd werd opzij geslingerd, terwijl ze in het gras viel waar ze half bewusteloos bleef liggen. Haar wang begon meteen blauw te verkleuren en zwol op.

De rekruten durfden geen vin te verroeren. Lijkbleek en ver-stard van schrik keken ze naar de ridder, terwijl hij het meisje grof bij de haren pakte en naar de groep sleepte.

'De volgende die dit probeert,' snauwde hij, 'is dood. Dit is de enige waarschuwing die jullie krijgen en daar zouden jullie dankbaar voor moeten zijn. De vijand is niet zo genadig.' Hij wees in de richting van het zuidoosten. 'Er zijn al bijna vier uur verstreken en jullie zijn nog niet eens op de helft. Denk liever eens na in plaats van te verdrinken in zelfmedelijden, stelletje slappelingen.'

Zonder verder een woord te zeggen, draaide hij zich om, sprong op zijn paard en galoppeerde in de richting van het woud.

Niemand zei wat. Jelim knielde bij het meisje neer en depte het bloed en de modder van haar mishandelde gezicht. Haar ogen waren gezwollen, haar lippen opengesprongen en er was een tand gebroken. Iedereen stond er nog als verlamd bij, toen fluisterde de sproetige jongen: 'Ze zijn overal ...'

Rowarn, die er eindelijk in slaagde om de droge brok in zijn keel door te slikken, knikte. 'Net als de vijand.'

'Denk je dat hij dat echt meent?' zei Rayem benepen. Het angstzweet stond hem op zijn voorhoofd.

'Dat de volgende van ons die deserteert, sterft?' Rowarn lachte vreugdeloos. 'Natuurlijk. Je hebt gehoord hoe de wet met deserteurs omgaat.' Hij ging naar het gewonde meisje, pakte haar bij haar oksels en trok haar omhoog.

'Stop eindelijk eens met huilen!' sprak hij haar toe en duwde haar ruw naar voren. 'Kom op, lopen. We hebben nog een lange weg voor ons!'

Hij liep zelf ook weer verder, zonder op de anderen te wachten. Na een tijdje kwam Jelim naast hem lopen. 'Je bent dus met paarden opgegroeid,' zei ze. 'Je hebt de hengst die de kudde bij elkaar houdt goed geobserveerd, hè?'

'Ja,' zei hij kort.

'Waarom doe je dit? Ik bedoel, het maakt voor jou toch niet uit hoe het met ons gaat.'

'Je begrijpt het niet, hè? Niemand van jullie heeft het begrepen. Het gaat er hier niet om om de beste te zijn, maar dat er zoveel mogelijk door komen. De legerleider van Ardig Hal heeft zoveel mogelijk mannen en vrouwen nodig die een wapen vast kunnen houden, die stand kunnen houden tegen een drievoudige overmacht. En verdomd nog aan toe, we moeten er allemaal doorheen komen om aan heel Valia te laten zien dat Inniu geen slaperig dal is waar men zich ongestraft vrolijk over kan maken.'

'Niet slecht,' grijnsde Jelim. 'Dat moet ik zeker aan de anderen vertellen. Dat zal ze wel aansporen.'

Zo liepen ze verder, uur na uur. Nadat ze de schrik overwonnen hadden, wilden ze er geen woorden meer aan vuil maken. Eindelijk hadden ze de ernst van de situatie ingezien.

Langzaamaan begon de groep ook weer uit elkaar te vallen. Veel zochten een kortere weg, sommigen haalden het tempo naar beneden en weer anderen gingen juist sneller lopen. Rowarn liep al snel ergens in het midden, maar het maakte hem niets uit. Hij had er van het begin af aan al niet in geloofd, dat ze de hele afstand in één dag af zouden kunnen leggen. Nu begon hij toch langzaam te hopen, dat het zou lukken.

De zon begon langzaam maar zeker achter de heuvel weg te zinken. De beide hoge bomen waren nu al goed te zien. Er liepen nu zeker vijftig rekruten voor hem en hij werd constant ingehaald, maar het maakte hem niet uit. Hij had geen haast. Het was geen wedstrijd en er zouden geen winnaars zijn. Men moest alleen maar arriveren. En hij had al een aardig vermoeden wanneer dat zou zijn. Op zijn vroegst over een half uur en hoogstens over twee uur, als het al donker zou zijn. Dat was de vrijheid die hij op dit moment nog bezat en hij zou er gebruik van maken. Hij zou in ieder geval niet aan het einde van zijn krachten aankomen.

Uiteindelijk bleef hij staan en wachtte op iemand die uit de verte moeizaam strompelend dichterbij kwam.

'Ben je gek?' hoestte Rayem, toen hij Rowarn eindelijk bereikt had. 'Waarom blijf je staan? Wil je dan zo graag laatste worden?'

'Ik wacht op jou,' zei Rowarn.

'Hoezo?'

'Rayem, stomme idioot. We zijn een groep. Ooit zullen we zij aan zij vechten. Denk je niet dat het langzaamaan tijd wordt om aan de toekomst te denken? We moeten er voor elkaar zijn. Ik vind het geweldig dat je al zover gekomen bent, terwijl je nog nooit in je leven zo'n stuk hebt gelopen. Volgens mij heb je twee dagen geleden, tijdens de zoektocht naar de Grimwari, voor het eerst langer dan een half uur achter elkaar bewogen. We hebben vandaag goed samengewerkt, waarom zouden we daar nu mee ophouden?'

'Omdat we elkaar niet uit kunnen staan bijvoorbeeld?'

'Je bent echt onverbeterlijk.' Rowarn pakte Rayems arm, legde hem over zijn schouders en sleepte de zoon van de waard met zich mee. Rayem was veel te moe om te protesteren.

Het was net donker geworden toen ze het kamp bereikten. Er brandde een vuur en er hing een gebraad aan een spies. Er was water uit een bron in de buurt gehaald. De troep was al aan het eten. Voor hen was het verse water ook een stuk beter dan het water uit de wijnzakken.

De rekruten lagen op de grond en verzorgden hun voeten, ze waren uitgeput.

Rowarn bracht eerst Rayem naar de rekruten en begaf zich toen op weg naar de koning, die zich in de enige tent bevond die er was. Niet lang daarna kwamen de laatste ridders met de rest van de rekruten aan. Iedereen was nu gearriveerd, al waren sommigen meer dood dan levend. Rowarn zag dat het meisje met het gezwollen gezicht zich ook onder hen bevond en hij knikte haar toe. Ze lachte schuchter en verwrongen. Ze had duidelijk pijn, maar ze was te blij om haar vreugde erdoor te laten vergallen. Ze had het gehaald en was er blij om.

'Ah, Rowarn,' werd hij meteen door Olrig begroet, die voor de tent een pijp zat te roken. 'Ga maar naar binnen, hij verwacht je al.'

Langzaam ging hij de tent in, die net plaats genoeg bood voor een stoel, een kleine tafel en een bed gemaakt van huiden. Aan de rand stond nog een reiskist.

De koning zat aan de tafel en schreef met een veer op een stuk perkament. Voor hem stond een metalen bokaal en een wijnzak.

'Rowarn,' zei hij, zonder op te kijken. 'Breng me wat te eten, verzorg de paarden en maak dan mijn spullen schoon.

'Ja, heer.'

Noïrun keek nu toch op. 'Je ziet er nog verbazend fris uit,' stelde hij vast.

'Dat is wat bedrieglijk, heer,' antwoordde Rowarn. 'Maar de weg was toch wat korter dan ik gedacht had. Misschien is men toentertijd van ossenkarren uitgegaan.'

'Dat zal dan wel. Haast je nu, ik heb honger en er is nog veel te doen. Vraag Olrig of hij ook iets wil.'

Rowarn verliet de tent. Olrig maakte al een afwijzend gebaar voor hij wat kon vragen. 'Ik heb al gegeten, bedankt. Maar je kunt mijn spullen ook schoonmaken, ze zien er niet uit.'

Rowarn knikte. Hij had snel een schoon bord gevonden, deed er vlees op, verse groenten en vers brood en bracht het vervolgens naar de tent. Onderweg hoorde hij zijn maag knorren en zijn tong kleefde aan zijn gehemelte, maar hij weerstond de verleiding.

Terwijl de rest van de groep eindelijk kon eten en drinken, moest hij zijn werk gaan doen. Het was het lot van een schildknaap. Hij wilde niet gelijk op de eerste avond gaan klagen. Hij had geweten dat zijn verwende leventje voorbij was zodra hij één voet buiten het beschermde gebied van Weideling had gezet.

Voordat hij de paarden ging verzorgen, moest hij echter eerst iets anders opknappen. Hij had geluk, want Jelim kwam net uit het donker tevoorschijn en liep naar het vuur toe. Hij sneed haar meteen de pas af.

'Rowarn,' zei ze verrast toen hij ineens voor haar stond. Het volgende moment lag ze op de grond, geveld door de klap die ze zojuist van Rowarn had gekregen. Als een engel der wrake stond hij over haar heen gebogen en stak dreigend zijn vinger naar haar uit. 'Ik hou er niet van om gemanipuleerd te worden,' gromde hij. 'Je bent een spion en hoort bij de garde! Ik heb precies bijgehouden wie er allemaal met onze groep is vertrokken en jij was daar niet bij. Je bent er later pas bijgekomen!'

Ze wreef over haar wang, toen begon ze breed te grijnzen. 'Slimmerik,' merkte ze op. 'De meesten komen er pas na een dag of vijf à zes achter, jij al na enkele uren.' Ze stak haar hand uit. 'Help me eens overeind.'

Onwillekeurig deed hij wat ze vroeg en lag het volgende moment zelf op de grond, volledig hulpeloos in haar borstklem. 'En jij dacht dat je slim was, groentje? Zo gauw krijg je Jelim echt niet te pakken hoor. En mocht je me nog een keer proberen te slaan, sla ik jou bont en blauw, begrepen?'

'Begrepen,' kreunde Rowarn. Ze liet hem los en hij stond op, nog naduizelend van de val. 'Ik zal je niet verraden, onder één voorwaarde,' zei hij.

Jelim verstrakte. 'Ben je gek? Hoe durf je mij eisen te stellen!'

'Ik neem aan dat jij onrust moet stoken om het moreel van de troepen te testen. Om ze naar elkaar toe te laten groeien, hun talenten in kaart te brengen en tegelijkertijd de oproerkraaiers in beeld te brengen opdat later ieder zijn juiste plek in het garnizoen krijgt. Klopt dat?'

'Ja, en?'

'Ik zeg niet tegen Noïrun dat je ontdekt bent en ik zeg niet tegen de anderen dat jij je ten koste van hen amuseert. In ruil daarvoor leer jij me dat.' Hij wees naar haar armen. 'Die schouderworp en zo. Je moet verdraaid goed zijn als de koning je dit laat doen.'

Jelim verstrakte, vervolgens lachte ze hees. 'Morwen had me al gewaarschuwd voor je, lieverd.' Ze stak haar arm uit alsof ze armpje met hem wilde drukken. 'Akkoord.'

Rowarn twijfelde niet, hij pakte haar hand beet en drukte hem. Hij zou ditmaal geen nare verrassingen beleven, wist hij. 'Iedere nacht een uur lang, mee eens? Als de rest het niet merkt, dus als ze al slapen.'

'Dat moet geen probleem zijn. En schiet nu op, voordat de koning ongeduldig wordt, anders krijg je vandaag helemaal geen slaap meer en hou je het niet vol.'

Stormwind hinnikte zachtjes toen hij Rowarn zag. Hij zag er moe en terneergeslagen uit. De halter had duidelijk sporen nagelaten. Hij had zich er duidelijk een tijdje tegen geweerd, nu echter stond hij braaf vastgebonden, net als alle anderen. Rowarn gaf hem, net als de vos van de koning en Olrigs schimmel, water, hooi en haver en roskamde hen. Hij krabde de hoeven uit en betastte hen. Ze waren allemaal in een uitstekende conditie. Stormwind duwde zijn neus tegen zijn meester aan en maakte een klaaglijk geluid.

'Ja, het is nou eenmaal niet anders,' fluisterde Rowarn en streelde de zachte neus. 'De onbezorgde dagen zijn voorbij, mijn jongen. We zijn nu in hun dienst, maar jij redt het wel. Je bent taai, sterk en evenwichtig. Jij zult niet zo gauw schrikken van iets. Binnenkort zul je een teugel en een zadel dragen en het gewicht van een uitrusting. Ik reken op je.'

Het vaalgele paard brieste in zijn oor, vervolgens ging het verder met zijn maaltijd.

Het was kort voor middernacht toen Rowarn al zijn taken volbracht had. Hij liep nog eenmaal naar Noïruns tent. De koning werkte nog steeds door in het licht van de fakkels.

'Kan ik u nog wat wijn inschenken, heer?'

'Nee, ik ben nu al halfdronken.' De koning legde de veer neer en drukte zijn duim en wijsvinger tegen de wortel van zijn neus.

'Heb je gegeten, Rowarn?'

'Tussendoor, heer.'

'Ga nog wat halen en ga dan slapen. We vertrekken morgen in het tweede uur van de dag. Zorg dat je op tijd op bent, zodat je ons het ontbijt kan brengen en de paarden kunt opzadelen. Voor het vertrek help je bij het opruimen van het kamp en bouw je mijn tent af.'

Rowarn boog. 'Ja, heer. Goede nacht.'

De rekruten sliepen allang. Er zaten nog maar vier man rondom het nu laag brandende kampvuur, waaronder Jelim. Olrig had zich ondertussen ook teruggetrokken. Rowarn pakte de laatste resten van het wildbraad en een groot stuk brood met een kroes water. Hongerig begon hij te eten. Hij slaagde erin om zijn honger te stillen, maar zijn dorst lessen na een dag als vandaag wilde niet meer lukken, zelfs als hij bleef drinken als een dorstig paard.

Hij verlangde naar een duik in het meer.

Toen zijn bord leeg was, probeerde hij de aandacht te trekken van Jelim. Uiteindelijk zag ze het, stond op en groette de anderen. Ze liep naar Rowarn, die naar een donkere plaats aan de rand van het kamp was gelopen.

'Op de een of andere manier val je op in het donker,' merkte ze op. 'Men ziet je meteen.'

'Ik weet het.' Hij nam zich voor om voortaan 's nachts alleen nog met schoudermantel en capuchon onderweg te zijn.

'Hoe komt dat?'

'Ik weet het niet. Het is niet belangrijk. Zullen we beginnen?'

'Nu?' antwoordde Jelim verbaasd. 'Het is aardedonker, bijna middernacht en je kunt van moeheid amper nog op je benen staan.'

'Dat maakt niet uit. Alsjeblieft.'

Jelim twijfelde maar gaf, na hem met een vreemde, onderzoekende blik aangekeken te hebben, toe. Rowarn reageerde er echter niet op. Ze hoefde niet te weten dat hij uitstekend kon zien in het donker.

Een klein uur later wankelde Rowarn naar Stormwind, pakte zijn deken en ging naast zijn paard liggen.

Jelim was onder de indruk geweest. Hij leerde snel en ze had hem onmiddellijk als leerling aangenomen. 'Wat drijft jou?' had ze hem op het einde gevraagd. 'Waarom ben je zo ambitieus? Het is alsof je tegen een Demon moet vechten ...'

'Je hebt het begrepen,' bromde Rowarn.

'Wat zeg je?'

'Niets, ik wil je bedanken, ik ga slapen. Goedenacht.'

Stormwind ging ook liggen en legde zijn hoofd tegen Rowarns schouder. Het deed hen beiden goed om zich aan elkaar te warmen en troosten. Al gauw vielen ze allebei in een diepe slaap.

Rowarn zou zich zonder meer hebben verslapen, maar hij kon erop vertrouwen dat de paarden op tijd wakker zouden zijn en gevoederd wilden worden. Vlak voor het eerste ochtendgloren, nadat de laatste roep van de nachtuil had weerklonken, stond hij op en ging aan het werk.

Hij was uitgeput en voelde zich zo slecht, dat hij tussendoor over moest geven. Hij mocht dan gewend zijn aan lopen, maar niet zoveel uren achter elkaar en daarnaast had hij ook nog eens zoveel andere plichten te vervullen. Maar hij liet zich niet uit het veld slaan. Hij wist dat hij er aan gewend zou raken.

Als hij het tot die tijd zou overleven tenminste.

Morwen dook ineens op toen hij probeerde om het vuur weer aan de gang te krijgen en ze hielp hem met het ontbijt. Toen hij met zijn volgeladen dienblad naar de tent van de koning liep, stampte zij door het kamp en maakte de rekruten wakker. 'Opstaan, stelletje luilakken! Wassen, aankleden en dan eten! Er is een prachtige, nieuwe dag aangebroken, met nieuwe, heerlijke, lichamelijke vermoeienissen in de frisse gezonde lucht van dit dal!'

Noïrun en Olrig waren ook al wakker en zaten in de kleine tent. 'Je ziet er verschrikkelijk uit,' merkte de Dwerg op en nam het dienblad over van Rowarn. 'Zorg ervoor dat je er netjes uitziet. We hebben niets aan geraamtes die door het eerste zuchtje wind omver worden geblazen.'

'De paarden zijn klaar, mijn heer,' zei Rowarn tegen de koning. Inwendig kromp hij in elkaar, toen hij diens groene ogen op zich gericht voelde. Was daarin iets van waardering te lezen?

'Ga jezelf wassen en ga ontbijten,' beval Noïrun. 'Als je dat gedaan hebt, bouw je de tent af en maak je alles klaar voor het vertrek.'

Rowarn knikte en verliet de tent. Zo eenvoudig zou het ontbijt niet worden. Hij hoopte dat er nog wat zou zijn.

Morwen gaf hem echter een bord hete soep en een vers stuk brood. 'Jij bent me er eentje,' zei ze grijnzend. 'We hebben al weddenschappen afgesloten.'

'Jullie zullen allemaal verliezen,' bromde hij. 'Ik doe alleen dat wat me opgedragen wordt, meer niet.'

Haar wenkbrauwen schoten omhoog. 'Je bent een stomkop, Rowarn. Hij zoekt naar je grenzen. Hij zal steeds meer van je verlangen, totdat je niet meer kunt.'

'Ik geef niet op,' antwoordde hij koppig. 'Nooit.' Met een onvaste tred liep hij naar Rayem en ging naast hem zitten. Het vuur deed hem goed. De lucht was fris en vochtig, zonder meer prettiger om in te lopen.

'Jij bent echt gek,' bromde Rayem. 'Wat wil je bewijzen?'

'Niets,' antwoordde Rowarn oprecht. 'Het lukt me, omdat ik wil dat het me lukt. En omdat het moet. Ik heb een eed gezworen en die zal ik nakomen. Dat kan alleen maar als ik zo snel mogelijk zo veel mogelijk leer en over mijn eigen grenzen heen stap.'

'Volgens mij ben je daar al te ver overheen gegaan. Het gaat met jou slechter dan met mij.' Er klonk medelijden door in Rayems stem.

Rowarn schudde zijn hoofd. 'Zo ver ben ik nog lang niet.' Hij keek Rayem aan. 'En jij houdt ook vol. Ieder van jullie houdt vol. We moeten gehard zijn als we de andere soldaten en rekruten ontmoeten, want ze zullen ons het leven zuur maken omdat wij uit Inniu komen. Kijk toch eens hoe medelijdend ze nu al naar ons kijken en zich vrolijk over ons maken. Daar buiten zullen ze ons ook uitlachen. Ze houden ons voor eenvoudige boeren en ongeschoolde halve wilden die niet eens met een mes om kunnen gaan.'

Rayem zuchtte. 'Dus je wilt het hen bewijzen?'

'Jullie willen dat, niet ik. En jij boven alles. Ik ken jou toch? En ik heb je al gezegd dat ik een ander doel heb.'

'Rowarn, je bent helemaal gek. Maar goed, ik doe mee. De koning kent nog steeds mijn naam niet en hij denkt inderdaad dat ik een domkop ben. Ik zal hem laten zien dat ik meer kan. En de rest krijg ik ook wel zover.'

De rekruten waren al onderweg toen Rowarn eindelijk klaar was met het afbreken van de tent en alles op de pakpaarden had vastgesnoerd. Rayems goedmoedige paard moest er ook aan geloven. Noïrun en Olrig hadden Stormwind weer meegenomen. Zijn vaalgele paard verweerde zich niet meer en maakte geen bokkensprongen, maar liep braaf mee. Hij had begrepen dat de wil van de ander sterker was dan de zijne en dat gewoon meelopen veel minder kracht kostte. Ondertussen spitste zijn licht gewelfde oren zich tussen de dikke manen.

De weg die ze vandaag af moesten leggen, was gelukkig korter dan die van gisteren. Vandaag was het doel een bron die zich op een vlak terrein bevond, vlak bij een oeroude eik die ook als markering diende. Dat was de plek, zo ging het verhaal, waar Lúvenor had uitgerust nadat hij Inniu had geschapen. De boom had toentertijd voor schaduw tegen de hete zon gezorgd en er was een bron ontsprongen om zijn dorst te lessen.

Rowarn had dit keer meer tijd nodig tot hij de anderen in had gehaald. Hij bleef de weg volgen, want deze omgeving kende hij niet zo goed en er waren te weinig heuvels waar hij de omgeving had kunnen overzien om zich te oriënteren. Tijdens het lopen dreigde hij regelmatig in slaap te vallen. De pijn was een deel van hem geworden. Rayem had gelijk gehad, hij had zijn grenzen allang overschreden en vervolgde willoos zijn weg, volgde gewoon de straat. Kort voor de middag bereikte hij eindelijk de rest, toen die net een korte pauze inlasten. Uitgeput liet hij zich in het gras vallen.

'Ik kan je wel een stuk meeslepen, dat ben ik je wel verschuldigd vanwege gisteren,' zei Rayem, terwijl hij hem te drinken gaf uit zijn waterzak. 'En je hebt me geleerd hoe ik het beste kan lopen. Het gaat nu al veel beter.'

Rowarn schudde zijn hoofd. 'Maak je om mij maar geen zorgen,' verzekerde hij hem. 'Het gaat beter dan het lijkt. Lopen kan ik altijd, al is dat momenteel misschien het enige.'

'Zoals je wilt.' Rayem trok zich terug.

Zoals hij Jelim beloofd had, verraadde Rowarn haar niet. Hij keek hoe ze het kaf van het koren begon te scheiden. Ze porde de rekruten op, kreeg het onopvallend steeds weer gedaan om ze aan de gang te krijgen. Met haar schouderlange, blonde haar en wipneus zag ze er totaal anders uit dan Morwen. Ze was knap, ongevaarlijk en viel niet op. Geen wonder dat niemand door had dat ze helemaal geen rekruut was, maar een goed getrainde krijger.

Rowarn herkende het aan haar soepele tred. Ze was altijd beheerst en op haar hoede. Ze taste haar omgeving steeds weer af, slechts in een oogopslag, of ze keek naar de hemel. Ook dat herinnerde hem aan Morwen. Oplettendheid zat hen in het bloed, de strijd was nooit voorbij.

In gedachten herhaalde Rowarn wat ze hem gisteren had laten zien. Natuurlijk, het zou lang duren voordat hij ook maar in de buurt zou komen van haar snelheid en hij iemand zo op de grond zou kunnen werpen. Maar daar kwam het nu niet op aan, als hij volhield en bleef oefenen, zou hij het bereiken. Het belangrijkste was, dat hij wist hoe het moest.

Rowarn ging kreunend weer liggen, genoot van de geur van gras en aarde en staarde naar de felblauwe hemel. Het weer was prima, alhoewel het waarschijnlijk geen verschil zou uitmaken als het ging regenen. Hij was helemaal niet zo blij met dit prachtige weer je werd er alleen maar traag van. Je zou het liefst gaan zwemmen in het meer en vervolgens genieten van de zon. Een kort sprintje trekken over de weide om vervolgens de koelte van het bos op te zoeken of verdrinken in de heerlijke geuren van een appelbloesemboom.

Nu de ogen sluiten en slapen tot de volgende ochtend. In slaap gezongen door het gezang van de vogels, die constant heen en weer vlogen tussen de weide en de bomen, met takjes voor hun nesten, wormen en kevers. Onvermoeibaar bezig en constant fluitend. Dag in dag uit, zonder rust.

Rowarn schoot omhoog toen hij merkte dat hij bijna echt in slaap was gevallen en hij schudde zijn hoofd. Hij stond op, rekte zich uit, masseerde zijn pijnlijke spieren en begon, tot verbazing van de rest, te lopen.

'We zijn toch al over de helft!' riep de jongen met de zomersproeten hem na.

'Ik weet het,' riep Rowarn over zijn schouder. 'Maar je hebt weer niet geluisterd. Gisteren ging het om de afstand, nu om de tijd! We hebben nog een uur, daarna krijgen we strafarbeid.'

Heel even staarde iedereen hem verbijsterd aan, toen brak er een geweldig tumult uit en Rowarn hoorde iedereen vloeken en elkaar beschuldigen. Hij kon zich het gedrang voorstellen, omdat iedereen als eerste weg wilde zijn en een ander zijn voorsprong misgunde. Hij maakte zich er vrolijk over en lachte stilletjes voor zich uit terwijl hij over een heuveltop liep en vervolgens een kortere weg ontdekte die dwars over de weide liep. Hij ging sneller lopen en knikte naar een reigerpaar, dat langs de rand van het woud liep en hun spitse snavels telkens weer in de aarde stak.

Het kamp was in de buurt van het woud opgeslagen en de lopers werden opgewacht met spek, deegkoek en dun bier.

Rowarn ging naar Olrig toe, die zoals altijd voor Noïruns tent zat en op zijn gemak een pijp rookte. 'Jullie hebben het allemaal exact zo gepland, hè?' zei hij. 'Iemand brengt de hele voorraad naar een van tevoren afgesproken plaats, want we zijn helemaal niet met zoveel bagage vertrokken.'

'Natuurlijk,' grijnsde de Dwerg. 'En geloof me, Daru laat zich er goed voor betalen, maar vanaf nu moeten we alles zelf meenemen. We hebben tenslotte genoeg.' En voegde er vervolgens serieus aan toe: 'Het is belangrijk dat jullie goed eten, we willen jullie opbouwen, niet ombrengen.' Hij keek Rowarn met zijn fonkelende blauwe ogen aan. 'Jij bent werkelijk verbazingwekkend, jongeman. En met een verbazend harde kop. Ga zo door en de koning zal je binnenkort zelf gaan trainen, hetgeen een grote eer is als ik zo vrij mag zijn.'

'Bedankt.' Rowarn kon innerlijk wel springen van vreugde, want precies dat was zijn wens. Ook al was hij Noïruns persoonlijke schildknaap, hij mocht eigenlijk niet verwachten dat Noïrun zich zelf met zijn wapentraining zou bemoeien.

Toen ze allemaal in een kring zaten te eten, kwam Morwen naar hen toe lopen. 'Opgepast allemaal,' zei ze. 'We hebben vandaag een kortere afstand afgelegd, omdat we in de middag met het eerste deel van jullie opleiding beginnen. Die is voor allen gelijk, jullie zullen de basisregels van het zwaardvechten leren, want ook al zijn jullie kundige sporenzoekers of hoornblazers, jullie moeten in staat zijn om je te verdedigen, mocht dat nodig zijn. Zo dadelijk zullen we jullie de basistechnieken laten zien en als jullie het een beetje goed oppakken, kunnen we met de eerste oefeningen van man tegen man beginnen.' Ze wees naar een grote stapel stokken. 'Dat zijn jullie oefenwerktuigen.'

'En wanneer krijgen we echte zwaarden?' riep iemand half-luid, waarop sommigen begonnen te lachen.

'Zo gauw jullie weten aan welke kant je het vast moet houden,' antwoordde Morwen onbewogen. 'Het is niet de bedoeling dat jullie elkaar ombrengen, hetgeen met jullie huidige vaardigheden ongetwijfeld het geval zou zijn.'

Ze wenkte naar Rowarn en wierp hem een stok toe. 'Ook een stok kan in geoefende handen een gevaarlijk en dodelijk wapen zijn.' Zonder waarschuwing viel ze Rowarn aan en al na twee bewegingen lag hij op de grond en moest een ware regen van slagen incasseren. Morwen was niet kleinzielig en menige plek op zijn lichaam zou binnenkort net zo blauwzwart zijn als het gezicht van het meisje van gisteren. Eindelijk liet ze hem met rust en klopte met haar stok op de grond. 'Als jullie klaar zijn met eten, stel je dan op bij het afgebakende veld daarachter!' Ze wees naar een vierkant aan de rand van het woud.

Rowarn kwam kreunend overeind. 'Dat vond je vast leuk, nietwaar?'

'Ik heb je gewaarschuwd, suikerpopje,' grijnsde ze. 'Ik wil mijn weddenschap niet verliezen.'

Zo begon het volgende deel van hun opleiding. Terwijl de lucht koeler en vochtiger werd, het terrein begon te stijgen en de loof- en naaldbomen schaarser werden, werden de wegen moeilijker begaanbaar en rotsachtiger. De bergen kwamen gestaag dichterbij. Koud, grauw en dreigend met hun grove rotsen en bergtoppen die bijna tot aan de hemel reikten. Hier had de lente zijn entree nog niet gedaan. Hier en daar zaten er nog resten sneeuw op de half bevroren bodem. De eerste schuchtere knoppen ontsproten aan de struiken, die er nog enkele dagen over zouden doen om te ontluiken.

Hier was slechts af en toe zon, als haar stralen hun weg tussen de boomtoppen door konden vinden. 's Nachts lag iedereen bibberend tegen elkaar, omdat het in de ochtend vaak nog vroor en er een dun laagje ijs over de klamme dekens lag. Rijp lag op de vachten van de paarden en de adem kwam dampend uit hun neus, terwijl ze tot leven kwamen om de kou uit hun ledematen te verdrijven. In plaats van de lieflijke geluiden van de lente, hoorden men slechts het valse gekrakeel van kraaien door het woud echoën en tegen de rotsige wanden afbreken.

De tijd verliep snel en niemand had tijd om even bij alles stil te staan en na te denken. Als ze niet liepen, kregen ze wapentraining die minstens zo zwaar was. Niemand klaagde echter. Geleidelijk aan werd hun houding krachtiger, elastischer. Hun spieren ontwikkelden zich, evenals hun uithoudingsvermogen. Afgezien van enkele kneuzingen en kleine blessures, zag alles er goed uit. Ook hun ogen wonnen aan glans. 's Avonds wisselden ze hun ervaringen uit en maakten grapjes, waagden het zelfs om af en toe een lied te zingen en keken anders tegen hun omgeving aan. Ze luisterden beter naar de koning en reageerden sneller. Er ging altijd wel iemand mee op jacht en Morwen gaf hen daarbij les in spoorzoeken.

Iedereen die een weddenschap tegen Rowarn had afgesloten dreigde hem te verliezen, zo had Rowarn zichzelf ook beloofd, maar het was niet eenvoudig. Hij had enkele malen op het punt gestaan om op te geven, want hoe meer hij voor elkaar kreeg, hoe meer hem werd opgedragen. Precies zoals Morwen had voorspeld. De opdrachten werden alsmaar moeilijker en hij sliep steeds minder.

Een enkele keer, in de tent van de koning nog wel, moest hij zich inhouden om niet in tranen uit te barsten. Hij draaide zich snel om en concentreerde zich er op om diens spullen netjes op te bergen. Hij probeerde zichzelf bezig te houden, afleiding te zoeken, niet aan zijn erbarmelijke situatie te denken.

Op dat moment sprak de koning hem voor het eerst sinds hun vertrek echt aan. Tot dan had hij niet meer gedaan dan hem bevelen geven.

'Ga zitten, Rowarn,' beval Noïrun hem en wees naar een veldkrukje met een leren zitting die makkelijk opgeklapt kon worden. De koning had zijn pijp aangestoken na het eten en zwijgend wat gelezen, terwijl Rowarn met zijn werk bezig was.

Rowarns hart klopte in zijn keel toen hij ging zitten. Hij waagde het niet om de koning aan te kijken, omdat hij bang was zijn beheersing alsnog te verliezen. Hij wist zelf niet wat er mis was met hem. Hoe beter het met de anderen ging, des te slechter ging het met hem. Alles mislukte, bij de gevechtsoefeningen kreeg hij altijd een pak slaag en hij had geen kracht of uithoudingsvermogen meer. Angstig wachtte hij af wat er volgen zou.

Noïrun nam de tijd. Hij verkruimelde een stuk tabak tussen zijn vingers en strooide opnieuw kruimels in zijn pijp, trok er een paar keer aan en blies vervolgens dikke rookwolken de tent in. Er verspreidde zich een krachtige, kruidige geur in de ruimte die een behaaglijke sfeer creëerde, terwijl buiten de koude wind om de bergen heen blies.

Uiteindelijk keek hij Rowarn aan. 'Voor wie doe je het?' vroeg hij rustig.

Rowarn had het liefst 'ik begrijp het niet,' of 'ik weet het niet,' of een ander uitwijkend antwoord gegeven. Hij was echter slim genoeg om dat niet te doen. Hij zweeg en keek de koning onrustig aan.

'Waarom antwoord je niet?' ging Noïrun verder. 'Ben je bang dat jouw antwoord mij niet zal bevallen?'

Rowarn speelde zenuwachtig met zijn vingers. Hij durfde niet eens te knikken.

Noïrun deed het voor hem. 'Je hebt gelijk, het antwoord bevalt me niet.' Hij trok twee-, driemaal aan zijn pijp en observeerde de kleine rookwolkjes die boven de tafel zweefden om vervolgens snel uiteen te vallen.

Rowarn slikte zijn opkomende tranen opnieuw weg. Hij schaamde zich en was terneergeslagen, omdat hij de koning teleurstelde. Het loonde niet om ijverig te zijn als men zich niet gedroeg als een schildknaap. Noïrun verwachtte iets heel anders van hem en terecht. Had Rowarn werkelijk verwacht dat het een ervaren iemand als Noïrun niet op zou vallen? Of misschien interesseerde het hem niet, zolang hij maar geen tegenspraak kreeg en zijn laarzen iedere dag schoon waren.

Uiteindelijk kreeg hij er toch een paar woorden uit. 'O... ontslaat u me nu uit uw dienst?' Zijn stem trilde en klonk mager.

'Dat zou ik moeten doen.' Noïrun legde zijn pijp neer en stond op, vervolgens kromp hij in elkaar en kreunde. 'Ah, dit verdomde koude weer! Olrig had gelijk, als we eenmaal begonnen zijn met het boeten voor de dagen die achter ons liggen, dan zijn we te oud voor dit soort dingen.' Hij strekte zijn arm uit en wenkte Rowarn. 'Help me bij het uitkleden. Mijn schouder wil simpelweg niet meer.'

Rowarn haastte zich naar zijn heer toe, opende zijn leren pantser, wambuis en hemd en trok ze behoedzaam uit. Vervolgens de laarzen en de beenbekleding tot op de lendendoek. Voor het eerst zag hij de vorst bijna naakt en keek verbaasd naar zijn strakke, gespierde lichaam. Hij straalde een gezonde kracht uit als was hij een dertigjarige en niet midden veertig, zonder ook maar een spoortje van een uitgezakte huid of vet. Zijn afkomst werd daardoor alleen maar duidelijker. Alles aan hem was gelijkmatig en goed geproportioneerd, de licht gekleurde huid was van een ongekende zuiverheid. Maar Rowarn zag ook de littekens op zijn dijbenen, armen en buik, maar boven alles de reden voor de pijn in zijn linkerschouder, die ooit helemaal vermorzeld moest zijn.

Noïrun wreef met een pijnlijk gezicht over het vergroeide litteken.

'Zeg tegen Olrig dat hij met zijn kostbare *Ushkany* langs moet komen. Het moet de pijn verdoven, anders doe ik vannacht geen oog meer dicht.'

Rowarn hielp hem met het aantrekken van zijn nachthemd. Toen hij wilde gaan, legde de oudere man een hand op zijn schouder. Hij was kleiner dan Rowarn, maar zijn uitstraling vulde de gehele tent, het maakte niet uit of hij nu zijn wapenrusting aan of uit had.

'Dat is het verschil tussen ons beiden,' zei hij zacht. 'Alles dat ik met me meedraag, heb ik niet voor mezelf ontvangen, maar voor mijn land of voor Ardig Hal.'

Hij liet hem los en wende zich af, ondertussen zijn schouder masserend. 'Denk daar maar over na.'

HOOFDSTUK 9

Bij de Gouden Pas

Koning Noïrun liet zijn gevolg stoppen bij een hoogvlakte. De weg waar ze op reden, voerde direct naar een bergpas. Dicht op elkaar staande rotswanden torenden hoog boven het pad uit. Aan de andere kant van de pas lag Valia, een vreemde wereld voor de bewoners van Inniu.

De ochtend was maar net aangebroken en er heerste een matte stemming. Zelfs de kraaien lieten zich niet horen. De vorst begon net te wijken en alles was kletsnat.

'Fûr Gari,' zei de vorst en wees naar het gebergte. 'Het koude gesteente, onoverwinnelijk en ontoegankelijk. Er groeit hier niets en het omringt het mooie dal als een muur. Jullie zullen er nu afscheid van moeten nemen. Aan de andere kant zal veel lijken op wat jullie kennen, maar niets zal nog vertrouwd zijn. Een groot land wacht op jullie, met een rijke bevolking, vele wegen en grote steden en talloze gevaren en verschrikkingen. Jullie moeten eerst leren om vriend en vijand van elkaar te onderscheiden, maar zelfs dan is het nog niet zeker wie je kunt vertrouwen.

Deze weg voert over de Galad-Mur, de Gouden Pas, zoals men hem in Valia noemt. Het betekent zoveel als Pad van Verlichting, want op bepaalde tijden bij de zonnewende is de doorgang in een helle, stralende gouden gloed gedompeld. Het verhaal gaat dat Lúvenor deze pas met één stap geschapen heeft, toen hij in de lente van de wereld hier wandelde. Op dat ogenblik werd zijn licht hier opgenomen. Van ieder die hier op het juiste moment loopt zal zijn pad verlicht zijn, zegt men.'

Noïrun draaide zich om in zijn zadel. 'Maar zoals altijd, zijn wij hier niet met de zonnewende en we hebben de tijd niet. Jullie zullen dan ook geen verlichting ervaren als jullie verder in oostelijke richting trekken, maar een nieuwe wereld die jullie zal imponeren. Jullie zullen deze wereld ook niet waardig betreden, maar met blaren aan de handen en voeten. Jullie zullen bevroren zijn en met wat geluk in één stuk boven aankomen. Maar daar aangekomen zullen al jullie inspanningen beloond worden en op dat moment zullen alle ontberingen vergeten zijn.'

Onzeker staarden de rekruten de koning aan. Wat lag er nu weer op hen te wachten?

Noïrun wees op de weg, die een stuk bergopwaarts voerde om zich vervolgens als een slang door de pas heen te slingeren tot het in de nevels en vrieskou verdween. 'Dat is de weg voor de paarden, voor Olrig, mij en de garde. Jullie echter ...' hij wees nu naar een kale, steile wand links van hen naast de weg, naar uitlopers van de berg die ver over het pad uitstaken, '... zullen deze wand beklimmen tot aan de top en aan de andere kant van de pas weer afdalen naar het dal. Daar zullen jullie het kamp makkelijk vinden.'

Velen waren bleek weggetrokken en staarden geschrokken naar de steile, overhangende rotswand. 'Klimmen?' fluisterden er enkelen.

'Een goede oefening voor jullie vingerspieren en pezen,' weerklonk Olrigs boze stem. 'En jullie voet- en beenwerk, jullie evenwicht. Hierna zullen jullie weten waar iedere spier van jullie lichaam goed voor is. Jullie zullen niet meer doelloos rondlopen, maar iedere stap zal doordacht zijn.'

'En kom niet op het idee om een andere weg te nemen,' voegde de koning er nog aan toe. 'Die wand is jullie opdracht, de berg bedwingen om aan de andere kant te komen. Ons pad is verboden terrein voor jullie. Wie zich daarop waagt, zal het bitter berouwen. We verwachten jullie bij het invallen van de duisternis in het kamp. Daar zal een vuur, wildgebraad en warm honingbier zijn.' Hij gaf zijn hengst de sporen. Olrig volgde hem met de rest van de troepen en de pakpaarden.

Hij liet honderdvijftig man bevend, rillend en vervuld van angst achter.

De rotswand was grof en bezaaid met uitsteeksels en scherpe hoeken. Ondanks dat bood het amper mogelijkheden om je beet te houden en steun voor de handen of voeten te vinden. Het was nat en ijskoud. De vingers dreigden af en toe zelfs vast te vriezen.

Rowarn had allang het gevoel in zijn vingers en tenen verloren. In bomen klimmen, dat kon hij. Met steile rotswanden had hij even weinig ervaring als de andere rekruten. Geen enkele inwoner van Inniu ging vrijwillig naar de bergen en dat was ook geen wonder. Rowarns kleding was doorweekt; hij was kletsnat en verkleumd tot op zijn botten. Hij kon niet eens zien hoe de anderen blauw van de kou aan de rotswand hingen.

Ver achter hen, in de richting waar ze vandaan kwamen, was het lente. Fûr Gari was echter verstoken van ieder licht van deze wereld. Het licht van de god Lúvenor scheen alleen zijn schaduw achtergelaten te hebben toen hij zijn voet hier had gezet. Geen wonder dat dit gebergte de naam Koude Steen droeg! Hier was niet eens het kleinste dier te vinden. Hun enige gezelschap waren de kraaien, die spottend hun rondjes om hen heen draaiden. Ze wachten blijkbaar tot één van hen neer zou storten, om vervolgens lekkere hapjes als hun ogen of tong op te peuzelen.

Langzaam, hand voor hand, werkte Rowarn zich naar boven. Hoe verder hij echter kwam, des te steiler en afwijzender de berg werd. Zijn overhangende top helde ontmoedigend over Rowarn heen.

'Nooit meer zon,' mompelde iemand achter hem. 'Voor altijd en eeuwig in deze natte, stinkende rotzooi, zwammen en korstmossen en bomen vol met schimmel.'

Jelim kwam in de buurt van Rowarn. Hij keek om zich heen, om zeker te weten dat niemand hen kon horen, maar iedereen was met zichzelf bezig. Van onderaf zagen ze er waarschijnlijk uit als een bende kevers die zich onbeholpen over een hindernis heen probeerden te werken.

'Het verbaast me dat je hierbij bent,' perste hij tussen zijn tanden door.

'Het is een goede oefening,' antwoordde ze goed gehumeurd. 'Tevens heb ik de vreemde drang ontwikkeld om jullie allemaal heelhuids naar de andere kant te krijgen.'

'Of een weddenschap afgesloten,' vermoedde Rowarn.

'Of een weddenschap afgesloten,' gaf ze grijnzend toe. 'Ik wil wat terugwinnen van de soldij die ik dankzij verloren jou heb.'

Heeft iemand daadwerkelijk gewonnen?' vroeg hij verbaasd.

Ze knikte, 'Olrig.'

Rowarn hield in. Toen schoot hij in een bijna hysterische lach. 'Hoe kon je zo dom zijn om het tegen hem op te nemen?'

'Maar het was al de tweede weddenschap,' antwoordde Jelim. 'De eerste hebben we allemaal verloren. Al het geld is in een pot gegaan die er speciaal voor dit soort gevallen is. Hij is intussen best goed gevuld. Bij de tweede weddenschap ging het erom of de koning je zou ontslaan.'

'Dat heeft weinig gescheeld,' mompelde Rowarn ongelukkig.

'Ik weet het.' Jelim pakte een rotspunt beet en hing even in de lucht, voordat ze verder ging. Ze was een uitstekende klimmer. 'Olrig had gehoord dat Noïrun het wilde doen en de weddenschap opgezet. Hij heeft erop ingezet dat de koning je later nog een kans zou geven. Hij zat er dichterbij dan wie dan ook.'

Hij had het dus werkelijk willen doen. Tranen welden in Rowarn op en ditmaal niet vanwege de inspanningen. 'Maar, koning Noïrun heeft me toch ... niet ontslagen?' zei hij.

'Ja, verbazingwekkend. Hij is nog nooit zo abrupt van gedachten veranderd en zelfs Olrig weet niet wat hem hiertoe heeft bewogen.' Jelim was ondertussen goed gehumeurd verder geklommen en zo ver van hem verwijderd dat een gewoon gesprek niet meer mogelijk was.

Rowarn volgde haar en de tranen die hij zo lang tegen had kunnen houden, rolden hem nu heet over de wangen. Het maakte nu niets meer uit, het regende, dus niemand zag het.

Sommigen hadden touwen meegenomen. Zo hadden ook de zwakkeren het vooruitzicht om te top te kunnen bereiken als ze, overmand door angst of zwakheid, niet meer verder konden. De rekruten hadden zich in groepen opgedeeld, waarbij de sterksten voorop gingen om de weg te verkennen, om vervolgens aanwijzingen te geven aan degenen die na hen kwamen en hen te zekeren met de touwen. Het leek wel of Jelim overal was. Ze lette er op dat niemand een fout maakte. Intussen had ook de laatste van hen wel begrepen dat ze in werkelijkheid tot de garde behoorde en op dit moment waren ze daar heel dankbaar voor, want ze straalde rust en zekerheid uit. Ze wist precies wat er gedaan moest worden en liet zien dat de berg geen onoverwinnelijke hindernis was.

Ze hadden vier uur nodig voor de eerste wand, maar dat was dan ook gelijk het moeilijkste deel. Vervolgens moesten ze over een puinhelling, dan langs een helling met lawinegevaar en uiteindelijk moesten ze een heel stuk overbruggen door van rotsblok naar rotsblok te springen.

Ook hier was er geen spoor van leven te bekennen. Alles was grijs en verlaten, er was zelfs geen korstmos te zien. De lucht was merkbaar dunner en kouder geworden en Jelim laste iedere tien stappen een korte pauze in en maande iedereen om rustig door te ademen.

Uiteindelijk waren ze boven aangekomen en hadden daarmee ook de grens tussen licht en donker overschreden. Het bleek laat in de middag te zijn en de zon verwarmde hun verkleumde lichamen. De damp sloeg van hun kleding af, terwijl hun voeten in de eeuwige sneeuw stonden.

Jubelend stonden ze zich te verdringen op de smalle bergkam, omarmden elkaar en sloegen elkaar op de schouder.

'Fennóngar,' zei Jelim tegen Rowarn. Ze was kortademig, net als de rest, maar trots. 'De koning van Fûr Gari, de hoogste top van allemaal, in heel Valia te zien op een heldere dag. Hier zijn we zo dicht bij de goden als maar mogelijk is.'

Nadat iedereen wat tot rust gekomen was, keken ze vervuld van ontzag om zich heen.

Jelim had gelijk, een mooier en verhevener uitzicht had Rowarn nog nooit gezien. Een zwartblauwe hemel welfde zich over hen heen en de zon leek voor het grijpen. Daarachter lag het Dromende Universum, een rijk met vele wonderen. En in het centrum daarvan een verre, glinsterende band, de Sterrenzee. De grootste van alle rijken aan de grens van de Regenboog en Duisternis. Daar kwamen de onsterfelijke Sterrenkinderen vandaan. Als kind had Rowarn veel van hen horen vertellen. Hij had er nooit genoeg van gekregen en had er veel van gedroomd als hij 's nachts naar de sterrenhemel staarde.

'Al het andere verbleekt hierbij ...' fluisterde hij en het was alsof de adem van een god langs zijn gezicht streek toen een droge, koude wind opkwam.

'Hierboven lijken alledaagse beslommeringen maar nietig,' gaf Jelim toe. 'Dit is de hoogste plaats die wij, sterfelijken, kunnen bereiken om enig idee te krijgen van de macht die ons omringt. Zelfs machtigen van de Duisternis, zoals Femris onze vijand, waar we ons helemaal op moeten concentreren als we weer beneden zijn, kan niet morrelen aan hetgeen wij hier zien – de waarheid.'

'Ja,' fluisterde Rowarn afwezig. 'Mijn peetouders hebben hierover verteld. Als we heel goed luisteren, kunnen we zelfs de melodie van de wereld horen. Minstens de klanken ervan. Want dit universum werd met klanken geschapen. De eerste toon schiep het eerste licht en de eerste wereld. Het werd allemaal gevormd door Ishtrus eerste gedachte aan Erenatar, toen hij begon te zingen en de melodie uit hem stroomde en alles vervulde. Dat is wat Ishtru de Dromer is, zijn oervorm, zodat we allemaal een deel van hem zijn en van zijn droom. Eerst vibreerden we allemaal in dezelfde harmonie, maar dat veranderde toen uit de EENHEID het GEDEELDE kwam en de melodie dissonanten had. Maar iedere wereld heeft zijn eigen klank en die van Woudzee, zo vertelde mijn peetouders, is bijzonder in zijn reinheid.'

Iedereen, inclusief Jelim, staarde hem sprakeloos aan, ongelovig, maar bewonderend.

Er was een ademloze stilte ingevallen en iedereen luisterde met gesloten ogen. Rowarn ontspande zich, zoals hij geleerd had. En toen ... hoorde hij het werkelijk. Zachte, zoete klanken die niet te beschrijven waren. Wondermooi en vervuld van een diepe liefde. Er vormde zich een beeld voor zijn geestesoog; een lichtende schim, omgeven door een witte sluier. De bevallige, etherische gestalte van een vrouw in een lang gewaad. Haar lichte haren, die haar als een krans omgaven. Haar parelmoeren huid en ogen diep als de zee en blauw als de hemel. Ze lachte.

Moeder ...

Rowarn, mijn zoon.

Het beeld veranderde abrupt en werd donker. Rode slierten verhulden de gestalte van de vrouw en de klanken die haar omgaven, werden dissonant en schril. Rowarn zag een reusachtige schaduw die zich over haar heen boog en ze viel. Hij zag overal bloed en toen voelde hij een verschrikkelijke pijn.

Rowarn schreeuwde en zakte in elkaar. Kermend klauwden zijn vingers in de sneeuw, zijn gezicht verdween er bijna in. 'Nee, nee ...' Zijn tranen smolten kleine gaten in de sneeuw en hij slaakte een klagende kreet. Hij sloeg zichzelf tegen zijn hoofd en zijn vingers grepen zich vast in zijn eigen haren en begonnen eraan te trekken. 'Haal het weg! Ik wil het niet zien!' Hij kokhalsde, maar er zat niets in zijn lege maag om over te geven.

Pas toen Jelim hem heftig heen en weer schudde en een sneeuwbal tegen Rowarns hoofd gooide, werd hij wat rustiger. Verkrampt maar rustiger bleef hij in de sneeuw liggen.

'Wat is er?' vroeg Jelim bezorgd.

'Hij gedraagt zich wel meer vreemd,' antwoordde Rayem.

'Dat is nog mild uitgedrukt,' merkte Lohir "zomersproet" op. 'Wij beleven het mooiste en meest verheven moment van ons leven, houden bijna een tweegesprek met de goden, en hij draait door.'

Rowarn voelde hoe sterke handen hem beetpakten en omhoog trokken. 'Laten we hem naar beneden brengen, voordat hij neerstort,' zei Rayem.

'Het is toch al tijd om verder te trekken,' stemde Jelim in. 'Als we het willen redden voordat de duisternis valt, dan zullen we door moeten lopen.'

'Geen enkele probleem,' grijnsde Kalem Zwarttand naast haar. 'Afdalen is altijd makkelijker! Ik heb ook al een geschikt pad ontdekt.'

Met vereende krachten brachten ze de willoze Rowarn via de andere zijde naar beneden. De weg was inderdaad goed begaanbaar, totdat ze bij een steile helling kwamen.

'We moeten de andere weg nemen,' opperde Jelim.

Kalem schudde zijn hoofd. 'Dit is een gletsjer, en niet eens een steile. We kunnen zo naar beneden glijden.'

'Je bent gek!' merkte Jelim op. 'We kunnen een lawine veroorzaken en al onze botten breken!'

Lohir ging bij Kalem staan. 'Een vaste tred en een goed evenwicht, dat heeft Olrig toch gezegd? Dus is het een deel van onze opleiding. We redden het wel en ik denk zonder een lawine te veroorzaken. Het smelt hierboven niet en zeker niet bij dit jaargetijde.'

'Jouw route geeft ons wel meer zekerheid, maar neemt zeker drie uur meer in beslag!' Kalem wees naar de pas, die van hieruit voor het grijpen leek. 'Als we hier naar beneden gaan, zijn we er in een half uur en is de rest een wandelingetje.'

Rayem pakte Rowarn bij de schouders en schudde hem heen en weer. 'Heb je wat meegekregen van hetgeen we hier besproken hebben?' Rowarn knipperde en begon langzaam weer bij te komen. Hij nam de situatie in zich op, staarde eerst Jelim aan en vervolgens Kalem. 'Moet ik dat beslissen?' riep hij. 'Eerst verklaren jullie me voor gek en dan willen jullie de verantwoording op mij afschuiven?'

'Ik heb een weddenschap die ik moet winnen,' zei Jelim. 'En jij bent Noïruns schildknaap.'

'Ja, en?' zuchtte Rowarn. 'Nou, goed dan.' Hij liep naar de helling, zocht naar mogelijkheden en begon toen aan de afdaling. Verrast moest hij vaststellen, dat het veel makkelijker was dan hij had verwacht. Het was niet steil en de ijslaag niet dik. De sneeuwlaag die zich daaronder bevond, was veel minder vast en men kon er goede steun vinden voor de voeten. Meer dan eens verloor hij zijn houvast en gleed een stuk naar beneden, vaak zelfs op zijn achterste, maar het was goed te doen. Rowarn kwam goed vooruit.

Kalem en Lohir begonnen enthousiast te jubelen en waren ook al onderweg. Nu was de groep niet meer te houden. Het duurde dan ook niet lang voordat iedereen glijdend, glibberend, joelend en schreeuwend de berg afdaalde.

Ze bereikten Galad-Mur twee uur voordat de duisternis inviel, maar ze bleven niet lang genieten van hun eerste blik op het land Valia. In het dal onderaan de pas was het kamp al opgebouwd, met de kleine witte tent van de koning in het midden en zoals beloofd brandde er een vuur om iedereen er naartoe te leiden.

Met hernieuwde energie en vertrouwen renden ze over de weg die van de pas leidde naar beneden. Het was inderdaad niet meer dan een wandelingetje na al de gedane inspanningen, ook al waren die inspanningen behoorlijk in hun benen gaan zitten.

Ongeveer een uur later sprongen ze van de laatste rotsen op het zachte gras in het lichte, verwarmde rijk van de lente en liepen ze lachend en zwaaiend naar het kamp, waar ze met luid geroep en wild zwaaiende armen ontvangen werden. Zelfs de trotse ridders begroetten hen uitbundig, sloegen hen op de schouders en zongen voor hen.

Jelim ging naast Rowarn staan en pakte hem bij de arm. 'Wij gaan eerst verslag uitbrengen,' zei ze. Haastig klopte ze Rowarns nog steeds wat natte kleding af en fatsoeneerde het. 'Je ziet er niet uit, zo kan je toch niet voor de koning verschijnen?' mompelde ze.

'Wat dacht je van jezelf?' spotte hij en hielp haar vervolgens om haar kleding ook wat op orde te brengen.

Noïrun en Olrig zaten hen al voor de tent op te wachten. De rest was ondertussen als een horde wilden het kamp in gerend en verdrong zich nu om het vuur of probeerde een kroes bier te pakken te krijgen.

'Hoeveel?' vroeg de koning kort.

Jelim straalde en hield haar hand voor Olrig, met haar palm naar boven gericht. 'Ongeveer tweehonderd verwondingen, schaafwonden, snijwonden en voeten die dringend behandeld moeten worden. Verschillende lichte botbreuken, hoofdzakelijk vingers en een enkele hersenschudding,' antwoordde ze nonchalant. 'Maar geen verliezen.' Ze keek de krijgskoning grijnzend aan. 'Honderdvijftig.'

Olrig bromde en haalde een buidel met munten tevoorschijn die hij in haar hand legde. Zijn ogen fonkelden echter van vreugde. Deze weddenschap verloor hij blijkbaar graag.

Rowarn zag Noïrun voor het eerst sinds ze waren vertrokken gelukkig en opgelucht lachen. 'Goed,' zei hij en dat was waarschijnlijk het grootste compliment dat men van hem kon verwachten.

'En ik ben ontdekt,' gaf Jelim vrijmoedig toe en trok een verbaasd gezicht toen Noïrun zijn hand ophield bij Olrig, die knorrend afscheid nam van een tweede geldbuidel. 'Jullie ... jullie wedden ook?' stamelde ze verward.

'Dacht je dat je het alleenrecht had?' De ogen van de koning fonkelden als smaragden en de kraaienpootjes rondom zijn ogen verdiepten zich. 'Goed gedaan.' Hij draaide zich om en wenkte naar Rowarn. 'Kom jongen.'

Rowarn volgde hem naar binnen. 'Wat moet ik doen, heer?' vroeg hij. Op dit moment had hij het gevoel dat hij bomen uit de grond kon trekken. Het verschrikkelijke visioen op de bergtop was verbleekt, weggedrongen en vergeten door het geweldige gevoel dat hij nu had, door Valia op deze moeilijke manier te bereiken. Nu kon hij de komende beproevingen ook zeker doorstaan.

'Niets.' Noïrun steunde op de tafel en staarde hem onderzoekend aan.

Rowarn schrok. 'Oh ...' merkte hij wat ontsteld op.

De koning maakte een afwerend gebaar. 'Je hebt vrij, Rowarn. Neem de tijd, maar slaap vooral een keer goed uit. Vandaag geen oefeningen met Jelim.'

'Ik ...' Rowarn werd knalrood. 'U wist het?'

'Ik weet alles wat hier gebeurd,' antwoordde Noïrun rustig. 'Ik zou een slechte bevelhebber zijn als me dat ontgaan was. Ze heeft het me overigens niet gezegd, mocht je dat denken.' Hij lachte. 'Soldaten kunnen nog zo spinnijdig op elkaar zijn, tegen hun bevelvoerder werken ze allemaal samen. Ze zullen je nooit verraden, net zoals jij hen nooit zou verraden.' Hij hield zijn hoofd wat scheef. 'Hebben jullie wat met elkaar?'

Daar kon Rowarn op antwoorden zonder dat hij rood werd. 'Nee heer, absoluut niet.'

'Dan toch Rayem,' bromde Noïrun en knikte langzaam. 'Ik

had het al gedacht.'

'U weet zijn naam?' riep Rowarn verbaasd. En dan nota bene Jelim en Rayem ... het was hem volledig ontgaan!

'Natuurlijk, zo snel zal ik ons avontuur in Madin niet vergeten. Hij is wat lomp, maar een goede jongen. Zal zeker een goede soldaat worden.' Noïrun goot een goudkleurige vloeistof in twee bekers en gaf er een aan Rowarn. 'Je moet goed eten en ervoor zorgen dat je het binnenhoudt,' ging hij toen verder. 'Ik meen het. Morgen vertrekken we naar het hoofdkamp.'

Rowarn, die voorzichtig aan het drankje had genipt en zich vervolgens in moest houden om het niet in één keer achterover te slaan, keek verbaasd op.

'We worden al verwacht,' verklaarde Noïrun. 'De rekruten zijn uit het hele westen gekomen. We zullen er ongeveer twaalf dagen blijven in verband met jullie opleiding. Naast de basisopleiding zal ook de speciale training beginnen. Vervolgens zullen we ons opdelen en vanuit verschillende kanten naar Ardig Hal vertrekken. Maar daarover later meer. Wat voor jou belangrijk is, is dat je beter wordt met het zwaard. Tegelijkertijd zal je te paard leren vechten, met lans en speer. Jouw kleine ruin zal de benodigde uitrusting hiervoor krijgen en alles met jou samen leren. Een goed paard overigens, maar dat is geen verrassing. Het zullen lange dagen zijn, want er is niet veel tijd. Ik kan dat helaas niet veranderen. We zullen de oefeningen dus op weg naar Ardig Hal voortzetten.'

'En mijn taken als schildknaap?' vroeg Rowarn.

'Bespreek dat met je leermeesters, zodat je je plichten niet verwaarloost. Je weet inmiddels wat je moet doen.' De koning hief zijn beker en Rowarn volgde zijn voorbeeld. 'Bewijs me dat ik een goede beslissing heb genomen.'

Rowarn sloeg zijn ogen neer. De wijn klotste uitnodigend in zijn beker en weerspiegelde het licht van de fakkels. Buiten begon het ondertussen donker te worden. Hij dronk de beker leeg.

'Het is wraak, nietwaar?' zei de koning zacht. 'Alleen wraak is zo'n sterke drijfveer.'

'En hebzucht?' mompelde Rowarn ontwijkend. 'Femris geeft

nooit op.'

'Wie weet. Niemand van ons kent hem. Hij laat zich slechts zelden zien. Hij schijnt maar één ding te willen dat als een onblusbaar vuur diep in hem brand. Misschien is het de Duisternis die hem ertoe drijft. Misschien houdt die hem in zijn klauwen en is hij slechts diens werktuig.' Noïrun liep naar zijn schildknaap toe. 'De Duisternis is altijd in de buurt, Rowarn.' fluisterde hij. 'En in jou is een grote, donkere plek.'

Rowarn ontweek zijn blik. 'De Duisternis is mijn vijand,' fluisterde hij.

Noïrun pakte de lege beker van hem aan en keerde terug naar de tafel. 'Geniet van de avond, dat is een bevel,' zei hij en gebaarde dat hij de tent kon verlaten.

Eenmaal weer buiten hapte Rowarn naar lucht. Het heerlijke gevoel was helemaal verdwenen; een zwarte klauw had naar zijn hart gegrepen en het samengedrukt. De koning kon tot in het diepst van zijn ziel kijken. Alles in hem verlangde ernaar om de samenhang aan Noïrun te verklaren, om hem duidelijk te maken waarom hij hem iedere keer weer teleurstelde. Misschien was het wel het beste om uit zijn dienst ontslagen te worden. Maar er was nu geen weg terug meer en dat wisten ze allebei. Rowarn had het nooit over zijn hart gekregen om de vorst te verlaten en het leek de vorst niet anders te vergaan. Er was een band tussen hen, die niet zo eenvoudig kapot ging.

Rowarn schudde deze gedachten van zich af. Hij had het bevel gekregen om van de avond te genieten en goed uit te slapen en dat zou hij doen ook! Hij had tenslotte een zware opgave tot een goed eind gebracht. Hij had meer voor elkaar gekregen, dan hij zelf voor mogelijk had gehouden en er nog eens veel van geleerd ook. Hij was een stuk dichter bij zijn doel en daar hield hij zich aan vast. Sinds zijn visioen op de bergtop nog meer dan ooit zelfs.

Hij voegde zich bij de rest aan het vuur, kreeg een vol beladen bord in zijn hand gedrukt en een houten bokaal. Ze proostten, aten en dronken samen en lachten. Op een gegeven moment kwam Olrig bij hen zitten en gaf, met een verbazend goede en verdragende stem, een lied ten beste.

> *Ooit trok ik langs de weg, de weg naar Ardig Hal*
> *waar ik een meisje trof, zoet en rein, haar gezang overtrof al,*
> *helderder dan de vogels en drie bloemen hield ze in de hand,*
> *Ze hield ze voor mij en sprak: "Dit is mijn onderpand.*
> *Als je me ooit weer wilt zien, neem het dan aan ..."*
> *Ik sprak: "De oorlog is uitgebroken, dus moet ik gaan,*
> *doch ik neem uw pand, wat ik immer bij mij bewaar*
> *en als ik zal liggen op dat veld, dan weet ik, het is waar:*
> *Zolang de bloemen in bloei staan, en hun geur is rein,*
> *ben mij trouw, dan zal ik nu voor eeuwig ook u trouw zijn."*
> *Zij sprak: "Dappere krijger, geen zorgen, u zult overleven.*
> *Zolang deze bloemen bloeien, zal ik uw terugkeer beleven.*
> *En dan, als de vuren op het slagveld reeds lang zijn gedoofd,*
> *zal ik van je houden, mij helemaal aan je geven, zoals beloofd."*
> *Zo sprak ze tot mij, op de weg naar Ardig Hal.*
> *En zo trok ik verder, niet om te sterven maar bovenal*
> *om te vechten en te leven, voor mijn lief in Ardig Hal.'*

Applaus en andere lovende geluiden volgden op zijn voordracht en vanzelfsprekend ging het bier rond. Iemand haalde een fluit tevoorschijn, een ander een luit en het duurde niet lang voordat men een lied vond dat iedereen mee kon zingen.

Olrig knikte naar Rowarn en trok zich terug naar de tent van de koning. Rowarn merkte dat zijn hoofd snel zwaar werd. Hij was verzadigd en tevreden en omdat hij zich eindelijk een keer kon ontspannen, overviel de vermoeidheid, veroorzaakt door de inspanningen van de afgelopen dagen, hem. Hij trok zich eveneens terug uit de vrolijke kring. Omdat het een constant komen en gaan was, viel het niemand op. Moe liep Rowarn door het donker naar de paarden, die bij de hoge fakkels stonden welke hen in een schemerig, flakkerend licht zetten. Stormwind hinnikte zachtjes zoals altijd toen hij hem aan hoorde komen en at het stuk brood dat Rowarn voor hem mee had gebracht met smaak op. Het kleine, vaalgele paard zag er uitstekend uit, stelde hij bij het slechte licht vast. Het jeugdige was verdwenen en hij was ge-spierder geworden. Rowarn dacht zelfs dat hij een beetje ge-groeid was. De manen waren prachtig en de hals bijna net zo krachtig als die van de koperkleurige hengst.

Rowarn liefkoosde het paard een tijdje, toen pakte hij zijn de-ken en ging weg. De weerschijn van het vuur zorgde nog steeds voor een troostend licht, het wierp smalle lichtstroken op het donkere gras en werd begeleid door gelach en muziek. De bloe-men waren gesloten, maar Rowarns ogen waren wijd open toen hij zijn deken neerlegde, er op ging liggen en de tweede deken over zich heen trok. Hij vouwde zijn armen onder zijn hoofd.

Zijn hoofd was helemaal leeg toen hij naar de sterrenhemel keek. Hij zag de Grote Loper, die bijna de helft van zijn blikveld in beslag nam, met de lantaarn in de ene en de speer in de andere hand. Zijn ogen lichtten op, Ishtrus tranen die de hemel beheers-ten zolang de maan niet opkwam. Ishtrus tranen beschermden alle reizigers op het land en op het water. Misschien zelfs wel in de lucht, want hij die de sterren volgde, vond altijd een stad, een bron of een licht in de duisternis van het diepste woud.

Rowarn sloot zijn ogen en viel in slaap.

Hij werd wakker omdat iemand zijn arm aanraakte. De maan was inmiddels opgegaan en het vuur was niet meer dan een ver ge-flakker. Alles was stil, terwijl hij in het gezicht van Morwen staarde.

'Wat doe jij hier?' fluisterde hij geschrokken. 'Je weet dat het streng verboden is om ...'

'Maak je geen zorgen,' fluisterde ze. 'Mijn vader heeft van-avond wat teveel Ushkany gedronken en ligt allang te snurken.' Haar hand glipte onder zijn hemd, maar Rowarn trok zich ge-schrokken terug. 'Jouw ... jouw *vader?* Je ... hebt het o – over ... koning Noïrun?'

'Natuurlijk, over wie anders?' zei ze verbaasd.

Rowarn was met een sprong onder de deken vandaan. 'Ben je dan helemaal gek?' hijgde hij hees, zijn ogen wijd open. 'Je kunt toch niet simpelweg bij mij ... met mij ... en dan ook nog ... als zijn dochter ...'

Morwens gelijkmatig gewelfde wenkbrauwen gingen omhoog. 'Rowarn, ik ben vijfentwintig,' zei ze geduldig. 'Anderen hebben al drie kinderen op mijn leeftijd. Ik ben het resultaat van een vluchtige liefde toen mijn vader nog jong was en door zijn vader naar de beste school van Valia gestuurd werd om zijn opleiding te krijgen in het krijgsvak. Mijn moeder heeft nooit een geheim gemaakt van mijn afkomst en toen ik oud genoeg was, ben ik gewoon naar hem toegegaan en heb hem gevraagd of ik in zijn leger opgenomen kon worden – als spoorzoekster. Omdat mijn talent hem overtuigde, heeft hij mij aangenomen. Hij accepteert ook dat ik zijn dochter ben, alhoewel hij tot op dat moment niets van mij wist. Dat is alles, meer is er niet tussen ons. Waarschijnlijk ben ik ook niet zijn enige kind op deze wereld. Geloof me, tegenover jou heeft hij meer vaderlijke gevoelens als tegenover mij.'

'Des te erger!' jammerde Rowarn in paniek. 'Hij zal mij ombrengen! Ophangen! Wurgen! En nog erger ...'

'Zolang je je niet aanstelt als een oude wasvrouw waarvan de was gestolen is, zal hij het nooit weten.' Morwen pakte hem bij zijn hemd vast en trok hem met een verrassende kracht die helemaal niet bij haar slanke verschijning paste naar zich toe op de deken. Ze duwde hem op de grond en boog zich over hem heen. 'De nacht wordt er niet jonger op en ik heb al genoeg tijd verspild met zoeken naar jou,' zei ze zachtjes, vlak boven zijn lippen hangend. 'Hou dus eindelijk je mond en gebruik dat prachtige lichaam van je waar het voor gemaakt is: namelijk een eenzaam meisje als ik blij maken.'

Terwijl ze hem kuste brokkelde zijn tegenstand langzaam af. Hij legde een arm om haar heen en begon haar terug te kussen. Hij herinnerde zich weer hoe het moest, ook al leek het jaren geleden dat hij iemand gekust had. Zijn levenskracht, die hij na alle vermoeienissen verloren dacht te hebben, ontwaakte weer. Morwen giechelde zachtjes, toen haar hand eindelijk, zonder tegenstand te ondervinden, haar gang kon gaan. 'Verheugend,' fluisterde ze.

Hij hield haar hand beet. 'Doe je kleren uit,' zei hij schor. 'Ik wil je zien, niet alleen voelen.'

Haar ogen lichtten op in het verre schijnsel van het vuur. In het zachte licht van de maan zag hij de omtrekken van haar smalle gezicht. Behendig ontdeed ze zich van haar kleding. Rowarn richtte zich op, trok zijn hemd uit en staarde inderdaad naar Morwens blanke huid in het matte licht. Lokken haar vielen over haar naakte schouders.

Voorzichtig verkende hij de contouren van haar kleine, stevige borsten en kuste teder haar opgezette tepels, terwijl zijn handen verder over Morwens lichaam gleden. 'Hoe heb ik ooit kunnen denken dat je een jongen was,' fluisterde hij verwonderd en het licht scheen nu in zijn ogen, zo erg dat Morwen geschrokken zei: 'Doe je ogen dicht! Dat licht trekt iedere veenloper aan, die kan zien ...'

Rowarn lachte zacht en ging weer liggen, zijn ogen half gesloten.

Morwen ging op haar hurken op hem zitten en streek over zijn gladde borst.

'Jij bent een wonder, Rowarn,' fluisterde ze. 'Je bent als een parel in het donker. Ik heb nog nooit iemand zoals jij gezien ...'

'Genoeg woorden,' onderbrak hij haar en trok haar naar zich toe.

Kort voordat het licht werd, schrok Rowarn wakker. Heel even lag hij als verlamd in de langzaam wijkende duisternis en durfde niet eens te ademen. Toen voelde hij het warme, zachte lichaam dat zich tegen hem aan had gevlijd en in zijn armen sliep. Ze ademde zachtjes in en uit. Hij liet zelf zijn ingehouden adem ontsnappen en luisterde naar zijn razende hartslag, die nog een tijdje doelloos doorgaloppeerde totdat hij eindelijk tot rust begon te komen.

Rowarn draaide zich op zijn zij en bekeek Morwens rustige en ontspannen gezicht. Het zwakke licht van de nog slaperige sterren was genoeg voor zijn scherpe ogen om haar contouren te zien, de lijnen van haar lichaam, haar lange benen te ontwaren onder de deken. Voor hem had het matte schijnsel van haar huid in het donker iets opwindends en hij had onwillekeurig medelijden met de mensen die door hun nachtblindheid deze zachte en reine schoonheid moesten missen. Hij streelde Morwen over haar gezicht met de toppen van zijn vingers en lachte toen ze meteen haar ogen opende en hem zocht in het donker en ook snel vond. Rustig en ontspannen lachte ze naar hem.

'Je moet gaan,' zei hij zacht. 'De eersten zullen zo wel wakker worden.'

'Ik ga pas als je me nog eenmaal kust ...' fluisterde ze.

Hij deed maar al te graag wat ze hem vroeg. Hij legde zijn mond op haar zachte, meegevende lippen en trok haar dichter tegen zich aan toen de kus intenser werd. Ze sloeg haar been over zijn heup en streelde zijn rug.

Hij kon zich maar met moeite van haar losmaken. 'Ik kan nu niet doorgaan,' fluisterde hij

'Weet je dat zeker?' kirde ze. 'Ik voel namelijk heel wat anders ...'

'Nee.' Hij kwam half overeind. 'Hoe gaat het nu verder?'

Haar hand streelde zijn gezicht. 'Simpelweg ongelooflijk ...' hijgde ze. 'Blijf zo als je bent. Vanaf nu kan ik geen genoeg meer van je krijgen.'

Rowarn greep haar hand, drukte hem aan zijn lippen en kuste de toppen van haar vingers. 'Ik meen het, Morwen.'

Ze zuchtte. 'Goed dan. We gaan gewoon verder als altijd en als ik het niet meer uithoudt, kruip ik 's nachts onder jouw deken en anders niet. Kan je daarmee leven?'

Hij knikte. Natuurlijk, maar ... het kan niet te vaak gebeuren. Je weet dat het verboden is en met een goede reden.'

'Ik weet het. Maar we zijn niet de enigen, wacht maar af totdat we morgen het hoofdkamp bereiken met een paar duizend jongeren. Mannen en vrouwen die in de kracht van hun leven op een hoop leven. Iedereen weet wat er 's nachts gebeurt, maar het zal nooit officieel toegestaan worden, zelfs niet binnen de grenzen van ... ach, nooit eigenlijk. Maar zelfs een strenge man als mijn vader weet, dat zoiets als dit op den duur niet te vermijden is en hij maakt zich er niet druk om, zolang het maar stiekem gebeurt, de uiterlijke vorm bewaard blijft en iedereen zijn werk goed blijft doen.'

'Net zoiets als zijn verhouding met jou.'

Ze lachte zachtjes. 'Ja. Hij heeft het nooit officieel bekend gemaakt, alhoewel iedereen in zijn directe omgeving het waarschijnlijk weet. Het maakt hem niet uit, maar hij wil er niet over praten. Zo is hij nou eenmaal. Hij praat nooit over zichzelf. Ik weet net zoveel over hem als over jou. Ik geloof dat zelfs Olrig niet alles weet.'

Rowarn liet de deken langzaam zakken om Morwens lichaam in de frisse ochtendlucht te bewonderen. De kleine haartjes op haar huid gingen overeind staan en hij streek er vergenoegd overheen. 'Dan is er dus hoop dat ik nog even blijf leven.' Hij boog naar voren en kuste haar borst, vervolgens haar buik. 'Maar alleen als je nu echt gaat ...'

'Als je daarmee ophoudt, kan je er dan nooit genoeg van krijgen ...?'

Hij wilde toegeven aan zijn opflakkerende verlangens, maar ditmaal was Morwen de sterkere. Vooral omdat ze het koud had. Haastig trok ze haar kleren aan en was al snel op weg. De laarzen trok ze tijdens het lopen aan en Rowarn moest een lachje onderdrukken toen hij haar hier krampachtig bij zag dansen. Uiteindelijk draaide hij zich om, ging weer onder zijn deken liggen en was al snel weer ingeslapen.

'Moet je toch eens kijken,' zei Olrig die ochtend tegen hem toen hij, helemaal uitgeslapen, als een van de laatsten aan kwam lopen. Het was niet erg, want zelfs de koning kwam maar net uit zijn tent.

Ze stonden naast elkaar in de ochtenddauw die al begon te vervliegen in de opkomende zon, terwijl er buiten een tapijt aan rode, gele en violette kleuren opbloeide. Op deze afstand was er geen verschil met Inniu.

'Zoals je ziet, bevinden we ons nog steeds op een hoogvlakte en niet in een dal,' ging de krijgskoning verder en leidde Rowarn naar de rand. 'En open nu je ogen maar echt en kijk om je heen.'

Rowarn kon verder kijken dan ooit tevoren. Over heuvels, wouden en rivieren. Maar ook een wijd vertakt net van wegen, rokende torens en in de verte zelfs muren, boerderijen, markten, velden en weides.

'We bevinden ons in het uiterste westen van Valia,' verklaarde Olrig. 'In dit deel van het land wonen de Dwergen van de stam Ennish, de grootste stam van ons volk en natuurlijk ook mensen, zoals overal. De hoofdstad van het gehele Dwergenvolk is Ennishgar, daar in het oosten, waar je al die rookzuilen aan de horizon ziet. We hebben ook een koning, maar die heeft zijn residentie niet in Ennishgar, maar in het noordwesten.' Hij wees naar links. 'Daar, in het gekloofde, rauwe bergland, dat door het hele noorden trekt en vele namen heeft, leven de Gandur, verspreid over een groot gebied. Ze zijn net zo rauw en taai als het landschap zelf. Uit deze stam komt de door ons gekozen Hoge Koning Jokim. Een machtig en vermogend man dankzij zijn overal gewaardeerde Ushkany-stokerij die naar hem genoemd is. Zo maakt men zich onsterfelijk.' Olrig grijnsde, toen ging hij verder. 'In de oostelijke uitlopers van de bergen zijn veel verborgen dalen, die door de Demonen beheerst worden en waar nog nooit een mens of Dwerg voet heeft gezet.'

'De Demonen hebben hun eigen rijk?'

'Jazeker. Uiterst afgezonderd, wat goed is voor ons.' Zijn arm wees nu verder naar rechts. 'Helemaal in het westen slaan de golven van de zee tegen de mooiste stranden, tot ver in het zuiden toe, bij de grens van ons buurland Nerovia voorbij de Grote Woestijn. Uit de Westzee, zo gaat het verhaal, kwam ooit het geslacht van de Nauraka die de zee verlieten en Ardig Hal bouwden. Koningin Ylwa was hun laatste nakomeling.

Verder naar het zuiden vind je nog vele provincies van mensen. Daar vind je ook het vorstendom Lingvern dat Noïrun zich afhandig heeft laten maken. Het ligt niet ver van de landsgrens van Valia naar Nerovia. Daar tussenin bevinden zich aanhangers van de Oude Volken. Deze zijn over het hele land verspreid. Wezens uit fabels en legendes waar wij nog maar weinig van weten.'

'Waar ligt Ardig Hal?' wilde Rowarn weten.

Olrig wees in zuidoostelijke richting. 'Ongeveer zestien dagen met een snel paard hier vandaan.'

'Dat is toch niet het centrum van Valia,' meende Rowarn, op de opmerking van Noïrun in Madin doelend, want dat was precies wat hij gezegd had.

'In ruimtelijk opzicht misschien niet, dat klopt. Het ligt dichter bij de westelijke grens,' gaf Olrig toe. 'Politiek echter zonder meer.'

Hij wees in de richting van het oosten. 'Diep in het oosten, waar de schaduwen langer worden, ligt een enorm gebergte dat aan de grens met het land Luvgar overgaat in het kolossale Fyrgar gebergte, met de Hemelruiter als hoogste berg. Daarachter rolt de Omsluitende Zee donderend op zijn klippen.

In het oosten van Valia, voor het gebergte, is een meer. In het meer is een eiland waar een burcht op staat – Dubhan, de lichtloze noemt men het. Men zegt dat er een zwart licht vanuit gaat. Ik weet het niet, want ik ben er nog nooit geweest. Daar leeft Femris en verzamelt er de splinters van de Tabernakel.'

Rowarn luisterde aandachtig en voelde hoe zijn hart sneller klopte.

'Een groot land ...'

'O ja. Er zijn vele manen nodig om Valia met een snel paard te doorkruisen, de bergen niet meegerekend.' Olrig vouwde zijn handen. 'We zullen eerst in de richting van Ennishgar rijden. We zullen het hoofdkamp vandaag nog bereiken. Het is gelegerd in een groot en historisch rijk dal. Ooit, in de tijd van onze voorouders, vond daar een grote slag plaats en men kan de sporen ervan nog steeds zien. Veel beroemde helden hebben toen het leven gelaten, en nu worden ze bezongen in liederen.'

'Waar ging het toen om?'

'Over de macht om Woudzee. Niet meer en niet minder. De goden begeleidden hun volkeren toentertijd. Wij waren er ook bij. De Dwergen bestreden de Oude Volken en de Draken om de heerschappij van dit land.' De krijgskoning liet zijn hoofd hangen. 'Het was een verschrikkelijke tijd, Rowarn. Je zult niemand van ons horen zeggen dat het een roemrijk gevecht was. Ik kan je zeggen, alle oorlogen die om de Tabernakel gevoerd zijn tezamen, zijn niet zo verschrikkelijk geweest als deze slachting.'

'Leeft er nog iemand die er toen bij was?'

'Daar ben ik van overtuigd, want niet alle onsterfelijken hebben het land verlaten. Zeker niet iedereen van de Oude Volken. Niemand spreekt er over. Het is ook beter zo. We moeten blij zijn dat er na deze strijd een lange vrede heerste. En we doen er goed aan om zo'n tweede oorlog te verhinderen als we Femris tegenhouden en de Tabernakel naar zijn oorspronkelijke plaats terugbrengen.'

Rowarn keek Olrig aan. 'Je gaat het niet in elkaar zetten?'

'Zoals je weet kan alleen de Tweegespletene het gebruiken, Rowarn. En nee, ik ga het niet in elkaar zetten. Ik weet niet wat Erenatar ermee bedoeld heeft, maar de Eerste Gedachte is zo oud als het universum en dit artefact is veel te groot voor ons. Zelfs als we het voor het goede in zouden kunnen zetten. Het gaat onze krachten te boven en zou Woudzee kapotscheuren, maar dat is mijn mening.' De krijgskoning draaide zich om. 'Die Noïrun overigens niet met me deelt; één van de weinige punten waar we het niet over eens zijn. Hoe dan ook, we breken op. Haast je, jongen, en help je koning in het zadel. Hij heeft een wat zware kop vanochtend.'

Rowarn haalde onwillekeurig opgelucht adem. Zoals het er nu naar uitzag, was zijn heimelijke liefdesnacht met Morwen onontdekt gebleven en hoefde hij zich geen zorgen te maken.

HOOFDSTUK 10

De Bloedplaats

'Luisteren allemaal!' riep Morwen en zetten haar armen in haar zij. 'Het is niet de bedoeling dat we als een zooitje ongeregeld aankomen, maar in geordende rijen zoals we de laatste dagen geoefend hebben. Maak dus je kleding in orde en neem deze stokken, want dit zijn jullie wapens. We lopen door en ik wil geen gezeur en niemand loopt uit de pas. Jullie zijn soldaten van Ardig Hal, de elite van Valia!'

'Ay!' werd er als uit één mond geantwoord.

Tot Rowarns verrassing werd Stormwind naar hem toe gebracht en Rayem kreeg zijn gemoedelijke knol, die zich zelf tot een krachtpatser had ontwikkeld en beduidend meer leven uitstraalde. Ook de anderen die een paard mee hadden gebracht, kregen de mogelijkheid om te paard verder te gaan. Met een gelukkig gevoel besteeg Rowarn zijn vaalgele paard wiens vacht een goudkleurige glans had in het licht van de zon.

Na een rustige mars bereikten ze 's middags het "titanenveld", zoals Olrig het genoemd had. Er lag inderdaad een vreemde sfeer over de steppeachtige vlakte, die behoorlijk afstak tegen de bloeiende omgeving.

Hier was slechts doornkruit, ruw steppegras en een droge, zanderige bodem. Zelfs de dieren leken het gebied te mijden. Men zag slechts zelden een vogel overvliegen en insecten zag je ook maar amper. Af en toe een kever of een enkele zwerm muggen, dat was alles. De paarden begonnen meteen sneller te lopen, omdat hier minder afleiding was. Geen gras om te grazen en zoetige stengels om aan te knabbelen.

Rowarn snakte plotseling naar adem en greep naar zijn keel.

'Wat is er?' vroeg Lohir Zomersproet die naast hem reed en gedachteloos in zijn neus peuterde.

'Deze ... plek ...' kreunde hij. Hij kromp in elkaar, zijn gezicht lag bijna op de manen. Stormwind hinnikte zachtjes en hij ging voorzichtiger lopen, alsof hij over eieren liep. 'Het grijpt naar mij ... zoveel ijskoude vingers ... en ik zie ...'

Hij zag onbeschrijfelijke dingen, die lang geleden gebeurd waren...

Hij zag een dag, verdwenen in het duister van het verleden, toen Valia nog jong geweest was. Niets herinnerde hem aan het land, zoals het er nu uitzag. Alles leek veel groter en weidser.

Reuzen liepen over een met duisternis overgoten vlakte, waadden kniediep door het bloed. Onbeschrijfelijke wezens hakten met vreselijke wapens op elkaar in – een goedendag zo groot als een paardenschedel, zwaarden met meerdere klingen, werpschijven, knotsen met vlijmscherpe stekels. Met kettingen verbonden stokken die spitse uiteinden en stekels hadden. Ze wierpen met lange speren die zowel een rechte punt en een gekromde punt hadden. Ze hieuwen en staken met deze dubbelsperen op elkaar in. Anderen zwaaiden met tweebladige bijlen, zo groot als een man en zwaar als een aambeeld.

De aarde beefde wanneer de gepantserde titanen elkaar troffen en met een gruwelijke woede op elkaar insloegen. Dreunend landde een goedendag in de open gewoelde aarde en sloeg nieuwe wonden. De lijken stapelden zich op, verminkte reuzen vergoten hun bloed terwijl ze vielen. De hemel was asgrauw, zwarte wolken kwamen snel naderbij en schermden de vaalbleke, amper licht- en warmte gevende zon af. Bliksemschichten trokken langs het firmament en sloegen donderend in de aardbodem of de oeroude bomen, waarbij ze diepe gaten brandden en een vernietigend vuur achterlieten.

Wanneer de aura's van deze machtige wezens elkaar raakten, stonk het naar zwavel en magie. Tovenaars slingerden kogelbliksems naar elkaar, probeerden de ander met stralen neer te schieten en schiepen lichten die waanzin veroorzaakten als men erin keek of ze richtten banmuren op die door tegenspreuken weer neergehaald werden. Goden vochten in de lucht met hun vliegende legers. Draken en Demonen jaagden op de vluchtelingen en rukten ze uiteen in een razende honger naar bloed.

'Ik ... verdraag het niet ...' kreunde Rowarn en viel van zijn paard. Morwen was onmiddellijk bij hem, terwijl Olrig de stoet liet stoppen en vervolgens snel naar hem toe galoppeerde.

'Wat heeft hij?' vroeg hij bezorgd, terwijl Morwen en Lohir de jonge Nauraka, die met weggedraaide ogen en het schuim op zijn mond over de grond kronkelde, beet hielden.

Lohir was zo bleek, dat men zijn zomersproeten amper meer kon zien. 'Hij mompelde iets over dit oord,' antwoordde hij ontdaan. 'En dat hij onvoorstelbaar gruwelijke dingen zag ...'

'Dat is de gevangen, overgebleven magie van deze plaats,' bromde de krijgskoning. 'Tot nu toe was die erg nuttig voor ons om de soldaten snel en goed op te leiden, maar het is duidelijk dat niet iedereen het even goed verdragen kan.' Hij zocht wat in zijn vestzak om er vervolgens een kleine buidel uit te halen en strooide enkele klein gesneden gedroogde kruiden op zijn hand. 'Help me om hem rechtop te zetten,' zei hij tegen Morwen en Lohir. 'Morwen, houd zijn hoofd vast, dan kan ik de kruiden in zijn mond doen.'

Met vereende krachten lukte het hen. Intussen stond de koning ook bij hen en keek bezorgd vanaf zijn hengst toe.

Het duurde niet lang voordat Rowarn tot rust kwam en tenslotte zijn ogen opende. Helemaal van streek keek hij Olrig aan. 'Ik heb het gezien ...' fluisterde hij. 'De titanen ... de goden ... en de verschrikkelijke slachting ...'

'Dat zal niet nog een keer gebeuren, daar zorg ik voor,' beloofde Olrig, tegelijkertijd geschrokken en opgelucht dat Rowarn weer bij begon te komen. 'Je bent bij de Velerii opgegroeid en je hele leven omringd geweest door magie, waarschijnlijk zelfs tot in je eten, dat heeft je ontvankelijk gemaakt voor dit soort dingen. Ik had eraan moeten denken. Ik zal je zolang we hier zijn iedere dag wat van deze kruiden geven, dan merk je er niets meer van.'

'Worden mijn zintuigen erdoor afgestompt?'

'Nee, je verstand blijft helder en scherp. Je lichaam blijft ook functioneren. Gaat het weer?'

Rowarn knikte en stond op. Verlegen keek hij om zich heen,

maar niemand keek hem verwijtend aan. Ze bekeken hem eerder met nieuwsgierigheid en respect. 'Ik heb jullie opgehouden, maar het gaat alweer goed.' Hij besteeg Stormwind, al was hij nog wat wankel op zijn benen.

'Goed,' zei de vorst. 'Dan kunnen we verder.' Hij draaide zijn kopervos en ging weer voorop rijden.

Morwen bleef een tijdje naast Rowarn rijden en haar nabijheid deed hem goed. Ook haar zwijgende houding. Hij was niet blij dat hij steeds om de één of andere reden uitviel, maar hij kon er niets tegen doen. Hij voelde de magie nog steeds, voelde hoe het zijn koude vingers naar hem uitstrekte en hem besloop. Het had echter geen invloed meer op hem. *Dit is absoluut de meest afschuwelijke plek, waar we ooit naartoe gebracht zijn,* dacht hij, vervuld van afschuw. *Plaatsen als dit zouden voor altijd vergeten moeten worden.*

Niet lang daarna bereikten ze het hoofdkampement. De nieuwkomers keken neer op een zee van tenten, omheiningen voor de paarden en het vee, een smidse, vuurplaatsen en vele arena's waar driftig geoefend werd. Rowarn schatte het aantal soldaten op enkele duizenden. Het was moeilijk om in te schatten, want het was een constant komen en gaan. Er was een hele afdeling Dwergen, die hun krijgskoning luid begroetten.

Daar kwamen nog eens honderden dienaars bij die de wapens en de wapenrustingen in uitstekende staat hielden, het eten bereidden en uitdeelden, de gewonden verzorgden, zich om de paarden bekommerden en nog veel meer. Hier was het aandeel vrouwen veel hoger en Rowarn bewonderde over het algemeen genomen hun rossige wangen en de weelderige, in korset gesloken vrouwelijke vormen en hun vrolijke gezichten. Iedere keer als ze de trainende rekruten passeerden, wierpen ze hen schalkse blikken toe en wiegden met hun heupen, ongeacht het gewicht van de waterkruiken of de volgeladen korven.

Koning Noïrun werd meteen omringd en enthousiast begroet door officieren van de eerste tot en met de zesde rang, die belast waren met de opleiding van de rekruten en ook de toekomstige eenheden samen zouden stellen. Het duurde niet lang voordat de groep zich oploste, inclusief Olrig, en er hartelijke omarmingen en schouderkloppen werden gegeven en gelach weerklonk.

De nieuwelingen bleven wat verloren op de plaats achter en wachtten, netjes in het gelid weliswaar, op hun bevelen. Rayem en Rowarn stonden met hun paarden helemaal vooraan. De geluiden van de oefenende soldaten uit de dichtstbijzijnde arena hielden abrupt op toen ze de nieuwe rekruten in het oog kregen. Uiteindelijk maakten vijf jonge mannen zich los uit hun eenheid en kwamen met hun zwaarden voor de rekruten uit Inniu staan.

Een van hen was een geboren onruststoker; een grote, grofgebouwde jongeman van ongeveer twintig jaar. Hij was gespierd, wat hij ook graag liet zien, want hij droeg strakke kleding.

'Kijk nou toch eens,' hoonde hij met een grijns. 'Ze zijn er toch eindelijk, de nieuwkomers! En hoe netjes zien ze eruit in hun verloren waarde. Ze zijn maar amper uit de aardbodem tevoorschijn gekomen om over de graszoden te kunnen kijken!'

'Koning Blootsvoets en koningin Blauwgezicht uit het trotse dal Inniu, dat zo machtig is dat men het op geen enkele kaart terug kan vinden,' spotte de jongeman naast hem, duidelijk de nummer twee uit de groep. Hij wees naar Lohir en Ravia, het meisje met het blauwgeslagen gezicht, dat allesbehalve geheeld was. Kalem was als volgende aan de beurt. 'De beste vriend van de barbier, heer van de zwarte tanden!' vervolgens wees hij naar Rayem. 'En de hoogste van alle ridders, op de trouwste van alle vetgemeste werkpaarden!'

'En deze,' ging de raddraaier verder en wendde zich nu naar Rowarn, 'Is de heer en meester over iedereen, een edelman der varkensstallen, gebieder over spek en krulstaarten! En zijn zadel en tuig is ongetwijfeld zijn kostbaarste bezit, want hij heeft ze onzichtbaar getoverd!'

Er viel een verwachtingsvolle stilte. Rowarn was zich ervan bewust dat niet alleen zijn vier vrienden die het mikpunt waren hem aanstaarden, maar nagenoeg iedereen die in de buurt van de open plek stond. Hij zag Noïrun, die Morwens arm vasthield omdat die met een verbeten trek op haar gezicht naar hen toe had willen rennen. En hij zag Olrig, die een goed plekje uit had gezocht en doodgemoedereerd zijn pijp aanstak. Hij bekeek alle andere rekruten, soldaten en bevelhebbers, smeden en wie er ook nog meer waren en die zich nieuwsgierig om hen heen verdrongen.

Hij zuchtte. 'Goed dan.' Rowarn zwaaide zijn rechterbeen over de hals van Stormwind en gleed van zijn linkerkant naar beneden. Rayem sprong haastig van zijn ruin af. Rowarn wendde zich tot de rekruten, die achter hem en de andere vier in het gelid stonden.

'Staan blijven,' zei hij, hetgeen de plaaggeesten in een honend gelach en gefluit deed uitbarsten.'

'En hij is ook al bevelhebber!'

Rowarn fixeerde de rekruten in de eerste rij met zijn ogen en beval hen zwijgend om te blijven staan, de houding te bewaren en zich niet te bewegen totdat het hen bevolen werd. Ze knikten bijna onmerkbaar. Ze wilden tenslotte geen zwakte tonen en voor halve wilden aangezien worden. Ze hadden inmiddels een gevoel van trots ontwikkeld. Rayem en de anderen hielden hun stokken in de aanslag. Hij stelde zich voor hen op en wendde zich toen naar de blaaskaak.

'Wat zei je daar?' vroeg hij.

De raddraaier opende zijn mond, trok toen een verbouwereerd gezicht en wist geen antwoord te geven. Maar hij had zijn vriend nog. 'Dat heb je wel gehoord,' antwoordde hij. 'Of ben je wat doof en moeten we het nog een keer herhalen?'

'Ik wilde het alleen maar zeker weten,' zei Rowarn lachend. Hij gaf zijn vrienden een teken om dichterbij te komen.

De blaaskaak proestte het uit. 'Jullie willen soldaten zijn met die waardeloze stokken? Waar zijn jullie zwaarden?'

Rowarn maakte een afwijzend gebaar. 'Waarom zouden we die nodeloos gebruiken? In de juiste handen zijn deze stokken goed genoeg, tegen jullie zeker.'

Rayem en Kalem stelden zich rechts van hem op en Lohir en Ravia links. Hun ogen fonkelden, vol van verwachting, klaar om als een pijl uit een boog aan te vallen zodra het bevel kwam.

De raddraaier wees op Rowarns lege handen. 'En waar is jouw

stok?'

'Heb ik niet nodig,' antwoordde Rowarn opgewekt. Hij voelde de groeiende spanning om zich heen. Alles en iedereen concentreerde zich nu op hen.

Hij zou iedereen laten zien dat de mensen uit Inniu niet minder waren dan anderen, laat staan dommer, langzamer of onopgeleid.

Hij zag Jelim staan en knipoogde naar haar. Ze maakte hem met onopvallende gebaren duidelijk hoe hij te werk moest gaan, maar dat wist hij al. Ze hoefde zich geen zorgen te maken. Hij had de blaaskaak lang genoeg geobserveerd en wist precies wat zijn zwakheden waren – allemaal. Deze rekruut was een brutale en lompe slager, die alleen zijn kracht en gewicht inzette om met één slag te kunnen doden. Ergens anders lette hij niet op.

'Pak ze,' zei hij onverwachts.

Zijn vrienden hadden er op gewacht en reageerden onmiddellijk. Voordat hun tegenstanders goed en wel in de gaten hadden wat er gebeurde, werden ze teruggedreven door een wervelstorm van stokken. Toen ze vervolgens hun zwaarden wilden gebruiken, werden die eenvoudig gepareerd door de stokvechters en werden ze nagenoeg meteen ontwapend. Ze zetten de spitse punt van hun stok vervolgens tegen de kelen van de verliezers.

De raddraaier had amper kunnen volgen wat er was gebeurd, zo snel was het gegaan, en hij was woedend. 'Jij!' schreeuwde hij en rende met hoog opgeheven zwaard op Rowarn af. Het volgende moment beet hij in het stof, waar hij ruggelings en met kracht in terecht was gekomen. Rowarn stond over hem heen, met zijn laars schuin over zijn keel, terwijl hij het zwaard losjes in zijn linkerhand hield.

'Oeps,' zei hij grijnzend. 'Het ziet er naar uit, dat je gestruikeld bent.' Hij deed een stap terug, pakte het zwaard met zijn rechterhand beet, zwaaide het enkele malen door de lucht om het vervolgens naast de blaaskaak op de grond te gooien. 'Het is niet in evenwicht,' voegde hij eraan toe. 'Net als jij. Niet goed genoeg voor mij.'

Hij voegde zich bij zijn vrienden, die in een uitbundig gelach uitbarstten. Toen hij zijn blik vervolgens op een bepaalde man helemaal achterin de menigte richtte, zag hij de trots in de ogen van de koning.

Ook de rest van de honderdvijftig man van hun groep begon te juichen, terwijl de blaaskaak en zijn kompanen een terechtwijzing kregen van hun trainer, omdat ze zonder toestemming het oefenterrein verlaten hadden. Morwen wenkte de groep om haar te volgen.

De groep rekruten uit het verre Inniu had hun plaats in het leger van Ardig Hal hiermee verdedigd en werden welkom geheten in het land Valia.

Morwen scheen enorm opgelucht te zijn, dat de nieuwe groep de vorst niet te kijk had gezet en ook Jelim gaf toe, dat ze in korte tijd ontzettend veel geleerd hadden. Boven alles hadden ze aan zelfvertrouwen gewonnen en geloof in hun eigen kracht gekregen.

Diezelfde dag nog werd ieder van hen ingedeeld voor de training en daarmee kwam het eerste gezamenlijke optreden alweer tot een einde. Sommige vriendschappen zouden echter zonder meer behouden blijven.

Rowarn kon maar amper wachten om met zijn training te beginnen. Het schema had hij al gekregen en zijn werktijden met de koning overlegd. De komende dagen zou hij waarschijnlijk amper aan slapen toekomen, maar dat was al een tijdje het geval. Hij vond het niet erg, hij wilde tenslotte leren! Hij wist dat hij tegen de blaaskaak eigenlijk geen schijn van kans had gehad. Hij had slechts geluk gehad, omdat de ander hem onderschat had. Dat zou die knul zeker geen tweede keer doen.

Opgewonden pakte Rowarn het oefenzwaard, nadat hem verteld was dat de eerste training al deze middag gegeven zou worden.

Natuurlijk stonden er veel toeschouwers aan de rand van het oefenterrein te kijken, toen de 'groentjes', waaronder Rowarn en Rayem, voor het eerst het terrein betraden met hun zwaarden in plaats van houten stokken en in beschermende lederen pakken. De trainers wachtten hen al op en stelden zich voor aan hun leerlingen. Rowarn moest als eerste aantreden en met een grijze houwdegen een oefening doen. Hij maakte zich net gereed, toen er ineens 'Een ogenblik' werd geroepen.

De toeschouwers gingen uit elkaar en tot ieders verbazing betrad koning Noïrun de arena, zonder zijn wapenuitrusting maar wel met een bot oefenzwaard. De grijsaard trok zich direct met een buiging terug en de koning ging voor Rowarn staan.

'Val mij aan,' beval de vorst hem.

Rowarn kreeg het warm en koud en zijn hart ging als een razende tekeer. Zijn grootste wens ging in vervulling: hij zou door de vorst zelf getraind worden! Een grotere eer kon hij zich maar amper voorstellen, want de koning stond te boek als één van de beste zwaardvechters van Valia en van alle bevelhebbers van het leger van Ardig Hal, was hij de hoogste in rang. Alleen de legerheer van het leger van Ardig Hal, in wiens opdracht hij vertrokken was om rekruten te zoeken, stond boven hem. Zich te bemoeien met een beginneling, ook al was het zijn schildknaap, was iets dat een man van zijn rang maar zelden deed.

De menigte fluisterde en keek afwisselend met grote ogen naar Rowarn en de koning. Het maakte de jonge Nauraka niet uit, hij had alleen maar oog voor de grote ridder en concentreerde zich op de strijd.

De dagen gingen razendsnel voorbij, aangevuld met werken en oefeningen. Rowarn kreeg een uitgebreide training als ridder. Hij werd ook getraind om te vechten met de lans, in speerwerpen en boogschieten. Hij kreeg maar amper tijd om te slapen, maar hij was gelukkig. Zijn lichaam was ondertussen ook gewend geraakt aan de uitdagingen en hij voelde zich elke dag beter en sterker. Hij leerde ongelooflijk veel van de vorst, die niet alleen een meester in zijn kunst was maar ook een geduldige leraar met veel kennis om door te geven. Het werk met Stormwind bracht hem ook veel plezier, omdat zijn kleine, vaalgele paard zich met evenveel enthousiasme en ambitie ontwikkelde tot een uitstekend krijgspaard.

Natuurlijk was Rowarns uitzonderingspositie als schildknaap

voor velen een doorn in het oog, en zeker voor Moneg en Gaddo, de beide woordvoerders van het groepje blaaskaken. Ze lieten geen gelegenheid onbenut om hem belachelijk te maken. Meestal merkte Rowarn het niet eens. Hij was met belangrijker dingen bezig en wat anderen over hem zeiden, interesseerde hem amper. En al helemaal niet als er 's nachts een aangename afwisseling was in de vorm van Morwens heimelijke bezoekjes, alhoewel dat ten koste ging van zijn rusttijd maar tegelijkertijd veel meer ontspannend en opwindender was dan een diepe slaap. Als anderen jaloers waren, waarom zou hij zich daar druk om moeten maken?

Maar Moneg gaf niet op. Omdat zijn smalende opmerking en stemmingmakerij geen effect leken te hebben, groeide zijn haat tegen Rowarn alleen maar. Op een middag, toen ze in twee naast elkaar gelegen arena's aan het oefenen waren, waren zijn spitse opmerkingen niet van de lucht. Totdat de omstanders hem uiteindelijk duidelijk maakten dat hij op moest houden, hetgeen hem natuurlijk alleen maar woedender maakte. Iedereen werd nu slachtoffer van zijn beschimpingen. Ze moesten zich maar bij de rest van alle nutteloze watjes voegen.

Iedereen vroeg zich af hoelang Rowarn dit nog over zijn kant zou laten gaan, maar deze bleef rustig zijn rondjes maken met Stormwind.

Morwen, die net bezig was met de les, was uiteindelijk degene die ingreep. 'Moneg, hou eindelijk eens op,' zei ze streng. 'Rowarn is een van ons.'

'Hij is niet als wij!' reageerde Moneg giftig.

Uiteindelijk verloor ze haar geduld. 'Dat heb ik ook niet ge zegd! Zet die muizenhersens van je eindelijk eens aan het werk en luister goed! En ga nu verder met je oefeningen.'

Toen hij zich wilde verzetten, voer ze tegen hem uit: 'Dat is een bevel! Wil je het tegen een gardist opnemen? Wil je dat?' Haar hand lag op een lang mes aan haar gordel. Ze droeg nooit een zwaard. Dat had ze niet nodig.

Moneg twijfelde, verscheurd door boosheid en onzekerheid. 'Nee,' zei hij uiteindelijk en trok zich terug.

'Ga verder, Rowarn,' sommeerde Morwen hem. 'En hou op

hem voortdurend te provoceren!'

'Het feit dat ik er ben, is genoeg voor hem,' antwoordde Rowarn onaangedaan en spoorde Stormwind aan voor de volgende lansaanval, terwijl Mogen en Gaddo niet ver bij hem vandaan lomp op elkaar insloegen. Ze waren taaie vechters met een groot uithoudingsvermogen en fysiek sterk genoeg om zich tezamen met hun massa door de gelederen van een leger heen te werken. Maar ze bezaten niet de gratie en elegantie van Koning Noïrun of van de geringste van de ridders uit zijn schare. Voor hen was het zwaardvechten een kunst, waarmee ze meningsverschillen zonder bloedvergieten konden beslechten, omdat ze door snelheid en behendigheid hun tegenstander konden ontwapenen. Alleen in een serieuze slag gaven ze alles wat ze hadden en gingen ze over tot dodelijk geweld.

Rowarn concentreerde zich op zijn rijoefeningen en Stormwind werkte ijverig mee. Hij maakte een krappe bocht om de stokken zonder maar een moment zijn snelheid te verliezen en voerde zijn meester precies daar naar toe, waar hij moeiteloos een treffer kon plaatsen. Stormwinds geringe grootte en zijn korte, stevig gebouwde lijf waren hierbij een groot voordeel, zodat hij hierin zelfs de edele kopervos overtrof.

Ondanks dat ving Rowarn telkens weer flarden op van opmerkingen die de beide blaaskaken maakten als hij in hun buurt kwam. Juist door de berisping die ze van Morwen gehad hadden, konden ze het eenvoudigweg niet laten.

'Het is toch verbazingwekkend dat hij zich door een wijf laat verdedigen,' meende Gaddo.

'Hoezo?' antwoordde Moneg. 'Hij heeft toch geen keus! Hij wordt immers een salonsoldaat, die zich door dameshanden laat verwennen en de mooiste gedichten ten beste geeft!'

'Blijft de vraag over hoe lang zijn succes zal duren, omdat hij zich dan pas echt moet bewijzen!' lachte Gaddo en bewoog zijn heupen op aanstootgevende wijze.

De anderen rondom Rowarn hielden in en keken de Nauraka onzeker aan.

Rowarn hield Stormwind in.

'Hij kan zich nog zo voordoen als een heer en zich inbeelden de lieveling van de koning te zijn,' ging Moneg honend verder, zich niets aantrekkend van de waarschuwende blikken van de anderen. 'Hij blijft een ouderloze bastaard die door stinkende hoefbenigen opgevoed is, beesten die zich het liefst in hun eigen pis wentelen!'

Het was op slag stil, iedereen onderbrak zijn werk en staarde de domkop sprakeloos aan, die alweer zijn grenzen en de ernst van de zaak verkeerd ingeschat had. Zelfs Gaddo was geschrokken en deed een stap terug. Dit ging ook hem te ver.

Rayems stem weerklonk kort, die de veranderde en hem maar al te bekende blik in Rowarns ogen herkende. 'Oh,' zei hij onheilspellend. 'Niet goed.' Hij stootte Morwen aan. 'Snel, haal Olrig!' Ze begreep hem meteen en rende weg zonder verdere vragen te stellen.

Op dat moment explodeerde Rowarn. Zonder overgang sprong hij van de rug van zijn paard, nam een geweldige snoekduik van verschillende speerlengtes en ging als een razende storm over Moneg heen, voordat die ook maar met zijn ogen had kunnen knipperen. De kracht van de aanval smeet de knul omver en hij viel samen met Rowarn op de grond, die alweer voor hem op zijn benen stond en de grote, zwaargebouwde man moeiteloos optilde alsof hij een lege bierkroes oppakte. Met al zijn kracht ramde hij de kerel met gebalde vuist in het gezicht. Maar dat was nog niet genoeg, hij pakte Monegs arm, draaide hem om en wierp hem voor de tweede keer op de grond. Hij trok hem weer omhoog en liet toen een regen van slagen op hem neerkomen zonder dat de ander zich ook maar een moment had kunnen verdedigen.

Alles gebeurde razendsnel en geluidloos, afgezien van het gekreun van de aangevallene. Rowarns gezichtsuitdrukking was koud en star, zijn ogen waren als ijsblokken.

Waarschijnlijk had Rowarn Moneg met de volgende slagenregen doodgeslagen, als Olrig op dat moment niet ingegrepen had. De Dwerg kwam met een verrassende snelheid aangerend, sloeg zijn armen van achter om Rowarn heen en keek hem even aan. Met bruut geweld moest hij hem terugtrekken. Ondanks zijn berenkracht en lichaamsgewicht, kostte het Olrig moeite om de grotere, maar tengere jongen beet te houden. 'Rowarn!' riep hij. 'Hou op! Kom tot jezelf!'

Gaddo, Monegs beste vriend, staarde naar de plas met bloed waar Monegs verkrampte lichaam in lag. Vervolgens trok hij zijn zwaard en rende schreeuwend op Rowarn af, die zich nog steeds heftig tegen Olrig verzette, terwijl deze hem stap voor stap met zich meetrok. Toen Gaddo toe wilde slaan, trof diens zwaard op onverwachte weerstand en hij werd door de kracht van zijn eigen aanval teruggeworpen. Het zwaard gleed uit zijn krachteloze vingers en hij zakte in het zand. Kreunend hield hij zijn armen beschermend voor zich.

Koning Noïrun stond tussen hem en Rowarn, alsof hij ter plekke uit de grond was gerezen, het zwaard nog half opgeheven. Hij had de met beide handen uitgevoerde aanval slechts met één arm tegengehouden.

Iedereen stond als verlamd, de ogen vol ontzetting wijd open-gesperd.

'Olrig, breng de jongen naar mijn tent.' beval de koning met rustige stem. 'Jij,' en hij richtte zijn zwaard op Gaddo, 'neem je domme vriend mee en meld je bij de hospitaaltent. We spreken elkaar later.'

Gaddo haastte zich om te gehoorzamen. Hij stak zijn zwaard weg, nam de bewusteloze Moneg onder de oksels en sleepte hem met veel moeite weg. Zwijgend, maar duidelijk met walging, maakten de soldaten plaats voor hem. Niemand hielp hem toen hij meerdere malen struikelde.

De koning keek in het rond. 'En jullie,' ging hij verder. 'Ga verder, de voorstelling is ten einde.'

Toen niemand aanstalten maakte zich te verroeren, hoorde men voor het eerst de normaal gesproken rustige en gezagheb-bende vorst brullen. 'Nu!' riep hij, trillend van woede. 'Legerlei-ders, leermeesters! Is iedereen zijn plicht vergeten? Weten jullie niet meer wie hier de bevelen geeft? Moet ik iedereen nog bij-brengen wat *discipline* inhoudt?'

Bleek en geschrokken kwam er eindelijk beweging in de officieren. Ze liepen de arena's in en gaven hen aanwijzingen.

Rowarn nam alles waar als door een dikke nevel. Olrig had hem in de tent op een diepe stoel neergezet en daar zat hij, trillend en niet in staat om ook maar iets te zeggen.

De koning kwam binnen lopen, nam hem op en zei: 'Olrig, in hemelsnaam, geef hem snel wat van jouw ushkany, voordat hij in elkaar stort.'

'Natuurlijk, had ik meteen aan moeten denken,' bromde de Dwerg. Hij haalde de kleine metalen fles uit zijn wambuis, opende die en zette hem aan Rowarns lippen. De eerste slok liep gelijk weer uit zijn mond en droop langs zijn kin naar beneden. 'Je moet slikken jongen, dat kan je best.' Eindelijk bewoog zijn adamsappel en Rowarn slikte gehoorzaam.

'Heer', klonk Rayems stem vanuit de ingang van de tent en hij stak zijn roodblonde haardos naar binnen.

'Stoor ons nu niet!' De koning draaide zich om. 'Doet iedereen hier dan wat hij wil?

'N... nee heer,' stotterde Rayem schuchter. 'Ik wilde alleen maar zeggen ... vanwege Rowarn ... hij kan er niets aan doen. Als het over hem komt, heeft hij er geen controle over ...'

'En jij denkt dat dat alles verontschuldigt?' snauwde de koning. 'Ga terug naar je oefeningen!'

'Ja, heer. Dank u, heer.' Rayems hoofd verdween en Noïruns hoofd boog zich over Rowarn heen. 'Houdt hij de ushkany binnen?'

'Ja,' bromde Olrig. 'Dat hoopte ik al, het zou toch zonde zijn om een druppel van dit spul te verspillen.'

Rowarn knipperde met zijn ogen, vaag herkende hij het gezicht van de koning. Moeizaam, terwijl de krampen nog door hem heen schoten, bracht hij er uit: 'Het ... het ... het ... spijt me. Ik ... ik ...'

'Stil, stil,' zei Olrig zacht en legde zijn grote hand op zijn warme voorhoofd. De aanraking deed hem goed. Rowarn sloot zijn ogen en werd rustiger.

'Kun je iets zien?' vroeg Noïrun.

'Het is deze plaats,' bromde Olrig. 'Het is als gif voor hem. Mijn bladeren werken niet meer. Hij moet hier weg, Noïrun.'

'Ik wilde sowieso morgen opbreken.' Noïrun keek op toen Fabor binnenkwam, Monegs officier, en hij fronste boos zijn voorhoofd om de zoveelste storing.

'Ik kom net uit de ziekentent,' meldde die. 'Gebroken kaak, tot moes geslagen neus, ontwrichte schouder, een gebroken rib en een bloeduitstorting in zijn knie. Komt wel weer goed.' Hij wees naar Rowarn. 'Kan ik hem in mijn eenheid krijgen?' Hij trok zijn schouders op en grijnsde toen hij Noïruns gezichtsuitdrukking zag. 'Ik bedoel maar ...' Haastig bracht hij het tentlinnen tussen zichzelf en de koning.

Noïrun zuchtte en wreef zich over zijn bebaarde kin, terwijl hij een tijdje heen en weer ijsbeerde. 'Dat ontbrak er nog maar aan, dat onze eigen mensen elkaar naar de keel vliegen.'

'Dat is toch heel normaal bij zo'n grote groep,' meende Olrig verzoenend.

'Maar niet achter mijn rug om,' siste de koning. 'De een is genoeg gestraft en hopelijk wat wijzer geworden, maar wat diens vriend betreft ben ik nog niet zo zeker.'

Olrig hielp Rowarn rechtop te zitten. 'Gaat het weer?'

Rowarn knikte maar greep vervolgens naar zijn maag.

'Waag het niet om hier over te geven!' waarschuwde Olrig en had hem bijna de tent uit gegooid.

'Zo vaak gebeurt dat nou ook weer niet,' mompelde Rowarn. Hij worstelde een tijdje voor hij zichzelf uiteindelijk weer onder controle had.

'Nee, echt?' spotte de Dwerg. 'Bij jou zijn er toch maar twee mogelijkheden? Oftewel je irriteert iemand, of je kotst.' Olrig hield hem de fles voor. 'Neem nog een slok Ushkany, dat zal je goed doen en verdere schade voorkomen.'

Rowarn gehoorzaamde. Zelfs onder deze omstandigheden kon hij genieten van de smaak en de warmte die van het drankje uitging. Hij durfde het niet aan om de koning in de ogen te kijken. 'Ik had het jullie moeten vertellen,' zei hij beschaamd.

'Zeker, dat had je moeten doen,' stemde Olrig knorrig toe, nadat hij zelf ook een slok uit de fles had genomen. 'Ik heb het je in ieder geval van het begin af aan gezegd, Noïrun!'

'Het is al goed, mijn vriend,' zei de koning vermoeid. Hij keek Rowarn aan. 'Was het altijd al zo?'

Rowarn schudde zijn hoofd. 'Nog ... nog nooit zo erg. Maar ... het is, zoals Rayem gezegd heeft. Soms heb ik mezelf niet meer onder controle. Alsof een wild dier mij van binnenuit overneemt en ik als verlamd vanaf de achtergrond moet toekijken. Ik wilde Moneg verantwoording af laten leggen, maar ... niet zo.' Hij keek naar Olrig. 'Bedankt dat je me tegen hebt gehouden.'

Er stond medelijden en zorg te lezen in de ogen van de Dwerg. Hij sloeg kort op de schouder van Rowarn. 'Dit soort dingen gebeuren nou eenmaal, jongen, en dan is het goed dat er vrienden in de omgeving zijn. Je lankmoedigheid was sowieso al bewonderenswaardig. Ik had hem allang een pak slaag gegeven. De maat was vol en je had het volste recht om hem terecht te wijzen.' Hij keek Noïrun indringend aan. 'Vind je ook niet?'

De koning knikte bedaard. 'Iedereen heeft het recht zijn eer te verdedigen. Daarmee is deze zaak ook afgedaan, we konden het ergste tenslotte verhinderen. Rowarn zou natuurlijk nog een openlijk excuus van de beide heren kunnen verlangen, in zijn plaats zou ik daar echter vanaf zien.'

'Dat doe ik ook,' zei Rowarn berouwvol.

Olrig stond op. 'Dan ga ik pakken. Morgenvroeg?'

'Een uur na zonsopgang.'

Olrig knikte en verliet de tent.

'Ga nu,' zei de vorst tegen Rowarn. 'Blijf in je tent tot de ge moederen wat bedaard zijn.'

Rowarn stond op. Hij voelde zich ongelukkig en schaamde zich diep. 'Olrig had echt gelijk,' fluisterde hij.

'Het is al goed,' zei de koning en tot zijn verwarring zag hij hem even lachen. 'Pas goed op jezelf. Morgen verlaten we dit vervloekte oord.'

Die nacht werd Rowarn wakker, staarde een tijdje naar het duister in zijn tent en slaagde er niet meer in om de slaap te vatten.

Hij kleedde zich aan en ging naar buiten. In het oosten zag hij een magere maan aan de hemel staan. Ishtrus Tranen hadden de heerschappij over de hemel. Dunne sluierwolken trokken als een op en neer gaande band langs de maan, waardoor hij voller leek dan hij in werkelijkheid was. De lucht was fris dankzij de regenbui die de afgelopen avond gevallen was, maar de grond was alweer kurkdroog. Het vocht trok hier meteen in de grond waardoor nieuw leven geen kans kreeg, alleen het dorre en oude gras, de verdorde bosjes en enkele knorrige, oude bomen. Alles leek stil te staan, verstard als was het een schilderij, een stille waarschuwing.

Geruisloos bewoog Rowarn zich door het nu stille kamp. De kampvuren waren uit en iedereen had zich teruggetrokken. Al in de dauw van de ochtend zouden ze vertrekken. De garde en enkele rekruten die al meer als soldaten gezien werden zouden, evenals een karavaan met voorraden, koning Noïrun naar Ennishgar begeleiden en van daar uit naar Ardig Hal. De andere eenheden zouden daar eveneens naartoe marcheren, maar via een andere route. Femris moest niet voortijdig doorkrijgen dat er versterkingen onderweg waren en hoe sterk de troepen in werkelijkheid waren.

Jelim en Rayem werden van elkaar gescheiden, want hij was bij Fabor ingedeeld omdat Moneg voor een tijd uitgevallen was en Gaddo gedegradeerd was tot de laagste rang en zich helemaal in de achterhoede bevond. Rowarn was verbaasd dat de relatie tussen hen nog steeds standhield, terwijl ze helemaal niet bij elkaar leken te passen. Het zag er naar uit dat ze echt van elkaar hielden. Koning Noïrun had hun relatie tot nu toe stilzwijgend geaccepteerd, hetgeen Rowarn in hem waardeerde, omdat ze uiterst discreet waren en buiten hun vriendenkring niemand iets had gemerkt. Maar misschien dat hun liefde toch een reden voor de scheiding was.

Rowarn liep langs de kampvuren die nu bijna uit waren en uiteindelijk voorbij de laatste fakkels de nacht in. Pas toen de fakkels nog slechts kleine puntjes in de nacht waren, bleef hij staan en keek om zich heen. Toen hij de titanenslag had gezien in zijn visioen, was de dag amper helderder geweest. Hij dacht weer het dreunen en stampen te horen, het kletteren en schreeuwen en de contouren van de reuzenschepsels schoven voor hem voorbij.

Het was amper te geloven dat de herinnering hier nog steeds aanwezig was, als een boze vloek, want dat was het eigenlijk: een eeuwig gedenkteken van verschrikkingen die hun gelijke nooit meer zouden kennen. Goden en Demonen, onsterfelijken, draken en de Oude Volken... Rowarn huiverde. Geen wonder dat Olrig de herinnering hieraan liever verbande, omdat zijn volk erbij aanwezig was geweest.

Hij had de Dwerg gevraagd wanneer de mensen op het toneel verschenen waren. 'Veel later, ze leefden toen in de Wilde Landen, helemaal onderin het zuiden, in de woestenij,' had Olrig geantwoord. 'De mensen van Woudzee behoren tot de eerste mensen, ze werden niet geschapen zoals de latere mensheid, maar gegrondvest door grote helden als Eldaron en Eldamar. De eerste mensheid vind je alleen maar hier en in een andere, jongere wereld.'

'Dan hebben ze dus niet deelgenomen aan de slag,' concludeerde Rowarn.

'Nee,' had Olrig geantwoord. 'Ze waren niet aanwezig bij de ergste van alle slagen.'

Hoe lang was het nu geleden dat deze slag plaats had gevonden? Eldaron en Eldamar waren al vele duizenden jaren heengegaan en de herinneringen aan de gebeurtenissen op deze plaats waren nog steeds zo helder ...

Rowarn kromp in elkaar toen hij een geluid hoorde. Een zware, ratelende ademhaling, een snuffelend en snuivend geluid. Iets bewoog zich zwaar en traag over het veld. Hij bleef doodstil staan en keek rond.

Toen zag hij haar. Een vrouw, minstens een kop groter dan hijzelf. Haar huid was bleek en bijna doorzichtig en werd amper bedekt door de flarden van een donker gewaad. Ze ging blootsvoets en was zo schrikbarend mager, dat je haar botten overal doorheen zag steken. Haar zwarte haren hingen in warrige slierten en waren amper te onderscheiden van de resten van haar kleding. Met grote donkere ogen, waar geen wit meer in te zien was, zocht ze de grond af. Ze bewoog zich op een merkwaardige wijze over de braakliggende grond, alsof ze over een nieuw slagveld liep, uitweek voor hindernissen en over doden heenstapte, en zocht ... Bij iedere stap moest ze hoesten en haar lichaam kromde zich. Ze moest oeroud zijn.

Een hete wind waaide plotseling over het veld, omhulde Rowarn en drukte zwaar op zijn borst. Tegelijkertijd merkte hij hoe ijskoude, magische vingers hem bekropen en hij voelde de doden weer om zich heen. Het leek alsof hij verplaatst was, zich niet meer in de wereld bevond die hij kende, maar ergens tussenin. Niet in het verleden, maar ook niet in het heden.

Hoe langer hij de vrouw bekeek, hoe beter hij haar bizarre bewegingen begreep en het werd steeds duidelijker wat er in haar gedachtewereld omging. Ze doorzocht de zakken van één van de gevallene, trok hem aan de haren omhoog om zijn gezicht te kunnen zien, opende het vizier van een helm waarin zich een afgeslagen hoofd bevond, tilde armen en benen op, schudde eraan. Daarbij snoof en rochelde ze en liet telkens weer haar blik over het veld gaan, sloeg ineens een andere richting in en bleef maar zoeken.

En toen verstijfde ze ineens en haar levenloze ogen keken precies in de richting van Rowarn en hij greep naar zijn borst, toen hij een ijskoude en stekende pijn in zijn hartstreek voelde.

Ze had hem gezien.

Langzaam liep ze naar hem toe.

Rowarn wilde zich omdraaien en weglopen, terug naar het kamp, maar ze had hem in haar ban met die onmenselijke lege ogen, terwijl ze langzaam naar hem toe hinkte en daarbij alle hindernissen overwon die er in werkelijkheid niet meer lagen. *Wat wil ze van mij?* dacht Rowarn in paniek. Hij zag hoe haar zwarte lippen zich vertrokken in een tandeloze, dodelijke grijns, zeker dat ze hem binnen enkele ogenblikken gevangen zou hebben. Het leek ... alsof ze met hem wilde praten.

Voordat het echter zover kwam, stond er plotseling iemand naast hem, gooide een schoudermantel over hem heen en een capuchon over zijn hoofd. Het was Olrig. 'Heel stil nu, jongen,' fluisterde hij gejaagd en een onkarakteristieke angst klonk duidelijk door in zijn stem. 'Verroer je niet en hou in godsnaam je adem in ... probeer weg te kijken, concentreer je op mij ...'

Rowarn gehoorzaamde. Hij moest een beroep doen op al zijn krachten om zijn hoofd weg te draaien en de Dwerg aan te kijken. Zijn knieën knikten plotseling en hij begon te klappertanden toen het hem duidelijk werd hoe dicht hij bij de dood gestaan had ... en dat het nog niet voorbij was. 'Wie is dat?' fluisterde hij bijna onhoorbaar.

'De Eliaha,' antwoordde de krijgskoning zacht. 'Sinds de veldslag dwaalt ze hier rond. Er zijn vele vermoedens over waar ze naar zoekt. De een houdt haar voor een lijkenrover, anderen menen weer dat ze vervloekt is, omdat ze het kostbaarste bezit van de doden roofde en het daarna niet meer teruggeven kon om zo verlost te worden. Romantici denken weer, dat ze op zoek is naar haar geliefde, omdat ze nooit afscheid hebben kunnen nemen van elkaar. Hoe dan ook, de waarheid zullen we nooit weten, behalve dan als we ons door haar schemerige aanwezigheid laten verleiden. Men zegt namelijk ook dat ze zielen vangt, kwelt en verorbert. Menigeen is hier voor altijd spoorloos verdwenen ...'

De Eliaha volhardde. Haar ogen keken zoekend in het rond en ze snoof driftig de lucht om haar heen op.

Olrig ging verder: 'Ze is een Dodengeest, zoals men er zoveel op de velden van de gevallenen vindt. Ik weet niet hoe je haar op jouw aanwezigheid opmerkzaam gemaakt hebt, maar je moet van nu af aan je mantel niet meer vergeten. Deze contreien zijn gevaarlijk, hoe leeg en eenzaam ze er ook uit mogen zien.'

'Ik heb het gemerkt,' bromde Rowarn. Hij wreef over zijn slapen en probeerde de hevige hoofdpijn die hem ineens overviel, te verdrijven.

De Eliaha verwijderde zich weer en zette haar treurige zoektocht ergens anders voort. Olrig stootte Rowarn aan. 'Kom, dan lopen we een stukje terug, verder weg uit haar machtsbereik.'

Rowarn was het helemaal met hem eens, de hoofdpijnen werden bijna ondraaglijk. Vlak voor de fakkelgrens bleven ze staan, hier was het een stuk beter. De lucht rook fris, de sluierbewolking rondom de maan trok op en Ishtrus Tranen blonken weer. 'Je hebt me alweer gered,' zei hij toen verlegen.

Olrig lachte en zijn tanden blonken door zijn woekerende baard heen. 'Ik word ook iedere keer weer hier naartoe gedreven,' zei hij. 'De herinneringen aan de Dwergen, begrijp je? Mensen kunnen alleen maar de energieën die hier zijn bespeuren en er kracht uit putten. De Eliaha is onzichtbaar voor hen, want zij waren er niet bij.'

'Ik ook niet,' wierp Rowarn verbaasd op.

'Misschien moet je daar eens over nadenken. Waarom heeft de Eliaha jou gezien? Hoe vaak ik hier ook geweest ben, mij heeft ze nog nooit opgemerkt.'

'Waarom zou dat van belang zijn voor mij?' antwoordde Rowarn heftiger dan hij bedoeld had.

'Het is al goed,' suste Olrig. 'Ik wil niet in je ziel graven. Het is jouw zaak, wat je met je afkomst wil gaan doen.'

Rowarn zuchtte. 'Je hebt een nogal onverbloemde inborst, krijgskoning.'

Olrig lachte. 'Het is de aard van de Dwergen, mijn jonge vriend. En omdat we nu toch vaak samen zullen zijn, wil ik je vragen om niet meer zo formeel tegen me te doen. Dat is bij ons Dwergen, niet gebruikelijk. Wij gaan ongecompliceerd met elkaar om. Jij bent nu soldaat en we zijn nu al een tijdje met elkaar onderweg. Begrepen?' Hij had zijn hand uitgestoken naar Rowarn.

Die kon nog niet bevatten dat hij nu ineens zo met de krijgskoning mocht praten, als was hij diens gelijke.

'Zo ver komt het ooit nog wel,' bromde Olrig en grijnsde toen Rowarn hem verbijsterd aanstaarde. 'Jouw gedachten zijn een open boek, boomaapje, ik heb geen magie nodig om ze te lezen. We praten als vrienden met elkaar en als strijdmakkers, want dat zijn we.'

Rowarn pakte gloeiend van trots en blijdschap zijn hand beet en verbeet een kreun toen Olrigs knuist hem bijna fijn drukte. 'Het is mij een eer,' zei hij stralend maar met een wat pijnlijk vertrokken gezicht.

'En nu moeten we snel teruggaan en minstens nog enkele uren gaan slapen voordat de chaos uitbreekt. Wat denk jij?'

'Ik denk dat dat geen slecht idee is. 'Bedankt voor ... voor alles, Olrig.'

Het was echter niet zo eenvoudig om dit moment te verlaten. Van nu af aan zou de slachting van de Titanen hem in zijn dromen blijven vervolgen, bijna iedere nacht. Net als de huiveringwekkende ogen van de Eliaha, die nooit zouden ophouden met hun zoektocht naar hem.

HOOFDSTUK 11

Ennisghar

Twee dagen later bereikten ze de stadsmuren van Ennisghar en Rowarns hart ging sneller slaan. De hoofdstad van het Dwergenvolk was aan de voet van een heuvel gebouwd en groeide gestaag. Intussen had de stad al de helft van de heuvel bereikt en enkele velden op de vlakte overwoekerd. De oorspronkelijke nederzetting had aan een rivier gelegen, nu ging hij er dwars doorheen. Zo ver het oog reikte, was Ennisghar omgeven door bouwland met veel windmolens die in deze omgeving genoeg aandrijvingmogelijkheden hadden. Langs de zijarmen van de rivier, die vanuit het noorden in oostelijke richting door Ennisghar trok, stonden overal water raderen die het water opvingen. Hiermee dreven de Dwergen onder andere hun smidsen aan en irrigeerden ze hun land, want Valia was een droog gebied waar het maar weinig regende.

Ennisghar zelf was opgetrokken uit steen, met massieve huizen die allemaal een burcht op zich leken, met erkers en torens en smalle wandelgangen tussen de groene dakterrassen. Een brede boulevard, met beelden en bomen omzoomd, voerde naar het huis van de burgermeester in het centrum van de stad. De gedeeltelijk steile en smalle steegjes waren net als de hoofdstraat met kinderkopjes verstevigd en grote olielantaarns zorgden 's nachts voor de verlichting. De stadsmuren waren dik en hoog met inkepingen in de omlopen voor de olieketels. Iedereen die tot op heden had geprobeerd om de stad te veroveren, had een nederlaag moeten incasseren.

Lomhim was de heerser over Ennisghar. De Ennish stond hoog in aanzien en was invloedrijk, mede dankzij het feit dat zijn voorouders ongeveer drieduizend jaar geleden de eerste stenen van de stad gelegd hadden. Ennisghar was schatplichtig aan de koning in Gandur, maar verder onafhankelijk. De stad was geliefd bij de handelaars, maar voor alles geliefd dankzij zijn kunst en oorlogstuig.

De stad bezat zo'n de driehonderdduizend inwoners en daar kwamen nog eens rond de vijftig- tot honderdduizend vreemdelingen bij – handelaars, afnemers, reizigers, nomaden, circusartiesten, huurlingen, soldaten, ridders en werkzoekenden.

'Ik dacht altijd dat Dwergen het liefst in de bergen woonden,' meende Rowarn.

'Hoe kom je daarbij?' antwoordde Olrig verbaasd. 'Daar is geen licht, het is koud en vochtig. We werken deels ondergronds, maar we wonen er echt niet.' Hij onderdrukte een rilling. 'Dat zou een marteling zijn voor mijn beenderen! Mijn lieve jongen, jij hebt geen idee hoe verfijnd de geest van een Dwerg is, omdat we zo grof en lomp overkomen op magere jongens zoals jij. Maar vergis je niet!'

Koning Noïrun stuurde zijn troepen om Ennisghar heen om zuidelijk op een van tevoren afgesproken plaats hun kamp op te slaan, totdat Olrig en hijzelf hen daar weer zouden treffen.

'En jullie nemen me mee naar de stad?' Rowarn was zo blij, dat hij het bijna niet kon vatten.

De koning zuchtte bij de zo onzinnige vraag. 'Je bent mijn schildknaap, mijn persoonlijke lijfknecht. Natuurlijk ga je mee. Het wordt tijd dat je wat van de wereld ziet.'

De manschappen en vooral de nieuwbakken soldaten morden, want zij wilden ook naar de stad om hun karige soldij uit te geven. Noïrun vond het te gevaarlijk. 'In Ennisghar zijn teveel ogen en oren die Femris voortijdig informatie zouden kunnen doorspelen wat ons voordeel teniet zou doen. We hebben slechts een korte afspraak. We zullen hier niet lang blijven en komen morgen alweer terug.'

Uiteindelijk sloten wel twee mannen uit het gevolg van Noïrun met een vrachtkar aan, die nog dezelfde dag met hun inkopen terug zouden keren naar het kamp. In ieder geval met een kleine compensatie, want ze zouden enkele bijzondere lekkernijen meenemen voor de soldaten.

Er was slechts één toegang tot de stad, een zware ophaalbrug over een gracht. De ingang werd door vier goed uitgeruste Dwergen bewaakt, er was echter geen strenge controle, zodat het drukke verkeer probleemloos kon doorstromen.

'Het oog van een Dwerg ziet niet ver onder gebruikelijke omstandigheden,' merkte Olrig op. 'Maar we kunnen dwars door mensen heenkijken. Dat is beter dan het doorzoeken van wagens. We vragen pas tol bij verkopen, samen met tienden.'

'Worden er niet veel zaken verduisterd?' vroeg Rowarn verbaasd.

De krijgskoning grijnsde. 'Lomhim heeft zijn mensen overal zitten. Ze kijken toe en we doen steekproeven en de straffen zijn hoog. Wie langdurig zaken wil doen in Ennisghar, kan maar beter goed uitkijken. Anderzijds hoeft niemand belasting of tol te betalen die geen succes heeft, dus kunnen ook de armen hier hun geluk beproeven. Tot nu toe gaat dat goed.'

Er was een constante stroom in beide richtingen, hoofdzakelijk Dwergen en mensen en nakomelingen van de Ouden. Rowarn zag ook onbekende wezens uit verre landen.

Afgezien van enkele vloeken, trok niemand zich er wat van aan toen de koning en zijn begeleiders zich te paard door de menigte in de hoofdstraat werkten. Noïrun en Olrig hadden hun uitrusting en wapenhemden afgelegd en droegen onopvallende reiskleding met cape. Ook de paarden hadden slechts een eenvoudig tuig en zadel, zodat niemand acht op hen sloeg. Rowarn, die achter hen reed, keek zijn ogen uit.

De straten voerden hen steeds weer naar pleinen waar markten werden gehouden, maar ook optredens van acrobaten en zelfs kleine theaters waren. Redenaars balanceerden op kleine podia en deden zich belangrijker voor dan ze waren, terwijl ze over de verschrikkelijke toestanden in de stad en het land klaagden, de hoge belastingen en de tol en hoe ze alles beter zouden doen als men hen de kans gaf. Rijke handelshuizen hadden hun waren in grote hoeveelheden uitgestald, gedeeltelijk beschermd door glas, maar ook door wachters. Ze maakten reclame voor hun goederen met grote wapperende banieren. Er waren waslijnen bovenin de smalle steegjes gespannen, waar de meest bonte stoffen aan hingen en bloemen versierden de vensters.

Olrig, die de leiding over had genomen, leidde zijn schimmel trefzeker door de wirwar van steegjes, waardoor Rowarn al snel het overzicht was verloren. Ennisghar was zeker twee keer zo groot als Madin en leek wel op een doolhof. Hier de weg vinden moest welhaast een levenswerk zijn. Rowarn had in welk bos dan ook makkelijker zijn weg gevonden.

De paardenhoeven klepperden op de stenen en Stormwind gleed zelfs enkele malen uit. Hij was duidelijk geen stenen ondergrond gewend en hij snoof regelmatig verbaasd. Zijn oren draaiden levendig en nieuwsgierig van voor naar achter. De schimmel en de kopervos scheen het allemaal niets te interesseren, ze hadden dit vaker gezien.

Olrig stak een klein pleintje met een fontein en een poppentheater over, waar voor een groep kleine kinderen juist een spannend sprookje opgevoerd werd, en bleef voor een hoekhuis staan. Er hing een uitnodigend metalen schild, het teken van een wapensmid. Een jongen van ongeveer zes jaar kwam vanuit een zijingang meteen naar hen toegelopen.

'Voor een kwartdraak verzorg en bewaak ik uw paarden, edele heren!' bood hij ijverig aan en wees naar een stal in het steegje ernaast.

'Dat aanbod nemen we graag aan,' zei Olrig. 'En ik geef je nog een kwartdraak omdat we hier tot morgen zullen blijven en de paarden dan pas weer ophalen.' Hij wierp de jongen een halve zilverling toe, die de jongen behendig en met oplichtende ogen opving.

'Bedankt, heer! U zult geen reden tot klagen hebben!'

'Kunnen we daarop vertrouwen?' vroeg Rowarn fluisterend aan de Dwerg toen hij afsteeg en zijn schamele bagage op zijn schouders nam.

'Hier, jazeker,' antwoordde Olrig. 'Deze kleine bengel is Lokib, de jongste zoon van mijn zus, die deze zaak drijft. Hij kan zich mij niet herinneren, omdat hij nog een snotneus was toen ik hier voor het laatst was.'

Rowarn keek er naar uit om wat meer over Olrig te weten te komen. 'Jij hebt een zus?'

'Twee,' bromde Olrig. 'En drie broers. Een verschrikkelijk grote familie, moet je weten. Mijn zus Kala is hier getrouwd en heeft de Kúpir verlaten om bij de Ennish te gaan wonen.'

Ze gingen het huis binnen door de voordeur. Rowarn keek verbaasd naar de grote hoeveelheid wapenrustingen, helmen, wapens en kledingstukken waar de ruimte mee volgestouwd was. Een vrouw kwam vanuit de achterkamer op hen aflopen. Ze had de typische krachtige lichaamsbouw van een Dwerg, doch met bevallige, vrouwelijke vormen. Haar lange, grijzende haar was op kunstige wijze op haar hoofd in elkaar gevlochten. Ze had een breed en goedmoedig gezicht met rossige wangen en ogen die nog blauwer waren dan die van Olrig en glansden als zuivere saffieren. Een lach gleed over haar gezicht toen ze haar broer herkende en ze omarmde hem hartelijk.

'Olrig, mijn lieve broer. Wat een verrassing om jou weer te zien! Waarom heb je niet gezegd dat je zou komen? Ik had graag wat voorbereid!'

'Niet in deze tijden, mijn lieverd, en dit is ook niet echt een bezoek,' antwoordde Olrig en kuste haar teder op haar beide wangen. 'Je ziet er prachtig uit!'

'Dat kan ik ook van jou zeggen, mijn dierbare broer. Je bent onder de mensen nog niet vergeten om een Dwerg te zijn – oh, ik smeek u mij te verontschuldigen, koning Noïrun. Wat onbeleefd van mij om u nu pas op te merken! Wat een eer om u weer in mijn kleine zaakje te mogen ontvangen.' Ze schudde krachtig de hand van de koning, die haar groet met een lach beantwoordde. Toen sloeg ze kletsend in haar handen. 'Maar zoals je al zei, Olrig, is dit geen hoffelijkheidsbezoekje, dus waar kan ik je mee helpen?'

'Met jouw goed geprijsde wapenrustingen, zoals er geen betere te vinden is in heel Valia,' antwoordde Noïrun en wees op Rowarn. 'We hebben een goede uitrusting nodig voor mijn schildknaap.'

Rowarn kreeg een ogenblik geen adem en staarde zijn heer twijfelend aan.

Kala richtte meteen al haar aandacht op hem. 'Oh, je brengt me in vervoering! En nog zo'n knappe jongen ook, het is me een genoegen!' Ze liep onderzoekend om hem heen, wat voor zich uit mompelend, onderzocht hem van boven tot onder. Toen knikte ze. 'Geen enkel probleem. Ik denk dat ik wel wat passends heb liggen. Misschien dat ik het één en ander moet aanpassen. Hij heeft een geweldig figuur, alhoewel, naar mijn smaak wat te mager.' Ze knipoogde schalks. 'Ik prefereer zelf meer een statige verschijning als de uwe, mijn vorst!'

Noïrun boog zich lachend over haar hand en bracht deze naar zijn lippen. 'Eerwaarde dame, u eert mij met uw compliment. Ik maak mij echter zorgen om mijn gezondheid, mocht uw gemaal hierachter komen!'

Ze lachte net zo dreunend als haar broer. 'En ook nog zo galant! Maar genoeg gekheid, een ogenblik geduld alstublieft, terwijl ik alles regel wat nodig is voor een goede pas-sessie.'

Ze verdween achter haar uitgestalde spullen.

'Maar heer ...'

'Als mijn schildknaap heb je recht op een goede uitrusting,' viel de koning hem in de rede. 'De anderen krijgen hun uitrusting in het kamp bij Ardig Hal, maar dat is niet de bedoeling voor jou. Olrigs zus heeft de beste smidse in dit opzicht, met de uitstekende kwaliteit van een Dwergenhand. Er is nou eenmaal niets beters. Men zou mij maar voor een armzalig man houden, als ik mijn schildknaap als een bedelaar rond liet lopen en me vol medelijden voortaan links laten liggen.'

Olrig proestte het uit. 'Zeker, mijn beste. En erger nog: men zou je voor een gierigaard houden! Wie zou zo'n man volgen? Hem ondersteuning verlenen en naast hem aan zijn dis plaatsnemen?'

Rowarn zweeg verbluft. Dat klonk inderdaad wel zinnig. Vervolgens werd hij opgemeten en moest hij vele stukken uitrusting passen, tot tenslotte alles naar tevredenheid paste. Ze zochten een donkere, lederen uitrusting uit, inclusief wapengordel, een lang mes en tenslotte een zwaard dat Rowarn vol ontzag vasthield. Het was niet te vergelijken met de oefenzwaarden die hij tot op heden gebruikt had. Dit wapen was voor hem gemaakt, het lag licht in de hand, was perfect in evenwicht en uiterst scherp geslepen. *Net als voor een ridder*, dacht hij trots en kon het nog steeds maar amper geloven.

'Morgenvroeg kunnen jullie alles afhalen,' beloofde Kala.

'Dat komt ons zeer goed uit,' merkte de koning tevreden op.

Vervolgens trokken ze te voet de stad in, waarbij Rowarn vaststelde dat de meeste bedrijven door vrouwen geleid werden.

'Ja,' verklaarde Olrig. 'De vrouwen hebben bij ons inderdaad het beste zakeninstinct, de mannen daarentegen zijn meer de handwerkers en kunstenaars.'

Noïrun wees op een gebouw dat uit meerdere verdiepingen bestond en dat door zijn formaat makkelijk te herkennen was als herberg en café, met de aangrenzende stallen en het trotse schild dat een zwarte ridder op een steigerend paard toonde – en dat was tevens de naam van dit gastvrije huis, *De Zwarte Ridder*. 'Hier zullen we overnachten.'

Het was inmiddels al laat in de middag, het dagelijkse werk was zo goed als gedaan en van het oorspronkelijke elan dat 's ochtend over de stad geheerst had, was niet veel meer over. Het was tijd om thuis de lichten te ontsteken, te gaan genieten van het hoofdgerecht en ontspannen een pijp te roken, ondertussen luisterend naar de nieuwtjes en gebeurtenissen van die dag en plannen makend voor de volgende dag.

'Een uitstekende keuze!' vond Olrig.

'We moeten het toch in de familie houden,' grijnsde Noïrun.

Rowarn bekeek zijn meester met verbazing. Hij had hem nog nooit zo opgeruimd en ... *menselijk* gezien. Hij was helemaal niet de strenge bevelhebber die constante discipline vereiste. Die serieus, koel en onbenaderbaar was. 'Nog meer familie, Olrig?' vroeg hij nieuwsgierig.

De Dwerg knikte. 'Een werkelijk unieke peettante die deze herberg leidt. De montere weduwe van mijn overleden neef van mijn vader die op nogal domme wijze in de molen verdronk toen hij probeerde een handstand te maken op één van de wieken zodra deze zijn hoogtepunt bereikte.'

'Zo stierf hij echt?' riep Rowarn.

'Het was een ijdele kerel, een juwelensmid, behangen met talloze kettingen. Hij kwam in de knoop te zitten en kon zich niet meer bevrijden. Vervolgens werd hij ondergedompeld en verdronk toen het rad bleef steken, want hij was ook nog eens behoorlijk dik.' Olrig grinnikte. 'Maar de weddenschap om de Ushkany had hij desondanks wel gewonnen!'

'Dat klopt,' bevestigde de koning. 'Niemand heeft zoveel gepresteerd in een half uur tijd als hij. Alleen heb ik hem die handstand wel eens beter zien doen.'

Rowarn schudde zijn hoofd toen de beide mannen in lachen uitbarsten. Ze vonden het verschrikkelijke ongeluk blijkbaar uiterst grappig. 'Maar die arme vrouw!'

'Je zult zo meteen zien, hoe "arm" ze in werkelijkheid is.' Olrig opende de zware eiken deur, liep naar de ontvangstbalie en sloeg hard met zijn vuist op het houten blad. Binnen was alles rijkelijk van hout voorzien en in alle hoeken waar de zon niet kwam, stonden kaarsen. De stralen vielen door bontgekleurde ramen en verspreidde een vriendelijk, schemerig licht. 'Hé daar! Is dit een herberg of een begraafplaats? Hier zijn enkele hongerige gasten die er ook nog eens voor willen betalen!'

'Het is alleen maar voor fatsoenlijke gasten!' kwam het schallende antwoord. Vervolgens verscheen een Dwergin en Rowarn bleef met open mond staan. In Madin hadden nogal wat mensen beweerd veel over Dwergen te weten, vooral van de Dwergvrouwen die overal bekend stonden vanwege hun afzichtelijke uiterlijk. Kala en de vele Dwergenvrouwen die hij in de straten van Ennisghar had gezien hadden hem het tegendeel al bewezen, maar deze vrouw beroofde hem van zijn adem.

Natuurlijk was ze klein en had een stevige bouw, maar ze was een ontzettend aantrekkelijke verschijning, hetgeen ze door haar kledingkeuze nog eens wist te accentueren. Zoals de meeste Dwergenvrouwen had ze lang en dik haar dat bijna tot aan de grond reikte. Er moesten echter vele uren in het kapsel zitten, zo kunstig was het. Haar handen en de bevallige hals met de verrukkelijke kuiltjes tussen de sleutelbeentjes, waren met ringen en kettingen behangen. Juwelen sierden haar mooie oren, zelfs haar taille en haar gracieuze sandalen, waar haar blote voeten in staken. Haar gezicht was zacht en rozig als een perzik in zijn volle rijpheid. Haar humorvolle ogen die ondeugend fonkelden, waren groot en groenbruin. Ze straalden vrouwelijkheid uit, bloeiend en vol gevoel. Betoverend als een prachtige roos.

'Olrig!' riep ze met een rokerige altstem en sloot de Dwerg in haar zachte armen, die Rowarn ook maar wat graag om zich heen had gevoeld.

'Mijn liefste Larinda,' dreunde de Dwerg en trok haar omhoog tegen zich aan.

'Nog mooier dan voorheen! De enige reden waarom iedereen hier naartoe komt en vrijwillig hun geld aan jou geeft – maar vertel me eens, ruik ik niet de wonderbare geur van waterhertgebraad en maltbier vanuit de keuken?'

'Alsof ik het wist!' antwoordde ze. 'Alles om het jou naar je zin te maken, mijn fijnproever, die zijn buik gelukkig goed verzorgt. De trots van de familie!'

Noïrun spreidde zijn armen. 'En ik, krijg ik geen kus van de mooiste gastvrouw aan deze kant van de gouden stroom? De grote liefde van mijn leven?'

Rowarn geloofde zijn oren niet. Hij had zijn heer nog nooit met een vrouw zien flirten. Tegelijkertijd zag hij dat Larinda's ogen oplichtten. Een licht, zo wist hij, dat bij vrouwen slechts in bijzondere omstandigheden te zien was en dat verbaasde hem nog meer. Toen ze naar de vorst toeliep en zich door hem liet omarmen, gaapte hij hen nog steeds aan, omdat ze elkaar ongegeneerd en nou niet echt als broer en zus in alle openheid kusten. Rowarn wist niet wat hij ervan moest denken. Hij moest zijn mening wat betreft de koning herzien. Een gevoel van afgunst kon hij niet onderdrukken.

'Van mij krijg je alles, mijn wonderbare vertrooster, maar dat weet je best,' zei Larinda spinnend en kuste Noïrun nogmaals teder op zijn mond. Nadat Olrig met het nodige lawaai op zijn voeten heen en weer wipte, veranderde ze weer in de bekwame waardin. 'Maar vertel, hoeveel kamers hebben jullie nodig?'

'Heb je dan eenpersoons kamers?' vroeg Olrig verrast.

'Vanzelfsprekend. Het zijn slechts kleine kamers, maar je hebt wat meer privacy, mijn lieverd. Mijn gasten maken er graag gebruik van en ik ben beslist niet de enige. De tijd is niet stil blijven staan en het is lang geleden dat je hier in de stad was.' Ze keek hem schalks aan en lachte fijntjes. 'Ik kan jullie aan elkaar grenzende kamers geven en ik zal een mooie prijs voor jullie rekenen, dat spreekt voor zich.'

'Dan nemen we drie kamers,' antwoordde Noïrun en wees naar Rowarn. 'Mijn schildknaap Rowarn, hij hoort bij ons.'

'Ah, kijk nou toch. Een gast uit een ver land,' zei ze en bekeek Rowarn met een scherpe blik. Hij had het gevoel dat ze diep in zijn binnenste keek, helemaal volgens de aard van de Dwergen. En achter die blik in haar ogen zag hij ... wijsheid. De rust van een rijke schat aan ervaring en kennis. Alhoewel Hallim uit Madin bekend stond als een intelligent man, werd het grote verschil tussen een mens en een Dwerg hem duidelijker. Dwergen waren wezens met een grote diepgang, maar werden door hun uiterlijk zwaar onderschat.

Larinda lachte. 'Een goede keuze, Noïrun.' Ze wees naar een grote deur aan de linkerkant, vanwaar geroezemoes, muziek en gezang weerklonk uit de gelagkamer. 'Zoek een rustig plekje uit, jullie zullen ongetwijfeld honger hebben. Ik zal jullie alles laten brengen dat mijn keuken en voorraadkelder te bieden hebben.'

'Is Pyrfinn er?' vroeg Olrig.

'Ja, je hebt geluk. Hij is gisteren aangekomen. Ik stuur hem na het eten naar jullie toe.'

Rowarn leunde verzadigd en tevreden achterover. Het was lang geleden dat hij zo goed en uitgebreid had gegeten en het malthier blies hem weer nieuw leven in. Olrig had ondertussen twee giechelende dienstmeisjes op zijn knieën waaraan hij moppen zat te vertellen, grotendeels vreselijke onzin, maar hij had er duidelijk veel plezier in. Ze streelden hem door zijn baard en konden er geen genoeg van krijgen. De vorst was stil en hield zich afzijdig. Hij zat naast het raam en bekeek de drukte in de gelagkamer oplettend.

Toen het buiten donker begon te worden en binnen de kaarsen

en meerarmige kandelaars een warm licht verspreidden, kwam een verbazend magere, jonge Dwerg met een korte baard en hoofdhaar dat in korte vlechtjes geknoopt was, naar hun tafel toe. In zijn oorlellen stak een gouden staafje en aan zijn polsen zaten leren bandjes met geloofsknopen en turkooizen meditatieparels.

'Pyrfinn!' zei Noïrun vergenoegd, terwijl Olrig de beide meisjes bijna van zijn schoot afgooide toen hij opsprong en de kleine Dwerg bijna tegen zijn borst platdrukte.

'We zetten ons gesprek later wel voort, mijn liefjes,' zei Olrig en stuurde de meisjes met een laatste tik op hun mooie achterste weg.

Pyrfinn keek Rowarn wantrouwig aan toen hij ging zitten. 'Het doet me goed, jullie te zien,' zei hij tenslotte met zijn tenorstem. 'Het wordt tijd om naar Ardig Hal terug te keren. De legerheer van Femris heeft jullie legerheer op een haar na gedood. Hij had een kleine schermutseling geprovoceerd en sluipmoordenaars uitgestuurd. Het ging nog maar net goed.'

'Dan verzamelt hij zijn krachten om een doorbraak te forceren,' stelde Olrig vast.

Pyrfinn knikte. 'Ay, zo zie ik het ook. Hij lijkt weer op krachten te zijn gekomen. Iemand zou hem zelfs gezien hebben, toen hij dicht bij de grens kwam en in zichzelf mompelde.'

Noïrun keek bezorgd. 'Zijn legerheer ...?'

'Niet iemand die jullie kennen van voor je vertrokken bent. Een nieuwe. Het zal je niet bevallen.' Pyrfinn fronste zijn voorhoofd. 'Een Bepheron.'

Olrig verslikte zich in zijn bier en hoestte met veel lawaai. 'Dat meen je niet!' riep hij, maar dempte meteen zijn stem toen hij zag dat enkele andere bezoekers hem nieuwsgierig aankeken.

Noïruns gezicht verstrakte. 'Waar heeft hij die vandaan gehaald?'

Pyrfinn haalde zijn schouders op. 'Er zijn enkele vermoedens, het ligt het meest voor de hand dat hij ergens uit de oostelijke grensgebergten komt. Net voor of al uit de Demonenlanden. En hij ... zal het jullie erg lastig maken om het maar heel voorzichtig uit te drukken.'

Noïrun wreef zich met een duister gezicht door zijn baard. 'Dan zijn we geen moment te vroeg, maar hopelijk ook niet te laat.'

'We hebben nog stelling kunnen houden, zoals gepland,' ging Pyrfinn met zijn verslag verder. 'Femris is nog niet in het volle bezit van zijn krachten en de Bepheron is momenteel nog voorzichtig met zijn aanvallen, totdat hij ons beter in kan schatten. Ze noemen hem trouwens de Bloeddrinker.'

'Bah, namen zeggen toch helemaal niets,' bromde de krijgskoning. 'De bloeitijd van de Bepheron is toch allang voorbij, ook al staat het me niet aan om misschien tegen een van hen te moeten vechten.'

'Wat is een Bepheron?' vroeg Rowarn.

Olrig maakte een afwerend gebaar. 'Daar zul je vroeg genoeg achter komen, Rowarn. Wees blij dat je het nu nog niet weet en wij zullen het verder ook aan niemand zeggen. Het is beter als je het meteen vergeet.

Pyrfinn nam Rowarn bijna medelijdend op, toen ging hij verder: 'Ik wil jullie niet bezorgder maken, maar er is nog een leger opgebroken vanuit Dubhan en dat zal in de komende weken arriveren. Minstens vijfduizend man.' Hij keek Olrig aan. 'Ik moest de groeten overbrengen aan jullie van de Hoge Koning Jokim en vice Koning Alwick. Ze hebben de boodschap gekregen. Alwick heeft voor de Kúpir vijftienhonderd man op weg gestuurd, hetzelfde geldt voor de Gandur, deelde Jokim mee. Ze zullen echter niet, zoals oorspronkelijk gepland, direct naar Ardig Hal toe komen, maar proberen de Dubhani op te houden. Dat zal jullie ten minste wat tijd verschaffen. Aan de andere kant zal, vanwege de overeenkomst met de Dwergen, geen verdere versterking naar Ardig Hal gestuurd worden.'

'Je hebt niet veel vertrouwen in de strijdvaardigheid van je eigen volk, Pyrfinn,' merkte Noïrun op. 'Ik ben tevreden als ze die vijfduizend man verslaan. De rest kunnen wij met onze eigen versterkingen voor Ardig Hal wel aan.'

Een tijdje staarden ze zwijgend voor zich uit, ieder verzonken in zijn eigen gedachten over de toekomst van Ardig Hal. Toen meende Pyrfinn: 'Als de Visioenridder nou eindelijk eens kwam, dan zag het er allemaal veel beter uit!'

'Wie is dat nou weer?' vroeg Rowarn, wat hem een ongelovige blik van de jonge Dwerg opleverde.

'Dat spreekt toch voor zich, ik heb het over Angmor. Hij wordt ook wel de Woudleeuw genoemd,' antwoordde Pyrfinn, alsof daar alles mee verklaard was. 'Maar ieder van de andere Visioenridders is ook welkom.'

De vorst lachte vreugdeloos. 'Je bent een nar, Pyrfinn! Angmor was gedurende honderd jaar de laatste van zijn orde die gezien is. En de laatste tachtig jaar heeft ook van hem niemand meer iets vernomen. Na de toenmalige veldslag is hij spoorloos verdwenen, dat heb je me zelf verteld, Olrig. Waarschijnlijk is hij allang dood en is de orde ten onder gegaan.'

Nu begon Olrig zich op te winden. 'Dat geloof ik niet! Beroof mij niet van mijn hoop door jouw ongegronde twijfel, mijn vriend!' Hij wendde zich nu naar Rowarn. 'Je moet weten dat de orde der Visioenridders een geheime broederschap is die zich al heel lang inzet voor Ardig Hal. De Visioenridders zijn de beste krijgers ter wereld en ze beschikken over een bijzondere en unieke magische gave, die Femris door de eeuwen heen al verschillende malen naar de rand van de afgrond heeft gebracht. Slechts één enkele Visioenridder kan het tegen honderd elitesoldaten van de garde van diens legerheer opnemen. Er zijn er nooit veel van geweest en ik heb er persoonlijk slechts een gekend, namelijk Angmor de Woudleeuw.'

'Men zegt,' wierp Pyrfinn in, 'dat hij uit Valia komt en dat zijn gezicht gruwelijk misvormd is en hij daarom een masker draagt. Hij heeft lange tijd in het woud geleefd, een verborgen leven leidend, als een leeuw. Dat heeft hem ook zijn bijnaam opgeleverd, totdat hij als Visioenridder optrad.'

Olrig nam het weer over. 'We hebben de overwinning van tachtig jaar geleden aan hem te danken, maar ik moet helaas toegeven dat hij sindsdien verdwenen is.' Hij stak zijn vinger op en hield die voor Noïruns neus. 'En ik zeg je, hij leeft nog en hij zal komen! Hij zal ons niet in de steek laten als hij hoort hoe we ervoor staan. Zeker als hij van de Bepheron hoort. Hij heeft Ardig Hal nog nooit in de steek gelaten!'

'Waarom is hij er nu dan niet? Waarom heeft hij de dood van de koningin dan toegelaten?'

'Hij zal zijn redenen hebben. Misschien is hij heel ver van hier verwijderd. Maar ik heb het zelf meegemaakt Noïrun. Hij geeft zijn leven voor zijn eed! Ik geloof er rotsvast in dat Angmor op het laatste moment komt, zodat mijn wens vervult wordt en dan is een verontschuldiging op zijn plaats, mijn heer!'

'Die ik je maar al te graag geven zal,' meende Noïrun kalmerend. 'Ik wil niet ontmoedigend overkomen en ook niet aan je twijfelen, mijn vriend.'

'Ik zal mijn ogen en oren openhouden,' beloofde Pyrfinn. 'En uiterst behoedzaam boodschappen uitsturen. Wie weet, bereiken ze de Visioenridders op een dag. We weten niet waar ze zich ophouden en eveneens niet wat ze doen in tijden van vrede.'

Noïrun knikte. 'Het wordt laat, we moeten ons met andere dingen bezighouden, die minder met hoop te maken hebben, maar met de feitelijke omstandigheden,' stelde hij vast. 'Pyrfinn, ik wil enkele andere zaken met je bespreken die ik dringend opgeklaard wil hebben.'

Olrigs ogen lichtten meteen op. 'Verontschuldig mij dan alstublieft. Ik heb namelijk een afspraak. De avond is jong en ik barst van de energie die ik wil gebruiken nu ik me nog zo goed voel.' Zonder op een antwoord te wachten, stond hij op en liep naar de muzikanten toe, die hij vroeg om een bepaalde melodie te spelen. Vervolgens zette hij een drinklied in. Al snel vielen enkele gasten in en de beide dienstmeisjes kwamen weer giechelend naar hem toe. Hij nam er een links en een rechts in de arm en verdween toen de echo's van de laatste strofe waren uitgestorven.

Rowarn had het eveneens begrepen en stond op. 'Ik zou graag even rond willen kijken als u dat goed vindt, heer. Wie weet wanneer ik weer in zo'n prachtige stad kom. Hoe laat vertrekken we morgen?'

'Ik laat je wel wekken,' zei de koning. 'Veel plezier, Rowarn.'

Rowarn was blij dat hij in de frisse lucht was. Het duizelde hem van de vele namen die hij gehoord had en hij nam aan dat de verdere reis naar Ardig Hal zonder vertragingen en omwegen zou geschieden.

Hij was ook blij om weer in een stad te zijn, waar hij de hele nacht kon doorbrengen. Hij was bang om naar bed te gaan en opnieuw de ogen van Eliaha te zien.

In Ennisghar heerste net als voorheen een bedrijvige sfeer, maar nu op een rustige en ontspannen manier, zonder de drukte van overdag. Nachthandelaren boden hun kitsch en goedkope snuisterijen aan en overal waren artiesten bezig onder muzikale begeleiding hun kunststukjes op te voeren. Rowarn hoorden enthousiaste geluiden en zag nog net de vurige lans van een vuurvreter nagloeien, voordat deze een diepe buiging maakte en met zijn hoed de munten opving die hem toegeworpen werden. Paartjes en families gingen arm in arm en vrienden liepen naast elkaar, verwikkeld in hun onderlinge gesprekken. Rowarn merkte niet eens hoe de tijd voorbij ging, omdat hij simpelweg stond te kijken naar de bonte taferelen.

Hij had eigenlijk alleen maar even de benen willen strekken, hij had in de laatste maanwissel al genoeg gelopen. Ten tweede was hij bang dat hij zich de weg terug naar *De Zwarte Ridder* niet meer zou kunnen herinneren. Hij wilde zich eerst overzicht verschaffen voordat hij zich in de drukte zou storten. De lucht was mild, zoals in de vroege zomer. De hemel was bezaaid met sterren die de stad hel verlichtten. Het was heel anders dan Madin en het beviel hem uitstekend.

Rowarn keek opzij toen hij voelde dat er iemand aan zijn arm trok en zag dat één van de knappe dienstmeisjes die vanavond hun tafel bediend hadden naast hem stond. Ze lachte koket, nam hem bij de hand en voerde hem mee naar een van de steegjes in de richting van de stallen. Rowarn kwam niet eens op het idee om tegen te stribbelen en volgde haar gewillig.

'Heb je ooit al eens een Dwergmeisje gekust, schone heer?' fluisterde ze en ging op haar tenen staan, terwijl ze haar warme handen op zijn borst legde.

'Nee,' moest Rowarn toegeven en toen hij zijn armen om haar heensloeg, voelde hij met welgevallen haar zachte vormen. Ze vlijde zich tegen hem aan en knabbelde speels aan zijn oor, voordat ze hem haar volle lippen aanbood. Hij moest toegeven dat het inderdaad iets heel anders was om een Dwergmeisje te kussen, zelfs in zijn armen te houden. Zijn hand deed zich tegoed aan haar weelderige boezem, terwijl hij nu de leiding overnam en haar al kussend langzaam in de richting van de stal drong.

Ruw onderbrak hij opeens de kus, keek gealarmeerd om zich heen en gebaarde het meisje dat ze stil moest zijn. Hij schoof de jonge Dwergin dieper in de donkere nis tussen de herberg en de stal en hoopte dat het genoeg was. Gespannen luisterde hij in het donker. Er waren inderdaad vlakbij twee fluisterende stemmen, die als vleermuizen fladderend vanuit het donker op hem af kwamen, om al snel te verwaaien in de geluiden van het steegje.

'Ik heb me niet vergist,' fluisterde een hese stem. 'Het is de vorst, ik weet het zeker.'

'Maar waarom is hij hier?' antwoordde een tweede, hoge stem.

'Ik hoorde al in Kahlenberg dat hij waarschijnlijk persoonlijk naar militaire steun zoekt. Ik heb er toen natuurlijk niet zo op gelet, maar wel mijn ogen opengehouden. Daarom weet ik het zeker. Toen hij binnenkwam, wist ik al meteen dat hij gewend was om bevelen te geven en hij draagt een zegelring. Dus degene die ik gezien hebt, is op zijn minst iemand van adel, die met de Loper heeft gepraat. En nu vraag ik je, wat heeft iemand van adel met de Loper van de Dwergen te maken, die in dienst van Ardig Hal staat?'

'Wat een dwaas! Wie kan er zo dom zijn, de bescherming van Ardig Hal te verlaten ...'

'Wat moet ik doen?'

'Rij dit uur nog weg. De Bloeddrinker zal zijn krachten beproeven op de legerheer, terwijl wij ons om deze man bekommeren en uitzoeken wie hij is. De beschrijving die wij van de koning hebben is erg onnauwkeurig en ik twijfel nog of hij het wel is. Als het klopt, zal de heer van de Tabernakel verheugd zijn en ons rijkelijk belonen.'

De beide stemmen verwijderden zich en het was al gauw weer even vredig als het eerder was. Hij hoorde alleen nog het snuiven en kauwen van de paarden.

Rowarn maakte zich los van het meisje. 'Ik moet terug,' zei hij.

'Echt?' zei ze teleurgesteld, maar ondernam geen poging om hem tegen te houden. Ze had al snel door dat het hem ernst was. 'Je kunt maar beter niet dezelfde weg terugnemen, dat zal opvallen,' waarschuwde ze hem en wees hem een zijingang voor huisbediendes. Vervolgens nam ze afscheid van hem met een plagerige tik op zijn achterste. 'Het is jammer voor mij en jij hebt geen idee wat je mist,' kirde ze en verdween heupwiegend.

Rowarn keerde in de herberg terug, waar de lucht ondertussen te snijden was, zo dik was de rook, en de gasten waren dronken en lalden dronkenmanliederen. Hij vond de koning alleen aan een tafel met een bokaal rode wijn voor zich en een pijp in zijn mond. Ademloos vertelde hij wat hij zojuist had gehoord. 'Ze zullen proberen om u te pakken te krijgen,' besloot hij uiteindelijk. 'Misschien moeten we ...'

'Rustig aan, jongen,' onderbrak Noïrun hem bedaard. 'Het duurt zonder meer al even voordat Femris het te horen krijgt en zo snel zullen ze ook niets ondernemen. We breken morgen, zo gauw we jouw spullen opgehaald hebben, toch al op.'

'Ik zal vannacht de wacht houden voor jullie deur,' besloot Rowarn. 'Ik doe sowieso geen oog dicht.'

Noïrun lachte, maar zei niets om de mensen niet onnodig op zich opmerkzaam te maken en trok zich terug in zijn kamer.

Rowarn hield de wacht, zoals hij beloofd had.

HOOFDSTUK 12

De ontrouwen

Het kamp was al opgebroken en de voorraadwagens reeds vertrokken, toen de koning en zijn begeleiders arriveerden. Alle soldaten waren volledig uitgerust en klaar om aan de mars te beginnen. 'Uitrusting aantrekken,' beval Noïrun Rowarn, terwijl hij en Olrig hun uitrusting aangereikt kregen. 'Hoe dichter we bij Ardig Hal komen, hoe meer we op alles voorbereid moeten zijn.' Hij bleek zeer tevreden met de opstelling die Morwen gekozen had.

Rowarn wachtte tot Noïrun zich met zijn kopervos aan de spits van de troep had gezet en wachtte toen nog even op Olrig, die zich in het middenveld ophield. De ruiters flankeerden de voetsoldaten, die flink doorliepen. De meesten van hen behoorden tot de honderdvijftig man uit Innin, er bevonden zich echter geen vrienden van Rowarn onder hen. 'Heeft hij het je verteld?'

'Wat verteld?' De krijgskoning had de teugel van zijn schimmel aan de zadelknop geknoopt en was liefdevol zijn messen aan het poetsen.

'Wat ik gister gehoord heb, dat hij herkend is.'

Olrig liet zijn hand zakken en keek Rowarn aan. 'Wat is er precies gebeurd dan?'

Rowarn vertelde alles en het gezicht van de Dwerg verduisterde. 'Nee, natuurlijk heeft hij me daar niets van gezegd. Dat is echt iets voor hem,' bromde hij. 'Waarschijnlijk heeft het zich al als een lopend vuurtje verspreid en is het hele land op jacht naar hem.'

'Is het zo erg?' Rowarn werd bleek.

Olrig zuchtte. 'Femris heeft vorig jaar al een prijs op het hoofd van Noïrun gezet. Onze vriend heeft toen tijdens één van de veldslagen een speer in diens schouder gejaagd. Niemand is ooit zo dicht bij de onsterfelijke geweest als hij, met uitzondering van Angmor waarschijnlijk, waar ik gisteren van vertelde.'

Rowarns bewondering voor de vorst steeg nu bijna tot grenzeloze hoogten.

'Zo goed is hij dus ...'

'Hij is de beste van ons allemaal, mijn jonge vriend.' Olrig sloeg met de vlakke hand op zijn zadel. 'Ik heb hem gezegd dat hij niet naar Ennisghar moest gaan, zich überhaupt in geen enkele stad moest laten zien! Hij neemt die waarschuwingen echter niet serieus. Het is maar goed dat het niet ver meer is!' Hij fronste zijn borstelige wenkbrauwen. 'Dankzij die beloning zijn we verzekerd van premiejagers en ander tuig. Je kunt er vanuit gaan, Rowarn, dat iedere nietsnut van deze en de andere oever van de Goudvloed zal proberen die beloning te verdienen. Onverschillig tot welke partij hij behoort.'

'Ik laat de vorst geen moment meer uit het oog,' beloofde Rowarn. 'Ik heb de afgelopen nacht de wacht gehouden en dat zal ik ook blijven doen.'

Olrig krabde peinzend door zijn baard. 'Maar niemand weet wie van de vijand onderweg is. Ik hoorde gisteren iets van plunderende troepen, die Femris uit heeft gestuurd om onzekerheid en angst te zaaien.' Hij ging staan in zijn zadel en keek om zich heen. 'Haal Morwen,' beval hij toen.

Rowarn ging op weg en keerde al snel terug met Morwen, die hij onderweg alles al had verteld.

'Die zotte, oude man, om simpelweg te doen alsof er niets aan de hand is,' flapte ze eruit toen ze Olrig bereikten. 'Wat moet ik doen, Olrig?'

'Ga oefenen in spoorzoeken met je beschermelingen,' zei de krijgskoning. 'Stel een voorhoede van verkenners samen en breek op tijdens de rustpauze van vanmiddag. Rowarn en ik nemen de nachtelijke bescherming voor onze rekening. Vijf man van de troep begeleiden jullie. Tot de rust blijven jullie bij hem in de buurt.'

'Komt voor elkaar,' zei Morwen en gaf haar paard de sporen. Rowarn volgde haar en een tijdje reden ze zwijgend naast elkaar, de koning altijd binnen oogbereik.

'Mooie uitrusting,' zei Morwen uiteindelijk. 'Mijn vader is royaal geweest. Het staat je echt fantastisch.'

'Dankjewel,' zei hij verlegen. 'Ik voel me er nog niet helemaal prettig in. Hij is me wat te groot, denk ik.'

Ze lachte. 'Je zult hem binnenkort nodig hebben, Rowarn. Zelfs de beste krijger heeft een goede uitrusting nodig ter bescherming, en zeker de slechtste.' Ze wierp hem een niet te duiden blik. 'Beviel het je in Ennisghar?'

'Ik was nog nooit in zo'n grote stad geweest,' antwoordde Rowarn. 'Heel indrukwekkend, met die grote, van steen gemaakte huizen. Vreemd genoeg komt het niet echt op je af.'

'En het straatbeeld wordt beheerst door Dwergenvrouwen,' opperde ze luchtig, maar Rowarn merkte duidelijk dat hij zich op gevaarlijk terrein bevond. 'Een hele nieuwe ervaring, toch?'

'De manier van leven van de Dwergen is heel anders dan die van ons en interessant,' zei hij voorzichtig.

'En bevallen ze je?'

'Wie?'

'De stenen. Domkop! De Dwergenvrouwen natuurlijk.'

Nu moest hij ieder woord echt zorgvuldig kiezen. 'Ze ... ze zijn knap, maar hun manier van doen, hun aanleg voor kunst, de manier waarop ze hun haar dragen ... zo anders als de mensen, wat ik net ook al zei.'

Morwen zweeg een tijdje en Rowarn hoedde zich ervoor om nu zijn mond open te doen. Toen zei ze met een zacht lachje. 'Jammer dat je mijn vader heel de nacht bewaakt hebt. Je hebt een uniek pleziertje gemist.'

'Ik ... eh .. .hoe ...' stotterde hij en zocht koortsachtig de omgeving af. Als er nu een beest ter grootte van een Grimwari was verschenen om hem op te vreten, dan had hij hem als vriend begroet.

Morwen lachte hardop. 'Vraag het maar aan Olrig. De Dwergenvrouwen zijn dan misschien niet de knapste vrouwen die er zijn, maar ze zijn als geen ander in staat om, zoals ik al van meerdere kanten heb gehoord, met een unieke techniek om ... je weet wel. Liefdesspel.' Ze wees naar haar vader die rustig aan het hoofd reed. De kopervos liep in een draf, zijn oren gespitst en de staart stond wat omhoog. 'De enige keer dat hij loslippig werd, was toen hij en Olrig verhalen over Ushkany aan elkaar vertelden en vergaten dat ik erbij was. Ze hadden het over een vrouw die op de één of andere manier met Olrig verwant moet zijn ...'

'Ik denk dat ik wel weet over wie ze het gehad hebben,' flapte Rowarn eruit.

Morwen scheen er niet erg veel geloof aan te hechten, want ze ging er niet verder op in. 'Ik heb de ogen van mijn vader nog nooit zo op zien lichten. Hij leek bijna gelukkig, dus moet er wel wat aan de hand zijn bij een anders zo saaie man, toch?'

Rowarn dacht aan de manier waarop Noïrun de waardin van *De Zwarte Ruiter* gekust had en hij werd rood.

'Je hebt het echt voorbij laten gaan,' proestte Morwen. 'Jij bent echt niet meer te redden.' Ze stuurde haar paard dichter naar hem toe en legde met een medelijdend gebaar haar arm over zijn schouder. Onverwacht ernstig zei ze: 'Zelfs mijn strenge, om maar niet te zeggen vastgeroeste vader was op jouw leeftijd niet zo diepzinnig als jij. En daar ben ik het bewijs van.'

'Ik heb wel een Dwergmeisje gekust,' mompelde hij verdedigend en verwonderde zich tegelijkertijd over het buitensporige gesprek, dat met een andere vrouw, Anini bijvoorbeeld, heel anders afgelopen zou zijn. En vastgeroest was de vorst absoluut niet. Hij liet deze menselijke kant alleen niet zien aan zijn mensen.

'Er is dus niet veel hoop voor jou.' Ze sloeg hem op zijn schouder, toen draafde ze sneller.

'Je bent een geweldige vrouw, weet je dat?' riep hij haar na.

'Ja,' lachte ze terug. 'Ik ben gewoon goed.'

Toen ze de groep hadden ingehaald, laste Noïrun een rustpauze in. Morwen zocht, onder het voorwendsel van een oefening, enkele mensen uit en ging daarmee vooruit. Olrig stuurde de langzame voorraadwagens met vijf extra mensen ter begeleiding ook meteen op weg, zelfs nog voor iedereen hun schaarse maaltijd naar binnen had gewerkt.

'Denk je nou echt dat ik zo dom ben?' vroeg de koning toen ze opbraken en de toestand vanuit het zadel bekeek.

'Soms wel, ja,' bromde Olrig.

'Nou, fraai.' Noïrun ging zitten en gaf zijn hengst de sporen.

'Dit is tenslotte onze taak, toch?' riep Olrig hem na. 'Oppassen, jou beschermen! Dit is een goede oefening!' De koning stak alleen maar zijn hand omhoog en galoppeerde verder.

'Denk je dat hij boos is op mij?' vroeg Rowarn en besteeg Stormwind.

'Ach, onzin. In de grond van zijn hart is hij blij dat wij de zaak ernstig nemen. Hij houdt er nou eenmaal niet van om tot op zekere hoogte betuttelt of gepasseerd te worden. Trots en stug, een lastige combinatie. Precies dat heeft Femris toentertijd onderschat.' Olrig sloeg zijn schimmel op de hals. 'Ik zou het mezelf nooit vergeven, als hem wat gebeurde,' mompelde hij.

De weg ging verder in zuidoostelijke richting, door een in bloei staand land en over goede verharde wegen, omdat er vaak karavanen en reizigers overheen trokken. Rowarn begreep nu beter, waarom de rekruten in meerdere eenheden opgedeeld waren, om zodoende Ardig Hal via verschillende wegen en verschillende tijdstippen te bereiken. Het van Dubhan opgebroken leger zou ten minste voor enige tijd opgehouden worden; dat mocht niet gebeuren met de versterking voor Ardig Hal en het nieuws van een grote door het land trekkende groep soldaten zou zich op deze manier niet zo snel verspreiden.

Die nacht viel de door de boeren zo vurig verlangde regen eindelijk in een zacht maar constant geruis. De uitgedroogde grond was niet in staat om de regen zo snel op te nemen en er vormde zich al snel plassen en kleine stroompjes.

De mensen en dieren die zich onder de vrije hemel ophielden, waren hier natuurlijk niet echt blij mee. Iedereen verdrong zich dan ook in de tenten en op de wagens en bracht daar een onrustige nacht door. De volgende ochtend was alles alweer voorbij en het water liep al snel weg in de dorstige bodem. Alles was in een dikke nevel gehuld, zodat men amper een paar passen ver kon zien.

Er was slechts een kort, haastig en koud ontbijt voordat ze verder trokken. Nu was men dankbaar dat Morwen met haar verkenners vooruit was gegaan, want het was moeilijk om zich te oriënteren. Het troebele licht kwam van alle kanten en ze bevonden zich ver van alle gebaande wegen. Het maakte de paarden niet uit waar ze heengingen, ze hadden sowieso geen fut om ook maar een stap te lopen en maakten hun tegenzin maar al te vaak kenbaar.

'Verlies elkaar niet uit het oog in deze mist, bij elkaar,' maande de koning die regelmatig langs de groep reed en bijhield, of iedereen mee kon komen. De voorraadwagens waren al iets terug gevallen, maar die hadden lampen aangestoken en de ridders die hen begeleidden droegen eveneens lantaarns.

'Zijn er in Inniu ook zulke nevels?' vroeg Olrig.

'Zeker,' antwoordde Rowarn. 'Dan blijft men thuis en warmt zijn voeten bij de open haard.'

Zo verliep de dag en omdat ze maar langzaam vooruit kwamen, lasten ze geen pauzes in, maar kauwden onderweg morrend op stukken brood van de afgelopen avond. De paarden waren ook niet in een best humeur. Met hangende hoofden sjokten ze in een gestadige snelheid voort en waren amper bij te sturen.

'Stel nou, dat Morwen zich vergist?' waagde Rowarn het in de namiddag op te merken, toen ze al een hele tijd weg was.

'Ze vergist zich niet,' antwoordde Noïrun. Er liep een spoorzoeker voor hem die de groep leidde aan de hand van de door Morwen achtergelaten aanwijzingen. 'Volstrekt uitgesloten.'

'Hoe doet ze dat?'

'Ze heeft er talent voor.'

'Ja, dat blijkt wel,' mompelde Rowarn en keek gefascineerd naar de spoorzoeker. Hij had geen enkel teken van Morwen gevonden, hoewel hij beter zag dan de mensen bij dit troebele licht. Hij vroeg zich af waar ze zich zouden bevinden als deze mist eindelijk optrok.

Een uur later leek het eindelijk zover te zijn. In ieder geval trok de nevel wat op, zodat het zicht twee speerworpen ver reikte, waarbij het achter hen sneller optrok als voor hen. Hier leek de volgende wand van mist hen al op te wachten.

De koning verstrakte plotseling en luisterde even. Toen zei hij, ongewoon haastig en indringend, 'Rowarn, kom,' en tegen Olrig:

'Achter mij Olrig, tien paardenlengtes afstand!'

Rowarn hoefde Stormwind niets duidelijk te maken, het kleine vaalgele paard had al begrepen dat er gevaar dreigde en spurtte tezamen met de kopervos er vandoor, de neusgaten wijd geopend.

Olrig volgde hen op een kleine afstand in een langzame galop en de troepen achter hen verhoogden het tempo eveneens.

Plotseling zag Rowarn een schaduw voor zich en vervolgens schoot Morwen tevoorschijn uit de mist alsof ze achterna gezeten werd door een groep Beesten. 'Snel,' riep ze. 'Breng de vorst in ...' Vervolgens werd ze door een zoemend geluid en een doffe klap onderbroken. Morwen slaakte een pijnlijke kreet en zakte in elkaar.

'Een aanval!' brulde Olrig en haalde zijn bijl uit de houder van zijn zadel. 'Trek je wapens!' Hij draaide zijn schimmel in het rond, terwijl hij zijn bevelen donderde. Zowel de bereden als de voetsoldaten zwermden uit en maakten alles in allerijl gereed om de aanval af te slaan.

'Morwen!' riep Noïrun. Hij sprong van zijn hengst en rende naar haar toe. Tegelijkertijd dreef Rowarn Stormwind dichterbij, maar de koning was sneller. Hij knielde al bij Morwen neer en draaide haar voorzichtig om.

Rowarn bleef dicht bij hen staan. Met toegeknepen keel zag hij hoe Morwen trillend haar oogleden opende. In de linkerschouder, vlakbij haar oksel, stak een pijl. Een dun straaltje bloed kwam uit de wond.

'Papa,' fluisterde ze.

'Stil,' zei hij grof. 'De wond is diep, maar niet dodelijk. Je redt het wel. Even op je tanden bijten, soldaat.'

Hij trok haar voorzichtig omhoog. Ze perste haar lippen op elkaar, maar toch kreunde ze zachtjes. 'Rowarn, breng haar naar de wagen van de geneesheer,' beval de koning en liep naar Stormwind. 'Laat de karavaan stilhouden en een lazaret maken. Er zullen snel meerdere gewonden volgen.'

Rowarn hoorde oorlogskreten door de mist heendringen en toen braken de eerste met wapens zwaaiende gestaltes naar voren. Olrig stormden met enkele ridders aan hen voorbij, minstens even luid schreeuwend en met opgeheven wapens. 'Heer, u zou Morwen terug moeten brengen en ik ...'

'Het is een bevel!' onderbrak Noïrun, die nog maar amper controle over zijn stem had. 'Als ze tijdens de strijd gewond raakt, is het wat anders. Dan valt ze als soldaat. Maar *nu*,' stiet hij bevend en bleek van woede uit, 'bij deze laffe hinderlaag, is ze mijn dochter en jij zult haar in zekerheid brengen en ervoor zorgen dat alles goed afgeschermd en voorbereid is! Dit hier is mijn zaak.'

Rowarn wist dat het geen zin had om een beroep op het verstand van de koning te doen. Stormwind draaide met zijn voorpoten naar Noïrun en hij nam Morwen over.

Noïrun floot zijn hengst en trok zijn zwaard. 'Dit zal ze bitter berouwen,' gromde hij met diepe stem, terwijl hij op zijn vos sprong. Op zijn gezicht lag een uitdrukking, die Rowarn nog nooit bij hem gezien had, bijna wreed, toen hij zijn hengst de sporen gaf en zich naast Olrig in het gevecht stortte.

'Kom op, mijn kleine. Ga als de wind,' fluisterde Rowarn zijn paard toe, die er meteen met vlakke bewegingen vandoor ging, om te voorkomen dat Morwen niet te erg heen en weer werd geslingerd.

Terwijl achter hem chaos uitbrak, galoppeerde Rowarn zo snel hij kon naar de groep terug. Hij zag al snel dat de wagens gestopt waren en dat men haastig met de opbouw van een lazarettent begonnen was, klaar voor de verdediging. Morwen bewoog zich in zijn armen en kreunde.

'We zijn er bijna,' zei Rowarn, meer om zichzelf tot rust te manen.

'Hij is woedend, ik heb het gezien,' mompelde ze. 'Omdat ik me domweg af laat schieten ...'

Rowarn dacht dat hij het verkeerd had gehoord. 'Wat een onzin!' onderbrak hij haar opgewonden. 'Je vader houdt van je! Hij is niet woedend op jou, maar op die laffe honden die in hinderlaag lagen, en waarschijnlijk ook op zichzelf omdat hij het heeft laten gebeuren, ook al kon hij het onmogelijk verhinderen. Ik vraag me af wat er gebeurd was, als je was omgekomen. Ik heb hem nog nooit zo gezien, en ik hoop niet, dat hij zich blindelings in het gevecht stort.'

'Wat is er aan de hand?' riep de aanvoerder van de begeleiders.

'Een hinderlaag!' antwoordde Rowarn. 'Midden in de dikke mistbank voor ons. Ik weet niet wie en hoeveel. Bereid je voor op een hard gevecht!'

Hij hield Stormwind in voor de wagen van de geneesheer en liet zich samen met Morwen van zijn paard afglijden. 'Snel, ik heb meteen hulp nodig!'

De geneesheer stak zijn hoofd even door het dekzeil naar buiten, overzag de situatie meteen en wenkte hem naar binnen. 'De tent is nog niet klaar, breng haar binnen.' Tegelijkertijd beval hij zijn vrouw om water te koken.

Rowarn klom met Morwen in zijn armen de wagen op en legde haar voorzichtig op een snel klaargelegd bed. De geneesheer wilde hem eruit gooien, hij liet zich echter niet wegsturen. 'De koning heeft me verantwoordelijk gesteld voor haar leven,' zei hij weerbarstig.

'Goed dan, totdat ik het onderzoek heb beëindigd,' bromde de geneesheer. 'Als ik daarna moet opereren, verdwijn je.'

Morwen kwam weer bij en staarde Rowarn verbaasd aan. 'Wat doe jij nog hier?'

'Wat ...' begon hij.

Ze sloeg de hand van de geneesheer opzij, die haar wilde verhinderen om omhoog te komen en kwam met een pijnlijk vertrokken gezicht half overeind. Het zweet stroomde van haar gezicht. 'Rowarn, je hebt zelf gezegd, dat hij buiten zichzelf was! Verdwijn hier, ga en pas op mijn vader, wat je taak als schildknaap is. Anders zal ik wel in beweging komen en datgene bij je afsnijden, wat je het meest dierbaar is!'

'Dat kun je maar beter ernstig nemen,' meende de vrouw van de geneesheer die met de kan met heet water aan kwam lopen. 'Zou wel zonde zijn,' grijnsde ze. 'Dus verdwijn maar gauw.'

'En dan kunnen wij misschien eindelijk beginnen,' bromde de

geneesheer. 'Voor het geval je het niet gemerkt hebt, Morwen is zwaar gewond en als ik de pijl er uittrek, zal ze ieder moment van haar leven vervloeken en iedereen die daar een rol in speelt.'

Rowarn maakte dat hij wegkwam.

Met getrokken zwaard galoppeerde Rowarn terug naar het gevecht en probeerde op de één of andere manier een overzicht te verkrijgen. Van Noïrun was geen spoor te bekennen, maar hij zag Olrig wel, die door twee aanvallers in het nauw gedreven werd en stormde naar hem toe. Met zijn eerste slag sloeg hij de helm van één van de aanvallers van zijn schedel en de schrik sloeg heel even om zijn hart.

'Maar dat ... dat zijn ... dw...'

De tegenstander hief zijn arm in de lucht, maar was niet snel genoeg. Rowarn sloeg nog een keer toe, zonder na te denken. Hij merkte niet eens dat hij voor het eerst een leven nam. Zonder geluid te maken viel het gedrongen wezen op de grond.

'Nee, dat zijn het niet!' schreeuwde de krijgskoning en versplinterde de borst van zijn tegenstander met zijn bijl. Hij wendde zich naar Rowarn. 'Het zijn Warinnen, begrijp je? Het waren ooit Dwergen,' hij spuugde de woorden bijna uit. 'Maar toen gingen ze een bloedverbond met de Demonen aan. Ze werden groter, sterker en harder dan een Dwerg ooit geweest is en ze hebben Femris trouw gezworen! Ze zijn sinds vele eeuwen een op zichzelf staand volk en hebben niets meer met ons gemeen.' Hij gaf zijn schimmel de sporen.

'Waar is mijn heer?' riep Rowarn. 'Ik moet hem vinden!'

'Waar denk je!' snoof Olrig en sloeg vloekend een Warin neer. 'Helemaal voorin, waar het er het heetst aan toegaat!'

Dat was genoeg voor Rowarn en hij sloeg zijn hielen in Stormwinds buik, die woedend schreeuwde en er vandoor ging. Niets ontziend galoppeerde hij door de vechtende meute heen, zonder ook maar een seconde te twijfelen of uit te wijken.

De mist dempte alle geluiden en vermenigvuldigde ze tegelijkertijd. Om hem heen vond een man tegen man gevecht plaats, maar hij kon amper meer herkennen als trekkende, heen en weer bewegende schaduwen. Hij kon niet zien, hoeveel het er waren en wie de overhand kreeg. In de verte ging de zon onder en vrat roodgloeiende gaten in de mist, die verbitterd weerstand bood tegen het zonlicht.

Olrig had gelijk, Noïrun bevond zich met zijn kopervos helemaal vooraan aan het front. De lijken stapelden zich om hem heen op en zijn zwaardarm scheen in het geheel nog niet moe te zijn.

Nu stormden ze van alle kanten tegelijk op hem toe. Een speer vloog door de nevel en boorde zich in de flank van de hengst, die schril hinnikte en steigerde. De koning viel uit zijn zadel en kwam ongelukkig op zijn rechtervoet terecht. Rowarn zag hem er doorheen zakken en vallen en het zwaard viel uit zijn handen.

De hengst, die eveneens gevallen was, werkte zich weer overeind. De speer was uit de hevig bloedende wond gegleden, die echter niet dodelijk scheen. Schril hinnikend stelde hij zich voor zijn meester op.

'We hebben hem!' schreeuwde één van de Warinnen triomfantelijk en hief zijn sabel op.

Op dat moment gebeurde het. Rowarn voelde een licht trekken en een kort rukje in zijn hoofd. Zijn ogen veranderden en werden bijna wit, ijskoud.

'Nog niet,' zei hij met een vreemde stem en toen sprong Stormwind naar voren. Als een onhoudbaar noodweer, zo stormde hij met zijn meester door de oprukkende Warinnen. Het paard beet en trapte achteruit met zijn hoeven. Iedere slag van het zwaard van zijn ruiter veroorzaakte dodelijke wonden. Toen hij de bres om de koning vrij had gemaakt, sprong Rowarn bovenop de dichtstbijzijnde Warin, dreef zijn zwaard tot aan het heft in diens buik en trapte hem met zijn voet van zich af. Zonder paard was hij een nog gevaarlijker tegenstander. Hij greep het zwaard van één van zijn gevallen tegenstanders en raasde met wervelende zwaarden als een orkaan door de rijen van tegenstanders, de één na de ander neermaaiend. Het ging allemaal zo snel dat ze maar amper de gelegenheid kregen om zich te verdedigen. Uiteindelijk begrepen de Warinnen dat ze hier zelfs met hun overmacht niets uit konden richten, zolang hun vijand in zulke razernij verkeerde. Hij hield bloederig huis onder hun geleideren, erger dan tien krijgers hadden gekund.

'Een Rithari!' schreeuwde één van hen, voordat hij neergesabeld werd en alleen dit woord al deed de Warinnen terugwijken.

Rowarn stond stil, onder het bloed van de vijand en hel stralend in de invallende nacht, maar zijn gezicht was in duisternis gehuld. Afgezien dan van de verschrikkelijke ogen.

Toen schoten er speren en pijlen door de nevel – en ze troffen de Warinnen. Nu sloegen ze eindelijk op de vlucht. Ze renden allemaal tegelijk de nevel in. Rowarn, die langzaam weer tot zichzelf kwam, hoorde diepe woedekreten en vertwijfelde schreeuwen voor zich. Kort daarna werd het stil.

Rowarn vertrouwde de rust niet en bleef een tijdje staan, hoewel iedere vezel in hem naar Noïrun wilde gaan. En het was maar goed dat hij was blijven staan! Plotseling kwam er een monsterachtige schim uit de bloedende nevel tevoorschijn, met koud oplichtende ogen, enorme hoornen en de gespierde achterpoten van een stier. Hij liep rechtop en had een vlammend zwaard beet dat langer was dan een Dwerg. Het met stekels uitgerust pantser en zijn rode huid leken licht te geven. Er kwam damp uit zijn brede, vlakke neus en hij ontblootte zijn machtige gebit met een diep, woest geluid.

Een Demon.

Rowarn wist dat alles voor niets was geweest, maar hij zou zijn dood en die van koning Zonderland wreken, nog voor hij zelf stierf. Met een wilde kreet liet hij het tweede zwaard vallen, pakte zijn eigen zwaard met beide handen beet en stak hem hoog in de lucht. Voor hij zich echter op het enorme wezen kon storten, dat nu al twee keer zo groot was als hij, hijgde de koning achter hem: 'Stop maar, Rowarn! Spaar je krachten. Deze hoort ... bij ons.'

Rowarn verstarde en draaide zich half om naar de vorst. 'Wat?'

De Demon stampte naar hen toe en schoof de moedige koperhengst aan de kant om bij Noïrun te kunnen. 'Zo is het, kleine held,' zei hij met dreunende stem. Het gehoornde wezen strekte zijn hand uit, zo groot als een kolenschop en met lange nagels uitgerust.

Noïrun pakte hem beet en liet zich omhoog tillen. 'Fashirh, ik ben blij je te zien,' zei de koning en probeerde op zijn eigen voeten te staan.

Rowarn stond er als verlamd naar te kijken, het zwaard nog steeds opgeheven. Zijn ogen schoten van de vorst naar de Demon en vertwijfeld probeerde hij te begrijpen wat er gebeurde.

'Alles in orde, jongen?' vroeg Fashirh en strekte zijn hand naar hem uit, maar Rowarn week terug.

'Raak me niet aan,' siste hij. 'Het kan me niet schelen, aan welke kant je staat. Je bent een Demon en dus mijn vijand!' Woedend wendde hij zich af, zijn koning blijkbaar helemaal vergeten, en riep Stormwind. Hij sprong op zijn rug en reed terug naar de anderen.

Fashirh keek de koning verbaasd aan. 'Zoveel haat in zo'n jong hart ...'

'Hij praat er niet over,' verklaarde Noïrun. 'En ik ben bang voor de woede die hem tot razernij drijft.'

'*Jij* bent ergens bang voor? Dat is zorgelijk.'

'Ja.' De koning probeerde op te staan, maar slaakte een pijnlijke kreet. Zijn hand greep in de lucht, op zoek naar houvast. 'Fashirh, help me. Dit been laat me in de steek.'

De Demon ondersteunde hem en hielp hem bij het bestijgen van zijn kopervos, die woedend tegen de rode reus brieste. Toen Fashirh terugbrieste en er vurige damp uit zijn neusgaten kwam, bond de hengst een beetje in, maar hij week geen hoefbreedte en verloor de Demon tijdens de rit naar de lazarettent geen moment uit het oog.

'Dat heb je geweten, hè?' brulde Olrig hen tegemoet, met een mengeling van woede, vreugde en opluchting. 'De hele tijd heb je erop gewacht dat Fashirh ons zou vinden. Daarom was je zo ontspannen!'

De koning lachte fijntjes, maar gaf geen antwoord.

'Hadden we dan moeten wachten totdat Olrig zijn zeshon-

derddertigste heldendaad volbracht had?' loeide Fashirh en lachte zo hard dat de aarde beefde.

'Nee, maar men had Olrig wat kunnen vertellen, want Olrig is
de plaatsvervanger van de vorst en behoorlijk gepikeerd, als dit
soort dingen niet aan hem verteld worden!' De krijgskoning
zwaaide met zijn vuist in de lucht en stampte op de grond.

'Waarom verbaast mij dit nou weer niet?' zei de Demon tegen
Noïrun.

'Alles is gegaan, zoals het moest gaan,' antwoordde de koning. 'Het is zijn eigen schuld als hij er niet aan kan wennen.'

Fashirh ontblootte zijn tanden in een brede grijns. 'Ik vraag me
wel eens af, mijn beste bondgenoot, waarom iemand nog met jou
praat. En ik ben een Demon, als je begrijpt wat ik bedoel.'

Noïrun knikte en haalde bedaard zijn schouders op.

's Avonds zat Rowarn alleen en staarde, een stuk van het vuur
verwijderd, in de duisternis. Er waren intussen nog drie Demonen gearriveerd, allemaal even bizar als Fashirh, ook al bezaten
ze net als mensen twee armen en twee benen. Maar daar hield de
gelijkenis bij op. Ondanks het feit dat ze er allemaal verschillend
uitzagen en niet even groot waren, was één ding bij alle drie hetzelfde: de gevoelloze ogen, waarin een onheilspellend vuur
brandde. Ze hadden een uitstraling die kouder was dan een gletsjer. Ze werden met vreugde begroet, omdat ze machtige bondgenoten waren. Het ontging Rowarn echter niet, dat de meesten,
ook Olrig, een veilige afstand tot hen bewaarden en geen grappen
met hen maakten. Het was een schrale troost om te zien dat niet
alleen hij, met zijn diepe haat tegen de moordenaars van zijn
moeder, een afkeer tegen Demonen had.

Hij bleef stil zitten toen de vorst bij hem kwam staan. Hij hinkte en leunde zwaar op een stok. Kreunend liet hij zich op de
grond zakken.

'Afvallige Dwergen, afvallige Demonen,' mompelde Rowarn
na een tijdje, toen het zwijgen onaangenaam begon te worden.
Het was niet passend dat hij, als jongere en ook nog eens van zo'n
lage rang, het woord nam, maar hij had het gevoel dat dit de be-

doeling was van de vorst. Rowarn moest praten, als hij dat wilde. 'Deze wereld staat op zijn kop en ik begrijp er niets meer van.'

'Nu zie je dat het niet zo eenvoudig is om de Regenboog van de Duisternis te scheiden,' zei de koning langzaam. 'Ieder van ons krijgt de mogelijkheid om zelf te beslissen, en ieder van ons heeft redenen waarom hij het één kiest en niet het andere. Het is makkelijk om de Demonen te haten, omdat je de vijand daar duidelijk mee voor ogen hebt. Zeker, het zijn angstwekkende schepsels. Koud en wreed en ze zien er huiveringwekkend uit. Maar ze staan niet allemaal aan de zijde van de Duisternis. Enkelen hebben besloten om voor de andere kant te vechten. Hun beweegredenen zijn voor ons niet altijd te begrijpen en misschien ook niet te rechtvaardigen. Maar het is goed dat ze aan onze kant staan en we zullen hun hulp niet afwijzen.'

'En als ze ons verraden?'

'Ze zijn net zo goed te vertrouwen als ieder van ons, Rowarn. Zoals ik al zei: Het is niet zo eenvoudig, ook al zijn ze slechts het GEDEELDE. Regenboog en Duisternis waren ook ooit een EENHEID en ze lijken net zo op elkaar als ze verschillen van elkaar.'

'Probeert u me te zeggen dat ik mijn wraak moet opgeven?' Rowarn beet op zijn lippen, omdat hij zonder het te willen een vermoeden van de koning had bevestigd.

'Nee, dat is jouw beslissing. Ik probeer alleen maar te zeggen dat je je wraak niet op een heel volk moet botvieren. Bedenk zorgvuldig wie je wil haten.' De vorst keek hem aan met een lange en toegenegen blik. 'Als je überhaupt al moet haten.'

Rowarn keek hem koel aan. 'Doet u dat dan niet?'

'Soms. Maar ik doe het liever niet, Rowarn. Ik wil opbouwen, niet vernietigen.' De koning wreef zich door zijn baard. 'We gaan onze ondergang tegemoet als we daarmee doorgaan,' voegde hij er zacht aan toe. 'Op een dag zullen we dan net zo zijn als Femris.'

Rowarn zweeg. Hij wist niet wat hij daarop moest zeggen. Uiteindelijk mompelde hij: 'Ik ben een goede schildknaap, toch?'

De koning lachte onverwacht. 'Je zult niet lang genoeg meer mijn schildknaap zijn om daarover te kunnen piekeren,' antwoordde hij. 'Na wat je vandaag gepresteerd hebt, zal ik je de status van ridder verlenen, en wel morgenvroeg al.'

Rowarn knipperde verbijsterd met zijn ogen. 'Maar ... mijn opleiding ...'

'Ik zal hem voortzetten en beëindigen, zoals overeengekomen. Maar jij bent betrouwbaar en in staat om beslissingen te nemen. Je hebt gehandeld wanneer het nodig was en je niet eenvoudigweg op bevelen verlaten. Je bent volwassen, Rowarn, en er zit nog veel meer in jou. Maar boven alles ben je een goed mens, daar moet je je aan vastklampen.' De koning legde zijn hand op zijn arm. 'Ik weet niet wat jou kwelt en je hoeft er ook niet over te praten, maar je moet jezelf niet bestraffen. Je bent veel te jong om verstrikt te raken in zo'n schuldgevoel.'

Rowarn kreeg een brok in zijn keel. 'De ... de Warinnen zeiden dat ik een Rithari ben ...'

'Nee, dat ben je niet!' sprak de vorst hem onverwacht fel tegen. Zijn blik verloor zich in de verte en heel even was een hevige pijn op zijn gezicht te lezen. 'Geloof me, ik kan het weten,' besloot hij zacht.

Nadat de verschrikkingen overwonnen waren, de nacht inviel en de nevel optrok, daalde een aarzelende rust over het kamp neer. Eindelijk konden de nieuwbakken soldaten elkaar gelukwensen met hun eerste zege. Geen van hen was gezwicht, ze hadden allemaal dapper gevochten en degenen die in het lazaret lagen, zouden het overleven en al snel weer ingezet kunnen worden.

De opkomende maan zette het kamp in een milde zilverkleurige glans, ook al was het tamelijk fris. Maar de grote halo om Ishtrus Tranen beloofde dat er een zonnige dag in het verschiet lag waar men zich al snel in zou kunnen warmen.

Ook de kampvuren bewezen goede diensten. Knechten en dienstmaagden waren ijverig bezig om eten en drinken te verdelen, het vuur brandende te houden en de gewonden te verzorgen.

Iedereen had nu voor het eerst gedood en zich bewezen. Ze wisten nu bij benadering wat ze in Ardig Hal konden verwachten en waren, meer dan ooit, vastbesloten om hun bijdrage te leveren.

Fashirh draaide zijn gehoornde hoofd om toen Rowarn naderbij kwam. 'Kan ik ... met je praten?' vroeg de jongeman aarzelend. 'Natuurlijk,' antwoordde de Demon. 'Het maakt mij niet uit om met mensen zoals jij te praten.'

Rowarns blik gleed naar de andere drie Demonen, die net buiten de vuurcirkel lagen, mat gloeiende schimmen in het donker.

'Jullie zijn de enigen?'

'Ja,' antwoordde Fashirh met ruige stem. 'Denk niet dat jullie soort het alleenrecht heeft, andersdenkenden te verachten.'

'Toch staan ze aan onze kant?'

'Aan de kant van de Regenboog, kind. Ze zouden zonder na te denken deze groep opofferen, als dit het Harmonische Rijk de overwinning zou brengen.'

Vreemd genoeg stelde het antwoord Rowarn gerust, omdat hij dat al had vermoed. 'En jij?'

Fashirh keek naar zijn handen, waar in dit weer een grauwe waas over hing. 'Ik ben al op leeftijd. Ik ben ook anders als zij. Zij zijn slechts soldaten.'

'Bestaat er dan niet het gevaar dat ze overlopen, als ze beter betaald worden door Femris?' vroeg Rowarn hem de vraag die hij eerder al aan de koning had gesteld.

'Bestaat zulk gevaar niet altijd?' gaf Fashirh hem bijna hetzelfde antwoord als de koning eerder had gegeven. 'Maar nee, dwaas kind. Deze Demonen zullen de door hun gekozen kant trouw blijven, anders hadden ze deze niet gekozen. Jij weet niet veel over ons. Ook in het rijk der Duisternis en zijn kinderen geldt eer en plicht. Misschien zelfs meer als bij jullie.'

Rowarn waagde het uiteindelijk om de vraag te stellen die hem het meest bezighield: 'Waarom hebben jullie voor de Regenboog gekozen?'

De Demon lachte duister. 'In tegenstelling tot mijn drie soortgenoten, stam ik van Xhy af, de hoofdwereld van de Demonen. Op een dag verscheen de Ledige bij ons, Tar'meso. Men noemt hem nu de Heer van de Vlammentroon. Hij is een Annatai maar hij hoort bij de Duisternis. Hij is de Zwarte Annatai.'

'Dat begrijp ik niet,' antwoordde Rowarn verward. 'Is dat eigenlijk ook niet de kant van de Demonen? Jullie hoofdwereld ligt zeker daar ...'

'De Ledige heeft mijn wereld in as gelegd, Rowarn.'

'Oh ...' Rowarn probeerde zich voor te stellen wat het voor een wezen moest zijn, als hij in staat was om de hele hoofdwereld van de Demonen te vernietigen. Toen besloot hij dat het beter was, als hij daar niet over nadacht.

Fashirh ging verder: 'Blijkbaar beviel het hem niet dat de duistere Vanna, de heer van Xhy, hem de Vlammentroon betwiste. Er ontbrandde een gevecht en Tar'meso dwong de duistere Vanna op zijn knieën. Dat was niet genoeg voor hem. Hij verwoestte de gehele wereld. Zij bloedt tot op de dag van vandaag nog steeds op vele plaatsen en heeft zich maar amper hersteld.'

Het duizelde Rowarn. 'En dat heeft één man gedaan?'

'Een Annatai. Het is het machtigste volk van het universum. Hun thuiswereld heet Annata, welke Erenatar, de Eerste Gedachte, zelf ooit aan het uitverkoren volk heeft geschonken. De Annatai trokken door het Dromende Universum als tovenaars en leermeesters. Ze staan hoog in aanzien. De naam van de Ledige roept inmiddels op veel plaatsen angst op. Na de verwoesting van Xhy besloot ik dat de Duisternis nooit meer mocht overwinnen dankzij een machtig persoon als hij, want zelfs voor de Demonen zou het dan een verschrikkelijk universum zijn. Daarom dien ik de Regenboog trouw.'

Rowarns huid werd bijna doorzichtig, zo bleek was hij geworden. 'Wat een grootse geschiedenis ...' fluisterde hij.

'Zeker,' knikte de Demon. 'Af en toe te groot, jongen. Maar we hebben geen keus, want we zijn de Eeuwige Strijd van de GE-DEELDEN ingetrokken en nu moeten we onze bijdrage leveren. Binnenkort zal niemand zich meer neutraal op kunnen stellen.'

'En wat gebeurt er ... als de Ledige hierheen komt?'

'Moge de goden ons daarvoor behoeden, omdat we met Femris al genoeg te stellen hebben. Maar nee, daar ben ik niet bang voor, als jou dat gerust stelt. De Duisternis heeft vele handen en is op veel plaatsen werkzaam. Hetzelfde geldt voor de Regenboog.'

Rowarn knikte. 'Ja, zoals je aan jou kunt zien. En als ik bedenk wat er uit de Dwergen voort kan komen en dat zelfs Demonen angst hebben voor een enkele tovenaar uit de eigen rijen, moet ieder van ons proberen om zijn bijdrage voor de vrede te leveren, want naar het schijnt hebben beide GEDEELDEN hun eigen licht en schaduwzijde.'

'Een wijze, kleine man.' Fashirh ontblootte zijn messcherpe tanden en wilde er nog wat aan toevoegen, toen hij merkte hoezeer het bericht over de Annatai Rowarn had geschokt. 'Overigens bevindt zich een afstammeling van de Annatai op Woudzee. Hij is geboren op Erytrien, een eiland dat hier ver vandaan ligt en veel legenden herbergt. Hij heet Halrid Falkon en trekt al jaren door verschillende landen.'

'Oh!' riep Rowarn. 'Genoeg! Bestaan er in deze wereld alleen maar machtige en angstwekkende wezens?'

De Demon schoot in de lach. 'Nou, dan praten we toch over iets anders dat alle mannen tot nu toe interesseert, of ze nou machtig zijn of niet, Demon of mens: *Vrouwen!*'

Rowarn, die aannam dat het een grap was, reageerde er meteen op. 'Demonenvrouwen?'

Fashirh brieste vuur van plezier. 'Maar natuurlijk, onschuldig kind, tenslotte moeten ook wij voor nakomelingen zorgen. Onze vrouwen zijn de Demonen met vleugels.'

'Vleugels?'

'Maar zeker. En ik zeg je, ze zijn onweerstaanbaar. Ze maken een sabbelende idioot van iedere Demon als ze het willen. Ze houden ervan om iemand van zijn verstand te beroven. Ze zijn heel anders dan wij, spreken een andere taal en ze leven ook niet bij ons.'

Rowarn was aan de ene kant van zijn stuk gebracht en aan de andere kant wilde hij ook meer weten. Hij had altijd interesse gehad voor dit soort verhalen en hij wilde niet nog een keer horen dat hij teveel vooroordelen tegen Demonen had. 'En ... wat doen ze dan?'

'Soms komen ze naar ons toe en zoeken ze een partner uit.' antwoordde Fashirh. 'Daarna verdwijnen ze weer. Stel je eens voor, het is taboe voor ons om hun rijk in de hogere sferen op te zoeken. Ze voeden onze kinderen en leiden hen op, voordat ze de mannelijke nakomelingen naar ons toesturen. Ze zijn verleidelijk ...'

'Gevaarlijk ...'

'Nou en of. Ze bestaan bijna volledig uit magie. Ze grijpen nooit naar de wapens, maar hebben dat ook niet nodig. Ze bemoeien zich maar zelden met de wereldse belangen. Ze zoeken de mensen en de andere volkeren, als ze deze al bezoeken, alleen maar ter afwisseling en vermaak op. Wij, het mannelijke deel van de bevolking, kennen hun gedachten niet. We weten niet eens wie ze dienen.'

'Misschien geen van beide zijden.' mompelde Rowarn. 'En elke ...'

'Ja, dat zou kunnen. 'Fashirh streek zich door zijn lange, spitse baard, die niet uit haren, maar uit beweeglijke huid en pezen bestond. 'Ook als het GEDEELDE er nog is. Zo zijn we toch nog allemaal één, nietwaar? Ik heb aanhangers van de Regenboog dingen zien doen, die zelfs de ziel van een Demon zou hebben verkild. De zwarte Annatai, waar ik het al eerder over heb gehad en die men niet zomaar de Ledige noemt, heeft mij geleerd wat angst is. *Mij*, een Demon van Xhy! Mij iets geleerd dat onmogelijk leek te zijn bij ons! Zal ik eens wat zeggen?' Hij richtte zijn gloeiende ogen op Rowarn. 'Ik weet niet of wat ik doe, goed is. Maar ik geloof dat wij, om het even wat we doen, op een onvermijdelijke ondergang toesturen en slapende slangen wekken.'

Rowarn vond deze uitspraak niet al te opbouwend. 'Jullie kennen niet zoiets als hoop?'

'Nutteloos, net zoals de meeste gevoelens.' Fashirh keek Rowarn van opzij aan. 'Weg ermee.'

'Wat bedoel je?' vroeg de jonge Nauraka naïef, maar had toch een betrapt gevoel.

'Je bent om een heel bepaalde reden naar mij toegekomen, vanwege een vraag die op je tong brandt. Stel hem en dan is het genoeg voor vandaag.'

'Goed dan.' Rowarn hield zijn hart vast. 'Wat weet je over de

Demon Nachtvuur?'

Vergiste hij zich, of kromp Fashirh in elkaar? Hij siste de jonge Nauraka tussen zijn ontblote slagtanden toe: 'Ben je gek geworden om zijn naam zo open en bloot te noemen? Zonder iets of iemand om je te beschermen?'

'Ben jij niet bescherming genoeg dan?' vroeg Rowarn beduusd.

'Ik? Absoluut niet, onwetende en onnozele hals. Ik heb hem maar één keer ontmoet en toen was ik nog erg jong. Ik heb geen zin om hem nog een keer te ontmoeten, zeker niet omdat we voor verschillende kampen vechten. Hij is erg machtig, Rowarn. Niemand heeft hem ooit overwonnen. Als hij heeft besloten om jou te doden, zal hij dat ook doen. Je zult nooit horen wanneer en hoe het zal gebeuren.' De Demon schudde zijn gehoornde hoofd. 'Waarom stelt een breekbare peuter als jij, vragen over een machtig iemand als hij?'

'Hij schijnt koningin Ylwa gedood te hebben.'

'Ja, dat heb ik ook gehoord. En ik geloof het, want ook de koningin was machtig en alleen iemand als Nachtvuur kon erin slagen om ongemerkt het slot binnen te dringen en haar te doden.' Fashirh tikte met zijn vinger tegen Rowarns arm en de jongeman verloor zijn evenwicht, als was hij niet meer dan een stofje op zijn kleding. 'Sta nu op en ga slapen, kind. Geen vragen meer en ook geen antwoorden.' Hij stond op en stampte weg.

Rowarn ging niet direct naar zijn tent, maar naar het lazaret. Hij wilde, voordat hij ging slapen, Morwen nog even zien. Hij bevroor toen hij koning Noïrun tegenkwam, die net naar buiten hinkte. Onwillekeurig kreeg hij een rode kleur. 'Ik ... ehm ... wilde alleen ...'

'Het is al goed,' antwoordde de koning. 'Ik ben niet blind, Rowarn, en ik ben niet alles vergeten dat met genot te maken heeft. Ik weet allang dat jullie beiden elkaar 's nachts treffen. Net zoals Jelim en Rayem en al de anderen. Het gaat me allemaal niets aan zolang jullie er maar diskreet mee omgaan.'

'Maar u bent Morwens vader ...'

'Ik heb haar verwekt, maar ik heb haar niet op zien groeien of opgevoed. Ik ga daar nu echt niet mee beginnen. Ze is inmiddels drie jaar bij mij in dienst en ik heb me nooit met haar bemoeid, omdat ze als volwassen, zelfstandige vrouw bij mij is gekomen.'

Hij keek Rowarn nu aan. 'Natuurlijk ligt ze me na aan het hart,' gaf hij toe, 'en is ze heel belangrijk voor me. Maar mijn plicht gaat voor alles en dat weet ze. Ze verwacht ook niet anders, want ze is zelf een soldaat.'

'Ja, heer,' mompelde Rowarn.

Indringend voegde Noïrun er nog aan toe: 'Toen ik mijn eed aflegde, verplichte ik mezelf tegelijkertijd om nooit mijn gevoelens boven mijn verantwoording of verplichting te stellen. Daarom is wat ik doe, zo belangrijk. Daar hou ik mij hoe dan ook aan vast, alleen dan kan ik het ook van anderen verlangen.' Hij wees naar de ingang van de tent. 'Ga nu maar snel naar binnen, het is al laat en we hebben allemaal slaap nodig. Zorg dat je morgen uitgerust en op tijd bent.' Zachtjes voor zich uit vloekend hinkte hij naar zijn tent.

Morwen was nog wakker toen Rowarn aan de rand van haar bed plaatsnam. 'Hoe voel je je?' Hij streek een pluk haar van haar voorhoofd. Ze was bleek, maar haar ogen stonden helder en ze had geen koorts.

'Ontzettend moe, maar de pijn is uit te houden,' antwoordde ze. 'Het is maar een vleeswond. Waarschijnlijk zal ze niet eens ontsteken, dankzij het feit dat ik zo snel hier was en behandeld kon worden.' Ze bewoog haar gezonde arm, zocht naar zijn hand en drukte die. 'Jij hebt hem gered,' zei ze zachtjes. 'Dank je.'

Een tijdje keken ze elkaar stil in de ogen. Toen ging Morwen, met een zeldzaam serieuze, maar ook bijna feestelijke klank in haar stem verder: 'Rowarn, één ding moet je me hier en nu beloven: mochten we ooit in de situatie komen, dat je moet kiezen tussen mij en mijn vader, kies dan voor hem.'

'Morwen, dat kan ik ni...' wilde hij geschrokken afwijzen, maar ze hield zijn hand stevig vast en hij voelde hoe haar nagels zich pijnlijk diep in zijn huid boorden.

'Rowarn, je begrijpt het niet,' onderbrak ze hem. 'Ik zeg het niet uit edelmoedigheid of hoogdravendheid, of omdat ik in een sentimentele stemming ben vanwege mijn wonderbare redding. Het is me bittere ernst. Mijn vader is een groot voorbeeld en Ardig Hal heeft hem nodig. De koningin is dood, het slot is een ruine. Hij is degene, die alles bij elkaar houdt en de strijd nog zin geeft. Geloof me!

Hoe wreed het ook mag klinken, het beste dat Ardig Hal kon overkomen, is dat hij uit zijn land verdreven is, omdat hij zich er met zijn gehele hart voor inzet en gelooft in wat hij doet. Hij heeft niets anders meer, maar tegelijkertijd geeft hij de soldaten alles. Behoudt dat voor hem, en behoudt hem daardoor voor ons.

Hij leeft ervoor om voor Ardig Hal te vechten en Femris te verhinderen de Tabernakel in zijn geheel in zijn vingers te krijgen. Ik weet dat jij andere doelen hebt. Maar jij en Olrig, jullie zijn de enigen die hij dichtbij zich laat. Hij heeft jullie allebei nodig – en dat weet hij. Meer dan ik, ik ben eerder hinderlijk voor hem in plaats van zijn dochter. Zoals hij de soldaten aanspoort, heeft hij jullie ondersteuning nodig.'

'Hij zou het me nooit vergeven,' wierp Rowarn tegen, ook al zag hij de zin van haar woorden in.

'Dan is dat een last meer om te dragen,' antwoordde ze. 'En ik weet dat je het kunt, Rowarn. Ergens diep in jou rust een machtig soort grootheid. Ik weet niet wie je bent, maar je bent niet zoals wij. Alleen je voorkomen ... nee, zeg het niet!' Ze deed onwillekeurig haar gewonde arm omhoog toen hij iets wilde zeggen en haar gezicht vertrok van de pijn. 'Ik wil niet weten, wat jou kwelt. Nu nog niet.' Toen zuchtte ze. 'Dit is het moment dat je iets moet beloven en dan gaan.'

'Ik beloof het,' zei hij langzaam.

'Onthoud dat je eraan gebonden bent, in voor- en tegenspoed. Als je deze belofte breekt, verlies je meer dan alleen maar je eer.'

'Ik beloof het,' herhaalde hij.

'En beloof het niet omdat je denkt dat je nooit in deze situatie zal komen. Laten we hopen dat het zo is. Maar als het gebeurt, moet je niet twijfelen. Je bent eraan gebonden.'

'Ik beloof het,' herhaalde hij voor de derde keer.

Deel 3

Strijd om Ardig Hal

HOOFDSTUK 13

Het tweede pad

De volgende ochtend bracht volop zon voor de krijgers. De mist was opgetrokken en degenen die vroeg uit de veren waren en met stijve en stramme ledematen uit hun tenten kwamen, werden begroet door de eerste warme zonnestralen.

Het slagveld lag niet ver van het kamp verwijderd. Nu werd de omvang van de strijd pas duidelijk. Er waren niet minder dan tachtig Warinnen gesneuveld. Hoeveel er hadden kunnen ontkomen, was niet duidelijk. De Demonen konden hier ook geen duidelijkheid over verschaffen. De wapens werden in ieder geval ingezameld en naar een wagen gebracht. Hun eigen verliezen waren, dankzij de Demonen, gelukkig laag gebleven.

'Een vernietigende nederlaag voor deze wangedrochten. En zo hoort het ook,' merkte Olrig op toen hij Rowarn ophaalde. Hij bekeek de jonge Nauraka, wiens kledij nog diezelfde nacht grondig schoongeboend en gedroogd was, met een kritische blik. Hij inspecteerde eveneens of de nieuwe wapenrusting, die zijn dienst al bewezen had, goed bevestigd was. 'Je ziet helemaal groen,' stelde hij vast.

Rowarn wilde niet toegeven dat hij geen hap naar binnen had gekregen. De afschuwelijke ogen van de Eliaha hadden hem de hele nacht achtervolgd en hij kon haar schrille kreten en gruwelijke lach nog steeds horen. Was het vanwege zijn razernij en de vele doden? 'Heb ik het werkelijk verdiend om tot ridder geslagen te worden?' vroeg hij zachtjes.

'Wat een domme vraag,' bromde de krijgskoning. 'Je bent een buitengewoon talent, je bent zeer moedig en heb jezelf meer dan bewezen omdat je je krachten precies daar ingezet hebt, waar ze het meest nodig waren. Daar heb je Noïrun gisteren het leven mee gered. Zonder jou was het niet zo goed afgelopen voor ons, ondanks Farhirhs ingrijpen. Ik geef Noïrun groot gelijk dat hij je tot ridder slaat. Je verdient het, Rowarn.'

De jonge Nauraka antwoordde niet en schoof alle verdere gedachten van zich af. Het was zo besloten, dus zouden er wel redenen voor zijn.

De legerschare wachtte al op hem in de gebruikelijke ceremoniële opstelling toen hij met Olrig aan kwam lopen en door hem naar het kampvuur begeleid werd. Fashirh, de rode Demon, stond er ook. Bij daglicht was hij nog groter en angstwekkender. De draden van zijn baard bewogen zacht heen en weer. De andere drie Demonen stonden vanaf een afstandje te kijken naar de aankomst van Rowarn. Hun gezichten hadden, net als hun lichamen, een ruwe, dierlijke uitstraling. Het leek alsof ze uit onderdelen van verschillende roofdieren en hagedissen waren samengesteld, maar in hun koude ogen blonk een intelligentie en een bewustzijn dat ver boven dat van de mensen lag, dat wist Rowarn zeker.

De koning wachtte al op hem en Rowarn kreeg een week gevoel in zijn knieën. 'Wat moet ik eigenlijk doen?' fluisterde hij paniekerig tegen Olrig.

'Leg je zwaard voor zijn voeten. Ga voor hem op je linkerknie zitten en buig je hoofd naar voren,' antwoordde de krijgskoning zachtjes. 'Zeg vervolgens: Ik wijd deze kling toe aan het edele ridderschap en vraag mijn heer, om mij te ontslaan als zijn schildknaap en mij de eer te verlenen mij als ridder in zijn dienst te nemen. Ik beloof ...'

'Ben je gek? Dat kan ik onmogelijk onthouden!' Hij voelde de paniek opkomen en het liefst was hij weggerend.

'Zeg dan maar gewoon wat,' zei Olrig, breed grijnzend. 'Er zal toch geen uitgebreide ceremonie plaatsvinden, maar eerder een snelle benoeming op het slagveld. Het zal geen blamage voor je worden, boomaapje.'

Rowarn had het graag geloofd. Hij deed zijn best om rustig adem te halen en liep in zijn eentje naar de koning toe. Hij trok zijn zwaard en legde het voor hem neer, zoals Olrig hem gezegd had. Toen liet hij zich op zijn linkerknie zakken en boog zijn hoofd. 'Ik leg deze kling voor de voeten van mijn heer,' zei hij toen met heldere en krachtige stem, zonder er verder bij na te denken. 'Ik beloof plechtig hem oprecht en met eer te dienen, totdat hij mij van mijn plicht ontslaat.' Hij keek Noïrun nu aan. 'Ik beloof plechtig aan mijn heer, koning Noïrun, hem altijd met toewijding en trouw terzijde te staan en nooit te wijken, zolang hij mij nodig heeft en zich van mijn zwaardarm bedienen wil.'

Hij hoorde Olrig achter zich geroerd snikken. Ook de strenge blik van de koning werd zachter, voordat hij het zwaard met beide handen opnam. 'Ik neem jouw zwaard en jouw gelofte aan,' zei hij beheerst. Toen sloot zijn rechterhand zich om de greep van het zwaard en hij hield de punt boven Rowarns hoofd. 'En hiermee, uit achting voor jouw verdiensten op het slagveld, jouw grote krijgskunst, jouw onverschrokken en moedige inzet, en als dank voor mijn redding omdat je je alleen tegen een vijandelijke overmacht teweer hebt gesteld, sla ik je tot ridder van Ardig Hal. Je zult je aan de geboden van de ridderstand houden. De eer en de plicht hoog in het vaandel houden. De zwakkeren bijstaan en altijd eerst onderhandelen voor je naar de wapens grijpt. Een ridder zijn brengt grote verantwoording met zich mee en vereist een vooruitziende blik en een helder verstand.' Hij knikte Rowarn toe en gaf hem een kort, onopvallend teken om op te staan, voordat hij een halve pas achteruit zette.

Nu kwam Olrig aan Noïruns linkerkant staan en hield een blauw doek voor Rowarn. 'Dit is het wapenhemd van Ardig Hal,' zei hij vrolijk, terwijl hij het in Rowarns handen legde. 'Je hebt het recht om het te aller tijde over je harnas te dragen. Houd het in ere.'

Rowarn knipperde verbaasd met zijn ogen toen Morwen ineens naast Noïrun kwam staan. Ze droeg haar linkerarm in een draagverband. Ze zag er mager en bleek uit en had diepe wallen onder haar ogen. Maar haar ogen blonken fel toen ze een wapenstok omhoog hield waar het vaandel van de zeedraak aan wapperde.

'Tevens heb je als ridder het recht om dit vaandel te paard te voeren, als teken van eer.' Ze hield hem het vaandel voor. Zachtjes voegde ze eraan toe: 'Eigenlijk moet ik het aan je rug bevestigen, maar dat lukt me nu niet.' Vervolgens trok ze zich haastig terug en ging achter haar vader staan, terwijl Olrig naast haar ging staan.

Rowarn wist niet wat hij nu moest doen of zeggen. De koning trad met een korte maar pijnlijke trek op zijn gezicht naar voren, greep hem bij de schouders en kuste hem op beide wangen. 'Welkom in mijn garde, ridder Rowarn,' zei hij lachend. Hij keek Olrig even aan en fluisterde: 'Juichen.'

Vervolgens rolde het gebulder van de krijgskoning over de manschappen heen en het volgende moment viel de geordende opstelling van de mannen uit elkaar en alle soldaten barstten in gejuich en gejubel uit. Ze applaudisseerden enthousiast, omringden Rowarn en trokken hem mee.

Noïrun, die bleek om zijn neus geworden was van uitputting, legde een arm om Morwens middel. 'Het is vast zinloos om te zeggen dat het niet verstandig is wat je doet.' zei hij. 'Ga nu maar snel liggen, we zullen zo opbreken.'

'Jazeker, mijn hompelende heer,' zei ze trots en liep onvast terug naar het lazaret.

Fashirh stampte op de koning af. 'Keurig,' zei hij. 'Wij hebben een soortgelijke tamtam. Erg doorzichtig allemaal, maar het werkt. Het is een stimulans voor ze. Maar wordt het niet tijd dat we vertrekken?'

'We geven ze nog wat tijd,' antwoordde Noïrun. 'Ze hebben gisteren hun eerste bloed vergoten en de eerste slag geleverd zonder weg te lopen. Ondanks de overwinningsroes zullen velen schuldgevoelens hebben vanwege het doden. Daar zullen ze toch mee in het reine moeten komen. Ook daarom heb ik Rowarn in de ridderstand verheven en deze ceremonie gehouden, om hen te laten zien dat er iets goeds uit voort kan komen en het belangrijk is wat ze doen. Dat ze er ook voor bedankt worden.'

'Ah, je bent zo warmbloedig en sentimenteel! Hoe slagen jullie er toch in om rijken te veroveren, als je constant schuldgevoelens hebt?'

'Is jullie bloed dan koud en jullie hart van steen?' bromde Olrig.

Fashirh ontblootte zijn tanden. 'We hebben geen bloed, grimmige vriend, en dus ook geen hart. Het is pure levensessentie dat door ons sterfelijk omhulsel stroomt.'

Olrig sloot zijn ogen. 'Dat hebben de Warinnen dus van jullie gekregen.'

'Ja,' bevestigde Fashirh. 'Geen slecht idee, toch?'

'Dus jullie zullen nooit gevoel kennen? Liefhebben?' vroeg Noïrun langzaam.

'We voeren hier wel een heel apart gesprek,' stelde de rode Demon vast. 'In de afgelopen jaren heeft niemand hier interesse voor gehad. Komt het door de jongen? Maar natuurlijk, het ligt zeker aan hem. Hij stelde mij gisteren ook vragen die we maar zelden horen.' Hij richtte zijn als kolen gloeiende ogen op de vorst. 'Natuurlijk kunnen wij liefhebben, als wij het willen en toelaten,' antwoordde hij. 'Dit universum werd met liefde geschapen en de Duisternis is daar onderdeel van, net zoals wij een deel van de Duisternis zijn. De liefde van een Demon is dus uniek.'

De koning maakte een afwijzend gebaar. 'Je hebt gelijk, dat gaat te ver. Ik zie dat je soortgenoten onrustig worden, Fashirh. Ik stel voor dat jullie je meteen naar Ardig Hal begeven. Het kan zijn dat jullie onderweg plunderende troepen tegenkomen. Als dat zo is, dan heb je mijn toestemming om te stoppen en ze van de aardbodem weg te vagen voordat je verdergaat. We zien elkaar weer in het kamp aan de voet van de burchtheuvel.'

'Een zeer goede beslissing, zoals altijd,' prees de rode Demon hem. 'Een goede reis. Wij houden de stelling, zoals beloofd, tot jullie arriveren.'

'Kijk uit voor de Bepheron,' voegde Noïrun er nog aan toe.

'De Bepheron? Waar heb je het over?'

'De nieuwe legeraanvoerder van Femris. Blijf uit zijn buurt, dat is een bevel.'

'Oh, Werkelijk. Een Bepheron! Fashirh lachte dreunend. 'Wat een heugelijk nieuws! Ik kan maar amper wachten, Noïrun. Het is mij altijd weer een genoegen.' Hij gaf de andere drie Demonen een teken en al snel waren ze onderweg. Met lange, snelle passen verwijderden ze zich. Het enorme lichaam van Fashirh was nog lang te zien.

Noïrun keek Olrig aan. 'Is mijnheer weer genegen om met mij te praten?'

'Hm,' bromde de Dwerg duister.

'Ik neem aan dat dat een "ja" is.' Noïrun veroorloofde zich om te laten zien dat hij pijn had. 'Ik kan amper meer staan, oude vriend. Ik geloof dat mijn enkel ondertussen net zo groot is als een heksenketel en ook net zo dampt en kookt. Help me alsjeblieft. En ik zou ook heel graag wat van je kruiden gebruiken en misschien zelfs een koel verband
...'

'Hou nou maar op!' riep Olrig. Hij legde de arm van zijn vriend over zijn schouder en ondersteunde hem. 'Je bedoelt dat ik, omdat je je schildknaap hebt ontheven van zijn taken, alles weer moet opknappen? Laten we een overeenkomst sluiten: Ik verzorg je voet en jij luistert naar al mijn verwijten zonder mij te onderbreken.'

'Nou, vooruit,' gaf Noïrun zuchtend toe. 'Ik heb tenslotte niet echt veel keus. Misschien kan een beetje Ushkany wat extra verlichting geven.'

Olrig grijnsde. Het beviel hem duidelijk dat hij bij uitzondering het laatste woord had. 'Dat spreekt voor zich, ik ben ten slotte geen Ondwerg.'

's Middags braken ze uiteindelijk op. Toen de koning zijn vervangend paard zadelde, hinnikte zijn kopervos teleurgesteld en de dampwolken kwamen uit zijn neusgaten. De wond aan zijn schouder was met kruiden en dikke leem verzorgd en hij vond blijkbaar zelf dat hij weer sterk genoeg was om zijn heer te kunnen dragen.

'Jullie passen bij elkaar,' mopperde Olrig, die net nog een heftig meningsverschil met de vorst had gehad, omdat hij vond dat het slecht voor zijn voet was om nu te paard te gaan, in plaats van met zijn been omhoog in een wagen te zitten. Hij pakte het zadel uit de handen van Noïrun en gooide het op de rug van de hengst, die zijn hoofd omhoog gooide en zijn oren naar achter legde. 'Zo,' foeterde hij. 'En zie maar hoe je er alleen op komt!' Woedend stampte hij naar zijn eigen schimmel.

Ze kwamen maar langzaam vooruit, want Noïrun wilde de wagencolonne, waarin de gewonden ondergebracht waren, niet zonder bescherming laten. De kopervos liep ook niet zo ijverig als normaal gesproken en hinkte wat dankzij zijn verwonding. Ook de koning had duidelijk problemen om in het zadel te blijven, maar zowel het ros als de ruiter gaven niet toe.

Waarschijnlijk, dacht Rowarn, *was het beter geweest om de Demonen niet weg te sturen. Nu hebben we veel minder slagkracht.* Zodra het nieuws over de nederlaag van de Warinnen bekend werd, zouden de pogingen om de koning te vinden zeker verdubbelen.

Olrig scheen het hier mee eens te zijn, want Rowarn zag hen alweer bekvechten, waarbij eigenlijk alleen de Dwerg vocht voor zijn mening en de koning alles over zich heen liet komen en hoofdzakelijk met gebaren antwoordde.

De rest van de dag verliep rustig. Misschien was het beter geweest een rustpauze in te lassen, maar aan de andere kant waren ze nu een flink stuk opgeschoten en de koning liet hen voor het invallen van de schemering halt houden. De rest van de dag en de avond zag men hem niet meer. Hij had zich in zijn tent teruggetrokken om daar alleen te zijn met zijn pijn.

Rowarn liet zich de kans niet ontnemen om hem zijn avondeten en een kroes bier te brengen. Ushkany was er niet meer, hetgeen betreurd werd door Olrig. Misschien was hij te boos op zijn adellijke vriend en wilde hij hem niets geven. Misschien was het ook wel gewoon waar. Doordat ze vroegtijdig uit Ennisghar vertrokken waren, had Olrig geen kans gehad om nieuwe voorraden aan te leggen.

Met Noïrun ging het niet goed. Zijn enkel was flink gezwollen en had een blauwrode kleur. Zijn laarzen hadden ze met vereende krachten uit moeten trekken en ook bij de rest hielp Rowarn hem vanzelfsprekend, want ook Noïruns gewonde schouder begon op te spelen door de constante inspanningen tijdens de rit. Zelfs een jonger iemand kon zich dat soort dingen niet zomaar blijven veroorloven, zoals Rowarn en de honderdvijftig andere rekruten op weg naar Valia gemerkt hadden. Noïrun bezat dan wel meer uithoudingsvermogen, maar hij was ook twee keer zo oud als de rekruten.

Precies zo, dacht Rowarn met plezier, *zou ik ook mijn eigen vader verzorgen*. En Noïrun leek ook dankbaar te zijn voor zijn zorgen, want hij accepteerde ze zonder commentaar. Rowarn ging daarom nog een stap verder en stuurde een heler naar hem toe. Voor de zekerheid bleef hij daarna uit de buurt van de tent. Vervolgens ging hij zelf iets eten, hetgeen zijn maag opgetogen begroette en kroop daarna tevreden in zijn kleine tent.

Hij was net in slaap gedut toen Morwen onder zijn deken kroop. Rowarn nam haar in zijn armen en streelde haar, waarbij hij goed op haar gewonde schouder lette. Nog iets, dat ze nu met haar vader gemeen had.

'Het doet niet zo zeer als ik stil lig,' zei ze. 'Ik ben een ongeduldig mens, ik kan het niet aanzien hoe stumpers mijn werk verrichten.'

Hij lachte zachtjes. 'Bij jou kan niemand het goed doen, hè?'

'Ik ga niet werkeloos toezien als het weer tot een aanval komt.'

'Hm, maar overdrijf het niet.'

Ze lagen een tijdje stil naast elkaar. Hij dacht al dat ze ingeslapen was, toen ze zei: 'Gefeliciteerd met je ridderslag. Het was een goede beslissing van mijn vader. Je hebt het meer dan verdiend.'

'Daar ben ik niet zo van overtuigd,' mompelde hij. 'Morwen, ik heb mijn beheersing weer volledig verloren. Ik heb geen idee wat ik gedaan heb. En ik heb nog lang niet genoeg geleerd.'

'Je moet Noïrun vertrouwen. Hij neemt nooit voorbarige of lichtvaardige beslissingen. Als hij ervan overtuigd is dat je er klaar voor bent, dan is dat zo.' Ze beroerde zijn gezicht. 'Ben je bang voor het onbekende in je?'

Hij knikte. 'Ja. Ik weet bijna niets over mezelf. En wat ik wel weet, is te weinig. En ... ik geloof dat ik daarom de controle heb verloren, omdat ik teveel door mijn gevoelens geleid werd. Vanuit een dorst naar wraak ...'

'Ik vind het erg voor je.' Ze vleide zich dichter tegen hem aan. 'Voor jou geldt hetzelfde als voor mij: overdrijf het niet. We moeten niet vergeten dat we allemaal fouten maken. Ik hoop dat je je wraaklust op een dag kunt opgeven. Dat is een krachtige, maar slechte raadgever. Wie weet zeker of je wel voor Ardig Hal vechten wilt, als we er eenmaal zijn of dat je dan een hele andere weg inslaat.'

Dat wist hij zelf ook niet moest Rowarn voor zichzelf toegeven. Maar hij was een verplichting aangegaan met Noïrun en was nu als ridder aan zijn eed gebonden. Op zijn minst moest hij een tijdje voor de burcht en de tabernakel vechten.

Ze sliepen arm in arm. Er was iets veranderd tussen hen sinds Morwen Rowarn had laten zweren om het leven van haar vader boven dat van haar te stellen. Het leek bijna alsof ze nu broer en zus waren.

Twee dagen later keek Rowarn vanaf een heuvel over een uitgestrekte vlakte. In de verte zag hij hoe een brede stroom traag door het landschap trok – de Gouden Rivier, zo genoemd vanwege het vele goud dat hier ooit gevonden was. Nu bracht hij alleen nog maar slijk en sedimenten van het gebergte met zich mee. De Gouden Rivier gold als de grens van het westen van Valia, aan de andere kant begon het oosten van het voormalige rijk, waarbij dit oosten, net als het westen, in onafhankelijk steden, baronieën, vorstendommen en verschillende kleinere rijken verdeeld was. Maar van oudsher belichaamde de geweldige rivier een scheidingslijn, die er van het noorden naar het zuiden niet was.

Het oosten had pas een slechte naam gekregen toen Femris er zijn burcht Dubhan had gebouwd. Was men de rivier gepasseerd, dan werden de reizigers door precies hetzelfde soort mensen ontvangen, met dezelfde levenswijze en hetzelfde landschap als in het westen. De schaduw van de burcht viel slechts over de harten van de sterfelijken, niet over het land.

Het bosrijke gebied was bezaaid met aderen van water, die meestal in meren uitmondden. Er bevonden zich talrijke burchten, gelegen op verhogingen of bij meren, meestal omgeven door kleine dorpjes.

Een brede weg liep lijnrecht door het gebied van noord naar

zuid, als was het over een kaart getrokken. Rowarn vroeg zich af wat het van verre zichtbare bouwsel te betekenen had. Was het misschien een pad van Lúvenor, net als bij Galad-Mur?

Ze hobbelden met de wagencolonne naar het gebied onder hen, toen Rowarn in het noorden, hoog aan de hemel, een zeldzaam donkere wolk zag die aan de randen in rafels uiteenviel en snel naderbij kwam. Hij gaf Stormwind de sporen om naar de koning toe te gaan, maar Morwen sloeg al alarm. 'We worden aangevallen!'

'Door wie?' riep Olrig en trok zijn bijl. 'Wie zijn het? Laat ze maar aan mij over!' Met zijn Dwergenogen kon hij het niet goed zien.

'Ik weet het niet,' moest ook Morwen toegeven. 'Het komt als een donkere wolk vanuit het noorden naar ons toe. Misschien is het een zwerm vogels, maar waarschijnlijk niet!'

Niemand geloofde dat het slechts een zwerm vogels was, daar bewoog de wolk zich te snel voor en precies naar hen toe.

Rowarn greep naar de boog die aan zijn zadel hing en legde een pijl op de pees, terwijl hij Stormwind de vrije teugel liet.

'Rowarn, wat zie je?' riep Morwen. 'Beschrijf het me!'

De jonge ridder spande zijn ogen in. Gelukkig was het een wat troebele, door sluierwolken omgeven dag, anders was het niet mogelijk geweest om zo ver te kijken. Toen moest hij slikken. 'Geen vogels,' zei hij toen. 'Alhoewel ze wel een bonte verzameling veren dragen. Ze zijn lang en mager en hebben geen benen. Hun hoofden ...' Hij huiverde. Het waren slangenhoofden, hoekig en breed, met een getande huidkraag. Maar dat hoefde hij niet meer te zeggen. Morwen had het al begrepen.

'Chalumi!' schreeuwde ze.

'Zet de wagens tegen elkaar en maak een kring!' beval Olrig meteen. 'Alle ridders en soldaten moeten in de kring komen. Haal de tenten en zet ze over jullie hoofden, snel!'

De koning had zich al omgedraaid en in vliegende haast trok iedereen zich met de paarden terug in de binnenring van de wagens die zich bliksemsnel om hen heen gesloten hadden. Ze haalden de tentdoeken tevoorschijn om ze vervolgens samen over iedereen heen te spannen. Ze waren maar net klaar toen de gevederde slangen er al waren en hen met schrille geluiden aanvielen. Ze sloegen met hun koppen tegen de dekzeilen aan en Rowarn zag grote giftanden door de stof steken, waar een gelige, stinkende vloeistof uit droop. Kletsend sloegen de Chalumi als een zware hagelbui tegen de doeken aan en probeerden er doorheen te bijten. Ze sisten en gingen als razenden tekeer. De paarden maakten zich klein en trilden, maar ze volharden, alhoewel het volledig tegen hun natuur in ging. De mensen hielden zich ook stil, maakten hoogstens oogcontact of gebaren. Iedereen hoopte dat het voorbij zou zijn, als de slangen zouden merken dat ze nergens warm vlees raakten en er vandoor gingen om ergens anders buit te zoeken.

Rowarn bemerkte een scheur in het doek, uitgerekend in de buurt van Noïrun. De stompe muil van één van de Chalumi werkte zich al door het gat heen

Er was geen tijd meer voor een waarschuwing; dat zou de reptielen alleen maar opmerkzaam maken. Niets ontziend werkte Rowarn zich door de menigte heen en nam daarbij bewust het risico dat er daardoor ergens anders gaten zouden ontstaan, maar de aanvoerder ging voor. Noïrun keek verbouwereerd, toen Rowarn met haastige schreden recht op hem af kwam, over hem heen leek te willen rennen. Net voordat ze tegen elkaar leken te botsen, sprong Rowarn omhoog en pakte de gevederde slang beet, precies op het moment dat de doorbraak hem lukte. De jonge ridder keek in de wilde, robijnrode ogen met zwarte, gespleten pupillen en een wijd opengesperde muil met scherpe tanden en een lange gespleten tong die sissend naar hem greep. Zijn vingers vonden goede houvast achter de opgeblazen kraag en hij greep hem stevig in de reptielenhals. Bontgekleurde veren vlogen in het rond, toen Rowarn de slang naar binnen trok.

De Chalumi siste en blies en wrong zich met een ongelooflijke kracht in zijn greep heen en weer. Zo erg dat zijn greep voor een moment wat minder vast werd en dat was genoeg voor het reptiel. Sissend sloeg het zijn giftanden in de rug van zijn hand. Er voer een korte, maar hevige pijn door Rowarns hand en woede kreeg hem in zijn greep. Hij rukte met zijn vrije hand de tanden uit zijn huid en sloeg de Chalumi tegen de grond. Vervolgens verpletterde hij met zijn laars de slangenschedel voordat de Chalumi weer omhoog kon komen.

Alles was zo snel gegaan, dat de rest nog bevangen was van de schrik. Rowarn opende zijn mond, maar toen hoorde hij zo'n onmenselijk hoog gepiep, dat hij zijn handen voor zijn oren sloeg en schreeuwend in elkaar zakte.

Op hetzelfde moment brak de aanval van de Chalumi af en ze verdwenen.

De rust keerde terug.

Rowarn was blij dat het vreselijke gepiep eindelijk ophield en de pijn in zijn oren langzaam wegebde, maar hij was duizelig en zag alles als door een waas. Hij had maar amper door dat Noïrun naast hem knielde, zijn mond op de gewonde hand drukte en toen hard begon te zuigen. Na vervolgens iets uitgespuugd te hebben, zoog hij weer verder. Dit deed hij driemaal, totdat er geen bloed meer kwam.

'Het ... het gaat wel weer ...' mompelde Rowarn versuft. Hij hoorde de stem van de koning als van ver. Zijn ogen namen enkel verwrongen figuren waar.

'Olrig, laat de paarden weer inspannen. We gaan meteen verder en wel met de hoogste snelheid.'

'En waarheen?'

'Jullie moeten de Vrije Straat bereiken, daar zijn jullie veilig. Als jullie je haasten, kunnen jullie het deze nacht nog bereiken. Ga door zonder pauze, ook als het donker wordt, tot je er bent.'

'Maar ... dat redt Rowarn nooit!' wierp de Dwerg tegen.

'Natuurlijk redt hij dat niet,' antwoordde Noïrun. 'Maar het is een geluk bij een ongeluk dat ik iemand in de buurt ken die ons helpen kan.'

'Je ... je wilt apart verder gaan?'

'Olrig, denk na! Rowarn heeft niet geschreeuwd vanwege de beet, maar vanwege een vreselijk lawaai, dat hij vanuit een verre plaats waar kon nemen. Op datzelfde moment zijn de Chalumi verdwenen. Dat betekent dat het afgerichte slangen zijn en dat ze zullen terugkomen. Neem de kopervos en Stormwind mee, dan zal de vijand denken dat we er nog zijn. Ik heb slechts één paard nodig, want Rowarn kan toch niet rijden. Ik breng hem zo snel als het maar kan naar iemand die hem kan helpen.'

Rowarn had graag iets gezegd, maar zijn tong was opgezwollen en drukte tegen zijn verhemelte. Hij nam de geur van dennenbomen naast zich waar en wist dat Morwen zich in de buurt bevond.

'Vader,' zei ze bezorgd, 'ik kan het doen.'

'Nee, dochter,' wees hij af. 'Ik kan het beter doen, geloof me. Tegelijkertijd zal ik voor het eerst in veiligheid zijn – en dat wil je toch, niet waar? Er is nu geen tijd meer, anders is het voor Rowarn te laat. De komende uren zullen beslissend zijn en wel voor ons allemaal.'

'Je hebt gelijk,' klonk Olrigs zware stem. 'Waar treffen we elkaar?'

'Bij het Vrije Huis.'

'Begrepen. De rest gaat direct door naar Ardig Hal?'

'Precies, oude vriend. Pas goed op jullie zelf.'

Rowarn merkte hoe iemand hem optilde en hoe hij vervolgens op een paard werd gezet. Noïrun klom moeizaam achter hem op het paard en hield hem vast zoals men een kind vasthield. Rowarn hing als een pop in zijn armen, zijn spieren gehoorzaamden hem niet meer en hij kon amper nog een ooglid openen. Zijn hoofd ging krachteloos heen en weer. Hij vroeg zich af waarom het vandaag zo vroeg donker was, maar het interesseerde hem eigenlijk niet eens.

'Het komt allemaal goed,' hoorde hij Noïruns stem bij zijn oor. 'We redden het wel op tijd, ik beloof het je.'

En toen galoppeerden ze weg.

Ongeveer twee uur later bereikte Noïrun, met het schuim rond de mond van zijn paard, een meer met een watermolen waar op enkele speerlengtes afstand een huis stond.

'Hallo!' riep hij al van ver. 'Ik heb dringend hulp nodig!'

De deur werd opengegooid en een kleine, bevallige vrouw, wiens zwarte haar door een ragfijn netwerk van zoetwaterparels bedekt was, riep met zachte stem: 'Noïrun!'

'We hebben jouw heelkunsten nodig, Isa,' zei de koning haastig. 'Chalumi gif, in de jongen hier.' Op de één of andere manier slaagde hij erin om zichzelf en Rowarn van het paard af te laten glijden zonder hun nek te breken, hij kon een pijnlijke kreun echter niet onderdrukken toen hij op zijn verstuikte voet terecht kwam.

'En wat is er met jou aan de hand?' vroeg de vrouw.

'Nieuwe voet nodig,' bromde hij. 'Als je Rowarn verzorgd hebt, mag je met mij verdergaan.'

Gezamenlijk slaagden ze erin om Rowarn, die ondertussen door een koude koorts bevangen was, naar binnen te dragen. Isa maakte snel een bed van huiden bij de open haard waar ze de jonge ridder oplegden, die met zijn tanden klapperde en bibberend heen en weer bewoog.

'Dat ziet er niet best uit,' stelde Isa vast toen ze zijn hand onderzocht. Alhoewel Rowarn half bewusteloos was, schreeuwde hij bij iedere aanraking. 'Hoe lang is het geleden?'

'Twee, hooguit drie uur,' antwoordde Noïrun. 'Kun je de hand redden?'

'Je mag blij zijn als ik *hem* kan redden.' Ze legde eerst een verband om Rowarns hand dat de pijn moest verzachten en de werking van het gif tegen moest gaan, toen zocht ze met haar geoefende handen kruiden, zalf en olie bij elkaar en zette een ketel met water op.

'Ik heb het gif er gelijk uitgezogen,' verklaarde Noïrun.

'Ja, anders was hij al dood geweest. De Chalumi zijn verdomde gifspuiters. Een plaag voor deze omgeving. Minstens iedere tien dagen moet ik een beet behandelen.' Ze legde een hand op Rowarns gloeiende voorhoofd.

'Hij zal het redden,' stelde Noïrun beslist vast. 'Deze jongen kan meer hebben dan wij met zijn allen samen.'

'Ik ben bijna geneigd om je te geloven. Kijk nou toch, de koude koorts lijkt al weg te trekken. Verbazingwekkend. Maar goed, vertel me, terwijl ik hem behandel, eens hoe je weer in deze omgeving terecht bent gekomen?'

'Ik ben onderweg naar Ardig Hal.'

'Ja, dat heb ik gehoord. En ook dat half Valia achter je aan zit. De ene zegt dat-ie je gevangen heeft en de ander dat-ie je gedood heeft. Een derde heeft een van beide mogelijkheden op het oog. Vroeger was je niet zo onvoorzichtig.'

'Vroeger was ik ook niet zo vertwijfeld.'

Ze stopte heel even. 'Is het zo erg?'

Hij knikte. 'Er is versterking vanuit Dubhani onderweg en Femris heeft een nieuwe legeraanvoerder. Hij zal doorbreken, Isa, en al heel snel.'

Ze boog over Rowarn heen en schudde hem zachtjes heen en weer. 'Kom eens bij, jongeman, anders heb je niets aan de pijn die je zo meteen gaat voelen.'

Rowarn lalde iets, maar slaagde er toch in om zijn ogen wat open te krijgen.

Ze liet hem een mes zien, dat ze net uit het vuur had gehaald. 'Hier ga ik nu je hand mee verminken, maar dat zal iedere infectie eruit branden en alle andere boze zaken die zich er nog in mogen bevinden. Ik kan je helaas niet verdoven vanwege het gif dat in je lichaam zit. Het is belangrijk dat je bij je volle bewustzijn bent en meekrijgt wat er gebeurt, is dat duidelijk?'

'Ja,' antwoordde hij moeizaam.'

Isa knikte naar Noïrun. 'Hou hem vast.' Ze zette Rowarn rechtop en pakte de linkerarm.

Noïrun liet hem tegen zich aan rusten en pakte van onder zijn oksels de pols van zijn gewonde hand.

'Klaar?'

'Ja, doe het nou maar.'

Vervolgens brulde Rowarn de ziel uit zijn lijf. Zijn lichaam wrong zich in alle bochten, maar Noïrun was een sterke man en zijn greep gaf niet toe. Het duurde niet langer dan enkele hartslagen, toen wierp Isa het mes aan de kant en drukte een van tevoren bereide pasta op de gehavende hand, tezamen met enkele kruiden en bladeren. Tenslotte omwikkelde ze alles met een strak verband. Rowarns borstkas ging hevig op en neer en hij baadde in het zweet, maar je kon zien dat de pijn al minder werd. Daarna gaf Isa hem een vreselijk stinkend, groen brouwsel. Toen pas durfde Noïrun hem los te laten. Ze bette zorgzaam Rowarns voorhoofd en legde hem op de dierenhuiden terug om hem vervolgens toe te dekken.

'Over een uurtje ben je weer wakker, schat,' beloofde ze en streelde zijn wang. 'Ogen toe en ... weg.' Ze knikte tevreden toen Rowarn zijn hoofd opzij liet zakken. Niet lang daarna ademde hij rustig en regelmatig. 'Dan kan ik mij nu om je voet bekommeren, jij onhandige lomperik,' merkte ze op en wees op Noïruns opgezwollen enkel.

'Wie noem je hier lomp?' bromde hij.

Een uur later werd Rowarn met een hevige schok wakker en herkende Noïrun, die met een voet waar een vers verband omheen zat naar hem zat te kijken.

'Wat is er gebeurd?' vroeg hij verdwaasd. Zijn ogen waren helder en vrij van koorts.

'Hoe voel je je?' vroeg de vorst glimlachend.

'Al een stuk beter ... au!' Hij grijnsde pijnlijk. 'Op de hand na dan ...'

'Dat gaat vanzelf beter,' verzekerde Noïrun hem. 'Er zal waarschijnlijk een klein litteken blijven van de gaten die de dolktanden gemaakt hebben, maar Isa verstaat haar vak.'

'Isa?' Nog wat perplex richtte Rowarn zich op. 'Waar zijn we eigenlijk?'

'Bij een watermolen, gelegen aan een lieflijk meertje waar bomen hun schaduw werpen en vissen in het maanlicht dansen,' antwoordde de koning in een zeldzaam goed humeur. 'Hier wordt de beste kruidenlikeur gebrouwen die je je maar voorstellen kunt, want Isa is een zeer getalenteerd kruidenmens. Ze heeft uitstekende recepten en is ook een doorgewinterde zakenvrouw.'

'Vleier!' weerklonk een stem vanuit de achtergrond en Rowarn zag een kleine, in bonte gewaden geklede vrouw met zwarte haren met parels. Ze boog zich over hem heen en keek hem in zijn donkere ogen. 'En, mijn kleine schat? Gaat het weer?'

'Ja ... bijna niet te geloven ...'

'Geen hekserij, maar gewone geneeskunde,' lachte ze. 'Als het gif eenmaal uit je lichaam is, kom je snel weer op krachten. Morgen is er al niets meer van te merken, buiten de brandwonden op je handen na, die zullen met mijn zalf echter snel helen.' Ze ordende zijn intussen meer dan schouderlange haar met haar vingers. 'Knappe jongen overigens. Van jou?' wilde ze van Noïrun weten.

'Nee,' antwoordde de koning.

'Zeker weten?'

'Ja, ditmaal wel.'

Ze lachte.

Het volgende moment kreeg Rowarn nog een bitter drankje in zijn handen gedrukt, dat als vuur in zijn keel brandde. Hij hoestte en kuchte en dacht dat hij zou stikken. 'Nou zeg,' kraste hij. 'Als dit die veelgeroemde likeur is ...'

Isa lachte hartelijk. 'Die geef ik je mee voor onderweg, lieverd. Nu heb je iets krachtigers nodig.' Ze schoof een blad in zijn mond, dat hij tot aan de volgende ochtend onder zijn tong moest houden. 'Alles dat je nu nog nodig hebt, is rust.' Er lag een plotselinge schittering in haar ogen toen ze dat zei, en zeker bij het laatste woord.

Rowarn verwonderde zich er eerst over, maar werd verlegen toen hij de uitdrukking in de ogen van de vorst bemerkte. Ze waren helemaal donker geworden en er blonk een warm en zacht licht in. De manier waarop hij Isa aankeek, was veelzeggend voor wat hij van plan was en het was duidelijk dat ze elkaar heel erg goed kenden. Voor de tweede maal sinds Ennisghar werd het duidelijk dat Noïrun absoluut niet vergeten was wat het was om een man te zijn. En met zijn losse en ontspannen houding leek hij ook ineens jaren jonger. Hij leek een mens zonder verplichtingen, zonder constante veldslagen of een belangrijke opgave. Voor heel even rustte de last van de wereld niet op zijn schouders.

Zo deed Noïrun dus af en toe nieuwe krachten op en legde voor heel even alle ellende en verantwoordelijkheid van zich af.

Een troostende gedachte, stelde Rowarn vast, toen hij zijn gecho-
queerde verlegenheid overwonnen had. Zijn sympathie voor de
koning verdiepte zich alleen maar.

Rowarn zocht naar een mogelijkheid om zich terug te trekken,
zodat de vorst ook de gelegenheid kreeg om een mens te zijn. 'Ik
ben moe,' mompelde hij. 'Ik kan beter maar gaan slapen.' Buiten
was het inmiddels donker geworden, dus het was alleszins redelijk.

'Ja,' zei Noïrun afwezig, zonder Isa met zijn blik los te laten.

'Wil je niets eten?' vroeg Isa hoffelijk, maar Rowarn zag aan
haar dat ze amper kon wachten om van hem verlost te zijn. Hij
voelde dat hij onwillekeurig moest lachen, tegelijkertijd voelde hij
de warmte naar zijn gezicht stijgen, omdat ze allebei zo duidelijk
lieten blijken, wat ze wilden.

'Dat doe ik morgen wel,' zei hij. 'Ik dank u voor uw goede
zorgen, maar ik kan mijn ogen bijna niet open houden.' En dat
was waar. Hij voelde zich inwendig steeds zwaarder worden,
verdoofd, en hij had werkelijk geen honger.

Isa leek opgelucht. 'Kom, dan laat ik je je slaapplaats zien.
Daar zal je niet gestoord worden. De frisse lucht die daar hangt,
zal je tevens nieuwe krachten geven en de genezing versnellen.'

Noïrun hielp hem overeind. Rowarn kon op zijn eigen voeten
staan, maar voelde een hevig kloppen in zijn hand. Het lopen
deed hem zelfs goed, de wereld stond weer in een juiste hoek en
het beëindigde het wankele gevoel in zijn binnenste. Isa opende
een smalle deur naast de open haard en Rowarn strompelde een
naar kruiden ruikende kamer in met een klein venster, waar enkele vaten met gedroogde bloemen en bladeren stonden en een
comfortabel uitziende stapel met huiden. Hij zuchtte toen hij zich
er op neer liet zakken en de kruik en schaal met water aanpakte
om zich te wassen.

'Rust maar goed uit, lieverd,' zei de kruidenvrouw lachend.

Terwijl de deur langzaam achter haar in het slot viel, zag hij
nog net hoe Noïrun haar ongeduldig in zijn armen nam en zich
over haar heen boog.

In de vroege ochtendschemering werd Rowarn onzacht gewekt, toen Isa zijn kamer binnen kwam lopen en de dekens van hem wegtrok. 'Opstaan, jongeman! Ik heb een bad voor je klaarstaan en daarna zullen jullie eten en verdwijnen. Het is de hoogste tijd!'

Nog half slapend probeerde Rowarn de deken vast te houden, hetgeen hem alleen maar een opgewekte lach opleverde.

'Ik ben kruidenvrouw, ik behandel echt niet alleen maagproblemen en geloof me, ik heb echt alles al gezien! Ofschoon zulke mooie zaken niet per sé altijd bedekt hoeven te worden,' spinde ze en draaide zich koket om toen ze zag hoe verlegen hij was. Ze verliet de kamer, maar liet de deur open. 'Noïrun, jouw jonge beschermeling is behoorlijk schuchter tegenover een rijpe dame!' hoorde hij haar stem. 'Bij jonge meisjes is dat zeker anders. En nu geloof ik ook eindelijk dat hij geen spruit van jouw daadkrachtige lendenen is.'

Rowarn hoorde ze daarna onderdrukt lachen en hij maakte dat hij door de huiskamer naar de ernaast gelegen uitbouw kwam, die als bad- en opslagkamer tegelijk diende. Hij keek strak voor zich uit, zodat hij in ieder geval geen ooggetuige zou zijn van schunnige daden. Desondanks hoorde hij een zacht kirren uit de belendende kamer komen en hij kon zich voorstellen hoe Noirun die geluidjes aan Isa ontlokte. Het scheen haar in ieder geval bijzonder goed te bevallen. Misschien dat hij op dat gebied ook iets kon leren van zijn leermeester ...

Hij strekte zich heerlijk uit in het warme water van de grote houten tobbe en sloot zijn ogen. Zijn verbonden hand deed pijn en klopte, bonkte en hamerde, maar hij beet zijn tanden op elkaar en zweeg.

Na een tijdje kwam Noïrun binnen met netjes verzorgde baard en gekamde haren, wenste Rowarn een goedemorgen en vroeg hoe het met hem ging. Hij zag er evenwichtig en uitgerust uit, hinkte amper meer en pakte nonchalant een van de vele flesjes kruidenlikeur.

'Hoe lang ken je haar al?' vroeg Rowarn, die zijn nieuwsgierigheid niet langer kon onderdrukken.

De koning grijnsde bijna jongensachtig. Zijn ogen lichtten op als een in de zon gedoopt berkenblad dat op de wind wiegde. 'Al een tijdje,' antwoordde hij vergenoegd.

Rowarn grijnsde. 'U schijnt overal mensen te kennen.'

'Men doet wat men kan. Het is belangrijk overal vrienden te hebben, vooral degenen die zich in gif gespecialiseerd hebben.' Noïrun knipoogde. 'Geloof niet dat het leven van een koningszoon gemakkelijk is, niet in het minst vanwege alle afgunst en kapers die er op de kust zijn. Mijn vader heeft me niet voor niets naar verre, onbekende gebieden gestuurd voor mijn training.'

'Leeft hij nog?' wilde Rowarn weten.

De vorst mompelde iets onverstaanbaars en leek blij te zijn toen Isa binnenkwam met een spons en heerlijk geurende oliën. 'Scheren is niet echt nodig,' meende ze fijntjes lachend en wees op Rowarns gladde kin.

Hij schudde zijn hoofd. Hij herinnerde zich maar al te goed toen bij zijn leeftijdsgenoten in Madin de eerste baardharen verschenen, terwijl zijn eigen kin volledig haarloos bleef. Hij had er jarenlang onder geleden en de anderen hadden natuurlijk geen gelegenheid onbenut gelaten om hem ermee te pesten.

'Ik heb geen baardgroei,' zei hij. Hij vermoedde dat het een erfenis van zijn moeder was en troostte zich nu met die gedachte als Rayem of één van de andere leden van de groep de spot met zijn gladde gezicht dreven. Het was ondertussen gelukkig milde spot geworden en niet meer boosaardig bedoeld.

Voordat Isa verder kon gaan, strekte hij nadrukkelijk zijn gezonde hand uit. 'Met alle respect, waarde dame, maar ik zal mezelf wassen. Het lukt me wel met één hand.'

Isa lachte opgewekt. 'Zoals de jongeheer wenst.' Ze legde de spullen naast de ton neer. 'Maar dan moet je ook van de spierversterkende massage afzien, die ...'

Noïrun omarmde haar van achter en trok haar tegen zich aan. 'Genoeg geschertst, vrouw. We laten de jonge ridder nu alleen, maken alles klaar om te vertrekken en bereiden een versterkend ontbijt.'

'Hoe lang nog voordat we Ardig Hal bereiken?' vroeg Rowarn.

'Niet lang meer. We rusten nog eenmaal en dan zijn we er al.'
Noïrun stond op en trok Isa met zich mee.

Hand en voet waren met vers verband omwikkeld; uitgerust en
een zak kruidenlikeur rijker klommen ze op het paard. Isa wuifde
hen uit, terwijl ze wegreden. Ditmaal zat Rowarn achter de koning. En, hoe zeldzaam deze momenten ook waren, hij was gelukkig. Blij dat hij nog leefde, dat hij op tijd had gehandeld en
heel even de menselijke kant van zijn heer gezien had. Slechts
Olrig had tot nu toe het privilege gehad om met de vorst alleen
op weg te zijn. Rowarn was ervan overtuigd dat ze alle gevaren
nu zouden kunnen ontwijken, als er überhaupt nog hindernissen
zouden zijn op de korte rit die ze voor de boeg hadden op weg
naar Ardig Hal. Eén rustpauze nog, had de vorst gezegd. Misschien dat ze Ardig Hal vanavond al zouden bereiken.

Onderweg zei Noïrun plotseling: 'Dit blijft onder ons, niet
waar?'

'Vanzelfsprekend, heer,' verzekerde Rowarn, bijna met een teleurgestelde ondertoon.

De koning hield het paard in en Rowarn staarde hem verbaasd aan. Had hij iets verkeerds gezegd?

'Er is nog iets,' ging Noïrun verder, half omgedraaid. 'Geen
vormelijkheid meer. "Ja, heer" of "Nee, heer". Of het moet gaan
om het bevestigen van een bevel. Hebben we elkaar begrepen?'

'Ehm ... nee, eerlijk gezegd ...' stamelde Rowarn verward.

'Spreek me aan zoals Olrig dat doet. We zijn allebei ridders.
Afgezien van de hiërarchie zijn we strijdmakkers. En ... vrienden.
Gezien hoe vaak jij me het leven hebt gered, de tijd dat we al samen optrekken en nu ook al samen op een paard zitten, past die
afstand gewoon niet meer.'

Rowarn kreeg het koud en warm en wist van vreugde niet
meer wat hij moest zeggen. Hij knikte stralend en ze zetten de
weg voort.

De koning vermeed de wegen en reed grotendeels door de zonovergoten wouden die zachtjes ruisend in de wind heen en weer

wiegden. Droog loof ritselde onder de paardenhoeven en viooltjes, sterrenklokjes en bosanemonen zorgden voor violetwitte, weidse bloementapijten die verleidelijk geurden. Veelstemmige vogelgeluiden, zacht en lieflijk, vervulden hun hart.

'Hier zouden mensen met hun geliefden moeten wandelen,' merkte Noïrun op. 'Ze zouden moeten dansen op de liederen die de vogels opvoeren. En woorden zouden de enige wapens moeten zijn. Poëzie en de kunst van de liefde.' Hij streek door de manen van zijn paard, verloren in zijn gedachten, en voegde er zacht aan toe: 'Hoe lang is het geleden dat ik dit voor het laatst heb gedaan ...'

Voor de eerste keer gaf de koning iets van de gevoelens die hem voortdreven prijs en liet doorschemeren dat hij niet altijd soldaat en krijger geweest was. Voor het eerst sinds zijn vertrek kreeg Rowarn heimwee naar Weideling. Meteen klopte zijn hand heviger en hij drukte hem tegen zijn borstkas en beet zijn tanden op elkaar.

'Is het erg?' vroeg de vorst, die bijna niets scheen te ontgaan. Zelfs niet als hij zwaarmoedig zijn eigen verleden overdacht, waar hij nooit over sprak.

'Alleen maar pijn en dat gaat vanzelf weg,' antwoordde Rowarn tussen zijn opeengeklemde tanden door. 'Stelt niets voor.'

Ze waren helemaal alleen, afgezien van de vogels hadden ze amper een dier gezien. Het paard draafde onvermoeibaar en statig door en ze schoten goed op. Uiteindelijk bereikten ze grasland dat zich uitstrekte zover het oog maar reikte. De glinsterende straat, die Rowarn gisteren vanaf de heuvel had gezien, was niet ver weg meer.

Van dichtbij was de weg nog imposanter. Zware, boven de graszoden uitstekende vierkante stenen waren zonder voegen aan elkaar gelegd tot een stevige, vlakke bestrating. De stenen hadden een mat gouden gloed. Geen wonder dat hij van verre zichtbaar was. Hij strekte zich uit van horizon tot horizon, als een eindeloze band. In de breedte konden makkelijk vier karren naast elkaar rijden.

'Wat is het?' vroeg Rowarn verbaasd en met eerbied.

'Een Vrije Straat,' antwoordde Noïrun. 'Ooit was Valia een onderdeel van de vier koninkrijken die in de beginperiode van de wereld zijn ontstaan en in de eerste titanenstrijd ten onder gingen. Eén van de vier rijksstraten, die de koninkrijken met elkaar verbonden, voerde er midden doorheen. Het bijzondere van deze straten is, dat ze vrij zijn. Dat houdt in, dat ze neutraal gebied zijn. Iedereen die zich op een Vrije Straat bevindt, reist in vrede. Hier is er geen bedreiging, geen vervolging. Niemand hangt de Duisternis of de Regenboog aan.'

'Zelfs geen bedreiging door dieren? Zoals de Chalumi?'

'Nee, op de eerste plaats geen dieren of beesten. Ze kunnen alleen maar over de straten heen vliegen, maar er niet op blijven. Vandaar dat belangrijke en moeizame vredesonderhandelingen vaak op een Vrije Straat plaatsvinden, omdat daar niet het gevaar bestaat van een verraderlijke aanslag of soortgelijke "misverstanden". Iedereen houdt zich aan deze wet, al was het maar vanwege het eigen belang. Zelfs de meest sluwe en doortrapte wezens zouden het niet wagen een Vrije Straat te bezoedelen.'

Rowarn begreep het. 'Vandaar dat Olrig zich gisteren moest haasten om de Vrije Straat te bereiken.'

Noïrun knikte. 'Als het hen op tijd gelukt is, hebben ze in alle veiligheid verder kunnen reizen tot bijna voor de deur van Ardig Hal, zoals wij twee nu zullen doen. Het is nu niet ver meer. En omdat we allebei gehavend zijn, is deze straat precies goed voor ons. Zo gaan we alle problemen uit de weg.'

'Zeker,' lachte Rowarn.

Het paard liep de Vrije Straat op en van die positie leek hij zelfs nog groter en machtiger.

'Nu schieten we nog sneller op,' meende de koning opgewekt en het paard maakte als vanzelf snelheid.

Het landschap schoot aan Rowarn voorbij. Hij kon amper nog contouren onderscheiden, alles leek in elkaar over te lopen en hij riep verbaasd: 'Magie, klopt dat?'

'Zoals zoveel op Woudzee,' antwoordde Noïrun.

Toen de zon een flink stuk doorgeschoven was in de richting van het westen en hun ruggen bescheen, ging het paard langzamer lopen. Rowarn zag aan de linkerkant een geweldig gebouw van minstens vijf verdiepingen, iets wat door de hoekige bouwwijze moeilijk te zien was. Erkers, torens, vooruitstekende gedeeltes, wandelgangen, balkonnen en stutpalen zorgden voor vele gaten en hoeken. Het dak glansde als leisteen en de platen waren als slangenschubben neergelegd.

Het huis zelf was een kunstig stukje vakwerk uit wit gekalkt steen en hout met ramen met spijlen ervoor en in lood gevatte ruiten. Om precies in te kunnen schatten hoe groot het in werkelijkheid was, had men er waarschijnlijk eerst helemaal omheen moeten lopen en vervolgens als een vogel overheen moeten vliegen. Er was geen metalen schild waar een beeltenis of een naam op stond en de kunstig bewerkte voordeur was zo groot dat zijn peetouders en zelfs Fashirh er met gemak doorheen hadden gekund.

Het verbaasde Rowarn niet, toen de koning het paard daar naartoe leidde. 'Hier zullen we rusten en wat eten,' besloot hij.

'Een naamloze herberg midden in niemandsland,' meende Rowarn. 'En er is zelfs geen kruising.' Er was niemand te zien, zelfs geen koets of vastgebonden paard en er drong geen geluid naar buiten. Rowarn hoopte dat de herberg niet dicht was.

'Het is een Vrij Huis,' verklaarde Noïrun prompt. 'Hier is iedereen welkom en er is een goede keuken die je echt niet over moet slaan als je in de buurt bent.'

Rowarn gleed van het paard af en hielp Noïrun met één hand uit het zadel. De koning kon zich alweer een stuk beter bewegen, maar moest nog wel voorzichtig zijn. Hij gaf de teugel over aan een stalknecht, die plotseling naast hen stond.

'Heeft u het paard nog nodig, heer?' vroeg de jongen.

'Nee, zadel en tuig ook niet,' antwoordde Noïrun tot Rowarns verrassing.

'Heel goed. Gaat u maar naar binnen. U zult alles krijgen wat u wenst. Welkom in het Vrije Huis.'

'Wat doet u nou?' fluisterde Rowarn, terwijl Noïrun de grote deur openduwde.

'Ik heb een vreselijk honger, jij ook? Wat dacht je van een knapperig gebraad met amandel-pruimen vulling, zwartbier en zoete groenten in donkere saus met daarbij scherpzoete vruchten met krokant brood?' kreeg Rowarn als antwoord en hoewel hij er nogmaals op terug wilde komen, overwon zijn knorrende maag het van de nieuwsgierigheid en het water dat hem in de mond liep, deed hem alles verder vergeten. Hij haastte zich achter de vorst aan.

Rowarn stond gelijk midden in de gelagkamer die zich, onder trappen en galerijen, uitstrekte over bijna het gehele oppervlak van de herberg. Helemaal achterin bevond zich de toog met de aangrenzende keuken met grote vaten. Aan het plafond hingen worsten en hammen, bundels met kruiden, ui en knoflook. Er heerste een constante bedrijvigheid.

De herberg was afgeladen vol, de benedenverdieping in ieder geval. Afgaand op hun kleding en de gesprekflarden die hij opving, leken de meeste gasten hem boeren, handelaren en dagloners uit de nabije omgeving te zijn.

De inrichting bestond grotendeels uit grof bewerkt hout. Ook de vloer bestond grotendeels uit planken. Grote schouwen zorgden voor licht en warmte, waarbij het naar Rowarns smaak net wat te warm was.

Ondanks de vele gasten viel het lawaai mee. Iedereen sprak op gedempte toon met elkaar en niemand leek op het idee te komen om de constant heen en weer lopende dienstmeisjes onheus te behandelen, zoals het er meestal in andere herbergen aan toeging.

Een grijsharige man met een halflang schort voor zich geknoopt, kwam op hen af en maakte een uitnodigend gebaar. 'Alstublieft, deze kant op mijne heren. Alles staat reeds klaar.'

Noïrun volgde de man zonder spoor van twijfel en Rowarn liep met open mond achter hen aan. Ze werden, via enkele trappen en ruimtes, uiteindelijk naar een andere grote gelagkamer gebracht. In een torenuitbouw, waar zich talrijke nissen bevonden waar men met twee, hooguit vier man kon zitten zonder afgeluisterd te worden.

Er kwam nog geen einde aan zijn verbazing, want Rowarn zag op de hen aangewezen tafel reeds twee bierkroezen gereed staan met een perfecte schuimkraag, als ook een schaal ingelegde vruchten met knapperig brood.

Noïrun wreef zich enthousiast in zijn handen en zijn ogen lichtten op. 'Dat kan ik nu uitstekend gebruiken,' meende hij vergenoegd en stootte Rowarn aan.

Niet lang daarna stond ook het gebraad op de tafel en Rowarn besloot om eerst op het eten aan te vallen en daarna pas vragen te gaan stellen. Ze namen ruim de tijd en het smaakte werkelijk prima. Het overtrof zelfs Sneeuwmaans kookkunsten in Weideling. Na de hoofdmaaltijd werden kleine schaaltjes met noten en verse vruchten voorgezet, samen met een schaal tabak, waar Noïrun zich graag van bediende en een pijp aanstak.

Rowarn keek om zich heen. Hier boven bevonden zich niet alleen mensen, maar ook Dwergen en vele andere wezens waarvan hij nog nooit gehoord had, laat staan dat hij ze ooit gezien had. Tot zijn verrassing zag hij ook Warinnen en Demonen. Noïrun had dus gelijk gehad met zijn opmerking, dat iedereen hier welkom was. Als er ergens een herinnering te vinden was aan het dromende wonderrijk voor de breuk van de EENHEID, dan was dat hier, waar vriend en vijand vreedzaam naast elkaar zaten, misschien zelfs aan dezelfde tafel.

Talrijke open, houten galerijen en wenteltrappen voerden verder naar hoger gelegen verdiepingen.

'Je reinste labyrint,' merkte Rowarn op. 'En zoveel deuren ... waar leiden die allemaal naartoe?'

'Ga je gang,' nodigde Noïrun hem uit. 'Kijk maar wat rond.'

'Moeten we dan niet verder?'

'We hebben zoveel tijd als je nodig hebt. Ga maar, ik rook hier graag even mijn pijp en verlies mezelf in romantische dromen.'

Rowarn besloot om geen vragen meer te stellen, omdat ieder antwoord hem waarschijnlijk alleen maar meer zou verwarren in plaats van opheldering te verschaffen. Hij stond op om daadwerkelijk wat door de herberg te gaan struinen. Niemand leek zich eraan te storen, dienstmeisjes en knechten weken lachend voor hem uit en gaven hem aanwijzingen waar het interessant voor hem zou kunnen zijn. Verder naar boven, zo werd hem verteld, waren de kamers voor de gasten. Als hij enkele uurtjes wilde gaan liggen, hoefde hij alleen maar een leeg bed op te zoeken. Het werd toch al snel donker, zo zeiden ze, want buiten kwam de dag al langzaam tot zijn einde.

Vanavond zouden ze dus niet meer verder reizen en Rowarn hoefde zich geen zorgen te maken als hij nog wat verder rond wilde kijken.

Toen hij naar een volgende trap zocht, botste hij tegen een man op die een vies reisgewaad droeg waar de harde korsten modder nog op zaten. Hij stootte daarbij hard met zijn gewonde hand tegen een balk.

'Ik smeek u om uw veelvuldige vergiffenis,' bromde de man. Het was vreemd hoe nat zijn schoudermantel was, maar ook zijn huid. 'Het is hier ook veel te krap.' Hij tikte kort tegen zijn hoed en liep snel verder.

Rowarn bleef staan en hield zijn hand vast. Heel even kon hij zelfs niet ademen, omdat een vreselijke pijn door zijn lichaam raasde. Het leek wel alsof hij, hier en nu, de voetstappen van de Eliaha kon horen die ham langzaam besloop, schuifelend met haar naakte voeten over het hout slepend. Angst welde in hem op en hij probeerde om innerlijk zijn blik af te wenden, zodat hij die vreselijke ogen niet hoefde te zien. Zijn hele lichaam trilde, hij probeerde zichzelf in bedwang te houden, terwijl hij daar maar roerloos bleef staan, blind voor alles wat er om hem heen gebeurde.

Toen drong er een stem door zijn opgewonden en door pijn verdoofde verstand, diep en vol. Hij had nog nooit zo'n klank gehoord. 'Hierheen, jongen.'

Hij knipperde met zijn ogen en wreef met trillende vingers het zweet van zijn voorhoofd, terwijl hij zijn gewonde hand tegen zich aan drukte. Hij zag een man in een nis zitten, van waaruit hij de gehele ruimte kon overzien.

Heel even stond Rowarn daar als door de bliksem getroffen en zijn hart hamerde tegen zijn ribbenkast. De pijn verloor meteen aan intensiteit. Zelfs zittend zag de man er groot uit, zijn brede schouders en zijn spieren deden zijn zwarte hemd strak staan. Dicht zwart haar viel tot op zijn borst en zijn huid had een olijf-bruine kleur. Zijn bebaarde gezicht, dat aan één kant een litteken had in de vorm van de klauw van een valk, had een opvallende mannelijke schoonheid.

Zijn ogen vielen echter het meeste op, diepzwart als het universum en stralend met een zwart schijnsel dat Rowarns blik ving zoals een draaikolk een drenkeling meezuigt. Hij herkende de overweldigende macht en de peilloze kennis die daarin besloten lagen, wat alles overtrof wat hij tot nu toe had gezien. Zelfs Fashirh kon het niet overtreffen, en zijn lichaam was bijna volledig uit magie geweven. De donkere man werd omgeven door een ongrijpbaar aura en de andere gasten ontweken hem, al was het misschien onbewust, want de nissen links en rechts van hem waren niet bezet ondanks dat er mensen om hem heen met een bierkroes in de hand op een lege plek stonden te wachten.

Aarzelend liep Rowarn naar hem toe. Er lag iets in de stem van de man dat geen tegenspraak dulde, maar ook vertrouwen wekte. Bovendien bevonden ze zich in het Vrije Huis ...

Hij had maar net plaats genomen toen een dienstmeid hem een kroes donker bier bracht en de lege wijnbokaal van de man verwisselde voor een volle. Tevens zette ze een schaal tabak voor hem neer.

'Ik kan dat nie...' begon Rowarn vanwege het bier, maar het meisje maakte een afwerend gebaar en ging verder.

'Het paard van je heer,' verklaarde de man met een ongelooflijk diepe stem, die in Rowarns binnenste nog naklonk. 'Daar is alles mee betaald. Je kunt nemen wat je wilt.' Hij strekte zijn arm uit. 'Geef me je hand.'

Rowarn gehoorzaamde zonder te protesteren, ook al verwachtte hij een nog ergere pijnscheut dan die van daarnet, welke net een beetje begon af te nemen. Angstig keek hij toe hoe de man het verband behoedzaam afwikkelde en staarde vervolgens geschrokken naar zijn vreselijk toegetakelde, zwart verbrande handrug.

'Vakwerk,' stelde de donkere man vast. 'Het ziet er erger uit dan het is. Dat gaat er weer als nieuw uitzien, maar het zal wel erg pijn doen.'

'Ja,' kreunde Rowarn.

'Daar kan ik wel wat tegen doen. Hou je hand stil.' Hij legde zijn hand heel voorzichtig over de wond en sloot voor een moment zijn ogen.

Verbaasd merkte Rowarn hoe een warme, kriebelende stroom van de man op hem over ging, waarna de pijn afnam om uiteindelijk helemaal te verdwijnen.

'Als de huid zich heeft vernieuwd, is alles weer in orde. Ze zal nu snel en goed helen. Je zult snel weer een wapen vast kunnen houden, maar je moet wel een beschermende handschoen dragen zolang de huid nog niet geheeld is.' De man deed het verband weer om de wond heen, liet Rowarns hand los en stopte zijn pijp.

Vol ontzag keek Rowarn hem aan. Het gesprek met Faslidli na de slag tegen de Warinnen schoot hem weer te binnen en de klank in de stem van de rode Demon toen hij het over een bijzondere man had gehad. 'U ... bent de Annatai ... nietwaar?'

Er blonk een soort goedkeuring in de ogen van de man. 'Je weet veel voor je leeftijd, maar dat is ook niet zo verrassend.' Hij knikte bevestigend. 'Ik ben Halrid Falkon van Erytrien.'

'Ik ben Rowarn uit Inniu.' stelde de jonge ridder zich voor. 'Uit Weideling,' verbeterde hij zichzelf.

De zwarte wenkbrauwen van de tovenaar schoten omhoog. 'De Velerii hebben jou opgevoed?'

'Ja, heer.'

'Kijk nou, nu is het nog minder verrassend.' Hij stak zijn pijp aan. 'En waar is Rowarn van Weideling naar op zoek?'

Rowarn kleurde. 'Dat ... dat weet ik nog niet precies ...' stamelde hij. 'Ik volg mijn heer naar Ardig Hal om tegen Femris te vechten vanwege de ... Tabernakel.'

'Ja, een grote en eervolle opgave. In gedachten verzonken staarde de Annatai in de verte. 'Ik daarentegen was slechts op zoek naar geluk ...' Er speelde een eigenaardig lachje om zijn lippen, toen begon hij te vertellen.

'Men zegt dat sedert het begin van alle leven in de Buitenste Landen op een hele hoge berg een boom staat. Zelfs honderd man kunnen hem niet omvatten en zijn kruin is het thuis van vele sterren. In de vroege tijden klommen de Machtigen erin om hun geheimen daar te verbergen als ze die wilden vergeten. Ze maakten een gat in de schors, vertelden daarin hun geheim en sloten het weer af. Daarna vertrokken ze weer vreedzaam, zonder macht en herinneringen.'

Rowarn luisterde zwijgend. Toen Halrid Falkon even pauzeerde en meerdere malen aan zijn pijp trok, wachtte hij bewegingloos totdat hij verder ging, want hij wilde de magie van dit moment niet laten vervliegen door kinderachtige vragen te stellen. De tabak knisperde en gloeide op, wat spiegelde in de zwarte ogen van de tovenaar.

Uiteindelijk vertelde de donkere man verder. 'Nu was er één die in de boom klom, om alle geheimen eruit te halen. Hij geloofde dat hij daardoor het machtigste wezen van het universum zou worden. Machtiger dan de Regenboog en de Duisternis tezamen. Zijn intentie was op zich goed, want hij wilde op deze manier de Eeuwige Oorlog beëindigen en een duurzame vrede bewerkstelligen.'

Toen Rowarn na een tijdje merkte, dat het verhaal ten einde was, vroeg hij: 'Wat is er van hem geworden?'

'Wie weet?' Halrid Falkon lachte. 'Men heeft nooit meer iets van hem vernomen. En als iemand zijn lot al kent, dan heeft hij het misschien in de boom verborgen.'

Rowarn voelde een koude rilling langs zijn rug lopen, als spinnen die hun nest verlieten. Wat kon er van iemand worden die alle geheimen kende? Of had hij het uiteindelijk toch niet aangedurfd? 'Dan zijn de berg en de boom er dus nog steeds?'

'Dat zegt men, jonge Rowarn. Net zoals de Eeuwige Oorlog.' De tovenaar leegde zijn beker met één teug.

'Is er dan nog wel hoop dat hij ooit tot een einde zal komen?' fluisterde de jonge Nauraka.

'Er is altijd hoop, Rowarn van Weideling. Er was zelfs nog hoop toen de Slapende Slang voor het eerst ontwaakte.'

'Zij is al een keer ontwaakt?'

Halrid Falkon knikte. 'Zeker, toen uit de EENHEID het GE-DEELDE ontstond en het systeem uit zijn evenwicht raakte. De ondergang kon destijds afgewend worden. Als men een hele oude legende wil geloven, zal de Slang opnieuw ontwaken, maar ook ditmaal zou de ondergang nog eens afgewend kunnen worden. En als men alle artefacten in beschouwing neemt die de afgelopen duizenden jaren overal zijn gevonden, lijkt dat ook wel te kloppen. Alles leidt in die richting.'

Rowarn wreef zich over zijn kin en raapte zijn moed bij elkaar. 'Misschien ... kan ik u overhalen om met ons naar Ardig Hal te rijden?' vroeg hij brutaal, want het was behoorlijk aanmatigend om zoiets te hopen. 'Er hebben zich zelfs Demonen bij ons aangesloten in de hoop om Femris tegen te houden. Het gaat om het lot van heel Woudzee, dat heb ik inmiddels wel begrepen.'

Hij kromp in elkaar, toen Halrid Falkon zijn arm plotseling beetpakte en Rowarn dwong om hem aan te kijken. Zijn ogen vlamden op als zwarte zonnen toen hij zijn macht onverholen liet blijken. Rowarn kon zich er niet aan onttrekken. Hulpeloos verdronk hij in de diepte van zijn blik, dook onder in het zwarte licht. Hij *wist* dat de Annatai hem op dat moment helemaal doorzag. Niet alleen tot op de grond van zijn ziel keek, maar verder. Veel verder. Hij zag alles, zijn afkomst, zijn erfenis en zijn bestemming. Hij zag meer dan Rowarn tot nu toe over zichzelf wist – en waarschijnlijk ooit zou weten.

'Je hebt mijn hulp niet nodig, jongen,' zei hij met een naklank in zijn stem die hem nog vreemder en groter deed lijken. De omgeving om hen heen kromp in elkaar tot een onbeduidend iets, als het wegstervende licht van een opbrandende kaars. 'Dit is jouw opgave, niet de mijne. En je zult het volbrengen.'

Rowarn gaf nog niet op, alhoewel het zweet hem uit was gebroken. Hij begreep dat het Halrid Falkon ernst was. Wat had de tovenaar allemaal in hem herkend, zonder het met hem te willen delen? 'En ... wat is er met de *Ledige?* fluisterde hij. Dat was het laatste redmiddel dat hem inviel en hij was blij dat Fashirh hem zoveel had verteld. 'Hij is van jullie volk en dient de Duisternis ...'

'Ik heb van hem gehoord.'

Eindelijk liet de blik van de Annatai hem los en trok hij zijn hand terug. De normale wereld keerde weer terug en de gedempte geluiden op de achtergrond hadden hun kalmerende werking op hem. 'Is hij werkelijk zo machtig?'

'Nog veel machtiger.'

Rowarn had het gevoel dat er een band om zijn borst gespannen werd. Hij begreep dat er een beslissing voor hem lag. De geschiedenis waar hij in beland was, was veel groter dan hij in het begin aan had genomen. Hij kon er zich niet van afwenden, want het bloed van een Nauraka stroomde door zijn aders. Hij was de laatste van een geslacht dat ooit het ongeluk over zich af had geroepen. Er was nog steeds een schuld die ingelost moest worden en het was nu aan hem om tot het einde door te zetten, ook als had hij het niet zo gepland. Uiteindelijk had hij geen keus, daar was het te laat voor omdat hij de weg al in was geslagen. 'Kent ... u het geheim van de Tabernakel?'

'Nee, ik kan alleen maar vermoedens uiten, net als iedereen. Erenatar heeft het geheim goed verborgen.' De tovenaar blies rookwolken tussen hen in. 'Misschien is het doel van de Tabernakel om te verhinderen dat de Ledige zijn duistere ogen op deze wereld richt. Er is een enorm machtsmiddel nodig om hem tegen te houden. In Femris' handen zou het tegendeel bewaarheid worden en dan is Woudzee echt gedoemd om ten onder te gaan. Niet ondenkbaar dat het evenwicht verstoord zal worden ... een beving die de Slapende Slang zal doen opschudden, daar durf ik op te wedden.'

'Wat u des te meer tot een machtige bondgenoot zou maken,' mompelde Rowarn.

Halrid Falkon lachte zijn sterke witte tanden bloot. 'Ardig Hal heeft veel machtige bondgenoten. Meer dan jij kunt vermoeden,' zei hij vriendelijk, maar zijn afwijzing was duidelijk herkenbaar. 'En ik lever mijn bijdrage zonder meer, omdat ik ervoor zorg dat jullie geen last hebben van mijn vader. Dat kost me kracht genoeg. De rest heb ik nodig om mijn eiland te beschermen.'

Rowarn zweeg. Hij zag dat de tovenaar zijn mening niet zou

herzien. Na een tijdje begon hij voorzichtig: 'Ik ... heb nog één vraag als u dat goed vindt. Het is onbeduidend, want het gaat slechts over mij.'

De tovenaar keek hem aan en Rowarn las in zijn diepzwarte ogen dat hij al wist wat hij ging vragen. 'Ze heeft je *gezien*, jongen,' antwoordde hij. 'Ze zal nooit ophouden met jou te zoeken. Het is helaas niet anders met dodengeesten. Ik kan je daar niet bij helpen, hoe graag ik het ook zou willen.'

Rowarn knikte terneergeslagen. 'Dan komt ze me dus iedere nacht in mijn slaap opzoeken?'

'Nee,' zei Halrid Falkon zacht. 'Je kunt niet verhinderen dat ze jou zoekt. Jij kunt wel stoppen met *haar* te zien. In *deze* wereld, Rowarn, kan ze je nooit vinden. Ook niet in je dromen. Je moet je opnieuw in het tussenrijk van de Eliaha begeven, dan kan ze pas zien waar jij je bevindt. Draai het dus om en verban haar uit je geest zodra haar beeld zich begint te vormen. Je zult zien dat het gaat. Wees geduldig en geef niet toe. Laat je niet door haar beheersen. Op een dag is ze dan uit je gedachten verdwenen.' Hij klopte zijn pijp uit en stond op. Falkon was werkelijk groot. Hij had nog nooit een groter mens gezien. 'Kom mee, Rowarn. Ik wil je nog iets laten zien.'

Hij nam de jongen mee door een verwarrend aantal gangen, galerijen en trappen, totdat hij een smalle, halfdonkere gang betrad waar aan het einde een deur lag. Toen hij die opende, straalde er een witgouden licht naar buiten dat in Rowarns ogen scheen en hij hield zijn hand beschermend omhoog.

'Ga maar naar binnen,' moedigde de tovenaar hem aan.

Rowarn ging naar binnen, maar ... het was geen kamer maar een enorme hal die zich onmogelijk in het Vrije Huis kon bevinden of het moest een zich aan de achterkant bevindende uitbouw zijn. Zijn adem stokte, zijn hart miste een slag en zijn mond zakte open.

Er liep een draak rond, een geweldig wit en goud gekleurd dier, dat straalde als een ster en met iriserende robijnrode ogen.

'Dat ... dat ...' stotterde Rowarn helemaal van streek. Natuurlijk waren er veel verhalen over draken, die zijn peetouders hem verteld hadden, en enkele van deze unieke schepsels leefden nog steeds, verspreid over Woudzee. Fashirh had hem ook verteld dat Halrid Falkon samen met een draak door het land trok, maar zo'n mythisch wezen in levenden lijve te zien, dat had hij nooit voor mogelijk gehouden.

De Annatai lachte.

'Fylang groet je, jongen,' kraakte de draak en schudde zijn sierlijke vleugels. 'Ik hoop dat mijn grimmige vriend je geen gruwelijke verhalen verteld heeft. Dat doet hij namelijk maar al te graag, als een onheilsprofeet optreden en anderen doodsangst aanjagen.'

Rowarn knipperde verwonderd met zijn ogen en Fylang lachte.

'Heb ik zojuist een verheven ogenblik verstoord? Dat betreur ik. Ik ben niet wat men over het algemeen van een angstaanjagende maar eerbiedwaardige draak verwacht.'

'Hij is nog erg jong,' voegde Halrid Falkon eraan toe. 'Hij heeft zijn jeugd nog niet eens achter zich gelaten.'

De draak grinnikte. 'Hij is jaloers, omdat hij geen onbekommerde jeugd heeft gehad. En ook dan nog,' hij richtte zijn gloeiende ogen op Rowarn. 'Ik ben wijs geworden door mijn herinneringen te koesteren, jonge vriend, en ik zie de Nauraka in je, waar je je zelf ook bewust van bent. Ik zie ook veel meer, wat je zelf nog niet ontdekt hebt. Ik kan je veel over jezelf vertellen, net als Halrid. Maar dat moet je zelf ontdekken, begrijp je? Alles dat ik je kan vertellen, is het volgende: vertrouw op jezelf, op de machten die in je sluimeren. Je bevindt je op een belangrijk pad en in principe zijn het de anderen die jou begeleidden en niet andersom.'

'Zou het misschien voor een enkele keer eens wat minder cryptisch kunnen?' mopperde Rowarn.

Nu moest zelfs de donkere tovenaar lachen. 'Welkom in de wereld van de Machtigen,' zei hij vriendelijk. 'Lieden zonder inzicht, die niet beseffen hoeveel geluk ze al hebben, geloven altijd weer dat macht bevrijdt en betreden deswege verschrikkelijke paden die tot enorme offers en gruwelijke oorlogen leiden. Maar het is juist omgekeerd. Het is de macht zelf die ons gevangen neemt en bindt. Ook wij moeten regels volgen, Rowarn, anders raakt het evenwicht uit zijn balans. En die regels zijn zeer streng. Macht houdt ons universum bij elkaar, maar het is een fragiel systeem.'

Rowarn zag in dat hij nog het een en ander leren moest. Het tijdstip van de beslissing naderde. 'Ik dank jullie,' zei hij zacht. Hij wilde weglopen, maar draaide zich nog één keer om. 'Zal ik jullie nog zien?'

'Valia is een mooi land,' zei de draak op vleiende toon en Halrid Falkon lachte. 'Alles is mogelijk.'

Rowarn stak zijn hand op ten groet, toen draaide hij zich om en liep naar de grote gelagkamer terug, die hij tot zijn verbazing zonder enige moeite terug kon vinden. Noïrun zat nog op dezelfde plaats, waar hij rustig afwachtte, rookte en van zijn bier dronk. Hij luisterde niet naar de verhalen van anderen en deed ook niet mee aan één van de geliefde dobbelspelletjes.

De koning draaide zijn hoofd naar hem om, toen Rowarn naast hem ging zitten.

'Was dat het?' vroeg Rowarn.

Noïrun knikte. Hij stak zijn hand omhoog voordat hij verder kon spreken. 'Dit is jouw verhaal, Rowarn. Alleen voor jou.' Hij wees om zich heen. 'Iedereen hier is ooit voor de eerste keer het Vrije Huis binnengelopen, om de meest uiteenlopende redenen. Vaak lijkt het een normale herberg waar men bij elkaar komt, eet en drinkt en nieuwtjes uitwisselt. Maar ook worden er deuren geopend naar onverwachte locaties en dat wilde ik je laten zien.'

'Waarom doet u dit allemaal?' vroeg Rowarn zacht. 'Ik bedoel, u hebt mij als uw schildknaap aangenomen, heeft mij van het begin af aan boven de rest gesteld, maar dit ...'

De koning lachte. 'Hoe denk je, dat ik ben uitgegroeid tot wat ik nu ben? Of Olrig? Wij hebben bijzondere talenten, Rowarn. Op een dag kwam er iemand langs die ze herkend heeft, ons trainde en uiteindelijk hierheen bracht. Iedereen die niet zo is als de rest, die iets bijzonders heeft, loopt ooit over de drempel van een Vrij Huis en dat is geen gewone ingang. Ik heb je alleen maar de weg hiernaartoe gewezen, de rest is aan jou.' Hij stond op. 'En hier sluiten we het mee af, mijn jonge vriend. We rijden verder naar Ardig Hal en jagen Femris van de heilige bodem van dat oord van de vrede.'

Rowarn bleef heel even verward staan, toen volgde hij de koning haastig. 'Wat bedoeld u met afsluiten, Noïrun? Ik bedoel, ik ben dan wel tot ridder geslagen, maar ...'

'Je opleiding is beëindigd.' De vorst keek hem aan. 'Meer kan ik je niet leren. Je kunt het vanaf nu door oefeningen en inzet vervolmaken en uitdiepen, maar dat is volledig aan jou.'

'Zo snel?' merkte Rowarn verbluft op.

'Zo snel,' zei Noïrun rustig. Hij liep naar de deur toe, die beslist niet degene was waardoor ze naar binnen gekomen waren.

Rowarn dacht er ondertussen niet meer aan om de koning hierop te wijzen.

Hij was dan ook amper verrast toen ze begroet werden door de eerste stralen van de ochtendzon en Olrig, die hen al op stond te wachten met Stormwind en de Kopervos, naast zijn eigen schimmel aan de teugel. De Dwerg was overgelukkig om Rowarn zo monter en in principe ongedeerd terug te zien. Hij omarmde hem en klopte hem op zijn schouder. Rowarn sprong in het zadel en Stormwind snoof blij.

'Nu is het nog maar een dagrit,' zei de koning. 'Vanavond zul je de ruïnes van Ardig Hal in de verte kunnen zien.

'De anderen zullen ondertussen wel aangekomen zijn,' vulde de krijgskoning aan, terwijl de paarden zich in beweging zetten. 'We hebben de Vrije Straat zonder problemen kunnen bereiken en ik heb ze onder Morwens leiding verder gestuurd.

'Goed,' bromde vorst Zonderland tevreden en stuurde zijn kopervos van de Vrije Straat af, dwars over een heuvel, waar hij hem de vrije teugel gaf.

HOOFDSTUK 14

De legerheer

In de verte zag de jonge ridder een ketting van vijf heuvels, allemaal ongeveer even hoog, waar een eigenaardige glans overheen lag.

Schimmig verhieven zich ontoegankelijke, onregelmatig getande gebouwen, die zich over drie heuvels uitstrekten. De eerste blik op een legendarische, machtige plaats. Maar het was nog diffuus en ongrijpbaar. Zelfs voor Nauraka-ogen niet goed te zien.

'Alles hier,' verklaarde Olrig, terwijl hij om zich heen wees, 'behoort al tot Ardig Hal. Je zult hier geen hof of akkerland vinden, maar 's nachts, als het licht van de maan op het dauwnatte grasland speelt en de vroege nevel zich over de aarde uitbreidt, kun je de zee zien. Zien hoe het zich zachtjes wiegt in de stijgende vloed, zoals het gras meedeint op de wind. Dan verheffen de schaduwen van de Nauraka zich en fluisteren hun lied over hun verloren thuis en de onstilbare heimwee naar de diepten van hun zee.'

Rowarn sloot zijn ogen en zag het, *voelde* het en het beeld van zijn moeder kwam voor zijn geestesoog. Witte sluiers waren om haar heen gedrapeerd en lachend strekte ze haar armen naar hem uit. Maar toen hij probeerde om dichterbij te komen, verwijderde ze zich van hem, verdween door een geopend venster in de donkere hemel. 'Hoe komt het dat je dat zo goed weet en uit kan drukken?' fluisterde hij.

'Oh, heb ik dat bij onze eerste ontmoeting al niet gezegd? Olrig is een poëet,' antwoordde Noïrun. 'Dat was geen grap.'

Rowarn keek de krijgskoning aan.

'Ja,' zei Olrig. 'Vaak kunnen omstandigheden iemand merkwaardige beslissingen doen nemen, ook als men eigenlijk andere doelen heeft.'

'Dat heb ik ook pas geleerd.' Rowarn liet zijn hoofd hangen en keek naar de manen van Stormwind, die het spel van de wind meespeelden en hem kietelden.

Een vlinder steeg op van een witgele orchidee en liet zich door de wind meedragen, mooier dan een bloem in het groene veld. Hij landde op Rowarns uitgestrekte hand en ontrolde zijn zuigsnuit, terwijl hij zijn tere vleugels open en dicht klapte. Rowarn bewonderde de lieflijke bewegingen van zijn voelsprieten, de grote donkere ogen en de tere, harige pootjes.

Een paar weidesnappers gaf hun kroost de eerste vlieglessen. Tuimelend en onhandig fladderend volgden de jonkies hun ouders en tjirpten dat het een lieve lust was. Sprinkhanen vochten om korenbloemen, om daar met enkele ritmische strijkconcerten de vrouwtjes voor zich te winnen. De paarden graasden vredig, briesten vluchtende mieren en kevers weg.

Met een wat rauwe stem, begon Olrig een voordracht:

'Op die grauwe dag dat ik de zee verliet,
vloog een witte kraai voor mij uit, die mij de weg verried,
naar hier, naar Ardig Hal.
Toen al zag ik de grote burcht voor me, zuiver en sereen,
bouwde hem zelf, sloeg en vormde steen voor steen,
dat alles voor Ardig Hal.'

Toen viel Noïrun in bij het refrein:

'En in mijn herinnering, als de nacht mijn gebeden verhoort,
voel ik de zee, duik in de stroming en zwem met mijn soort.
Oh! Die grootse stad van koraal en steen, kun je hem zien?
Lichtgevend en wiegend zeebloem, anemoon en zeester,
zo sta ik daar en smacht, eeuwig klagend, de zee is zo ver,
Ik durf niet te hopen, je ooit weer te zien.'

Olrig ging alleen verder:

'Eens kwam de maan als van zilver op in die nacht,
dat ik op de toren stond voor de allereerste wacht,
hier in Ardig Hal.

De wind omhulde me en bracht mij troostend zout mee,
ik kan het ruiken, scherp en zuiver, het zout van de zee,
ook in Ardig Hal.'

En ze zongen tweestemmig:

'En in mijn herinnering, als de nacht mijn gebeden verhoort,
voel ik de zee, duik in de stroming en zwem met mijn soort.
Oh! Die grootse stad van koraal en steen, kun je hem zien?
Lichtgevend en wiegend zeebloem, anemoon en zeester,
zo sta ik daar en smacht, eeuwig klagend, de zee is zo ver,
Ik durf niet te hopen, je ooit weer te zien.'

En toen Olrig weer alleen:

Parelmoeren muun ben ik, vredesvorst zul ik zijn met luister,
vol van plicht en eer, doch de zee raast schuimend en duister
hier in Ardig Hal.
Grimmige vijanden zal ik met pantser en zwaard bezweren,
opdat ooit weer het licht en de vrede mogen terugkeren,
voor eeuwig, in Ardig Hal.'

En voor een laatste maal zongen ze samen:

'En in mijn herinnering, als de nacht mijn gebeden verhoort,
voel ik de zee, duik in de stroming en zwem met mijn soort.
Oh! Die grootse stad van koraal en steen, kun je hem zien?
Lichtgevend en wiegend zeebloem, anemoon en zeester,
zo sta ik daar en smacht, eeuwig klagend, de zee is zo ver,
Ik durf niet te hopen, je ooit weer te zien.'

Hun stemmen, die men al van ver moest kunnen horen, stierven langzaam uit. De laatste tonen weerklonken en daalden neer in het gras. De vogels, die aandachtig hadden geluisterd, begonnen hun veren te verzorgen en klaar te maken voor de volgende vlucht, terwijl de donkere schaduw van een wolk voor de zon trok.

Beide mannen zwegen en wachtten af.

Rowarn merkte niet eens hoe de tranen over zijn wangen rolden. Hij *voelde* hoe de zee bewoog en giste, voelde de zilte lucht op zijn gezicht. Dook onder in de koele schemering, die niet nat aanvoelde op zijn Nauraka-huid, maar hem tegelijk ruw en fluweelzacht omhulde, zoals zijn moeder hem ooit teder had omhuld.

Dit lied belichaamde de waarheid. Ook na zo'n lange tijd was de laatste nakomeling nog steeds een banneling. Een onstilbaar verlangen dreef hem naar de zee, alhoewel zijn voorouders hadden geleerd om op het land te leven.

Twintig jaar lang was Rowarn in onwetendheid opgegroeid, maar nu, nu hij het wist, ontwaakte de erfenis in hem en maakte hem duidelijk dat hij zich er niet aan kon onttrekken, hij was door de eed van zijn voorvaderen aan de tabernakel gebonden.

Hij voelde een haast onbedwingbaar verlangen om eindelijk te openbaren wie hij was, de waarheid uit te schreeuwen, dat er nog een hoeder van Ardig Hal was. Dat de laatste Nauraka die de zee verlaten had nog leefde en de geschiedenis nog lang niet ten einde was. Het leger van Ardig Hal moest weten, dat ze niet slechts voor een ruïne vochten of omdat ze ervoor betaald werden, alleen om te proberen de ondergang te voorkomen. Al die trouwe lieden die nu ruim een jaar stelling hielden, zouden beloond worden en extra aangespoord worden door dat nieuws.

Als de tijd daar is, had Schaduwloper gezegd. Maar wanneer? Waarom niet nu? Rowarn stond nu reeds op de grond van zijn familie, vlak voor de toren van de burcht. De beslissende slag stond voor de deur. Trillend vocht hij met zichzelf, probeerde de pijn en het verdriet te verdringen en ontdekte ... dat zijn donkere zijde nog steeds in hem aanwezig was. De erfenis van zijn onbekende vader deed hem twijfelen of hij altijd wel ten goede zou handelen. De oncontroleerbare woede zou zich op een dag tegen hemzelf of tegen zijn vrienden kunnen richten; zijn wil helemaal over kunnen nemen en hem wellicht tot een aanhanger van Femris maken. Wie weet wat er zou gebeuren als de Onsterfelijke voor hem stond? Als hij probeerde om hem levend in handen te krijgen?

Nee, het is nog niet zover.

Rowarn keek op en ademde diep in. Toen zette hij Stormwind aan tot een drafje, want nu kon hij zijn weg zelf vinden.

Olrig en Noïrun bleven achter Rowarn rijden en gaven hem de tijd.

'Het was misschien wat veel, zo in één keer,' merkte de krijgs- koning op, terwijl ze hun paarden rustig voort lieten slenteren. 'Als je bedenkt wat er allemaal met hem gebeurd is, vanaf het moment dat wij opdoken.'

'Ja, hij heeft veel te verwerken,' gaf de koning toe. 'Zijn hele wereld staat op zijn kop en dat op zijn jonge leeftijd. Wij waren tenslotte al wat ouder toen onze wereld om ons heen ineenstortte.

'Bij jou misschien, jij van je land verdrevene zwerver. Bij mij is niets in elkaar gestort, daar wil ik toch graag heel beslist op wij- zen.'

'Op het feit na, dat je je tot krijgskoning hebt laten kronen, terwijl je grote pas ...'

'Dat is onbelangrijk!' Olrig stak zijn wijsvinger in de lucht. 'Ik heb slechts mijn plicht op me genomen, net als jij!'

Noïrun grijnsde. 'Zwendelaar. Er komt wel wat meer bij kij- ken.'

'En jij?' Olrig keek hem duister aan. 'Bij jou niet dan?'

Noïrun wendde zijn blik af. 'Een heleboel,' mompelde hij.

De heuvelrug kwam langzaam naderbij. Hij verdween steeds weer uit het zicht door de hoogteverschillen in het landschap. Het ging allemaal zo langzaam dat het bijna niet opviel.

Het land werd ruiger, er groeide steppegras op de weides en een overvloed aan bloeiende kruiden en orchideeën, hier en daar afgewisseld door bomen en groepjes struiken. Die waren gelijk goede oriëntatiepunten in een landschap dat er verder gelijk uit- zag. In enkele dalen verzamelde zich water en vormden zich moerasachtige gebieden en groeiden grote palmbomen en manshoge grashalmen. Wilde zwijnen en buffels genoten van en woelden rond in hun zelf gegraven modderkuilen en trokken zich verder niets aan van de passerende reizigers. Kuddes antilopen zwierven over de steppen, begeleid door wilde paarden.

'Een goed jachtgebied,' stelde Rowarn vast.

'Alleen de jagers van Ardig Hal mogen op het wild jagen, vandaar dat het talrijk is en niet schuw,' legde Olrig uit. 'Dit is slechts een klein deel van de dieren die hier rondlopen.'

Alhoewel de heuvels nu al dichtbij kwamen, kon Rowarn zich nog geen duidelijk beeld vormen. 'Is er iets mis met mijn ogen?' vroeg hij. 'Ik kan amper iets onderscheiden.'

'Dat zijn nog resten van de oude magie,' antwoordde Noïrun. 'Vroeger was Ardig Hal ook pas van dichtbij in al zijn pracht zichtbaar. Zelfs plunderende hordes wagen zich maar amper over dit land. Zoals eerder opgemerkt, hoort deze grond al bij Ardig Hal. Het is een onzichtbare grens die overschreden wordt, iedere aanhanger van de Duisternis kan die voelen.'

Rowarn deed plotseling een hand boven zijn ogen. 'Daar komt iemand,' zei hij. 'Een ruiter.'

'Ah!' riep Olrig. 'Zonder meer een vriend. Wie zal het zijn?'

'Dat zullen we binnen enkele ogenblikken weten,' meende de koning en hield zijn kopervos in.

Rowarn bleef bij hen, op alles voorbereid. Hij wist dat hij van weinig nut was, want hij kon zijn rechterhand nog niet gebruiken. Dat zou echter snel veranderen; het ging ieder uur al beter en dat was niet op de laatste plaats te danken aan de magische hulp die de verschrikkelijk pijnen weg had gehaald.

De krijgskoning ging langzaam voorop rijden, terwijl de ruiter gestaag dichterbij kwam.

'Vriend!' riep Rowarn achter hem. 'Een ridder, hij draagt het vaandel!'

De naderende man stak zijn arm in de lucht en wenkte hen. Zijn paard was nu in een strakke galop.

'Ho! Ragon, oude houwdegen!' riep Olrig en zwaaide eveneens. 'Wat een vreugde om jouw lelijke gezicht als eerste te mogen begroeten!'

Snuivend en proestend kwam het paard uiteindelijk bij hen tot stilstand. De ruiter stuurde het paard naar Olrig en sloeg zijn arm om hem heen.

'En het doet mij deugd dat Olrig niets van zijn weldadige omvang verloren heeft en zijn openhartige tong nog steeds bezit!'

Rowarn schatte de man eind dertig. De rechterkant van zijn gezicht werd bijna in tweeën gedeeld door het litteken van een zwaardslag. Het rechteroog ging schuil onder een ooglap.

Hij liet Olrigs arm los en reed naar de koning toe om vervolgens diep te buigen in zijn zadel. 'Welkom in Ardig Hal, heer. Er wordt reikhalzend naar uw komst uitgekeken en ik ben blij dat u behouden aan bent gekomen. We hadden ons op het ergste voorbereid toen u langer wegbleef dan was afgesproken.'

'Ik had nog het één en ander te doen,' antwoordde Noïrun en wees naar Rowarn. 'Ridder Rowarn van Weideling, uit het verre, maar mooie dal Inniu. We hadden de afstand onderschat, maar ook de koppigheid van veel baronnen om hun ondersteuning te verlenen.'

Ragon maakte een lichte buiging voor hem. 'Inniu,' zei hij. 'Geen wonder dat de Honderdvijftig zo'n toegewijde en slagvaardige eenheid is, als ze door zo'n ridder aan wordt gevoerd.'

Rowarn opende zijn mond, maar Noïrun was hem voor. 'Dan zijn ze dus allemaal goed aangekomen?' Hij hoorde vreugde in de stem van de koning. Het was blijkbaar echt zo dat iedere rekruut hem aan het hart ging.

Ragon knikte. 'O ja, sinds tien dagen komen er van alle kanten versterkingen binnen. Morgen zal de Legerheer bij veel mensen een eed af moeten nemen. Jullie groep is overigens gisteren aangekomen.'

'Hoe gaat het met Morwen?' flapte Rowarn eruit. Voor zover hij zijn heer kende, zou hij niet over zijn dochter beginnen, omdat dat een gevoeluiting was die niet paste bij een bevelhebber. Aan de andere kant, wat zou het? Van nu af aan had de Legerheer het voor het zeggen, mocht de koning het wat rustiger aan doen en kon hij wat toegankelijker zijn.

'Ze moest behandeld worden, maar het gaat goed met haar,'

antwoordde Ragon en keek hem nu met onverholen nieuwsgierigheid aan.

Rowarn, die Noïrun ondertussen goed kende, merkte hoe zijn wangen trokken. Bijna onmerkbaar, maar het zei de jonge Nauraka genoeg. Noïrun was duidelijk opgelucht en zeker blij dat Rowarn in zijn plaats had gevraagd hoe het met Morwen was.

'Hoeveel man zijn er totaal aangekomen?' vroeg de vorst.

'Ongeveer vijfduizend,' antwoordde Ragon.

Noïrun wreef bedachtzaam door zijn baard. 'Meer dan ik verwacht had, maar minder dan ik gehoopt had,' mompelde hij.

'Er zullen zeker nog meer versterkingen binnendruppelen,' wierp Olrig in. 'Dit was zeker nog niet het laatste, Noïrun. Wacht maar af.'

Ridder Ragon grijnsde. 'Jouw onwrikbare optimisme is ook nog steeds hetzelfde.'

'En zoals altijd zal ik gelijk krijgen. Jullie zullen nog aan mijn woorden denken. 'De krijgskoning knikte bevestigend en klopte op de steel van zijn bijl. 'Daar zou ik deze bijl om durven verwedden.'

Zoals altijd als het om krijgsaangelegenheden ging, bleef Noïrun koel en serieus. De man die Rowarn de laatste twee dagen had leren kennen, was helemaal verdwenen. Zijn gezicht bestond dan ook weer louter uit strakke lijnen. 'Breng me in het kort op de hoogte, hoe ziet het eruit?'

'We houden de stelling nog,' antwoordde Ragon en voegde er spottend aan toe: 'Het is dwaas, niet waar? *Wij* belegeren Ardig Hal. Ons eigen slot. Het woord gaat echter dat er ook versterking voor Femris onderweg is. Dat hij een nieuwe Legerheer heeft, hebben jullie zeker al gehoord.'

'Het zal hem niet helpen,' zei Noïrun. 'Zijn schouder is een beter doel voor mijn lans dan die van zijn meester.'

Er viel een korte stilte. Niemand twijfelde aan de woorden van Noïrun, daar was Rowarn van overtuigd. Het was duidelijk dat hij er niet over piekerde om op te geven. Hij zag de komende slag om de splinter met vertrouwen en kalmte tegemoet.

'Ach, natuurlijk. Verontschuldig mij, heer. Ik had het bijna vergeten te melden: Fashirh en de andere drie Demonen zijn ook gearriveerd. De Demonen van het vijandelijke kamp waren er niet zo gelukkig mee toen ze zich presenteerden.'

'Ah, echt waar? Dan zijn we op het juiste moment terug gekomen. Dan zullen we niets missen als ze elkaar naar hun monsterlijke kelen vliegen.' Olrig keek Noïrun aan. 'Oude vriend, sta ons toe om vooruit te gaan.'

'Natuurlijk.' De koning knikte Ragon toe, waarna hij er samen met Olrig vandoor ging.

'Helm op,' zei Noïrun tegen Rowarn. 'Het vizier kan je geopend laten, maar breng je wapen en je kleding in orde. Er wacht een groot leger op ons en van mijn mannen wordt verwacht dat ze er perfect uitzien. Laat zien dat je een ridder bent!' Hij had zijn eigen helm al opgezet en het vizier geopend. Vervolgens trok hij zijn handschoenen aan.

Rowarn gehoorzaamde verbaasd. Dit was weer een hele nieuwe kant van de vorst en hij was benieuwd wat dit zou brengen. Noïrun hielp hem met het wapenhemd en hij bevestigde eveneens het vaandel aan zijn rug – voor de eerste maal en Rowarn hoorde opgewonden het fladderen achter zijn rug.

'Je draagt er zelf geen één?' vroeg hij.

De koning lachte. 'Ik val zo al genoeg op.'

In een langzame galop staken ze het dal over en al gauw ging het bijna onmerkbaar weer heuvel op en toen zag Rowarn voor het eerst Ardig Hal, beschenen door een rode namiddagzon.

De vijf heuvels waren in één klap dichterbij gekomen. Voor hen, op een grote vlakte, spreidde zich een enorm legerkamp uit en Rowarn stond sprakeloos. Duizenden witte en blauwe tenten van verschillende groottes droegen allemaal een vaandel op de top of het wapen van Ardig Hal was op de tent gestikt. Het was een stad met een oppervlakte die zeker zo groot was als Ennisghar en hij stond hier al meer dan een jaar. Er waren, behalve de smederijen die zich naast zelf gegraven bronnen bevonden en de werkplaatsen van de andere ambachtslieden, weinig echte huizen.

Duizenden paarden, schapen en runderen liepen binnen omheiningen en er werd druk geoefend in arena's. Precies hetzelfde als bij het titanenveld, maar nu veel groter. Rowarn staarde met open mond naar het tafereel.

Toen pas, hij had het lang genoeg voor zich uit geschoven, keek hij naar het slot – of beter, de ruïne die nog steeds boven het leger uittorende. Witte, lichtgevende stenen, die zich over drie heuvels uitstrekten. Vanuit de middelste heuvel voerde een weg naar de hoofdingang. Helemaal onderaan had ooit een grote marmeren boog gestaan, maar die was nu grotendeels ingestort. De tweede boog, vanwaar de geweldige muur rondom de drie heuvels voerde, lag aan het einde van de weg, precies over de eerste boog heen, maar ook die was kapot, alsof een reus er met een hamer op had geslagen.

Daarachter was een open plek, waar de wegen vanuit de muur op uitkwamen. Aan het einde van de open plek, precies bij de poort, stond het onbeschadigde, reusachtige trapportaal waarvan zeker honderd treden tot de burcht voerden. Vroeger moesten er zuilen, beelden en bomen gestaan hebben, maar alles was verwoest en deels vanaf de heuvel naar beneden geworpen. Ook de twee hoge, met houtinleg versierde poorthelften waren uit hun verankering gerukt. In hun plaats gaapte een zwart gat als een diepe wond in het witte gesteente, dat rond de boog van de poort met duizenden juwelen ingelegd was, aangevuld met oogstrelende fresco's die mythische scènes weergaven. De enige getuigen van al die pracht waren hier en daar nog overgebleven resten en gespaard gebleven afbeeldingen.

Het kasteel zelf, dat uit meerdere verdiepingen bestond, was nog enigszins intact. Het dak was echter volledig ingestort en ook de vier grote hoektorens en drie ronde torens waren voor de helft verwoest. Er bestond nog wel goede hoop dat er van de binnenkant van het gebouw redelijk wat overgebleven was. De verdedigingstorens aan de buitenmuur waren allemaal in elkaar gestort. De muur zelf – deze was de lengte van één man dik en zes lengtes hoog – had ook veel schade geleden. Het was moeilijk te zeggen hoeveel van de talrijke, deels met elkaar verbonden bijgebouwen er nog over waren. Verkoolde resten van bomen, die vele speerworpen hoog waren geweest, staken hun schamele resten als klagende vingers in de lucht. Er waren dus ook grote parken geweest.

Het was bizar, maar zelfs nu nog straalden de ruïnes waardigheid en een wit licht uit, terwijl talrijke rookzuilen kringelden omhoog tussen de resten.

'Het brandt nog steeds ...' fluisterde Rowarn.

'Sinds een jaar al.' Noïrun stuurde zijn kopervos aan zijn zijde. 'Ardig Hal werd voor het eerst in zijn bestaan onder de voet gelopen op het moment dat koningin Ylwa stierf. Wij hoorden het in de vroege ochtenduren, toen de witte valk klagend krijsend boven het slot vloog. Tegelijkertijd begon de vijand met de stormloop, zette katapulten, ladders en aanvalstorens in. Alles begon te branden en in elkaar te storten.

Het was een ongelooflijke chaos.

Olrig en ik stormden de trappen op terwijl overal zwaar gevochten werd. Het was de eerste keer dat één van ons het slot betrad en achter de muren kon kijken, maar we hadden geen tijd om daarover na te denken. Er waren al Warinnen en andere Dubhan soldaten binnengedrongen en zij onteerden alle kostbare en eeuwenoude kunstschatten.'

Er trok een rilling over zijn rug bij de herinnering. Rowarn kon weliswaar niet voelen wat hij voelde, maar het verhaal was al genoeg voor hem.

'De bedienden waren grotendeels gevlucht en overal lagen lijken.' Noïrun kon even niet meer verder vertellen. 'Onze mensen draaiden door, toen ze de verwoesting zagen. Ze vielen de vijand, die vele malen sterker was dan wij, aan als een horde wilde beesten en slachtten de indringers af. Olrig en ik renden door de vertrekken op zoek naar Femris, maar hij was al weg. En daar ... lag de koningin. Zoveel bloed ...'

Rowarn slikte, maar herpakte zichzelf. Hij moest het tot het bittere einde aanhoren.

'Haar persoonlijke dienares leefde nog,' ging Noïrun verder. 'Ik weet niet waar ze zich verstopt had, maar ze was ontkomen en wilde ons niet bij het lichaam van de koningin laten. Ze zei dat niemand buiten haar de koningin aan mocht raken. Dat was al zo sinds ze haar diende en zij zou haar naar haar laatste rustplaats brengen. Waar dat zou zijn of hoe dat zou gebeuren, wilde ze niet zeggen. Maar ze was vastbesloten en bedreigde ons zelfs met een zwaard. We moesten toegeven, ook omdat we in de strijd nodig waren en ons niet te lang op mochten laten houden. Ze deelde ons daarom mee dat Femris de splinter had. Ze gaf mij ook de verzegelde brief die de laatste wil van Ylwa bevatte met daarin haar aanwijzingen voor mij. Eén van die aanwijzingen was om naar Weideling te gaan en de Velerii het nieuws te brengen.

We keerden terug naar het strijdperk en verdreven de vijand uit Ardig Hal, terwijl de rest van ons buiten de kring om Femris heen sloot om hem zo de vlucht te verhinderen.' Hij ademde diep in. 'Aan het einde van deze vreselijke dag, de donkerste in de geschiedenis van Ardig Hal, betraden Olrig en ik nog eenmaal de burcht en zochten naar de koningin en haar dienares, maar beide waren verdwenen. We konden het ons niet veroorloven om het gehele terrein af te zoeken, want overal braken delen van het gebouw uit elkaar en stortten in en het brandde overal. Daarna was verder zoeken onmogelijk.

We vertrokken als laatste en achter ons ontstond een magische barrière waardoor het onmogelijk werd om Ardig Hal nog te betreden – voor iedereen. Ardig Hal verzegelde zichzelf om niet nog verder beschadigd te raken. Sindsdien ligt het daar in doodsnood, een eeuwig gedenkteken van ons falen.'

Rowarn keek nogmaals naar de reusachtige ruïne, wegdromend bij de glorie waaraan die herinnerde. Geen wonder dat de legendes zich ophoopten rondom Ardig Hal.

Zijn blik gleed naar de voet van de heuvel en toen zag hij eindelijk de vijand. Een geweldige, donkere massa in de schaduw van het slot, nog onder het lichtschijnsel aan de voet van de heuvel. Zelfs de zon, die diep in het westen stond, vermocht het niet deze krioelende massa te verlichten. Het was groter dan het leger van Ardig Hal, veel groter. En hoog boven alles wapperde het vaandel van Femris. Rowarn hoefde niet eens te raden wat er op stond: de gebarsten tabernakel waarvan de splinters naar elkaar toekwamen, in rood en goud op een zwarte ondergrond. Er ging een rilling door Rowarn heen. De vijand was zelfs voor zijn scherpe ogen te ver weg en hij kon geen details onderscheiden, maar de herinnering aan de Warinnen was voor hem al genoeg.

'Wat is dat voor een nevelwand?' vroeg hij verwonderd en wees naar een doorzichtige, witte ring die tussen hun eigen troepen en die van Femris lag.

Noïrun keek hem nadenkend aan. Toen verklaarde hij: 'Nog een magische muur, die ontstond toen koningin Ylwa stierf en de splinter in Femris' handen viel. Een laatste bescherming van de Nauraka. Dat is de werkelijke reden waarom hij nog steeds niet uit heeft kunnen breken en nu al een jaar vastzit. We gebruiken die barrière om hem op zijn plek te houden en willen proberen om hem de splinter weer af te nemen.'

'Maar hoe krijgt hij dan nieuwe voorraden?' vroeg Rowarn zich af

'Op precies dezelfde manier als waarop hij van verse troepen voorzien wordt. Binnenkomen is geen probleem. *Hij kan er niet uit.* Wij kunnen er ongestraft doorheen, maar hij is een gevangene. Hetzelfde geldt voor zijn aanhangers die de barrière overschrijden.'

'Dan zijn wij dus degene die iedere keer aanvallen? En toch heeft hij de overmacht?'

'Simpel gezegd, ja.'

Rowarn schudde zijn hoofd. 'Ik denk dat je dat alleen maar kunt begrijpen als je er van het begin af aan bij was.'

De koning zuchtte. 'De barrière lijkt echter minder sterk te worden. Ik denk dat Femris een manier gevonden heeft, die echter wel veel tijd en kracht kost. Vroeg of laat zal hij de magische muur breken en dan kunnen we hem niet meer tegenhouden. Daarom probeerden we alles wat we hebben om hen te verslaan. Belegeren, uithongeren, afmatten, grote veldslagen – met als enige resultaat de enorme verliezen aan beide kanten.'

Hij zuchtte diep en maakte een afwerend gebaar. 'Genoeg duistere woorden en gedachten! Er is reden genoeg om hoop te hebben en daarom zullen we nu naar het kamp rijden. Er zal zeker al vol ongeduld op ons gewacht worden en we willen niemand teleurstellen, toch? Daarnaast gaat de zon bijna onder en kan men ons vanaf het vijandelijke kamp de hele tijd al zien, en ...' Plotseling hield hij stil. Er leek hem iets te dagen, wat gevolgd werd door een grimmig lachje. 'Inderdaad. Het is een goed moment. Let op wat ik nu doe. Normaal doe ik dit soort dingen niet, maar ik kan het voor deze gelegenheid niet voorbij laten gaan ...'

Rowarn keek gespannen toe hoe Noïrun de kopervos enkele stappen naar opzij liet nemen en zich zo opstelde, dat beide kanten hem van de zijkant zagen. De hengst glansde in de ondergaande zon en moest van verre zichtbaar zijn, als was hij van vloeibaar koper. Rowarn zag de zilveren metaaldelen van de wapenrusting van de koning oplichten toen hij zijn paard nogmaals draaide, vervolgens liet Noïrun de hengst steigeren. Tegelijkertijd trok hij zijn zwaard en stak het in de lucht, alsof hij met de punt een gat in de hemel wilde maken. De kopervos leek wel voor dit soort opvoeringen geschapen te zijn. Hij hinnikte en sloeg met zijn voorste hoeven, terwijl hij op zijn achterste benen danste.

Noïrun wenkte naar Rowarn, terwijl hij het zwaard terug in de schede stak. 'Kom, nu is het tijd om te galopperen.'

Rowarn hoefde Stormwind, die net als hij met open mond toe had staan kijken, niets meer te zeggen. Die ging er meteen vandoor en ging, met zijn oren naar achter en af en toe boos briesend, naast de hengst rijden. Meer waagde hij echter niet. De hengst scheen hem juist te negeren.

'Een geweldige voorstelling,' merkte Rowarn onderweg op, terwijl beide paarden steeds meer in een wedstrijd leken te raken. 'Maar als u mij mijn directheid wilt vergeven, mijn heer: u bent gek geworden. Dat kan zelfs Femris niet ontgaan zijn.'

'Precies wat ik wilde bereiken,' antwoordde de koning met een grimmig lachje. 'Nu weet hij dat ik ondanks al zijn pogingen teruggekeerd ben. Hij zal naar zijn schouder grijpen en opnieuw de pijn voelen van mijn speer en zijn gedachten zullen gekleurd worden door woede en haat. Dat zal hem tot fouten gaan verleiden.' Hij keek Rowarn van opzij aan. 'Je vijand is slechts onoverwinnelijk tot je zijn zwakke punt gevonden hebt. En ik ben zijn zwakke punt.'

Rowarn was opgewonden, want kort daarop bereikten ze eindelijk het doel van hun reis. Morgen zou hij al tegenover de Legerheer staan en zijn eed afleggen. Wat voor iemand zou de Legerheer zijn? Gedistantieerd, maar altijd aanwezig voor zijn mensen? Of hard en onverbiddelijk, wat waarschijnlijker was gezien zijn positie? Zou Rowarn nog de gelegenheid krijgen om tijd met Olrig en Noïrun samen door te brengen of zou hij ergens anders ingedeeld worden? Zou de Legerheer Noïruns inzicht wel delen, dat hij de waardigheid van een ridder al verdiend had?

Toen ze het kamp naderden, zag hij hoe zowel de mensen als Dwergen haastig door elkaar liepen en zich opstelden. Zijn keel werd plotseling kurkdroog en hij keek constant naar de vorst, die langzaam de teugel van zijn hengst aantrok. De kopervos was in zijn element en wist wat hij moest doen. Fier paradeerde hij over het pad dat naar het kamp toeliep, de oren gespitst naar voren gericht.

Al snel bereikten ze de erehaag links en rechts van de weg en ze waren de eerste soldaten maar amper gepasseerd toen iemand in een geestdriftig gejuich uitbarstte. De kreet verspreidde zich snel en breidde zich uit als een gistende golf op de zee tot hij van alle kanten weerklonk, gevolgd door een bruisende jubel.

'Legerheer! Legerheer!'

Het hart van Rowarn sloeg over en hij merkte hoe al het bloed uit zijn gezicht wegtrok. Hij staarde Noïrun aan, die hem met een bijna samenzweerderige grijns aankeek en kort knikte.

'Jij ...?' bracht hij hees uit.

'Ik!' antwoordde de koning opgewekt.

HOOFDSTUK 15

De Onsterfelijke

De koning stuurde zijn hengst afwisselend naar links en naar rechts en beroerde in het voorbijrijden de vele uitstrekte handen.

Rowarn had het vizier van zijn helm naar beneden geklapt, zodat niemand zijn gezicht kon zien, want hij was niet zichzelf. Hij volgde de koning op een paard afstand, rechtop in het zadel. Stormwind liep trots achter de koning aan; hij begreep waar het om ging en wilde zich net als zijn heer niet bloot geven. De eerste indruk was de belangrijkste, dat wist Rowarn, zelfs al kon hij maar amper waargenomen worden. Maar er zal altijd wat blijven hangen en dat had zijn uitwerking op iedere toekomstige ontmoeting.

Het duurde lang voordat ze het centrum van het kamp bereikt hadden en naast de tenten die daar stonden, was de grootste tent tot nu toe opgezet. Aan alle kanten stond trots het wapen van Ardig Hal en alsof dat niet genoeg was, wapperde de vlag van Ardig Hal op een hoge stok die boven het dak uitkwam. Rowarn opende zijn vizier om alles beter te kunnen zien.

'Daarbinnen worden alle plannen gesmeed,' verklaarde de koning. 'Daarnaast is mijn residentie en die van Olrig en de overige bevelhebbers en officieren van de hoogste rang.'

Noïrun bleef voor de grote tent stilstaan, steeg af en liep – nog licht hinkend – op een man af die bijna dezelfde uitrusting droeg als hijzelf. Olrig en Ragon stonden al bij hem.

'Felhir!' riep Noïrun en pakte zijn arm beet. 'Zoals het er naar uitziet heb je me uitstekend vervangen, want alles staat er nog en de rekruten zijn niet weggelopen.'

'Jazeker, maar laten we wel zijn, je hebt de tijd genomen!' wierp de ander hem tegen, terwijl hij zijn helm afdeed. Hij was waarschijnlijk begin vijftig en op het eerste gezicht, zeker vanaf een afstandje, leken de beide mannen zelfs op elkaar. 'Ik ben blij dat ik dat verdomde ding eindelijk af kan doen!'

'Dat is de prijs die de legerheer moet betalen. Misschien dat ik er nog even over na moet denken,' lachte de koning. 'Hebben jullie het net gezien, daarboven? Voor Ardig Hal? Dat zal onze vijand zeker niet bevallen hebben.'

'Daar durf ik om te wedden,' bromde Olrig. 'Jammer dat je geen schietschijf op je borstkas geschilderd had, hij had je graag een welkomsgroet gestuurd en je voor zijn feestmaal uitgenodigd ... als de hoofdgang!'

Noïrun klopte hem grijnzend op de schouder. Toen vroeg hij: 'Doe me een plezier, laat me een ogenblik alleen en hou iedereen van mijn lijf, ik wil eerst een beetje tot mezelf komen.'

'Daar heb ik al op gerekend, ik heb wat eten en drinken klaar laten zetten,' zei Felhir. 'Laat het ons maar weten als je nog andere wensen hebt.'

'Dank je, maar dit is voorlopig even genoeg.' Noïrun keek speurend om zich heen en zag Rowarn staan. 'Wat zit je daar nou nog op je paard als een uit steen gehouwen standbeeld? Kom van dat beest af en volg me.' Zonder op zijn antwoord te wachten, verdween hij in zijn tent.

Rowarn merkte nu pas dat zijn mond nog steeds open stond. Hij sprong snel van zijn paard af en hield de teugel voor de krijgskoning. 'Olrig, mag ik ...?'

'Ik zorg wel voor de kleine, ga maar,' zei de Dwerg. 'Laat de legerheer niet wachten. Daar houdt hij niet van, maar dat zul je zelf ondertussen ook wel door hebben.'

Rowarn liep aarzelend naar binnen en bleef toen besluiteloos bij de ingang staan.

'Doe de tent dicht,' beval Noïrun, terwijl hij zijn wapengordel, hemd, wapenrusting en wambuis op een kist legde. De ruime tent was aangekleed met vele tapijten, een grote tafel en veel zitgelegenheden. Opgelucht ademhalend liet de vorst zich in een comfortabel uitziende stoel vallen, legde zijn benen op de tafel en pakte een tros vruchten die in een schaal klaarlag.

'Schenk wat wijn voor ons in en ga zitten, Rowarn.' Hij wees naar een stoel die vlakbij hem stond, terwijl hij achterover leunde en een paar van de vruchten in zijn mond stopte.

Rowarn gehoorzaamde en dronk eerst een paar slokken voordat hij zich voldoende herpakt had om te vragen: 'Ben ik de enige die niets gemerkt heeft?'

Noïrun schudde lachend zijn hoofd. 'Alleen de garde, die jij al kent en mij begeleid heeft tijdens mijn reis, wist het. Morwen heeft zich al als gardist verraden, maar jij kon de samenhang vanzelfsprekend niet herkennen. Zelfs binnen dit kamp is het maar amper bekend dat Noïrun en de legerheer één en dezelfde persoon zijn. Ik liet de legerheer tot nu toe slechts af en toe in het slagveld aantreden, maar altijd met helm en gesloten vizier. Maar nu mag Femris het gerust weten.' Hij dronk zijn beker in één teug leeg. 'Ik ben blij dat deze reis zo goed en succesvol verlopen is en we eindelijk terug zijn. Ik heb het gevoel dat ik thuiskom.'

Rowarn schonk hem bij. 'Maar ... waarom bent u zelf op zoek naar rekruten gegaan?'

'Op het gevaar af om mezelf te herhalen: we zijn vertwijfeld, Rowarn,' antwoordde de koning. 'Mijn woord brengt meer gewicht in de schaal. En dankzij koningin Ylwa's laatste wil, was ik toch al verplicht om naar Inniu te gaan. Nu hebben we versterking en ook precies op tijd. Als we geluk hebben kunnen we Femris de splinter afhandig maken voordat zijn eigen versterking aan is gekomen. Laten we hopen dat de Dwergen ze onderweg minstens wat op hebben kunnen houden en hebben gedecimeerd. Niemand mocht in de tussentijd weten dat de legerheer niet aanwezig was. Onze zijde niet en die van de vijand al helemaal niet.'

Rowarn schudde zijn hoofd en leunde achterover. 'Ik ben nog steeds ... verbluft.'

Noïrun wierp nog enkele bessen in zijn mond. 'Ik dacht dat je wel blij zou zijn om op zo'n goede voet met de legerheer te staan. Daarmee zijn alle angsten in één klap weggeblazen lijkt mij.'

Toen moest Rowarn toch lachen en Noïrun viel in.

Meteen daarna werd de koning weer ernstig. 'Er is ons slechts een korte rustpauze gegund. We moeten meteen handelen.' Hij nam zijn benen van de tafel en boog naar voren. 'Laten we maar meteen een zaak bepreken die ik niet vooruit wil schuiven, Rowarn. Ik wil jou graag een commando geven.'

Rowarn was stomverbaasd. 'Mij? Nu al?'

'Ja. Een eenheid van honderd man die je zelf samen mag stellen. Ruiters. Leid ze voor speciale missies op.' De koning schonk zijn beker nog een keer vol en Rowarn schonk zichzelf voor een tweede maal wijn in. Vervolgens pakte Noïrun een bord, legde er verschillende hapjes op en begon te eten.

Rowarn was daar nog niet aan toe, alhoewel zijn maag knorde. Hij had nu teveel zaken om over na te denken. 'Bedankt voor het vertrouwen,' zei hij zacht.

'Dacht je dat ik geen doel had toen ik mijn energie in jou stak en je een bijzondere opleiding gaf?' De koning knaagde aan een koude kippenpoot en spoelde hem met wijn weg. 'Wees niet naief, Rowarn. Je bent bij de Velerii opgegroeid, er moest dus wel meer in jou steken dan in de rest. Dat was mij van het begin af aan duidelijk. Je hebt bewezen dat je zeer getalenteerd bent en bovenal heb je een groot aanpassingsvermogen. Zowel Morwen als ik hebben ons leven aan jou te danken. En je bent nog niet eens eenentwintig. Zo goed was ik niet eens op die leeftijd, alhoewel ik het intussen tot legerheer gebracht heb.' Er verscheen een wat scheve grijns op zijn gezicht. 'Ik ben duidelijk een betere krijger dan heerser, want als vorst heb ik tekort geschoten.' Hij lachte kort en droog. 'Koning Zonderland, voorwaar, een edele titel.'

Rowarn was niet in de stemming voor dit soort gekheid, ook al ging het ten koste van Noïrun. Hij was helemaal van zijn stuk. Maar hij wist ook dat de koning een beslissing van hem verwachtte, en wel nu. 'Als ik vrijuit mag spreken ...'

Noïruns wenkbrauwen schoten omhoog. 'Natuurlijk.'

'Ik wil geen commando,' zei Rowarn. Hij had deze zin goed overwogen en was vastbesloten om het rustig naar voren te brengen. 'Nu nog niet. Daarentegen wil ik een plaats in uw garde.'

Nu was Noïrun aan de beurt om verbaasd te zijn.

Rowarn ging verder: 'De ereplaats aan uw linkerzijde behoort Olrig toe. Zo vermetel wil ik niet zijn om dat te vragen. Ik wil u om de rechterzijde vragen.'

'*Naast* mij,' zei Noïrun.

'Ja,' antwoordde Rowarn.

'Waar Morwen niet eens staat, die hard voor haar huidige plaats heeft moeten vechten en hem slechts een jaar geleden heeft gekregen.'

'Ja,' herhaalde Rowarn.

De koning liet zijn handen zakken en staarde Rowarn een ogenblik zwijgend aan. Uiteindelijk meende hij: 'Heeft het zin naar het waarom te vragen?'

Rowarn hield stand. 'Dat is mijn plaats.'

'Hm.' Noïrun veegde zijn handen af met een vochtige doek die hij uit een warme schaal haalde, nam zijn beker en leunde achterover. Nadenkend ondersteunde hij zijn kin met zijn andere hand. 'Morwen zal je ombrengen, dat is je duidelijk neem ik aan.'

'Waarschijnlijk,' gaf Rowarn toe. 'Maar dat is mijn probleem.'

Er verschenen rimpels in Noïruns voorhoofd, terwijl die hem peinzend en kritisch aankeek. 'Goed dan,' besloot hij tenslotte. 'Ik zal Morwen het commando geven. Als ze jou in leven laat, kun je haar ondersteunen.'

Rowarn verstarde heel even. Hij kon bijna niet geloven dat het zo snel was gegaan. Het zou hem later waarschijnlijk pas echt duidelijk worden wat hij gewaagd had, maar hij had veel redenen om zo te handelen. Hij wilde hoofdzakelijk in de buurt van Noïrun blijven om hem te beschermen, maar ook om van hem te leren. En op deze manier kon hij ook van alles ontdekken wat zijn wraak zou dienen, wat het werkelijke doel van zijn aanwezigheid hier was. Natuurlijk zou hij zich voor Ardig Hal inzetten. Hij zou de eed afleggen en alles doen om de splinter terug te veroveren. Maar zijn wraak zou altijd al het andere overschaduwen. Zolang Nachtvuur leefde, was Rowarns taak niet vervuld. Daarmee zou hij ook Ardig Hal een dienst bewijzen, omdat hij Femris daarmee van een machtige bondgenoot beroofde. Dan pas was hij bereid – *mocht* hij pas bereid zijn – het ambt van vredeshoeder aan te nemen en de splinter te bewaren.

Hij kon dit allemaal nog niet openbaren aan Noïrun, zonder gelijk prijs te geven dat koningin Ylwa zijn moeder was geweest. Zover was het nog niet, hij was nog maar net aangekomen. Om-

dat Noïrun zijn identiteit als legerheer ook verborgen had gehouden, was het belangrijk om ook hierbij het juiste moment af te
wachten voordat de wereld te weten kwam dat er nog een erfge-
naam van de Nauraka was.

Voor alles ... omdat Rowarn geen idee had of hij het erfgoed
wel aanvaarden *kon*. Hij wist veel te weinig over zichzelf. Hij
moest alles stap voor stap doen, alles.

Natuurlijk had hij schuldgevoelens, omdat hij niets van dit alles aan Noïrun vertelde. De man die hij zonder meer vertrouwde
en waarvan hij hield als een vader - zelfs vaak wenste dat die zijn
vader was. Hij had zoveel aan hem te danken ...

'Ga nu,' onderbrak de koning zijn gedachten. 'Biecht aan Olrig
op wat je me net afgedwongen hebt en laat je een tent aanwijzen
door hem. Ik zal me ondertussen met Morwen onderhouden.' Hij
zuchtte. 'Het zal me een genoegen zijn.'

Rowarn sprong op. 'Ik dank u voor de grote eer,' zei hij snel.
'En opdat het u duidelijk zal zijn, dat het me ernst is, wil ik dat u
mij de eed zo snel mogelijk afneemt.'

'Je kunt echt niet meer wachten hè?' Er speelde een zeldzaam
lachje om Noïruns mond.

Rowarn, die het niet merkte, richtte zijn blik op de achterzijde
van de tent, waarachter de resten van Ardig Hal lagen. 'Het is
zoals u zegt,' mompelde hij. 'Bijna een thuis ...'

'Je bent een romanticus, Rowarn,' bromde de koning. 'Geen
wonder, dankzij je jeugd en je peetouders. Ga nu.' Rowarn was al
bijna buiten, toen Noïrun hem nog wat nariep. 'Ik kan je trouwens geen eed afnemen. Je hebt me je zwaard al gegeven en een
gelofte uitgesproken en ik heb hem aangenomen. Je behoort mij al
toe en daarmee ook de legerheer en wel in voor- en tegenspoed.
Nee, geen woord meer. Eruit nu.'

Buiten zette de avondschemering al in en Rowarn keek in de laatste rode stralen van de zon die over het kamp gleden.

Olrig wenkte hem. 'Kom, ik laat je je onderkomen zien.' Hij
liep met Rowarn naar de rand van de tentenring voor de bevelhebbers en wees hem een kleine tent aan. 'Je nieuwe thuis.'

'En Stormwind?'

'Die wordt al verzorgd. Hij staat daarachter.' Olrig wees in zuidelijke richting. 'Je zult hem morgen wel vinden. Zorg nu eerst maar voor jezelf. Eet wat en kijk wat rond in het kamp.'

Rowarn knikte. 'Dat zal ik doen. En ik moet je wat zeggen ...'

'Ja?'

'Ik ... ik zal ...'

'Vertel op!'

Rowarn krabde aan zijn neus. Het werd hem langzaamaan duidelijk wat hij gedaan had. 'Ik blijf aan zijn zijde,' zei hij toen uitwijkend en hoopte dat de krijgskoning er genoegen mee zou nemen.

Maar één wenkbrauw schoot omhoog, hij hield zijn hoofd wat scheef en vroeg loerend: 'In overdrachtelijke zin of qua rang?'

Rowarn wrong zich in allerlei bochten. 'In zekere zin ... allebei ... aan de ... ehm ... rechter ... kant.'

'Waar precies?'

'... naast hem.'

Olrigs ogen stonden nu wijd open. De doorgewinterde Dwerg kon dus daadwerkelijk verrast worden. Die merkte droog op: 'Ze zal je ombrengen.' Hoofdschuddend liet hij Rowarn staan.

Rowarn kon weer wat lichter ademhalen. Olrig had het nog goed opgenomen. De eerste horde was dus genomen. De tweede zou hem ook wel lukken. Morwen was ten slotte een slimme vrouw.

In het laatste daglicht, toen Rowarn eindelijk het kamp een beetje ging verkennen, bleef hij stil staan omdat hij een bekende stem bij een groep tenten vandaan hoorde komen, waar in het midden een groot vuur brandde. 'Rowarn!'

Hij draaide zich om. 'Rayem!'

De zoon van de herbergier kwam naar hem toelopen en ze omarmden elkaar, zonder zich bewust te zijn van het feit dat ze sinds hun kindertijd al vijanden waren geweest. Maar dat was in een ander leven geweest. Nu waren ze kameraden ... vrienden.

'Je ziet er goed uit!' stelde Rowarn vast. Rayem was in nieuwe kleren gestoken en zag er gezonder en sterker uit dan ooit.

'Dat kan ik ook van jou zeggen.' Rayem wees op zijn verbonden hand. 'We hoorden hier natuurlijk van en maakten ons al zorgen toen de groep zonder jou, Olrig en de koning terugkwam.' Hij gebaarde Rowarn om hem te volgen. 'Je moet alles vertellen! We hebben haas in de pan liggen, met notenbrood en vruchten met kandij en natuurlijk bier.'

Dat liet Rowarn zich geen tweemaal zeggen; zijn maag rammelde hoorbaar en hij was blij zijn vrienden terug te zien. Daar was Lohir Zomersproet, Kalem Zwarttand, Ravia de Blauwe en enkele andere vertrouwde gezichten en ze heetten hem allemaal welkom. Zelfs Jelim was erbij en enkele Dwergen waar ze al vriendschap mee gesloten hadden.

Zo zaten ze samen, tot diep in de nacht. Ze vertelden elkaar hun avonturen en aten en dronken tot er niets meer over was. Uiteindelijk stond Rowarn op. 'Ik moet nu echt gaan slapen. En jullie ook denk ik. We zullen allemaal veel te doen krijgen.'

Ze lieten hem niet graag gaan, maar wenden zich weer naar het vuur en begonnen te zingen, terwijl Rowarn zich op de terugweg naar zijn tent begaf. Gelukkig stak de grote en verlichte verzameltent goed uit tegen de massa, anders had hij zich waarschijnlijk verlopen. In de nacht zag alles er anders uit.

Zijn tent was uitgerust met een brits, een stoel, een waston, een dekenkist en een houder voor zijn wapenrusting en enkele tapijten. Een olielamp zorgde voor een matte verlichting. Het was zijn eigen, kleine rijk. De reis was inspannend geweest en de eigenlijke vermoeienissen moesten nog beginnen. Het was tijd om minstens één nacht goed uit te rusten.

Rowarn wist nog niet welke opdrachten Noïrun hem zou toevertrouwen. Hij twijfelde een tijdje of hij zijn wapens af zou leggen en zich uit zou kleden, toen hij om zichzelf moest lachen. Zulke gedachten waren ten slotte lachwekkend. Hij wierp alles van zich af en strekte zich behaaglijk uit. De nacht was mild en de zomer zou niet lang meer op zich laten wachten. Het beste dat hij nu kon doen, was zich ontspannen na een vermoeiende dag: alles van zich afwerpen en zijn gedachten, lichaam en geest wat frisse lucht gunnen.

Hij haalde het verband van zijn hand en bekeek hoe het eruit zag. Er klopte een doffe pijn, maar die was te verdragen. Nog maar net te bespeuren als hij eraan dacht. Daarnaast zag de wond er daadwerkelijk al een stuk beter uit. Hier en daar maakten de verkoolde resten al plaats voor nieuwe, roze huid.

Rowarn streek de zalf en de kruiden die Isa hem meegegeven had op zijn handrug en wikkelde er een nieuwe doek omheen. Voorzichtig bewoog hij zijn vingers en sloot ze bij wijze van proef om het handvat van zijn zwaard. Ja, ze zouden binnenkort weer in orde zijn en dan kon hij hem weer gebruiken. Opgelucht deed hij de olielamp uit en ging liggen.

Hij lag een tijdje wakker en luisterde rusteloos naar de geluiden in het donker. De geluiden van het kamp werden minder naarmate de nacht vorderde. Hier en daar hoorde hij een koe, slaperige stemmen die elkaar een goede nacht wensten en al gauw hoorde hij niets meer.

Rowarn viel in slaap.

Op slag werd hij wakker, toen hij iemand in zijn directe omgeving hoorde, om precies te zijn, *boven* zich. Morwen.

Ze hield zo nadrukkelijk een mes op zijn keel, dat hij zich niet eens durfde te bewegen. Met haar knieën drukte ze zijn armen naar beneden en haar lichaamsgewicht drukte zwaar op zijn borstkas.

'Wat had je je daarbij voorgesteld?' siste ze.

'K-kan niet ...' kreunde hij. 'G-geen lucht ...'

'Geen uitvluchten!' De druk werd nog groter. Pas toen hij echt niet meer kon ademen en zijn bewegingen ongecontroleerd werden, werd de druk iets minder, maar in plaats daarvan voelde hij het scherpe mes op zijn huid.

'Ik ben hem zoveel schuldig,' hoestte hij. 'Ik was zo lang met hem onderweg, ik wil bij hem blijven en meer leren. En jij hebt mij die eed afgedwongen ...'

'Schijtkerel!' vloekte ze. 'Kom me niet daarmee aanzetten!!'

'Ik wil je niet verdringen,' ging hij verder en probeerde te slikken, maar zijn adamsappel bleef op het mes hangen en hij hapte naar lucht als een vis op het droge. 'Maar het is de plaats waar ik hoor te zijn. En je bent toch veel liever meteen inzetbaar. Jij bent misschien geen hoofdbevelhebber zoals Olrig, die zich als Noiruns plaatsvervanger niet alleen om zijn Dwergen moet bekommeren, maar ook om het hele leger, maar je bezit alle kwaliteiten om een goed bevelhebber van een eenheid te zijn, die direct jouw bevelen uitvoert en snel handelt. Honderd man onder je beve l... denk daar toch eens aan ...'

Verbaasd bleef ze zitten. 'Verdomd, je hebt gelijk,' ontglipte het haar. 'Waar maak ik me eigenlijk druk over? Dan kan hij mij niet meer koeioneren, maar jou. En in plaats daarvan, zal *ik* de anderen bevelen.'

'En ... en natuurlijk blijf je in de garde ...' voegde hij eraan toe. 'Je hebt nog steeds dezelfde plaats ... en ten slotte ben je nog altijd ... zijn dochter ...'

'Geen enkele vrouw heeft ooit zo'n grote eenheid gecommandeerd,' concludeerde Morwen en haalde eindelijk het mes van zijn keel.

Gretig haalde hij adem en slikte hevig.

'Jouw idee of zijn idee?' wilde ze weten.

'Zijn.'

'Maar alleen, omdat jij hem op het idee gebracht hebt. Je bent een vos, Rowarn,' fluisterde ze. Haar ogen begonnen te fonkelen, wat hem nog meer verontrustte dan het mes. 'Je zou je moeten schamen tot in de grond van je hart.'

Voordat hij iets kon zeggen, ramde ze het mes in de stoel naast zijn bed en drukte haar lippen op zijn mond. Hij werd volledig verrast door de hartstocht en het heftige verlangen, waar ze hem mee kuste. Toen ze hem zijn nachthemd en broek begon uit te trekken, ontwaakte ook het vuur in hem en laaide meteen hoog op. Niet minder ongeduldig dan zij, ontdeed hij zich van zijn kleding. Ze waren zo in elkaar verstrengeld, dat ze wel leken te vechten. Ze vielen van de brits en rolden over de met tapijten bedekte grond, alle verwondingen negerend. Uiteindelijk lag Morwen bovenop hem en hield hem vast. Rowarn was volledig aan haar overgeleverd en gaf zich steunend over, totdat de lust haar volledig overweldigde. Ze liet zich weer over hem heen zakken en ze rolden verder over de tapijten, in elkaar versmolten, het hoogtepunt uitstellend en uitrekkend. Steeds weer opnieuw beginnend tot aan de grens van uitputting en totdat ze eindelijk allebei verzadigd waren.

Hij voelde nog eenmaal haar zachte lippen op zijn mond toen ze fluisterde: 'Dit of de dood, een andere uitweg was er niet, want ik moest me op de één of andere manier afreageren.' Ze ademde hevig en snel en hij zag haar gloeiende gezicht boven hem.

'Een geluk voor mij, dat het zo is gegaan,' mompelde hij en streek een pluk haar van zijn voorhoofd.

'Ja, het zou jammer geweest zijn om je open te snijden,' spinde ze. Ze knabbelde aan zijn oor en haar handen gleden over zijn met zweet bedekte lichaam. 'Ik heb je gemist. Maar het was de laatste keer, wees je daar bewust van, Rowarn. Met mij als bevelhebber van een eenheid en jij aan Noïruns rechterzijde kunnen – mogen – we ons dit genoegen niet meer veroorloven.'

'Ik weet het,' zei hij zacht.

Ze stond op en begon zich aan te kleden. Hij keek zwijgend toe. Ze spraken geen woord meer totdat ze uiteindelijk in het donker naar buiten glipte.

Rowarn was ondertussen gewend om zijn ridderuitrusting te dragen en in zijn nieuwe positie was het ook belangrijk dat hij er goed op lette. Toen hij naar de omheining ging, waar Stormwind waarschijnlijk was, stak hij een oefenarena over omdat hij een stuk af wilde snijden en vond daar Moneg en Gaddo. Moneg bewoog zich net weer nadat hij verslagen was en Gaddo was zoals te verwachten was aan zijn zijde. Monegs gezicht was nog steeds groenblauw van kleur en gezwollen. Zijn gebroken kaak was ingebonden en de verbrijzelde neus zag eruit als een knol.

Rowarn was zich bewust van de blikken die hij kreeg. Het kwam tenslotte niet iedere dag voor dat een jongeman uit een naamloos dal zo snel tot ridder geslagen werd – en een plaats aan de zijde van de legerheer kreeg toegewezen. Hij twijfelde er niet aan dat het nieuws als een lopend vuurtje door het kamp gegaan was. Hij besefte dat hij zijn rang zeer snel en op niet mis te verstane wijze moest bevestigen. Daarom kwamen deze twee hem goed van pas.

Doelbewust liep hij op Moneg en Gaddo af, alhoewel er genoeg plaats was om langs hen te lopen. Hij voelde hoe talloze ogen op hem gericht waren. De beide vechtersbazen hielden op en staarden hem wantrouwend aan toen hij voor hen bleef staan. 'Ga uit de weg,' zei hij. Hij legde de linkerhand nonchalant op de knop van zijn zwaard. Hij negeerde de opkomende woede en de gloeiende haat die uit hun blikken sprak en maakte door zijn houding duidelijk, dat hij in geen geval toe zou geven. Hij zou hen beiden ook niet veel tijd gunnen, dat maakte hij duidelijk door met zijn linkerhand zijn zwaard beet te pakken.

Zwijgend, de ogen naar beneden gericht, gingen ze aan de kant.

Rowarn vervolgde tevreden zijn weg.

De smid was net bezig met Stormwind en vertelde Rowarn dat zijn paard beslagen zou worden. 'Tijdens een veldslag zijn hoefijzers onontbeerlijk,' maakte hij Rowarn duidelijk toen deze protesteerde.

'Maar hij kent het niet ...'

'Hij zal er aan wennen.'

De smid begreep zijn vak en wist hoe met paarden om te gaan, dat moest Rowarn toegeven, terwijl hij kritisch toekeek hoe hij bezig was.

Stormwind was zo verbouwereerd over wat hem overkwam, dat hij braaf alles toeliet. Nadien liep hij eerst wat houterig en wat onzeker en trok zijn benen overdreven hoog op, maar hij was er al snel aan gewend en Rowarn kon beginnen met oefenen.

En toen ontmoette hij Tamron.

'Pak de lans hoger beet, direct vooraan bij de handbeschermer anders breek je je arm bij de stoot,' weerklonk een stem achter Rowarn. Hij hield Stormwind even in en draaide zich om. De stem die hij gehoord had, klonk aangenaam en zacht. Bijna zangerig. Dat raakte hem diep en herinnerde hem aan een schemerige dag in het woud, kort voor de zonnewende, wanneer de oude machten tussen de bomen wandelden. Deze stem was oud en wijs, vervult van een kalme harmonie.

Een man wierp zijn schaduw op de stoffige grond van het terrein. Hij was lang en slank, net als Rowarn zelf. Zijn huid was bleek en had een niet-menselijke glans en zijn haren, die bijna tot op zijn heupen kwamen, waren zilverwit. Zijn ogen lichtten op in dezelfde blauwe kleur als de hemel, kort voordat de avond inviel en het stralende licht van Lúvenor er in lag.

Rowarn haastte zich om van zijn paard af te stappen en hij maakte een buiging voor de man die een halve kop groter was dan hijzelf.

'U ... u bent een Onsterfelijke, nietwaar?' fluisterde hij.

De man lachte. 'Ik ben Tamron,' stelde hij zich voor. 'En zo te zien ben ik op precies het juiste moment gearriveerd.'

'Tamron!' Zijn verbazing was duidelijk van zijn gezicht af te lezen. 'Mijn peetouders hebben mij over u verteld. U bent een grote held, maar men dacht dat u al lange tijd verdwenen was ...'

'U flatteert me, jonge ridder,' weerde de Onsterfelijk af. 'Men zegt dat vele helden verdwenen zijn, maar de meeste van die geruchten zijn overdreven. Men moet er dan ook geen aandacht aan besteden. Ik hoopte toentertijd, dat men mij niet meer zou meten aan de hand van mijn toenmalige daden, want zo groot zijn die niet geweest, omdat we ons nog steeds in oorlog bevinden.'

Rowarn dacht aan de woorden van Halrid Falkon in het Vrije Huis: *Je hebt vele machtige bondgenoten, meer dan je denkt ...*

'En u bent gekomen om ons te helpen ...'

'Zeker. Zoals zovelen ben ook ik aan de Tabernakel gebonden. Het heeft helaas lang geduurd voordat ik hier kon zijn, omdat ik op werd gehouden in een streek hier ver vandaan. Het is goed, dat ik niet te laat ben gearriveerd.' Tamron stak zijn hand naar Rowarn uit. Er lag een paar nieuwe handschoenen in. 'Deze moest ik van koning Noïrun aan jou geven vanwege je gewonde hand en tegelijkertijd moest ik je een berisping geven omdat je geen fatsoenlijke bescherming draagt.'

'Hoe kan hij nou ...' Rowarn stopte midden in zijn zin. 'Ik kan er maar niet aan wennen, dat hij altijd alles weet.' Rowarn pakte de lederen handschoenen en trok ze aan. Ze pasten perfect en hij kon zijn rechterhand nu nagenoeg pijnloos gebruiken.

'Misschien kent hij jou gewoon heel goed.' De Onsterfelijke lachte zijn tanden bloot. 'En als ik u mag vragen, jonge ridder. Geen vormelijkheden. Eigenlijk zou ik voor jou een buiging moeten maken, omdat ik slechts de rang van een vrije soldaat heb. Niet eens die van een huurling, want ik laat me niet betalen.'

'Begrepen,' sprak Rowarn verbaasd. 'Ook al zal dat niet altijd even makkelijk zijn voor mij.'

'Nou, datzelfde geldt voor mij! Het komt niet elke dag voor dat een jongeman als jij tot ridder geslagen wordt. Maar na alles dat ik over jou gehoord hebt, verbaasd het me niet.' Tamron wees naar Stormwind. 'Ik heb jullie geobserveerd. Jij en jouw paard, jullie zijn een eenheid. Jullie hebben allebei veel talent, ook wat de krijgskunst betreft en dat ziet men niet vaak. Noïrun mag zich gelukkig prijzen, een held als jij gevonden te hebben.'

Rowarn was bijna pijnlijk geroerd. 'Zo is het helemaal niet. Ik ben alles behalve een held.'

'Je bent er misschien een halve pas van verwijderd.' Tamron keek hem nieuwsgierig aan. 'Eerlijk gezegd, men zou je voor een van ons kunnen houden,' meende hij. 'Tot welk volk behoor je?'

'Ik ken mijn herkomst niet,' mompelde Rowarn. 'Ik ben in Weideling opgegroeid, in het verre Inniu.'

De Onsterfelijke spitste zijn oren. 'Bij de Velerii? Sneeuwmaan en Schaduwloper hebben deze oevers helemaal niet verlaten dan?'

Rowarn schudde zijn hoofd. Onwillekeurig moest hij lachen. 'Naar het schijnt laten de Onsterfelijk ook hun oren naar geruchten hangen. Mijn peetouders zijn gezond en wel en niet van plan om Weideling te verlaten.'

'Daar moet je me meer over vertellen, jonge Rowarn. Het doet mij goed om verhalen over oude strijdmakkers te horen.'

'Je kent ze?'

Tamron knikte. 'Ja, al van een ver verleden. Misschien ... al meer dan duizend jaar geleden. Maar we hebben elkaar al minstens zo lang uit het oog verloren.'

Rowarn staarde hem gefascineerd aan. Het was bijzonder leden van de Oude Volken te ontmoeten en de ontmoeting met de Annatai zou hij zijn leven lang niet vergeten. Maar een Onsterfelijke, dat was in de meest pure zin van het woord onbeschrijfelijk. Zijn uitstraling, het licht in zijn ogen ... het was duidelijk zichtbaar dat hij geen normale Onsterfelijke was, maar ook niet een van de Ouden. De Onsterfelijkheid omgaf hem als een bijzonder aura, dat met niets vergeleken kon worden. Tamron was daarnaast één van de lievelingshelden uit zijn jeugd en Rowarn had nooit verwacht, dat hij hem ooit in levende lijve tegen zou komen. En dan nu dit ...

Zo ongedwongen, alsof ze gelijken waren.

'We kunnen maar beter verder gaan,' zei Tamron. 'De legerheer is een strenge, veeleisende man. En terecht. Om stand te houden tegen een vijand als Femris, moeten we dubbel zo sterk zijn als hij is. Vanavond kunnen we praten.'

'Wij?' Rowarn was verrast en tegelijkertijd begon zijn hart sneller te kloppen.

De Onsterfelijke knikte lachend. 'Noïrun heeft me gevraagd, om jou beter te leren hoe je je zwaard moet gebruiken en een beetje oefening kan ook voor mij geen kwaad.'

Zo kreeg Rowarn een nieuwe leermeester en hij leerde veel in enkele dagen, terwijl het snel beter ging met zijn hand. Hoewel vaak al zijn spieren en ledematen pijn deden, was hij onvermoeibaar en geestdriftig.

Tamron bleek talloze trucjes te kennen met zijn zwaard. Hij vocht heel anders dan Noïrun, waarbij Rowarn niet had kunnen zeggen, wie van hen beter was. De jonge ridder leerde nieuwe technieken als het om het vechten op een paard ging, maar ook bij gevechten van man tot man. Het lukte hem geen enkele keer om het zwaard uit de handen van de Onsterfelijke te krijgen of om een serieuze bedreiging voor hem te worden.

'Als ik in de afgelopen eeuwen niets geleerd had of makkelijk te overwinnen was, had ik het nooit zo lang overleefd,' lachte

Tamron toen Rowarn zich weer eens gewonnen moest geven en woedend het zwaard weggooide.

'Ik zou mijn riddervaandel af moeten leggen,' bromde de jonge Nauraka en liet zich naast zijn zwaard op de grond vallen. Het zweet liep in stroompjes van hem af en hij hoestte.

'Ik weet niet wat jij wilt,' Tamron stak verzoenend zijn hand naar hem uit.

Rowarn greep hem en liet zich omhoog trekken.

'Je bent veelzijdig. Je kunt met een lans omgaan, speer werpen en zelfs jouw pijlen treffen doel.'

'Als het doel zo groot is als de wand van een schuur ...'

'Wees niet zo ongeduldig. Ik weet niet wat jouw drijfveer is, omdat je zo verbeten bent. Maar je schijnt niet te beseffen dat je binnenkort op dezelfde hoogte als Noïrun zult staan en hij is de beste krijger die ik ken.'

'Niet jij?' Rowarn wiste zich het zweet van zijn voorhoofd.

Tamron schudde zijn hoofd. 'Ik ben enkele eeuwen rijker aan ervaring, maar niet wat talent betreft. Ik wil het niet aan laten komen op een krachtmeting met het zwaard.' Hij klopte het stof van Rowarns schouders. 'En ik kan alleen met het zwaard omgaan, andere krijgskunsten beheers ik niet. Op een heleboel punten ben je me dus al voorbij. Zelfkritiek is goed, dat maant tot voorzichtigheid en dan word je niet overmoedig. Overdrijf het echter niet.'

'Jawel, meester.' Rowarn had zichzelf weer redelijk in de hand en grijnsde. Hij masseerde zijn schouder en pakte zijn zwaard. 'Zo snel geef ik niet op.'

De Onsterfelijke lachte fijntjes en nam zijn positie in.

Ook 's avonds waren ze nog vaak samen. Tamron scheen zijn gezelschap op prijs te stellen. Omdat Rowarn bij de Velerii opgegroeid was, hadden ze elkaar veel te vertellen. Rowarn had nog nooit zoveel gelachen in zijn leven. Ze waren vaak gewoon met zijn tweeën, maar Tamron scheen ook een heleboel mensen aan te trekken, die dan bleven luisteren. Vooral als hij ging zingen. Er was in heel Valia zeker geen mooiere stem te vinden als de zijne en hij kon ook nog eens veel alcohol verdragen. In korte tijd heerste er een uitstekende stemming in het hele kamp, tot op de laatste voetsoldaat toe. Iedereen was vervuld van hoop en ambitie om de strijd te winnen. Op een gegeven moment kwam Olrig er ook bij zitten en de liederen werden afgewisseld door stijlvolle gedichten. Tot zijn verbazing herkende Rowarn zelfs de vorst op de achtergrond en zijn stemming leek ook een stuk losser dan normaal, alhoewel hij niet meteen deelnam aan de feestvreugde.

Eenmaal, toen ze reeds in de kleine uurtjes naar hun tenten gingen, kwam het gesprek op koningin Ylwa. Tamron had een verhaal verteld over een van de gevechten die vroeger tegen Femris geleverd waren en die net als nu voor Ardig Hal plaats hadden gevonden. Toentertijd had het slot er nog intact gestaan en was de behoedster van de Tabernakel nog in leven geweest. 'Ja, ik heb het voorrecht gehad koningin Ylwa te ontmoeten,' antwoordde de Onsterfelijk op zijn vraag. 'Er zijn er niet veel die dat kunnen zeggen, het was een grote eer.'

'Wat was ze voor iemand?' wilde Rowarn opgewonden weten. Hij wist dat Olrig de behoedster ook gekend had, maar de krijgskoning had er niet veel over willen zeggen, alhoewel zijn ogen wel een heel bijzondere glans hadden gekregen.

'Ze had een hele sterke wil, maar was ook heel zachtmoedig en vol humor. Ze lachte graag en veel. Ze blaakte van energie, was slim, had een ruime kennis en haar kwinkslagen konden een bijtende ondertoon hebben.' Hij lachte in gedachten verzonken. 'En ze was zo knap, Rowarn. Als een ster in de nacht, zo onbereikbaar en begerenswaardig. Ik geloof dat er geen man is, die niet op slag verliefd op haar werd als hij haar zag.'

Rowarns hart klopte luid. Zo veel en zulke wonderschone zaken over zijn moeder te horen, maakte hem gelukkig, maar tegelijkertijd deed het hem pijn. 'Jij ook?'

'Natuurlijk.' Tamron keek naar de hemel. 'Ik geloof dat ze de enige vrouw was, waar ik ooit verliefd op geweest ben.' Hij maakte een afwerend gebaar. 'Genoeg vergane romantiek, mijn jonge vriend. Het is laat en we hebben allebei slaap nodig.'

Maar Rowarn kon de slaap amper vatten deze nacht, er speelden te veel gedachten door zijn hoofd. Tamrons woorden spookten door hem heen. Zou het mogelijk zijn ... De manier waarop hij over Ylwa gesproken had, de glans in zijn ogen ... Het *was* mogelijk, dat Tamron, zonder dat iemand het ooit in de gaten had, de afgelopen decennia regelmatig in Ardig Hal geweest was. Misschien was hij in tijden van vrede naar Ylwa teruggekeerd en had zij hem niet afgewezen ...

Hij heeft van haar gehouden, dacht Rowarn. *En hij is een Onsterfelijke, hij had tijd genoeg voor zijn aanzoek. Hij is daardoor geduldiger dan iedere andere man. Misschien heeft zijn hardnekkigheid mijn moeder op een dag overtuigd. Volgens mijn peetouders was Ylwa een jonge vrouw en wilde ze zeker niet altijd alleen blijven. Zolang er vrede was, had ze tijd om zich te bezinnen, aan zichzelf te denken. En als Tamron op dat moment daar was ... Hij ziet er goed uit en hij weet hoe hij anderen in zijn ban moet brengen. Waarom zou het niet kunnen?*

In de daaropvolgende dagen begon Rowarn Tamron nauwkeuriger te observeren. Deze had al gesteld dat de jonge ridder er bijna net zo uitzag als een Onsterfelijke. En het klopte, op de één of andere manier zagen ze er gelijk uit. De lange, slanke gestalte, de lichte huid. En nu hij er op lette, ontdekte Rowarn steeds meer overeenkomsten en voorliefdes. Zelfs gebaren, die hem vertrouwd waren.

Het liet hem al snel niet meer los. Het eerst nog vage vermoeden, dat Tamron zijn vader wel eens kon zijn, werd steeds waarschijnlijker. Het paste allemaal zo mooi in elkaar. Ook dat de Onsterfelijke precies nu teruggekeerd was. Natuurlijk moest hij nog eenmaal voor Ardig Hal vechten, nadat de koningin en haar burcht gevallen waren.

Wie wist, wat er destijds gebeurd was, waarom koningin Ylwa Tamron niets van haar zwangerschap verteld had. Misschien hadden ze ruzie gehad. Misschien had hij haar wel verlaten, voordat ze zich bewust was van het nieuwe leven dat in haar groeide. Er waren zoveel mogelijkheden.

Maar als het zo was, als Tamron daadwerkelijk Rowarns vader was, dan moest hij het weten. En Rowarn moest ook zekerheid hebben, anders zou hij helemaal geen vrede meer vinden en inwendig nog verder verscheurd worden als nu al het geval was.

De dagen daarna werd Rowarn gekweld door zijn besluiteloosheid. Was het wel goed om zich te openbaren? Hoe zou Tamron reageren? Of ... wat als hij zich vergiste? Als de wens te zeer de vader van de gedachte was?

Nee! Hij kon zich niet vergissen! Het kon geen toeval zijn, daar geloofde hij niet in. Er waren teveel overeenkomsten en Rowarn voelde een verwantschap tot Tamron, die verschilde van zijn genegenheid richting de koning. De jongeman voelde dat er een band was tussen hen, een sterke verbinding die boven normale vriendschap uitging. De Onsterfelijke leek dit te delen, want waarom zou hij anders zoveel met Rowarn omgaan, buiten de lessen en oefentijden om? Voelde hij dat er een bloedband tussen hen was? *Wist* hij het misschien al en bemoeide hij zich daarom met hem?

Hij kon het bekijken hoe hij het wilde, de sterren om raad vragen, hij kwam steeds op hetzelfde punt uit: hij moest het onderwerp ter sprake brengen, anders zou hij geen rust krijgen.

Een van de avonden daarna, toen ze wat te eten gingen halen, vroeg Rowarn: 'Tamron, kan ik je ... in vertrouwen spreken?'

'Maar natuurlijk,' antwoordde de Onsterfelijke vriendelijk. 'Wij staan er om bekend dat we een geheim kunnen bewaren.'

'Oh, het is niet echt een geheim,' meende Rowarn, terwijl hij een rustig plekje uitzocht. 'Het zijn meer vragen waar ik een antwoord op zoek en omdat jij ... ik bedoel, als Onsterfelijke ... je weet heel veel.'

'Goed dan,' zei Tamron uitnodigend. 'Laten we praten.'

Rowarn nam de uitnodiging dankbaar aan en begon zonder verdere omwegen: 'Wanneer heb je koningin Ylwa voor het laatst gezien?'

'Daar moet ik even over nadenken,' zei Tamron. 'Het moet al een tijdje geleden zijn. Waarom interesseert dat je?'

Rowarn slikte. 'Ik heb haar nooit gekend,' zei hij zacht. 'Maar het is ... ik ... ik ben haar zoon.'

Tamron liet zijn bord vallen en voor het eerst zag Rowarn hem verbaasd, bijna ... gechoqueerd. 'Zeg dat nog een keer.'

'Het is waar.' Rowarn knikte bevestigend. 'Ze is in Weideling bevallen en de Velerii hebben me opgevoed. Haar Witte Valk heeft me ieder jaar opgezocht.'

'Dat is ... amper te geloven.' zei Tamron en schudde zijn hoofd. 'Nu heb ik wat te drinken nodig.' Hij schoof zijn bord weg en pakte de bierkroes. 'Als Olrig nog wat van zijn Ushkany had, zou ik het dankbaar aannemen.'

Rowarn schoof zijn bord ook aan de kant, alleen om wat te doen te hebben. Hij raakte zijn bier niet aan. Hij voelde de protesterende oprispingen van zijn maag.

'Verontschuldig me.' De Onsterfelijke legde een hand op zijn schouder. 'Ik had me niet zo moeten laten gaan. Koningin Ylwa staat sinds vele eeuwen bekend als een maagd, die slechts onder heel bepaalde voorwaarden een man toestemming gaf om over de drempel van Ardig Hal te stappen. Ik had nooit ... gedacht ...' Hij monsterde Rowarn en zijn gezichtsuitdrukking veranderde plotseling toen hij de vertwijfelde uitdrukking op het jonge gelaat zag. 'Oh, nu doet het me tweevoudig pijn, Rowarn. Ik heb zojuist een verborgen hoop op zeer ruwe wijze tenietgedaan.'

'Dat is niet jouw schuld,' mompelde Rowarn met gebroken stem. 'Er is geen reden voor jou om je te verontschuldigen. Ik dacht dat ik uit veel kleine dingen een compleet beeld samen had gesteld ...'

Tamron wreef over zijn gezicht. Hij leek helemaal van zijn stuk. 'Wat een eer voor mij,' zei hij zacht. 'En vat dit niet op als een goedkope vorm van troost: Ik was graag je vader geweest. Je hebt geen idee hoe vaak ik me voorstel ... Vaak, als ik alleen onder de sterrenhemel zwerf, heb ik ... dezelfde gedachten als jij. Een familie te hebben in plaats van altijd maar rusteloos rond te trekken. En natuurlijk dacht ik daarbij vaak aan Ylwa. Ik wens daarom voor ons allebei dat het anders had mogen zijn. Je hebt goed gezien, dat we allebei door iets gedreven worden dat ons kapotmaakt en ons daarom verbindt. Het had alles kunnen veranderen. Maar ... wie er ook in geslaagd is om het hart van je moeder te veroveren, mij is het niet gelukt.'

Rowarn keek hem aan. Een mateloos verdriet trok over de

glans in zijn ogen die zo typerend was voor een Onsterfelijke. Zo terneergeslagen als ze er nu allebei bij zaten, mager en blond, had men hen werkelijk voor vader en zoon kunnen houden.

'Zeg het alsjeblieft tegen niemand.'

'Natuurlijk niet. Geen woord, Rowarn. Het is goed dat je tot nu toe gezwegen hebt. Het zou een catastrofe zijn als Femris er juist op dit moment achter kwam.'

'Ken je hem?'

'Niemand kent hem echt. Ik geloof dat zelfs zijn eigen leger-heer hem niet kent. Hij laat zich maar zelden zien. Ik heb eens in een man tegen man gevecht tegen hem gestreden, maar onze vizieren waren gesloten, zodat ik in ieder geval kan zeggen dat hij mij ook niet kent.'

Rowarn wreef gedachteloos over het verband van zijn hand, dat sinds een tijdje ontzettend jeukte. 'En hoe zit het met Nacht-vuur?'

'De Demon? Wat heeft ...' Plotseling daagde het Tamron. 'Nu begrijp ik het. Daarom ben je hier naar toe gekomen. Om wraak te nemen!'

Rowarn staarde stil naar de grond.

Ook de Onsterfelijk zweeg een tijdje. Toen zei hij: 'Laten we een overeenkomst sluiten, Rowarn: We zullen zij aan zij vechten als de slag begint. We zullen Femris de splinter ontnemen; ik weet dat het ons samen zal lukken. En dan, als dit achter de rug is, zal ik je helpen Nachtvuur te vinden en ervoor zorgen dat hij zijn gerechte straf krijgt. Dit zal een verbintenis tussen ons zijn, die ons kracht en moed zal schenken en de wil om het niet op te geven, totdat we ons doel bereikt hebben.'

Rowarn keek op en voor de eerste keer sinds hij de waarheid van zijn peetouders gehoord had, was nagenoeg alle pijn uit zijn ogen verdwenen en straalde er hoop uit. Hij stak zijn hand uit naar Tamron. 'Akkoord. Dit bondgenootschap verbindt en ver-plicht ons aan elkaar om voor de ander in te staan en wel zolang tot de splinter naar Ardig Hal teruggekeerd is en Nachtvuur ver-nietigd is.'

'Zo zal het zijn,' stemde Tamron in en drukte zijn hand.

HOOFDSTUK 16

De dag der gramschap

'We zullen aanvallen en wel morgen bij de dageraad.'

Koning Noïrun had iedereen in de besprekingstent bij elkaar geroepen: Fashirh van de Demonen, krijgskoning Olrig van de Dwergen, Tamron, Fabor, Ragon, Felhir en enkele andere bevelhebbers van de eerste rang en daarnaast Morwen en Rowarn.

De vorst ontvouwde zijn plattegrond, die Ardig Hal en de beide vijandige legers lieten zien. Hij plaatste enkele gekleurde stenen – blauw voor Ardig Hal, rood voor Dubhan en daarnaast gekleurde markeringen voor soldaten, de bevelhebbers, bondgenoten zoals de Dwergen en de legerheer. 'De verbindingen naar buiten zijn afgebroken,' ging hij verder. 'Ik heb geen bericht ontvangen van de Gandur en de Kúpir. In de afgelopen dagen is er nog één keer versterking voor ons gearriveerd, dat is ook alles dat we kunnen verwachten. We zijn nu in totaal met twintigduizend man. Femris heeft vijfentwintigduizend, maar is net zo afgesneden als wij. De laatste tijd konden we iedere verzorgingskaravaan die voor hem bedoeld was onderscheppen. De enkelen die er doorheen geglipt zijn, kunnen zijn leger niet toereikend verzorgen. Dat houdt in dat hij onrustig is, en zijn mensen nog erger natuurlijk. Zijn woede zal toenemen. Hij zal daarom fouten gaan maken in de strijd, zonder overleg naar voren stormen om ons neer te slaan. Als wij ons hoofd koel houden, kunnen we hier voordeel uit halen, *morgen.*'

De rode Demon knikte en begon te praten met een gedempte stem, die het zeildoek van de tent alsnog aan het trillen bracht. 'Daar ben ik het mee eens. We zullen gezamenlijk toe moeten slaan en tot het uiterste gaan.'

'Je hebt helemaal gelijk, Fashirh. Jij en jouw Demonen, jullie zullen je om de Demonen uit Femris zijn leger bekommeren. De rest van jullie zullen zich als volgt opstellen ...'

Rowarn keek oplettend toe en onthield ieder woord. Hij was gefascineerd hoe Noïrun ieder detail had gepland; al mochten er nog zoveel hindernissen en onverwachte voorvallen plaatsvinden – hij leek aan alles gedacht te hebben.

Het overleg duurde vele uren. Telkens weer waren er vragen en tegenwerpingen, maar de vorst had op alles een antwoord. Dit had hij dus in al die dagen dat men hem niet gezien had gedaan: heel precies de stellingen van de vijand bestudeerd, diens gedragingen en sterkte ingeschat wanneer het beste moment was om aan te vallen. Zelfs de duizenden jaren oude en ervaren Onsterfelijke ontbeerde dit niveau van overzicht en strategisch inzicht en de gave om de eigen kracht zo juist in te schatten.

'Morwen,' zei Noïrun en keek zijn dochter aan. 'Hoe ver is jouw eenheid?'

'Helemaal klaar, heer,' zei ze formeel en in de houding.

Zijn gezicht straalde trots uit.

'Het zijn de besten, uitgerust om te paard te vechten, maar ook te voet. Met zwaard, boog, kruisboog en speer. Ook enkele Dwergen met een bijl, door Olrig persoonlijk onderricht.' Ze haalde enkele gekleurde stenen uit een schaal en legden ze naast de kaart neer. 'Dit is mijn opstelling: De speren vooraan, de boogschutters aan de zijkant. In het midden, geflankeerd door de bijlen, de zwaardvechters en vervolgens de kruisbogen. De bijl- en zwaardvechters zullen niet te paard vechten, op deze manier zullen ze ook geen goed doel bieden als de strijd vordert.'

De koning trok een tevreden gezicht. 'Fabor, jouw boogschutters zullen de weg voor de voetsoldaten effenen, deze zullen als eerste naar voren stormen. Fashirh, jij valt aan vanaf dit punt.' Hij zette een symboolsteen op de kaart. 'En jij, Morwen, komt op het moment dat wij opgehouden worden vanaf deze zijde. Olrig, Tamron en Rowarn, jullie gaan samen met mij te paard door het pad dat door Morwen geslagen wordt. We zullen ons zo snel mogelijk naar voren werken, tot aan de legerheer en Femris. Eén van beiden moeten we morgen uit de weg geruimd hebben. Nog één ding, het leger van Femris bestaat hoofdzakelijk uit Warinnen, de rest zijn menselijke soldaten en nog enkele Demonen en Beesten. Ik ken hun aantallen niet en weet niet tot welke soort ze behoren, want Femris houdt ze verborgen, net als zichzelf.

Nachtvuur zal ook aanwezig zijn, de moordenaar van de koningin, want ook hij was, net als Femris, niet in staat om Ardig Hal te verlaten na Ylwa's dood. Al zijn macht als dienaar van de Duisternis kan hem daar niet bij helpen. Dat druk ik jou in het bijzonder op het hart, Fashirh.'

Uiteindelijk was alles gezegd en de bevelhebbers verlieten de tent om hun mensen te instrueren en alles voor de volgende dag voor te bereiden. De opstelling zou twee uur voor zonsopgang beginnen en moest zo snel en stil mogelijk gebeuren om de vijand zo lang mogelijk in het ongewisse te laten.

Tamron verontschuldigde zich eveneens om zijn uitrusting te testen en Olrig wilde met zijn volk overleggen. Alleen Rowarn bleef nog in de tent.

'U zou niet mee moeten gaan en vechten,' zei hij bijna smekend tegen Noïrun, die de stenen terug in de schaal legde en de kaart in elkaar rolde. 'U bent onze legerheer, de belangrijkste man van Ardig Hal. Met u staat of valt alles. We kunnen iedereen missen, maar u niet.'

'Olrig praat al dagen op mij in,' zei Noïrun lachend, terwijl hij alles in een kist opborg. 'En heeft het hem wat geholpen in al die jaren?'

Rowarn trok een vertwijfeld gezicht. 'Maar waarom doet u het? Niemand van ons had een slag zo voor kunnen bereiden als u! Het is toch helemaal niet nodig dat u zich in gevaar begeeft! Wij zouden ons allemaal geruster voelen, als u in veiligheid was.'

'Ik begrijp het,' zei de vorst. 'En jullie hebben helemaal gelijk, dat weet ik ook.' Hij liep naar Rowarn toe en legde een hand op zijn schouder. 'Maar het zit in mijn natuur om te vechten. Ik ben opgeleid als soldaat, ik heb er vele harde jaren voor getraind. Ik kan niet vanaf de zijlijn toekijken. En ik wil ook nog de andere schouder van die verdomde Femris doorboren, vooral vanwege al het leed dat hij ons berokkend heeft. Voor wat hij mijn koningin aangedaan heeft, die het zinnebeeld van vrede was. Het is me nooit gegund geweest haar te leren kennen, maar ik heb wel het gevoel dat we dicht bij elkaar stonden. Ik kan niet zomaar toekijken, terwijl goede mannen en vrouwen hun leven geven in het gevecht tegen de vijand. Ik zal niet verliezen, Rowarn. *Deze keer niet.'*

'En zo heeft iedereen zijn eigen reden om voor Ardig Hal te vechten, nietwaar?' vroeg Rowarn zacht.

'O ja, zelfs Tamron.' Noïrun liet zijn schouder los. 'Ieder van ons. En daarom heb je ook geen gelijk. Iedereen is vervangbaar, zolang er maar iemand bereid is om de verantwoording op zich te nemen.' Hij liep naar de uitgang. 'Ik heb jullie trouwens gadegeslagen, jij en Tamron. Jullie vullen elkaar perfect aan. Samen zijn jullie onverslaanbaar. Op jullie heb ik mijn hoop gevestigd. Dat meen ik serieus.' Hij wenkte Rowarn. 'Kom, we sluiten de tent en bereiden ons voor op morgen.'

Toen Rowarn naast hem stond, leek het alsof hij hem nog wat wilde zeggen, maar in plaats daarvan liep hij naar buiten, de jongeman voor zich uitschuivend en sloot de tent van buiten af. Zonder zijn voormalige schildknaap nog na te kijken, liep de koning naar zijn onderkomen.

In alle vroegte, nog voordat de zon opging, begonnen ze met de opstelling. Het was niet eenvoudig, want in de nacht was de hemel dichtgetrokken en het was erg donker. De lucht rook naar regen en de wind kwam vanuit het westen.

De paarden waren stil nadat Rowarn een indringend "gebed" gedaan had, zoals hij fluisterend verklaarde. Meer gaf hij echter niet prijs. Hij zei alleen maar dat het een truc was die hij van zijn peetouders geleerd had.

Onder dekking van het late duister, en in het tweede koude uur, rukten ze langzaam op in de richting van de magische muur. Aan de kant van de vijand was alles stil, maar dat wilde niets zeggen. Misschien werd het leger van Ardig Hal al verwacht.

Rowarns hart klopte in zijn keel toen hij Stormwind besteeg in volle uitrusting met lans, boog en zwaard. Olrig en hij namen de koning in hun midden en achter hen reed Tamron. Hij reed op een crèmekleurige ruin die zijn meester de afgelopen dagen overal in het kamp gevolgd had en nu blijkbaar niet kon wachten, zo temperamentvol liep hij vooruit.

Toen ze op de witte, schemerige muur toeliepen, werd het eerste vale licht aan de hemel zichtbaar, een silhouet van gebalde wolken, die gejaagd door de wind voorbijtrokken en af en toe bliksemden. Was dit een goed of slecht voorteken? Het had al lang niet meer geregend en uitgerekend nu moest het gaan gieten? Rowarn herinnerde zich dat het hetzelfde geweest was bij de slag met de Warinnen – eerst regen, toen nevel. Alsof Lúvenor zelf de zon beschermde, zodat ze het bloedbad niet hoefde te aanschouwen.

'Ze staan klaar,' fluisterde Tamron achter hen, die nog scherpere ogen had en zelfs 's nachts nog beter kon zien dan Rowarn. 'Een donkere, schommelende golf waarbij je niet kunt zien of het eb of vloed is.'

Koning Noïrun, legerheer van Ardig Hal, gaf het eerste teken en het leger zwermde uit aan de flanken, gleed weg als boter in de zon. Niet meer dan een vormeloze massa in de aanbrekende dag.

Uiteindelijk konden Rowarns ogen ook de duistere gestalten herkennen in het terugwijkende donker. De wind nam toe vanuit het westen en gooide Stormwinds manen door elkaar, terwijl hij verder ging richting de vijand. Nu konden de Dubhani hun oprukkende vijand ruiken en er was zeker iemand met zo'n gevoelige neus, dat hij de angst in de groep kon ruiken.

Rowarn was niet helemaal ondankbaar dat de wind met hen meekwam, zo hoefde hij de stank van de vijand niet te ruiken. Hij had nog genoeg aan de laatste keer. Femris had enkele onwelriekende Beesten in zijn leger die nog erger stonken dan bronstige roofdieren. Aangezien de Dhubani hen al opwachtten, was het opsluipen tegen de wind in voor een verrassingsaanval niet meer mogelijk.

Er viel geen woord aan beide zijden, de bevelen werden stom met gebaren en tekens gegeven. Voor de legerheer van Ardig Hal reed een vaandeldrager met trots hoog geheven vaandel. Rowarn zag Fashirh en zijn drie soldaat-Demonen helemaal voorin, vlak voor de muur.

Het leger bleef staan. Het zicht werd steeds beter naarmate de ochtend vorderde. In de verte was een rollende donder te horen.

Van over de magische grens keken de krijgers, huurlingen, getrouwen en soldaten elkaar aan. Rowarn was zo opgewonden dat hij niet wist of hij nu angst ondervond, zich wellicht van zijn naderende dood bewust was of überhaupt wel wat dacht. Hij staarde met brandende ogen naar de tegenpartij aan de andere kant van de mistsluiers, in hun zware uitrusting met gesloten viziers, fantasievolle helmen en verbazingwekkende wapens. Voor het eerst was de vijand zo dichtbij. Hij probeerde het leger te overzien, om op de één of andere manier de Onsterfelijke te zien te krijgen die de macht over de Tabernakel in zijn handen probeerde te krijgen en daarvoor al sinds duizenden jaren vele levens had opgeofferd, aan beide zijden.

Hij zag mensen, een paar Dwergen, enkele onbekende wezens, maar boven alles Warinnen en plotseling liep zijn hoofd over van gedachten die zich allemaal verdrongen.

De Warinnen waren groter en grover dan de Dwergen met erg lange armen. Ze waren vooral bewapend met morgensterren en bijlen, maar ook met grote zwaarden. Hun uitrusting was opmerkelijk, gedeeltelijk was het versierd met mensen- en Dwergenhaar en gedroogde duimen van verslagen tegenstanders. Ze waren een volk van krijgers dat geen andere passie kende dan de strijd. Enkel met dat doel waren de Warinnen ontstaan. Daarom alleen had een grote Dwergenclan een verbond met de Demonen gesloten en Demonenbloed, dat de essentie van het leven bevatte, gekregen. Ze hadden deze weg als de enige ware gekozen en waren deze consequent tot aan het einde gevolgd. In de loop der tijd hadden verschillende andere stammen zich bij hen aangesloten en zo was het volk der Warinnen ontstaan. De vrouwen, zo werd gezegd, waren niet minder krijgslustig dan de mannen en hadden nagenoeg hetzelfde postuur, zodat ze in hun uitrusting niet van elkaar te onderscheiden waren.

Ze leefden in de buurt van het Demonenrijk en stonden hun bloedbroeders altijd bij als ze geroepen werden om hun plicht te vervullen. In de bergen van het oosten tot het noorden waren er nog steeds vele gevaren die stamden uit de Oude Tijd, waar ook de Demonen niet zomaar mee af konden rekenen.

De ogen van hun tegenstanders waren bij de Warinnen een bijzondere delicatesse, maar dat zou net zo goed een sprookje kunnen zijn dat aan kinderen werd verteld. Rowarn vroeg zich af wat deze wezens dachten. Was er nog iets in hun bewustzijn over dat leek op de manier van denken van de Dwergen? Hadden ze gevoelens? Dacht één van hen aan zijn familie die hij achtergelaten had? Ondersteunden ze Femris vanwege de Tabernakel of omdat ze ervoor betaald werden? Dat was belangrijk, vond Rowarn, want het hing daarvan af hoever ze zouden gaan. Als ze echt in een zaak geloofden, zouden ze zich aan geen enkele vijand overgeven, hoogstens aan de dood. Als het slechts om het geld ging, zouden ze het liefst zolang mogelijk in leven blijven. Hoe vastbesloten zouden ze dus zijn?

Een plotseling inzettende stortregen stroomde over Rowarns gedachten en spoelde ze weg. *O nee, niet nu, dacht hij. Het zal een gevecht in modder worden en dat is in niemand zijn voordeel en dan zal het weer onbeslist eindigen.* Hij begon te begrijpen waarom de strijd al zolang onbeslist was gebleven.

Het net nog trots wapperende vaandel hing nu slap en nat, zelfs de krachtige wind kon het niet omhoog krijgen. Het zicht werd weer slechter, alles verdween achter een grauwe sluier. De grond werd week en de paarden trappelden onwillig.

De wereld hield zijn adem in.

De legerheer opende uiteindelijk zijn mond en sprak slechts een enkel woord, dat door de wind opgevangen, meegevoerd, alle kanten op getold en uiteindelijk verwaaid werd. Maar niet voordat het de vaandeldrager bereikte, voor wiens oor het bedoeld was: 'Nu!'

Het vaandel ging naar beneden.

'Aanvallen,' fluisterde Rowarn en hij had het gevoel, dat hij in duizend stukjes uiteen spatte.

Op dat moment denderden de ridders uit de eerste linie met een luide oorlogskreet naar voren, gevolgd door de voetsoldaten die zich aansloten bij de oorlogskreet. Vervolgens kwamen de Demonen en de honderdkoppige eenheid van Morwen en toen was het ook voor Rowarn zover en had hij geen tijd meer om na te denken of opgewonden te zijn.

De kopervos had de vaandeldrager allang ingehaald. Zelfs in de stromende regen kon men de inspanningen van zijn machtige spieren zien, toen hij met een luid gehinnik op de vijand afstormde.

Tamron was de volgende, die voorbij Rowarn en Olrig stormde en zij sloten zich bij hem aan. Het was voor de paarden duidelijk dat er geen ruimte voor twijfel was en ze vlogen welhaast over de natte grond om de koperhengst in te halen. De strijd was al volop aan de gang. Geschreeuw en wapengekletter, bevelen en dierengeluiden vermengden zich tot een onherkenbare melodie.

Rowarn galoppeerde aan de vorst voorbij, de lans klaar voor gebruik en de eerste de beste ruiter die hij tegenkwam was zijn doel. Met zijn gesloten vizier kon hij slecht zien en de regen maakte het nog erger, maar Stormwind wist hoe hij zijn heer in positie moest brengen. De vijandelijke ruiter was nog maar amper op snelheid, laat staan dat hij zijn lans in aanslag had, toen Rowarn hem al uit het zadel veegde. Met een luide kreet stortte hij naar beneden, maar bleef in de stijgbeugel hangen en werd door zijn paard meegesleept. Rowarn had net tijd om zijn nog intacte lans op te heffen, toen hij zijn volgende doel koos, dat recht op de kopervos afstormde.

De koning, Tamron en Olrig lieten hun zwaarden en bijlen zwaaien en bloed mengde zich met regen. Rowarn joeg aan hen voorbij en ramde zijn lans dwars door het gesloten vizier in de ogen van een vijand en maakte reeds een bocht voordat de gewonde uit het zadel was gevallen. Hij reed terug, midden in een groep van vijf Warinnen die net hun speren wilden werpen, maar zover kwamen ze niet meer. Met de lans in zijn rechter en het zwaard in zijn linkerhand, stuurde Rowarn Stormwind direct naar hen toe. Het paard bracht er al twee ten val dankzij zijn lichaamsgewicht en vertrapte ze onder zijn met gewichten verzwaarde en van scherpe ijzers voorziene hoeven. De andere drie vielen binnen enkele ogenblikken onder Rowarns zwaard.

Hij verwonderde zich hoe snel en sterk hij was. Het voelde

alsof hij zich in zijn bevreesde razernij bevond – maar ditmaal bleef hij bij zinnen en was het geen blinde woede. Hij wist niet waar deze kracht in hem vandaan kwam. Ze doorstroomde hem als een brandende vloed. Maar ook Stormwind scheen in die ban te zijn, want hij bewoog zich pijlsnel. Zijn wendbaarheid en beweeglijkheid leken op een dans. Hij bewoog zich zelfstandig, had bijna geen aanwijzingen nodig en wist wat van hem verwacht werd.

Rowarn schoof de lans in het speciale holster. Zowel paard als ruiter hadden geleerd hoe ze met dit ongelijke gewicht om moesten gaan, zonder dat ze in hun bewegingen werden gehinderd. Vervolgens pakte de jonge Nauraka zijn boog, stuurde Stormwind direct naar de galopperende vorst, liet hem op enkele paardlengtes afstand cirkels maken en stuurde de gevaarlijkste aanvallers een dodelijke pijl tegemoet. Toen zijn koker leeg was, pakte Rowarn een tweede zwaard van één van de doden en stormde de vijand tegemoet.

Alhoewel hij zich eerst een overzicht had willen verschaffen of minstens enkele afspraken met de koning had willen maken, kon Rowarn zichzelf niet in de hand houden. De razernij dreef hem. Hij sloeg een bres in de rijen Warinnen en nam na een tijdje pas waar dat Tamron naast hem op was gedoken.

'Volg mij!' schreeuwde de Onsterfelijke. 'De weg is vrij, we stormen de heuvel op.'

Het was enigszins overdreven om van een heuvel te spreken. Het was niet meer dan een verhoging waar de aanvoerders van de Dubhani op stonden. Toch was dat hun doel, want daar ergens moest Femris zich ook bevinden. Fashirh was al dicht in de buurt. Hij en zijn drie soldaat-Demonen waren in een geweldige strijd verwikkeld met de Dubhani-Demonen. Bevond Nachtvuur zich onder hen? Voor Rowarn zagen ze er allemaal groot en onoverwinnelijk uit.

'Wat is er met ...' begon Rowarn, maar Tamron maakte een afwerend gebaar.

'De legerheer heeft het ons bevolen en wij moeten gehoorzamen! Kom nu, we redden het, jij en ik!'

Ja, dat geloofde Rowarn ook. Alhoewel Tamron niet in razernij verkeerde, was hij niet minder snel en machtig als de jonge ridder. Ze hadden een levende muur van minstens vierhonderd Warinnen, beesten en mensen voor zich. Om te zeggen dat 'de weg bijna vrij was' was erg optimistisch. Maar op de één of andere manier was er geen twijfel dat ze juist nu, op dit heilige moment, de doorbraak zouden forceren. Ze waren een eenheid. Ieder wist precies wat de ander zou gaan doen.

De paarden bewogen zich eveneens in hetzelfde ritme. De regen wiste het zweet en de schuimvlokken af en ze liepen onverminderd krachtig. Zij aan zij werkten ze zich door de vijand heen. Tamron sloeg naar links, Rowarn naar rechts.

'Bereid je erop voor je lans op het juiste moment in te zetten!' brulde Tamron. 'Je zult hem niet rechtstreeks kunnen bereiken. Ik zal je dekken!'

'Maar hoe herken ik hem?' riep Rowarn terug.

'Je zult hem herkennen! Anders wijs ik je hem wel aan.'

De verhoging kwam steeds naderbij. Ook Fashirh stond kort voor de doorbraak. En toen, precies zoals Noïrun had gepland, kwam Morwen met haar ridders aan gegaloppeerd, terwijl de rest van de eenheid haar dekking gaf.

'Het ... het lukt ons ...' stamelde Rowarn. Toen brulde hij: 'Het lukt ons! We breken door! We gaan er een einde aan maken, hier en nu!'

Dat hij drijfnat was, dat zijn voeten niet eens meer droog waren, dat de regen in zijn gezicht sloeg omdat hij met gesloten vizier niet genoeg meer zag en niet meer kon ademen, dat Stormwind tot aan zijn enkels in de modder zakte en zich moeizaam een weg omhoog vocht – hij nam het allemaal niet eens waar. Zijn ogen brandden, hij zag alleen maar zijn doel terwijl hij om zich heen sloeg. Niemand van de vijand kon ook maar dicht genoeg in zijn buurt komen om gevaarlijk voor hem te worden. Rowarns arm- en beenbeschermers en zijn harnas hadden hem tot nu toe voor verwondingen beschermd. Hij had een kras op zijn wang van een voorbij suizende pijl, maar verder had hij niets en dat was al een wonder op zich.

Hij grijnsde naar Tamron, maar toonde eigenlijk meer zijn tanden dan dat hij lachte en hij kreeg een gelijkwaardige grimas als antwoord.

Noïrun had geweten waar hij het over had. Hij had geweten dat dit zou gebeuren. De Onsterfelijke en de Nauraka waren niet tegen te houden. Rowarn bevond zich in een roes, zijn lichaam handelde al voordat hij zich er van bewust was.

Ze waren nu bijna bij elkaar. Morwen bevond zich al binnen roepafstand. Fashirh had een Demon neergeslagen en reet juist diens borstkas open, waardoor de fel oplichtende levensessentie uit hem stroomde, vonken in het rond sprongen en uiteindelijk uit elkaar spatten. Het lijk werd zwart en kromp in elkaar.

De Dubhani raakten in verwarring. De een probeerde om bij de legerheer van Ardig Hal te komen, terwijl de andere zich concentreerde om de verhoging te verdedigen. Maar het zag er naar uit dat ze te laat waren. Hoewel ze bewapend waren en in alle rust de aanval af hadden gewacht, hadden ze geen rekening gehouden met deze situatie. De getrouwen van Ardig Hal hadden deze verrassing in ieder geval voor elkaar gekregen.

Rowarn zag Rayem, die het paard van een tegenstander had gepakt en zwaaiend met zijn zwaard Morwens zijkant afschermde toen ze in werd gesloten door enkele Warinnen en mensen. Ze was al snel weer bevrijd.

'Het lukt de Dubhani niet!' riep ze. 'Ze kunnen ons niet tegenhouden! We hebben hun leger al achter ons gelaten! Het aantal dat nu hier is, kan ons niet tegenhouden en de rest keert te laat om!'

'Ja,' zei Tamron. 'Ja, mijn jonge vriend, nu hebben we ze. En dat hebben we te danken aan een legerheer zoals Ardig Hal nooit tevoren gekend heeft. Achthonderd jaar geleden, toen Ardig Hal voor de eerste keer bestormd werd, hadden we hem al nodig. Dan had de burcht er nog gestaan in al zijn trotse pracht en was het niet verzonken in pijn en vuur.'

'Die tijd is er nu ook nog,' antwoordde Rowarn. 'We kunnen de burcht weer opbouwen, als deze vreselijke tijd voorbij is!' Ingespannen zocht hij naar Femris. Zijn bevelhebbers waren hele-

maal buiten zichzelf, ze verlieten hun posten of riepen naar soldaten en grepen naar hun zwepen om ze vooruit te drijven. De verhoging was bijna leeg, en toch ... Rowarn had het gevoel een bewegende schaduw te zien. Groot en slank en ... het opflitsen van
een paar ogen dat hem net zo diep trof als de ogen van de Eliaha.
Nee, nog dieper. Tot op de grond van zijn ziel. Naar hem keek en
zijn hand uitstrekte om naar zijn ziel te grijpen. Spiedend wie
deze woeste vreemdeling was ...

'Nee!' riep Rowarn hard.

Zijn schreeuw stierf uit in een donderend gebrul zodat deze
iedereen, zowel verdedigers als aanvallers, deed huiveren en
voor heel even het gevecht deed onderbreken. Zelfs degenen die
in een man tegen man gevecht verwikkeld waren, gingen uiteen
en verstarden.

Stormwind ramde zijn hoeven in de grond, groef twee diepe
voren en bleef abrupt stilstaan.

Er viel een doodse stilte over de legers, die volledig verstard
waren. Zelfs de regen leek heel even op te houden.

Er betrad, slechts enkele stappen van hem verwijderd, een
enorm schepsel de verhoging. Tweemaal zo groot als Fashirh,
groter misschien zelfs. Een lange, in een doorn eindigende
zweepstaart sloeg om sterke bokkenpoten. De haarloze romp leek
op die van een mens, net als de lange gespierde armen en grote
handen met scherpe klauwen. Om zijn naakte menselijke hals zat
de geweldige schedel van een ram, met gebogen hoornen van
meerdere speerlengtes lang. Vlammen sloegen uit de neusgaten.
Zijn muil, vol met scherpe tanden, leek op die van een roofdier en
zijn ogen gloeiden meedogenloos in een wilde moordlust. Speek-
sel droop uit de mondhoeken naar beneden en er trokken rimpels
rond zijn neus toen hij zijn verschrikkelijke blik over de legers liet
glijden.

'Wat ...' fluisterde Rowarn.

'Dat,' fluisterde Tamron en zelfs hij was bleek geworden. 'Is
de Bepheron. De schrik van de oude wereld.'

In zijn linkerhand droeg de legerheer van Dubhan, de Bloeddrinker, een goudglanzende met stekels bezette knots die meer-

dere paardenlengtes lang was. In zijn rechterhand lag een speer.

'Lúvenor, sta ons bij,' fluisterde de Onsterfelijk met een panische angst in zijn stem. 'Dat is Noïruns speer!'

Er heerste stilte en iedereen stond nog steeds als verstijfd, toen de Bepheron de naar verhouding kleine speer in zijn hand woog en vervolgens wierp, schijnbaar zonder te richten, want zijn gloeiende ogen hadden zich niet op een bepaald doel gefixeerd. Onwillekeurig volgde iedereen de vlucht van de speer.

Voor Rowarn verdween alles om hem heen. Hij zag Tamron niet meer of de vijand. Hij zag slechts één punt in de verte, een man op een paard die net zijn zwaard uit een gevallen tegenstander trok. De stilte leek hem nu pas op te vallen, ook al had die sowieso slechts een tiental hartslagen geduurd. De man keek naar boven, precies naar de speer die met de scherpe punt naar hem toevloog.

Rowarn opende zijn mond.

Alles hield zijn adem in.

De koning keek verbaasd, maar zonder angst. Verstarde.

De speer had zijn boogvlucht nu voleindigd en zonk naar beneden in de richting van zijn voormalige eigenaar, die hem eens in Femris geworpen had.

'N...' begon Rowarn.

De koperhengst steigerde, zette zich met zijn achterbenen af en sprong in de richting van de speer.

'...ee...'

De speer boorde zich diep in de borst van het paard, totdat de hele metalen punt niet meer zichtbaar was. De hengst sperde zijn mond wijd open, schuim spatte in het rond en de eerste klanken van een schrille pijnkreet weerklonken.

'...ee...' galmden de laatste echo's van Rowarns kreet.

Het pijnlijke hinniken van de kopervos klonk door de verlammende stilte. Nog terwijl hij neerstortte, tijdens zijn doodstrijd, probeerde hij zijn heer te beschermen. Hij wilde op zijn benen landen om zijn ruiter niet te verwonden, maar zijn gewicht was te groot en het lichaam te zwaar. Hij zakte in elkaar, viel om en begroef zijn meester onder zich.

Toen gebeurde alles tegelijk.

Rowarn zag hoe Olrig naar het neergestorte paard rende en hoorde Morwens kreet: 'Dood die Bloeddrinker!'

Haar kreet werd overgenomen en vervuld van woede en haat stormden de troepen van Ardig Hal op de Bepheron af. Ze slingerden hun speren en verschoten hun pijlen, zich niet bewust dat hij alles met nonchalante gebaren wegsloeg. Net als de strijders die in zijn buurt kwamen.

Morwen kwam eraan rennen. 'Rowarn!' schreeuwde ze. 'Wat sta je daar, bescherm mijn vader!'

'Ik ... ik kan niet,' bracht hij eruit. 'Ik moet jou helpen, als je de Bepheron aanvalt! Wat jij probeert, is waanzin!'

'Je bent aan je eed gebonden!' brulde ze. Haar ogen lichtten op als een oncontroleerbare vuur en haar lange, natte haren omraamden haar gezicht. 'Ga, of ik zal je doden!' Ze hief haar zwaard omhoog en hij zag dat ze het meende.

'Ga!' zei Tamron. 'Misschien leeft Noïrun nog. Breng hem in veiligheid. Hij is belangrijker dan al het andere. Momenteel zelfs belangrijker dan de splinter, want die staat nu verder van ons af dan eerst! Ga, Rowarn! Ik zal dubbel zo hard vechten, voor ons allebei, want ook ons verbond geldt! Ik zweer je, voordat deze dag ten einde is, is de Bepheron vernietigd!'

'Wij doden hem, Rowarn! Voor mijn vader, voor jou, voor ons allemaal!' Morwen stak haar zwaard in de lucht en schreeuwde met alles wat ze in zich had: 'Ardig Hal! Ardig Hal!'

De krijgers stroomden van alle kanten naar haar toe en de laatste ridders sloten zich aan en volgden haar, terwijl ze riepen: 'Voor Morwen! Voor de overwinning! Voor de legerheer! Voor Ardig Hal! Dood aan de Bloeddrinker!'

Rowarn zag hoe ze zich aansloten bij Rayem, die al op weg was naar de bloeddrinker. De jonge ridder draaide Stormwind om en galoppeerde met een brok in zijn keel terug. Tranen vermengden zich met regen, die net weer in alle hevigheid in had gezet.

Alhoewel de legerheer van Ardig Hal leek te zijn gevallen, verloren de troepen van Femris de moed, want de soldaten van Ardig Hal werden gedreven door een razende dorst naar wraak en drongen de tegenstander meer en meer in het nauw. Rowarn had al snel vrije doorgang naar de dode kopervos die in een plas bloed in de modder lag. De ridders en soldaten hadden een beschermende ring rondom hem heen ingenomen. Olrig lag in het slijk en zette zich met zijn voeten af tegen het zware paardenlijf om het weg te krijgen. Rowarn sprong van zijn paard nog voordat het stilstond en rende naar de krijgskoning.

'Hij leeft!' schreeuwde Olrig. 'Maar is bewusteloos.'

Gezamenlijk lukte het hen om het kadaver een stuk te verschuiven en ze trokken de koning eronder vandaan. Olrig opende zijn harnas en taste Noïrun haastig af. 'Een wonder,' hoestte hij. 'De modder heeft de klap opgevangen. Hij heeft niets gebroken, zover ik nu vast kan stellen.'

'Op mijn paard!' zei Rowarn. 'We moeten hem snel achter de linies brengen.'

Olrig tilde de vorst op en legde hem met Rowarns hulp op Stormwind. Toen hield hij in. De strijd tegen Bepheron was in volle gang en het lawaai overstemde alles. Het vreselijke schepsel richtte een verschrikkelijk bloedbad aan, maar het bloedde ondertussen zelf ook uit talrijke wonden. Rowarns adem stokte toen hij Morwen herkende die Bepheron aanviel en haar zwaard tot aan het heft in diens zij dreef. Tamron en Rayem stonden bij haar en staken eveneens hun zwaarden diep in de schrik van de Oude Wereld.

'Lugdurs kracht zij met hen,' zei Olrig geschrokken toen de Bepheron met zijn knots uithaalde. 'Morwen ...' hoorde hij Olrig zacht zeggen met een diepe stem. Rowarn slikte zijn kreet in en draaide zich zonder nog een blik naar achteren te werpen om. Hij durfde het niet. Hij sprong achter de vorst op Stormwinds rug, hield de bewusteloze Noïrun vast en dreef zijn vaalgele paard voort.

De slag bevond zich op het hoogtepunt, toen de Bepheron uiteindelijk dreunend ter aarde stortte, waardoor zelfs de bodem in het kamp van Ardig Hal beefde. Toen de Bloeddrinker eindelijk lag, sprongen de overlevende soldaten meteen op hem en staken op hem in totdat hij een doodstille, onherkenbare pulp vormde.

Olrig en Rowarn bereikten het kamp en brachten Noïrun naar zijn tent, waar ze hem zijn uitrusting uittrokken. De in allerijl erbij geroepen heelmeester onderzocht hem en drukte hem toen een in een aftreksel van kruiden gedrenkte spons op zijn lippen.

Kort daarna sloeg de koning zijn ogen op. 'Wat ... wat is er gebeurd?'

Rowarn en Olrig huilden van vreugde en verdriet. Ze wilden het vertellen, maar kregen er geen verstaanbaar woord uit. Stukje bij beetje hoorde Noïrun wat er voorgevallen was.

'Morwen?' vroeg hij.

Rowarn ontweek zijn blik en Olrig schudde langzaam zijn hoofd. 'Ik ... ik heb weinig hoop.' Hij liep haastig naar de ingang van de tent en staarde naar buiten.

Noïrun taste zichzelf af. 'Ik ... ik ben niet gewond,' zei hij uiteindelijk. Toen pakte hij Rowarn bij zijn harnas beet en schreeuwde tegen hem: 'Wat heb je gedaan? Waarom heb je je positie verlaten? Waarom heb je Morwen niet tegengehouden? Het was waanzin! Jullie hadden je meteen terug moeten trekken! Zijn jullie allemaal gek geworden?'

'De slag is ten einde, Noïrun. Iedereen komt terug,' meldde Olrig zich vanaf de tentingang.

'Die er nog zijn!' schreeuwde de koning. 'Hoeveel zijn het er? Hoeveel soldaten hebben we verloren? Hoeveel ridders zijn er nog over?'

'Ik zal het je zeggen. Heb nog even geduld.' De krijgskoning haastte zich naar buiten.

Noïrun schudde Rowarn heen en weer en sloeg hem in het gezicht. Rowarn liet alles over zich heen komen. Hij zou zich zelfs niet verdedigd hebben als de koning een mes had getrokken om hem te doden. 'Jij hebt mijn ... Morwen in de steek gelaten!' Zijn stem klonk hees van de krachtinspanning en hij was helemaal van streek.

Hij duwde Rowarn van zich af, die als een zak aardknollen op de grond viel waar hij in elkaar gedoken bleef liggen. 'Dat heb ik niet,' zei hij zacht. 'Ze heeft mij de eed afgedwongen, dat ik nooit voor haar mocht kiezen in plaats van u. Ze heeft van mij verlangd dat ik u terugbracht.' Hij keek de koning gepijnigd aan. 'Ze heeft uw verantwoording overgenomen en het bevel gegeven. Als ik haar niet had gehoorzaamd, dan had ze me gedood.'

'*Ik* zal je daar nu voor doden,' mompelde de koning, die er verslagen bij zat maar weer langzaam tot zichzelf leek te komen. Hij schreeuwde in ieder geval niet meer en viel Rowarn ook niet meer aan.

'Ik weet dat u het me niet zult vergeven,' ging Rowarn verder. 'Maar u heeft eens tegen mij gezegd, dat ik mijn gevoelens nooit boven mijn plicht mag stellen en daar heb ik mij aan gehouden.'

'Laat de jongen met rust,' weerklonk Olrigs stem streng vanaf de ingang. Hij ging naast de jonge ridder staan. 'Hij heeft de juiste beslissing genomen. We kunnen iedereen missen, behalve jou. Je strategie heeft gewerkt tot op het punt dat de Bepheron ten tonele verscheen. We hadden er niet op gerekend dat hij zich alleen maar op jou zou richten en dan nog wel vanaf zo'n afstand. Zonder deze verdomde toestand hadden wij het inderdaad gered. Bijna iedereen was al bij de verhoging. Op dat moment heeft jouw paard zich voor je opgeofferd, Ardig Hal gered en Morwen heeft de slag voor jou gewonnen! Moet dat dan voor niets geweest zijn? Dit alles was anders ook gebeurd, maar nu met het verschil dat *jij* leeft en de Bepheron niet. En zover ik het kan inschatten, heeft Femris ongeveer tweeduizend soldaten meer verloren dan wij.'

Opnieuw vocht hij tegen zijn tranen. 'Helaas zijn Morwen, Rayem en waarschijnlijk ook Tamron onder de slachtoffers,' zei hij zacht. 'Fashirh is net aangekomen en heeft me dit bericht overgebracht.'

'Laat me nu alleen,' zei Noïrun uiteindelijk beheerst. Hij stond op en ging aan zijn tafel zitten, pakte zijn veer en inktpot. 'Ik moet een bericht sturen aan Morwens moeder en Rayems ouders. De lijst zal lang worden, maar ik kan met hen beginnen, terwijl jij de rest van de lijst samenstelt, Olrig.'

'Natuurlijk,' zei Olrig. 'Heb je verder nog iets nodig?'

Noïrun schudde zijn hoofd. 'Niets, ik wil alleen zijn. *Alsjeblieft.*'

Olrig liep voorop. Toen Rowarn de tent van buitenaf sloot, zag hij Noïrun over de tafel gebogen zitten. Hij had zijn gezicht in zijn handen verborgen en snikte met schokkende schouders.

'Wat heb ik gedaan ...' fluisterde Rowarn. De tranen liepen over zijn wangen.

'Het juiste,' herhaalde Olrig. Zijn blauwe ogen waren ook vochtig. Hij klopte Rowarn op zijn schouder, wilde nog iets zeggen, maar wendde zich toen af en liep naar zijn tent.

Haastig liep Rowarn naar zijn eigen tent, waar hij bijna tegen Jelim aanliep, die hem buiten op stond te wachten. 'Oh, Jelim ...'

Snikkend wierp ze zich tegen zijn borst en lange tijd stonden ze daar, elkaar omarmend, verloren in hun pijn en verdriet. En terwijl de regen buiten op hield en de heelmeesters de gewonden verzorgden en de knechten de doden haalden, de overlevenden van de slag verloren bij elkaar stonden en het einde van de dag naderbij kwam, hielden Jelim en Rowarn elkaar stevig bij de arm vast, ieder troost en warmte zoekend bij de ander.

HOOFDSTUK 17

De Woudleeuw

De volgende ochtend was het droog, alhoewel het nog steeds bewolkt was en er een frisse oostenwind stond.

In het kamp werd het bericht verspreid dat de legerheer een toespraak zou houden. Niet lang daarna had het gehele leger zich opgesteld en stond in een grote kring, met sprekers er tussen in die Noïruns woorden zouden verspreidden tot aan de achterste man.

De garde stond al klaar toen hij verscheen, geflankeerd door Olrig aan zijn linkerzijde en Rowarn aan zijn rechterzijde.

Het was voor Rowarn een onverwachte troost toen hij Noïrun zo sterk, rustig en evenwichtig als altijd zag. De koning had zijn volle uitrusting aan, met mantel en zwaard, alleen de helm had hij onder zijn arm. De wind speelde door zijn licht grijzende blonde haren en mantel toen Noïrun het midden van de kring betrad met zijn rug naar de garde. In de eerste rij stonden de bevelhebbende officieren en zo ging het in volgorde van rang steeds verder naar achteren. Fashirh en de andere Demonen hielden zich afzijdig.

Het was doodstil, er werd zelfs niet gehoest.

Koning Noïrun, legerheer van Ardig Hal, had zijn hoofd geheven en liet zijn blik over de menigte gaan, rij na rij. Toen begon hij met heldere en vaste, maar toch opgewekt klinkende stem te spreken:

'We hebben verloren: Tamron, de Onsterfelijke. Een groot man, meester met het zwaard. Zijn naam wordt in vele liederen genoemd. Een legende, die besloot om voor onze kant te vechten.

Morwen, mijn dochter. Beste van alle spoorzoekers. Een goede soldaat en ridder en een nog betere bevelhebber voor haar honderdkoppige eenheid waarmee ze mij het leven gered heeft, anders waren de verliezen nog groter geweest. Rayem uit Madin. De eenvoudige zoon van een waard die zich voor onze zaak in wilde zetten en dat met hart en ziel heeft gedaan. Met eer en een groot uithoudingsvermogen heeft hij Morwen tot op het allerlaatste moment terzijde gestaan. Ook toen hij wist dat er geen terugkeer meer mogelijk was. Deze drie staan voor de onvervangbare verliezen, die we in iedere slag lijden, als we telkens weer tegen een onoverwinnelijk ogende vijand aantreden.

Deze drie personen staan vooral voor de verliezen, die we gisteren geleden hebben, tijdens een lange en bloedige dag. Ieder offer, dat we moeten dragen, is te hoog. En toch is ieder offer gering als we bedenken waar we voor vechten.

Tamron, Morwen en Rayem hebben hun leven gegeven voor Ardig Hal, voor de toekomstige vrede die ooit langer zal duren dan de Eeuwige Oorlog.

Hun gemeenschappelijke offer staat voor de trots, de dapperheid en de trouw, waarmee ze de Regenboog verdedigd hebben en voor de onbuigzame wil om niet te versagen en alles te geven wanneer daardoor iets beters gewonnen wordt.'

Hij laste een kleine pauze in. Rowarn zag dat enkelen de pauze benutten om snel een traan weg te vegen. Zijn eigen wangen waren ook nat, maar hij verroerde zich niet en bleef star naar voren kijken. Plicht en eer, als er niets te doen was voor hem. Hij moest het voorbeeld geven aan de zijde van de koning; nooit wankelen of wijken, nooit opgeven en onvoorwaardelijke dienstbaarheid aan het hogere doel tonen.

Noïruns vervolgde zijn toespraak. 'Ieder van ons heeft gisteren een vriend, geliefde of een bloedverwant verloren. Een kameraad waar hij zich op kon verlaten, waar hij mee lachte en huilde, dronk en zong. Ieder van hen vocht voor Ardig Hal en stierf een roemvolle dood in de wetenschap dat zijn of haar offer niet voor niets was, maar onze strijd een stapje dichter bij het einddoel bracht.

De verliezen waren groot, maar de wonden zullen helen, al zullen de leegtes nooit helemaal gevuld worden, ook al krijgen we nog zoveel versterkingen.

Ja, we hebben verloren. Maar er is geen overwinnaar, want de vijand heeft nog grotere verliezen te dragen en één treft hem bijzonder pijnlijk: zijn legerheer, de belangrijkste aanvoerder waar hij over beschikte en die ons angst en schrik aanjoeg en welke als onoverwinnelijk te boek stond. Het is voor Femris bijna onmogelijk om hem te vervangen. Nu zal hij zelf in moeten grijpen om zijn lot nog een gunstige wending te geven.

En *toch* hebben wij verloren.'

Noïrun laste nogmaals een korte pauze in en er kwam een glans in zijn ogen die tot op de laatste rij te zien was. Toen stak hij zijn arm in de lucht, balde de vuist en sprak de zin met een krachtige stem, die geen verdere uitleg nodig had:

'Maar niet de hoop!'

De koning schudde de vuist nadrukkelijk. 'Nee, de hoop hebben we niet verloren. Die zullen we ook nooit verliezen! We behouden onze stelling al een jaar lang. Een jaar lang is het de vijand niet gelukt om door te breken! En gisteren stonden we op het punt om Femris te overwinnen. We hebben onbeslist moeten wijken en de vijand mag dat misschien als een overwinning zien, maar hij zal geen gelegenheid krijgen om het te vieren. Kijk toch hoe vertwijfeld hij ondertussen moet zijn, als hij nu nog niet eens zijn stellingen ingenomen heeft! We zullen dit moment gebruiken! We zullen wat Tamron, Morwen en Rayem gisteren begonnen zijn tot voleinding brengen: de doorbraak door de vijandige linie. En we zullen Femris voor de voeten spuwen, voordat we hem de splinter afnemen en hem vervolgens in een duistere afgrond werpen waar hij nooit meer uit kan kruipen.'

'Alay!' brulde de gedecimeerde garde en toen donderde het gehele leger: 'Alay!'

Noïrun hief zijn hand op en het werd weer stil. Hij draaide zich kort om en gaf iemand achter Rowarn een teken. Kort daarna kwamen enkele soldaten met muziekinstrumenten naar voren – fluiten, violen, luiten en harpen en tot Rowarns verbazing hield ook Olrig een tokkelinstrument in zijn handen. Op een teken begonnen ze gezamenlijk te spelen. Noïrun zette de helm zonder vizier op en toen begon hij, begeleid door de muziek, met een onverwacht zachte bariton de Grote Dodenzang te zingen en al snel werd hij bijgestaan door vele stemmen. Lichtzanger, de grote held van de Velerii, had het ooit voorgedragen aan het einde van de titanenslag om Woudzee, toen er alleen nog maar dood en treurnis was, in de hoop dat niemand ooit meer hoefde te vechten.

'De zon brandt aan de hemel, hoog en groot en wijds
Wolkendekens trekken samengepakt voorbij
In woud en weide dromen duizend bijen, vrij als adelaars te zijn
En adelaars trekken eenzaam voorbij, die bijen willen zijn.

En zo brandt de zon, ik kan haar niet bereiken
En ik droom ver van hier, een ster te zijn.

Maar daar daalt de zon in het westen onder
Oud en zwaar en rood van het bloed
De Elfen der schemering bereiden haar bed
Met duizend bloemen en duizend klokjes
Maar diep is de zee, waar geen licht de bodem bereikt.

En zo brandt de zon, ik kan haar niet bereiken
En ik droom ver van hier, een ster te zijn.

En geliefden wandelen hand in hand, wachtend op de nacht
En daar daalt ze al neer, leidt kinderen naar slaap en droom
met verstervende zachte vingers, zacht roze en warm

Hoog in de hemel schitteren Ishtrus Tranen
Ver in de diepte verwelkt een bloem

Zou ik nog eenmaal dicht bij haar mogen zijn
Zou ik nimmer meer wensen te dromen ...

Nu legt de zon zich ter ruste
Ingestopt in wolken, mos en aarde
De dood komt naderbij in een verblindende flits
En als het licht vervaagt, is alles voorbij.

Zou ik nog eenmaal dicht bij haar mogen zijn
Zou ik nimmer meer hoeven te lijden ...

Weg is de zon, en met haar het licht
Alles is duister
Gebonden in vrees, angst en treurnis
Zijn de stervelingen, zij die geschapen en geboren zijn
Verdrinken in lijden en nood.

Zou ik nog eenmaal dicht bij haar mogen zijn
Zou ik voor eeuwig willen zingen en liefhebben ...

Donker is het, en de wapens rusten zwijgend
De dood heeft ons omvat, zwijgend lijden wij in het niets

Totdat de nieuwe morgen komt, de zon ontwaakt,
en het licht terug keert.

En zo brandt de zon, ik kan haar niet bereiken
En ik droom ver van hier, een ster te zijn.'

Nadat de laatste klanken waren weggestorven, loste de menigte langzaam en zwijgend op om naar de begrafenisplechtigheid te gaan.

Noïrun wendde zich tot Rowarn. 'We hebben Morwen en Raycm geborgen,' zei hij en wees naar het westen, de richting waar de krijgers in processie naar toe liepen. De meesten hielden een bloem in de hand. 'Aan de rand van het kamp hebben we een grote brandstapel opgericht, die nu aangestoken wordt. Je kunt er net als de anderen voorbij lopen en hen de laatste eer bewijzen – als je dat wilt. Iedereen gaat anders met zijn verdriet en het afscheid om.'

'Ik ga met u mee,' zei Rowarn. Hij had verwacht dat zijn stem breekbaar zou klinken, maar Noïruns rust en evenwicht sloeg op hem over. De uitstraling van de koning was sterker dan ooit en Rowarn bewonderde hem er om en hield van hem, maar was ook dankbaar dat hij nog leefde en de verantwoording droeg. Nu kon Rowarn het zichzelf vergeven, dat hij die beslissing had moeten nemen. 'Ik laat u nu niet alleen.'

Er trok een kort lachje om Noïruns lippen, toen dwaalde zijn blik af. Hij liep naar Jelim toe, die er alleen en verloren bij stond en haalde twee verzegelde brieven uit zijn tas. 'Breng deze eerst naar Morwens moeder en de andere aansluitend naar Madin, naar Rayems ouders,' zei hij.

'Bedankt voor de eer,' antwoordde ze zacht.

'Ga zo gauw je er klaar voor bent, meisje. Als je een reden hebt om in Madin te blijven, zo zij het. Begrijp je me? Zorg er alleen voor dat ik een boodschap krijg.' Hij pakte haar schouders en drukte een kus op haar voorhoofd. 'Pas goed op jezelf. Vaarwel.'

Jelim knikte. Toen omarmde ze Rowarn een laatste keer voordat ze weg ging. 'Ik neem Rayems paard mee,' riep ze nog over haar schouder.

'Ze is zwanger,' zei Noïrun tegen Rowarn toen hij naar hem terugliep. 'Ze heeft het me natuurlijk niet gezegd, maar ik zie het aan haar. Zo gaat het leven verder, niet waar? En hoop ontwaakt uit de puinhopen van het verdriet.'

Rowarn knikte. 'Ja, dat zal ook voor Rayems ouders een troost zijn. Ik weet zeker dat ze Jelim met open armen zullen ontvangen.' Hij lachte zwakjes. 'En ze zal al snel heel Madin in haar greep hebben. Ze zal zeker burgemeester worden.'

Zij aan zij liepen ze achter de processie aan en gingen naar de brandstapel, die al aan was gestoken en met zijn hoog oplaaiende vlammen de bewolkte dag verlichtte. Hier en daar braken de wolken open en lieten een stukje van de hemel zien.

Zwijgend liepen de soldaten aan het machtige vuur voorbij en wierpen er bloemen en andere kleine dingen in. Velen bleven even staan om te bidden of zongen zachtjes.

Het was vreemd, maar de stemming was niet terneergeslagen of verdrietig, maar ontspannen en vol vertrouwen. Een bijzonder afscheid.

'U heeft prachtig gezongen,' merkte Rowarn op. 'Ik wist niet dat uw rauwe stem zo goed kon klinken.'

Noïrun lachte. Hij legde een arm over Rowarns schouder en ze pakten allebei een bloem uit een klaarstaande schaal om hem vervolgens in de vlammen te werpen toen ze voorbij de brandende dodenplaats liepen. De golvende hittesluier voelde aan als een reiniging.

'Hoe zit het met Tamron?' vroeg Rowarn. De koning had slechts Morwen en Rayem genoemd.

'We hebben hem niet gevonden,' antwoordde Noïrun

Rowarn was verrast en op slag opgewonden. 'Maar dat kan betekenen ...'

'Dat hij nog leeft, ja. Maar wie weet of de dood niet beter geweest was.' Noïrun trok zijn arm terug en keek Rowarn ernstig aan. 'Als hij nog leeft, heeft Femris hem.'

Rowarn balde zijn vuist. 'Is er dan nog wel hoop?' fluisterde hij.

'Meer dan ooit,' zei de koning. 'Geloof me, we hebben Femris nog nooit zo dicht op zijn hielen gezeten en we zullen nu zeker niet opgeven.'

Toen in de voormiddag de laatste wolken zich hadden teruggetrokken, marcheerde het leger weer richting de ruïnes van Ardig Hal. Ze hadden de tijd genomen om zich in alle rust voor te bereiden en beheerst de strijd weer aan te gaan. Vanzelfsprekend was ook de vijand voorbereid. Voor zover het mogelijk was, leek het vandaag nog rustiger dan gisteren.

Het moet Femris verrast hebben, dat de legerheer van Ardig Hal zich al enkele uren na de vorige slag, klaarmaakte voor de volgende aanval. Normaal gesproken zaten er dagen tussen, de begrafenisrituelen van de mensen in ogenschouw genomen. En het was zeker dat hij de Bepheron, zijn legerheer, vervloekte omdat zijn speer de koning had gemist en vervolgens zelf was gevallen, terwijl de legerheer van Ardig Hal nog altijd overeind stond.

Noïruns gezicht verstrakte heel even toen hij naar het paard toeliep, waar hij nu op zou rijden. 'Dat dwaze paard,' mompelde hij. 'Hij heeft me al begeleid vanaf Lingvern. Ik mis hem. Vervloekt nog aan toe. Alleen daarvoor al zal ik die verdomde

Femris nog een speer in zijn smerige hals jagen!'

Rowarn, die Stormwind naast hem zadelde, merkte voorzichtig op: 'Je zou niet moeten gaan.'

Noïrun lachte humorloos. 'Rowarn, niets en niemand op deze wereld zal mij verhinderen om weer ten strijde te trekken. Maar ik beloof je, ik zal niet direct ingrijpen ... ten minste niet zo snel en als legerheer mijn bevelen vanaf de achtergrond uitdelen, tot ik gezien heb hoe alles zich ontwikkelt. Ik heb geen nieuwe strategie, ik moet alles dus heel precies bekijken en ter plekke beslissen. Daarom *kan* ik nu niet eens vechten. En jij zult aan mijn zijde blijven om mij te beschermen.'

Dat was een teleurstelling voor de jonge ridder. 'Dan wil je dus op mij passen zodat ik geen stommiteiten bega.'

'Dat is de overeenkomst,' zei Noïrun rustig. 'Oftewel we houden ons beiden uit de strijd of niet.'

Rowarn sprong in het zadel en keek onwillekeurig om zich heen, op zoek naar Morwen, toen hij besefte dat ze er niet meer was. Hij was woedend, omdat hij haar miste. Ze had haar pad gekozen en was gestorven op de manier die ze had gewild. De uitkomst van de slag van gisteren was dan ook alleen aan haar te danken. Zij had het leger aangevoerd nadat de koning het bewustzijn verloren had. Helemaal de dochter van haar vader. Noïrun had alle reden om trots op haar te zijn en ze zou zonder meer een ereplaats krijgen in de Hal van de Krijgers. Een eervolle dood, die zeker niet voor niets was geweest.

Beide legers betrokken hun stelling aan de rand van de magische grens en monsterden elkaar, veel indringender en zeker niet meer zo zelfverzekerd als gisteren. Het was bewezen dat de troepen van Ardig Hal qua aantal wellicht in de minderheid waren, maar zeker niet zwakker. Ze hieven het numerieke nadeel op door een goede strategie en een perfecte samenwerking. Femris' getalsmatige voordeel had hem nog niets opgeleverd.

De zon scheen ondertussen met volle kracht, de wind was gaan liggen en de lucht werd al warmer. De grond was nog steeds nat; een bruinrode modderpoel die de verschrikkelijke sporen van verwoesting droeg. Nadat alle slachtoffers van beide zijden weggehaald waren, deed het Rowarn sterk herinneren aan zijn visioen op het titanenveld en hij verwachte bijna weer de Eliaha te zien. Maar ze kon hem hier niet bereiken en hij leerde langzaam om haar te negeren.

De vijandelijke legers bleven lange tijd tegenover elkaar staan, langer dan gisteren. Ardig Hal moest de eerste stap doen, de anderen konden de drempel niet overschrijden. En juist daar leek de koning, die een flink stuk achter het leger in de buurt van het kamp zijn stelling had betrokken, van te genieten. 'Ik heb de tijd,' merkte hij op. 'Laat ze maar onrustig worden. We hebben ze gisteren bijna verslagen en ze weten niet of wij nog wat achter de hand hebben.' Plotseling keek hij op. 'Hoor je dat ook?' vroeg hij Rowarn.

Rowarn luisterde en knikte. 'Het dondert ...'

Een ver en duister rommelen, hoewel de hemel wolkloos was zover het oog reikte. Toen donderde het luider en er waren lichtflitsen aan de noordoostelijke horizon te zien. Er ging een ijzige kou door Rowarn heen, toen hij de hoge, schrille kreten hoorde. Ze kwamen van ver, maar gingen door merg en been en lieten zijn botten ijskoud achter.

De koning werd bleek. 'Dondervogels ...' fluisterde hij.

Olrig, die naast hem zijn bijl aan het slijpen was, stopte. 'Wat?' Zijn ogen zochten de hemel af, en inderdaad: In de verte en op grote hoogte werden lange, dunne strepen zichtbaar die door de weerlichten vlogen – of het met zich meenamen, tezamen met de donder. De Dwerg slaakte een kreet, maar het was een jubelkreet. Rowarn kromp in elkaar en keek hem vragend aan.

'Dat is Angmor!' riep de krijgskoning.

Toen de naam viel, ging het als een lopend vuur door de rijen. Vooral onder de Dwergen werd de kreet in een oogwenk overgenomen en het verbreidde zich als een razend vuur door het hele leger.

Rowarn was verrast, hij had de naam al een keer gehoord. Maar waar was dat geweest? Toen herinnerde hij het zich: In Ennisghar, toen ze Pyrfinn, de loper van de Dwergen, ontmoet hadden. Hij en Olrig hadden het over hun hoop gehad, dat Ang-mor de Woudleeuw naar Ardig Hal zou komen. De Visioenridder. Een legendarische held, net als Tamron.

'*Angmor!*' brulde Olrig en stak zijn bijl in de lucht.

'ANGMOR!' klonk het massaal vanuit het leger, toen de reus-achtige, vederloze vogels door de lucht wervelden en sneller dan een pijl over de beide legers trokken. Een moment lang leek de wereld in weerlichten en donderslagen ten onder te gaan, toen de hemel verduisterde en er zwarte wolken overheen raasden. Op dat moment verscheen op de noordoostelijke heuvels een gewel-dig paard met een man in wapenrusting. Daarnaast liep een grote kat met een korte staart en plukjes haar aan zijn oren.

Er bestond geen twijfel voor Olrig. 'Hij is het! De Woudleeuw is teruggekeerd! Angmor! Angmor!' Stralend schreeuwde hij tegen Noïrun: 'Heb ik het je niet gezegd? Toen in Ennisghar? Hij zal ons niet in de steek laten heb ik gezegd. En hij zal komen, heb ik gezegd. *En nu is hij hier!*' En hij zette zijn ritmische euforie voort: 'Ang-mor! Ang-mor! Ang-mor!'

Met zijn enthousiasme trok hij alle strijders met zich mee en ze vielen in, in zijn schallende roep die tegen de omliggende wou-den brak en duizendvoudig terug werd geworpen, terwijl de vijand zich omdraaide, zijn adem inhield en nu de naam fluister-de, maar zeker niet in hoopvolle verwachting.

'Wat is dat voor een dier?' vroeg Rowarn en wees naar de reu-zenkat.

'Graum, de Schaduwlynx,' antwoordde koning Noïrun in plaats van Olrig die op dat moment geen tijd had om vragen te beantwoorden. 'Alhoewel ik de Visioenridder nooit tegen ben gekomen, weet ik dat hij door dit dier begeleid wordt. Een teken dat hij het werkelijk is.' Ondertussen had de geestdrift ook No-irun te pakken gekregen, hij kon niet onberoerd blijven. Bewogen sloeg hij zijn zwaard tegen zijn schild. 'Het is amper te geloven dat hij nog leeft – en gekomen is! Olrig, ik zal nooit meer aan je twijfelen!'

Het schallende gehinnik van het machtige ros klonk tot aan hun heuvel en toen stormde het in gestrekte galop de heuvel af, wat de grond tot onder Stormwinds hoeven liet trillen, die dan ook nerveus trapte. De Schaduwlynx hield het paard moeiteloos bij.

Er ging een kreet door de rijen van de vijand en het leger golfde heen en weer, niet wetend wat te doen en aan de randen viel het reeds uiteen.

'Moeten we niet ...' begon Rowarn, maar Olrig wuifde het grijnzend weg. 'Laat hem maar, jongen.'

De koning, die zijn paard al de sporen had willen geven, hield eveneens in. 'We vallen niet aan?'

'Goed gezien mijn vriend. Spaar je soldaten, hun uur zal nog komen. Wat nu gebeurt, is belangrijk om de tegenstander te demoraliseren, vertrouw me.'

Op dat moment had de Visioenridder de magische barrière doorbroken en bereikte de voorste linie van het front van de Dubhani. Er brak een geweldige chaos uit toen hij, zonder het tempo te verlagen, met een vlammend en blinkend langzwaard naar alle richtingen uithaalde en met geweldige slagen een weg vrijmaakte. De Schaduwlynx liet een hees gebrul horen en viel met geopende bek en scherpe klauwen iedereen aan die stom genoeg was om in zijn weg te blijven staan. Binnen enkele hartslagen verscheurde hij ze met zijn sterke kaken of krachtige klauwen, zonder ook maar snelheid terug te nemen.

Al na enkele ogenblikken viel het geordende vijandelijke leger uit elkaar. Het viel uit elkaar als water uit een vernield vat, stroomde in alle richtingen weg – weg van Angmor, de Woudleeuw. De Visioenridder.

Blinde paniek kreeg het complete leger van Femris in zijn greep, ze vluchtten voor één enkele ridder, die steeds verder naar voren drong. Er stond hem al snel geen enkele hindernis in de weg. Hij galoppeerde direct op de legerheer van Ardig Hal toe, verween even uit het zicht aan de voet van een heuvel en leek al een stuk dichterbij toen hij weer tevoorschijn kwam. Naast hem liep de onvermoeibare Schaduwlynx. Kort daarop doorbrak hij de Magische muur voor een tweede maal.

Rowarns mond stond open toen het dampende ros enkele

stappen voor hem inhield. Een mistige nevel ontsnapte aan zijn rode neusgaten en zijn ogen lichtten op als donkere robijnen. De Schaduwlynx ging naast het snuivende en afwisselend met de hoeven stampende paard zitten en begon zich te wassen.

De ridder steeg af en Rowarn zag dat hij minstens zo groot was als Tamron, maar veel gespierder. Het vizier van zijn met gebogen hoornen versierde helm had de vorm van een mannelijk gezicht met smalle gaten voor zijn ogen, neus en mond. Hij droeg een ijzeren harnas met het wapen van Ardig Hal, een zeedraak uitgestanst op zijn borst, met daaronder een fijn geweven donker hemd, armbeschermers en een lange donkere mantel met capuchon en kniehoge, lederen laarzen met ijzeren versterking. Er stak een dolk en een mes in zijn brede gordel. Aan de linkerkant hingen de schedes voor de geweldige zwaarden.

Er ging een machtig aura van hem uit dat Rowarn als een dunne sluier tegen het felle zonlicht zag. Deze uitstraling was niet te vergelijken met iets wat hij ooit gezien had en toch was hij er op de één of andere onverklaarbare manier vertrouwd mee. Hij vermoedde dat de macht van Angmor geheimzinnige eigenschappen verborg. Eigenschappen die alle Visioenridders deelden.

De soldaten begroetten hem jubelend vanaf een passende afstand. 'Angmor!' werd er geroepen, afgewisseld met 'De Woudleeuw!' en 'Graum!' De Schaduwlynx stopte even toen hij zijn naam hoorde roepen. De lange penseeloren draaiden zich opmerkzaam in alle richtingen, toen ging hij onverstoorbaar verder met wassen.

Olrig sprong van zijn paard, nam zijn helm af en liep snel met een stralend gezicht naar de grote man toe die zijn gesloten helm niet afnam; het vizier kon niet geopend worden. 'Angmor, het vervult mij met vreugde!' Hij stak zijn rechterarm uit. De Visioenridder legde zijn onderarm op die van de Dwerg en beide mannen drukten krachtig.

'Olrig, mijn oude vriend,' sprak de Visioenridder met een diepe stem. 'Het doet mij goed om je na al die jaren in goede gezondheid te zien.' Hij sloeg met zijn linkerhand op de schouder van de krijgskoning. 'Je wordt grijs, net als ik. We zullen ons overgeven aan aangename zaken in de herfst van ons leven. Zo zullen we ons bezig moeten houden met deze onsterfelijke halsafsnijders.'

'Een waar woord! Ik dacht al dat je je wapens aan de wilgen had gehangen,' lachte Olrig. 'Je hebt geen idee hoe hard we je hulp hier kunnen gebruiken!'

'Oh, ik weet het en daarom ben ik ook hier,' verklaarde Angmor. Hij draaide zich nu om naar de vorst, die eveneens af was gestegen en langzaam naar hem toeliep. Olrig stelde hem voor.

'Dat is de legerheer, Koning Noïrun Zonderland. Hij heeft tot nu toe de stelling weten te behouden.'

Noïrun boog licht zijn hoofd. 'Het is mij een grote eer om een legende als u te mogen ontmoeten.'

'De eer aan mijn zijde is groter,' antwoordde Angmor. 'U bent een groot legerheer. Heel Valia spreekt van u. U bent de beste die Ardig Hal ooit heeft gehad en dat zeg ik zonder vleierij.' Hij drukte de hand van de koning. 'Wat een geluk voor de Regenboog om iemand van uw kaliber aan zijn zijde te hebben.'

'Maar helaas hebben we ons doel, het terugveroveren van de splinter, nog niet bereikt,' antwoordde Noïrun.

'Het is nog niet beslist.' Angmor stak zijn hand omhoog toen Noïrun weer in het zadel plaats wilde nemen. 'Wacht, mijn vorst. Het is nog te vroeg om aan te vallen.'

'Wat mij betreft ziet het er gunstig uit, zeker zolang het vijandelijke leger in paniek is,' merkte Noïrun verbaasd op.

'Juist dàt kan uw ondergang zijn. Het is maar goed, dat ik precies nu aan ben gekomen, want Femris heeft een nieuwe strategie ontwikkeld die uw leger zeker vernietigd had. Ik herkende het toen ik erdoorheen ging. Mijn aankomst heeft roet in het eten gegooid en Femris moet zijn leger opnieuw formeren. Maar wij moeten voorzichtig zijn. We zijn er nog niet. Ik heb een goed zicht op de zaken en ik zal u zeggen hoe we het best verder kunnen gaan.'

'Dan bespreken we het in mijn tent,' stelde de koning voor en knikte naar Rowarn om zich bij hen aan te sluiten.

Rowarn, die dit ondanks zijn positie aan Noïruns zijde niet verwacht had, haastte zich om van zijn paard af te stappen en volgde hen. Hij kromp een beetje in elkaar toen de Schaduwlynx plotseling naast hem opdook en hij zijn fluweelzachte huid voelde. Hij kwam Rowarn bijna tot aan zijn heupen. Zijn vel was roodbruin met zwarte vlekken; van zijn borst tot aan zijn buik had hij een zijdezachte, witte huid. Zijn grote kattenogen hadden een oranje kleur en ze werden omrand door een zwarte lijn die doorliep tot aan zijn oren. De lichte, wit omraamde huid op zijn gezicht was gestreept. De penselen op zijn spitse oren waren zwart. Zijn merkwaardig korte staart was eveneens gestreept en had een zwart puntje aan het einde. Het was niet moeilijk om te raden waar hij zijn naam de "Schaduwlynx" aan te danken had: hij versmolt moeiteloos in de omgeving dankzij zijn veelkleurige vacht. Uitgezonderd dan met het gras. Hij was krachtig en gespierd gebouwd, stond hoog op zijn poten en bewoog zich elegant.

Terwijl Rowarn zich afvroeg of hij het zou wagen dit ongewone dier te aaien, legde het plotseling zijn kop spinnend tegen zijn benen. Helemaal naar de aard van een kat, om vervolgens vlak voor hem de tent binnen te gaan.

Toen Rowarn ook naar binnen ging, wendde Angmor zich naar hem toe en bekeek hem maar zei verder niets. Hij boog zich meteen weer over de tafel, waar de plannen op lagen en een grote kroes en meerdere bekers klaarstonden. Daarnaast een schaal met gedroogd vlees en geroosterd brood met verse vruchten. Angmor legde zijn mantel, het harnas en de armbeschermers af en trok zijn handschoenen uit. Rowarn zag zijn smalle pezige handen met de lange vingers. Zijn huid was licht, maar dat was ook geen wonder. Waarschijnlijk kreeg hij bijna nooit de zon te zien. Rowarn vroeg zich af, wanneer en hoe Angmor iets dronk en at. Met het gezichtsmasker was dat onmogelijk.

Omdat zowel Olrig als Noïrun of iemand van de andere aanwezigen het niet nodig achtten om hem voor te stellen, zei hij zelf ook niets en nam zijn plaats aan de rechterkant in de buurt van de koning in, maar wel wat op de achtergrond. Graum zat aan de rand van de tent, achter zijn meester.

De Visioenridder legde uit wat hij gezien had, toen hij dwars door het leger was gegaloppeerd en stelde voor hoe ze nu te werk moesten gaan. Noïrun stemde er volmondig mee in.

'Meer als een korte schermutseling kunnen we momenteel niet wagen,' verklaarde Angmor. 'We zullen de Dubhani de schrik op hun lijf jagen en ze duidelijk maken dat mijn versterking hun ondergang zal worden. Ik wil een uitgelezen groepje onder mijn commando nemen. De eerste linie moet flink uitgedund worden, want er zijn er nog altijd teveel om in de buurt van Femris te komen. Dat houdt op dit moment in, dat we zoveel mogelijk tegenstanders doden, maar er in geen geval achteraan gaan. Daarom zullen we ook niet het gehele leger inzetten. Het is slechts de voorbereiding voor de echte eindstrijd, die daarna plaats zal vinden.'

'Ze zullen gedemoraliseerd raken en aan het twijfelen slaan, dat maakt ze zwak,' dreunde Olrig enthousiast. 'Eindelijk zijn we zover! De laatste slag zal ons de zege brengen.'

'Zo is het gepland. Ik moet zelf eerst de situatie goed inschatten. Het is voor ons natuurlijk een geluk, dat jullie gisteren de Bepheron overwonnen hebben.' Er klonk iets van bewondering in Angmors stem. 'De gesel van de oude wereld overwinnen is een grote prestatie en het verdient respect naar de mensen toe.'

'De prijs die we betaald hebben, is hoog.' zei Fabor zachtjes en het viel Rowarn voor het eerst op, dat hij daadwerkelijk genegenheid voor Morwen had gevoeld. Enkele gebeurtenissen, waar hij vroeger niet op had gelet, vielen hem nu ineens op en gaven hem een duidelijk beeld. 'De prijs is altijd hoog,' zei de Visioenridder bedaard. 'Ieder van ons verliest iemand waar hij van houdt gedurende de strijd. Ik betreur het, dat ik gisteren niet reeds gearriveerd ben, dan was u misschien veel leed en treurnis bespaard gebleven.'

'Er zal tijd zijn om te rouwen, maar nu nog niet,' merkte de koning op. 'Laten we niet langer wachten, maar handelen en de huidige aanval tot een goed einde brengen. We moeten ons nog kunnen ontspannen voor de laatste slag, die we morgen zullen leveren.'

Angmor knikte. 'Daarom wil ik jullie en Olrig vragen om aan deze strijd niet deel te nemen, maar alles aan mij over te laten. Kijk, hoe ik vecht. Kijk, hoe ik te werk ga, dan zullen we morgen als één man toeslaan. Ik weet dat ik veel verlang, maar ...'

'Het is goed!' onderbrak Noïrun. 'Zo zal het zijn.'

'Ik dank u voor het vertrouwen,' zei de Visioenridder.

Noïrun lachte. 'U heeft zichzelf voldoende bewezen tijdens uw korte rit door het vijandelijke leger. Het zal een eer zijn om u bezig te zien, terwijl u uw talenten inzet en ik vertrouw u mijn mensen zonder bedenkingen toe.'

Daarmee was de bespreking voorbij. Rowarn was opgelucht dat zowel Olrig als Noïrun niet aan het gevecht deel zouden nemen. Toen ze naar buiten liepen, klampte Noïrun Rowarn even aan. 'Jij zult eveneens niet aan het gevecht deelnemen,' beval hij. 'Jij blijft aan mijn zijde, kijk en leer.'

'En, wat vind je van Angmor, Rowarn?' vroeg Olrig goedgehumeurd toen ze naar de paarden liepen.

'Ik bespeur een enorme kracht en macht in hem,' antwoordde Rowarn. 'Klopt het dat hij een misvormd gezicht heeft en hij daarom zijn helm niet afneemt?'

De Dwerg knikte. 'Hij heeft me ooit verteld, dat zijn gezicht helemaal ontsierd is door littekens. Hij was nog maar een jong lid van de orde van de Visioenridders toen hij voor het eerst tegen Femris moest vechten. Sindsdien heeft hij naast alle andere redenen, ook een persoonlijke reden om Femris te doden. Ik heb ongeveer tachtig jaar geleden al eens met hem gevochten en ik heb hem nog nooit zonder helm of minstens zonder capuchon gezien. Ik weet echter, dat er eens een jonge meid was, die haar nieuwsgierigheid niet in bedwang kon houden en naar hem toe is geslopen terwijl hij sliep. Ik hoor haar schreeuw nog steeds, want ik sliep in de tent naast hem. Ze was de dagen daarna helemaal van de kaart en heeft geen woord meer gesproken. Toen hij op een nacht tijdens een wandeling zijn capuchon droeg, viel heel even het licht van een fakkel op zijn kin en ik zag dat hij niet gelogen had – het was misvormd en zat onder de littekens. Alleen deze vreselijke aanblik heeft mij al de nieuwsgierigheid weggenomen, om de rest van zijn gezicht te zien.

Rowarn rilde. 'De arme man.'

'Ja, zijn lot is zwaar. Het is al moeilijk genoeg om een Visioen-ridder te zijn, maar met zo'n misvorming erbij en dat al als een jonge man ... Het is een wonder dat hij niet helemaal verbitterd is.'

'Omdat hij vervuld is van een heilig vuur dat van hem verlangt de bestemming van zijn orde te vervullen,' klonk Noïruns stem achter hen, terwijl hij zich bij hen aansloot. 'Olrig, je zei dat je tachtig jaar geleden naast hem gevochten hebt. Hij is dus geen mens?'

'Ik heb geen idee, tot welk ras hij behoort,' gaf Olrig toe. 'Hij praat nooit over zijn verleden, want hij is al heel vroeg tot de orde toegetreden. Hij heeft me wel gezegd dat op het moment dat je de talenten ontvangt, je leven verlengd wordt. En als een ridder sterft tijdens de strijd, draagt hij een deel van zijn krachten over aan de overlevenden. Omdat hij misschien de laatste is, is het niet uit te sluiten dat hij minstens zo oud is als een Dwerg. Hij was toen al geen jonge man meer, ook al maakte hij zojuist de opmerking over zijn grijze haren. Waarbij ik betwijfel of hij wel haren heeft. Als je je helm constant op hebt, moet je wel een kale kop krijgen.'

Rowarn zweeg tijdens de tocht en bekeek nieuwsgierig het machtige ros van de Visioenridder. Zijn vacht had de kleur van donker as en zijn manen waren zwart en golfden lang en dicht tegen zijn hals tot aan zijn schoft en hij had een dichte, volle staart.

Toen hij er naartoe wilde gaan, hield Fashirh hem tegen. 'Asduivel is het meest boosaardige beest dat ik ooit gezien heb.'

Rowarn lachte. 'Als een Demon dat zegt ...'

'Ik meen het. Hij slaat, bijt en trapt constant als hij een slecht humeur heeft.'

'Maar ik ben met paarden opgegroeid enz...' begon Rowarn en kromp in elkaar toen Angmors diepe stem achter hem klonk.

'Hou op, Fashirh. Asduivel is nooit echt getemd. Hij houdt van mij en daarom doet hij alles voor mij.'

'Een schoonheid en dan nog met zo'n karakter. Precies mijn tweede vrouw,' merkte Olrig op.

'Was ze ook zo aanhankelijk?' vroeg Angmor.

'Gelukkig niet,' antwoordde Olrig en iedereen schoot brullend in de lach.

'Jij bent getrouwd geweest?' vroeg Angmor, terwijl ze naast elkaar gingen rijden en de rest zich grinnikend verspreidde.

'Nog steeds,' bromde Olrig. Hij leek in gedachten te tellen, nam er toen zijn handen bij en stak ten slotte zes vingers op. 'Waarom denk je dat ik het ambt van krijgskoning op me nam?'

Rowarn kon het niet geloven. 'Voor de zesde keer? Waarom doe je dat?'

'Geen idee,' antwoordde de Dwerg. 'Ik moet wel een zwak voor de vrouwen hebben, maar ook een bijzonder slechte smaak. Net als mijn vriend Noïrun overigens. Dat was het eerste dat ons nader tot elkaar bracht.

'Hij is ook getrouwd?' zei Rowarn verbaasd.

'Hangt er vanaf hoe je het ziet.' Olrig keek om zich heen en fluisterde toen vertrouwelijk: 'Ze is er met een ander vandoor gegaan. Begin er maar niet over tegen hem, hij kan er niet om lachen.' Hij stootte Rowarn aan toen de koning hen naderde. Om de boel af te leiden, wende hij zich naar Angmor die net dreigend zijn vuist ophief tegen zijn hengst, toen deze hem zijn ontblote tanden liet zien en zijn oren naar achter legde. 'Zeg eens, oude vriend. Je paard ziet er net zo uit als degene die je tachtig jaar geleden bereed en hij heeft dezelfde naam.'

'Eenmaal Asduivel, altijd Asduivel,' bromde de Visioenridder. 'Mijn smaak schijnt niet beter te zijn dan die van jou, vriend Olrig.'

Olrig lachte dreunend, terwijl hij rechtop ging zitten. 'We zijn beiden niet te benijden - maar hij laat je in ieder geval zitten en doet af en toe wat hij moet doen.'

Rowarn sloot zich niet bij de algemene vrolijkheid aan, maar keek precies toe hoe Angmor opsteeg. Verbaasd zag hij dat het wilde paard onmiddellijk gehoorzaamde. Onder de indruk lief-koosde hij Stormwind bij zijn hals. Deze brieste verwachtingsvol en Rowarn sprong op zijn rug.

Koning Noïrun gaf het teken en ze reden weg. Angmor verliet de groep al snel en stuurde Asduivel naar de buitenste linker-flank van het nog steeds wachtende leger van Ardig Hal. Kort daarna kwam Graum, de Schaduwlynx, met grote sprongen aan-gerend en sloot zich bij zijn heer aan. Asduivel ging nu pas echt los en ze lagen al snel een stuk voor op het leger. Angmor trok zijn zwaard dat blonk in het licht van de late namiddagzon en viel als een woedende storm over de vijand heen.

Het leger van Ardig Hal, met Fashirh en de Demonen aan de spits, kwam nu ook in beweging.

De koning kwam bij Olrig en Rowarn staan. 'Let nu goed op, Rowarn,' droeg hij hem op. 'Kijk goed wat Angmor doet, zodat je ziet waarom hij een legende is. Ik ben ook benieuwd na alles wat Olrig mij al verteld heeft.'

Ze betrokken een positie op een heuvel die een goed overzicht bood. Rowarn deed wat hem gezegd was. Hij hield de Visioen-ridder scherp in de gaten en stond al snel vol verbazing te kijken.

Een deel van het leger bleef bij de magische grens staan, de rest bevond zich voorbij de grens en was bezig de Dubhani in te sluiten, terwijl Angmor zich al midden tussen de vijand bevond. Hij had een grote bres in de stelling van de Dubhani geslagen en hield stand. Asduivel steigerde en deelde dodelijke slagen uit met zijn hoeven, terwijl hij langzaam om zijn as draaide. Hij bleek een uitstekend opgeleid krijgspaard te zijn en wist precies wat hij moest doen zonder dat het hem duidelijk werd gemaakt met een teugel of iets anders.

Fashirh en de andere Demonen hadden zich ondertussen naar hem toegewerkt en vochten dicht bij de Visioenridder. Zij werden gevolgd door een groep boogschutters en speerwerpers. De Schaduwlynx ging tekeer onder die soldaten, die het waagden om Angmor te dicht te naderen. Hij verwijderde zich daarbij nooit ver van hem. Haast moeiteloos ontweek hij daarbij elke pijl.

De Visioenridder gaf zijn bevelen aan de Demonen en zij

stormden er in een gesloten formatie vandoor. Ook de boogschutters en speerwerpers kregen nieuwe aanwijzingen, want plotseling zoemden pijlen en speren door de lucht – schijnbaar naar een volkomen zinloos doel.

En toen zag Rowarn wat de bijzondere gave van de Visioenridder was en waarom de orde deze naam droeg. Terwijl de pijlen en speren naar hun schijnbaar zinloze doel vlogen, renden de soldaten er plotseling naar toe zonder uit te kunnen wijken! Iedere pijl of speer trof doel en de soldaten storten neer als gevelde bomen. Ze waren allemaal dood, zonder uitzondering.

Het is ongelooflijk! dacht Rowarn verbaasd en hij kon zijn ogen maar amper geloven. *Hoe doet hij dat?*

Net als enkele uren eerder brak er opnieuw paniek uit onder het leger van Femris. Angmor gaf opnieuw bevelen en weer zag het er naar uit, dat de verdedigers van Ardig Hal op een zinloos doel richtten; speren die ergens naartoe slingerden waar zich niemand bevond, lansen en zwaardslagen die richting het niets leken te gaan – en niet lang daarna vielen hun tegenstanders zonder ook maar de gelegenheid te krijgen om zich te verweren of hun strategie te veranderen.

Toen begreep Rowarn het. 'Hij ziet het al van tevoren,' fluisterde hij sprakeloos. 'Hij weet wat er gaat gebeuren ... wat ze gaan doen ... en positioneert de soldaten al ...'

Olrig knikte. 'Dat is het geheim van zijn orde. En Angmor is de absolute meester. Er is niemand die zo onfeilbaar is als hij.'

Rowarn wende huiverend zijn blik af. 'Dit is werkelijk een slachting ... een vreselijk bloedbad, maar slechts aan één kant. Ik zou blij moeten zijn, maar ik kan het niet aanzien.'

'Oorlog is nooit een mooi gezicht, Rowarn,' merkte de vorst op. 'Maar voor het eerst liggen de kaarten in ons voordeel en winnen we terrein in plaats van het te verdedigen.'

Het leger van Femris bevond zich ondertussen in volledige verwarring. De zon bevond zich al diep in het westen, toen de Dubhani in groepjes de vlucht verkozen. Nu pas toonde Angmor wat hij werkelijk waard was. Het insluiten van de vijand was volgens een bepaald patroon gegaan. Rowarn had zich er al over verwonderd hoeveel gaten er in de omsingeling zaten. Nu begreep hij het. De vijand zag in blinde paniek de gaten en stormde daar op af. De val klapte dicht, toen de troepen van Ardig Hal opnieuw uit elkaar weken en de gaten sloten voor de vluchtende vijand. Ze hadden de bevelen hoe ze zich moesten verdelen ook op voorhand gekregen.

Nog voor de schemering inzette, verloor Femris nog eens tweeduizend man voordat Angmor het bevel tot de terugtocht gaf. Ardig Hal had slechts tachtig man verloren en er waren niet meer dan honderdvijftig gewonden.

Voor de eerste keer sinds het begin van de slag, waren de verhoudingen gelijk.

De stemming was die avond ontspannen. Overal brandden vreugdevuren en er werd gelachen, gezongen en gedanst. De vermoeide maar trotse soldaten werden overal enthousiast ontvangen.

Graum sloop naderbij, toen de laatste soldaat allang onder jubelgeroep naar een vuur geleid was waar men hem een dampende beker kruidenwijn in zijn hand drukte. De nacht was aangebroken en het kattenlichaam trok zich pas laat terug vanuit het donker in de lichtkring van de fakkels aan de rand van het kamp.

De Schaduwlynx zat onder het bloed, maar het leek niet zijn eigen bloed te zijn. Vermoeid liep hij er heen en hief zijn kop op toen hij de jonge ridder zag die nog steeds geduldig wachtte. Hij miauwde zachtjes en wreef zijn kop zachtjes tegen Rowarns heupen. Voor de eerste keer waagde Rowarn het om hem aan te raken. De vacht van zijn hals was dik en zacht en enthousiast aaide hij de lynx, die er geen bezwaar tegen leek te hebben. Ze hieven allebei hun hoofd toen zachte hoefgeluiden weerklonken.

Angmor arriveerde eindelijk.

Rowarn had niet begrepen waarom niemand op de Visioenridder had willen wachten, maar Olrig bromde dat Angmor een feestelijk ontvangst niet op prijs stelde.

Asduivel was nat van het zweet en kwam met hangend hoofd aan sjokken. Bij Rowarn en Graum aangekomen, stopte hij. De machtige gestalte in het zadel bewoog zich niet.

Een ongemakkelijk gevoel bekroop Rowarn. 'Heer Angmor ...' begon hij verlegen.

'Help me uit het zadel, jongen,' klonk Angmors diepe stem van ver, alsof hij zich in een grote hal bevond.

Rowarn haastte zich om aan Asduivels linkerkant te komen en paste op toen hij het gewicht van de man voelde, die half uit het zadel stortte. Hij leunde zwaar op de zadelknop en schommelde heen en weer.

'U bent gewond! Ik haal meteen een heelmeester en ...' begon Rowarn, maar Angmor maakte een afwerend gebaar.

'Er is niets met mij aan de hand, Rowarn. Ik moet op krachten komen.' Hij hield zich aan het zadel beet en liet zich door Asduivel verder trekken.

'U betaalt een hoge prijs,' zei Rowarn langzaam.

'Magie eist altijd zijn prijs,' antwoordde Angmor. 'Soms meer dan men geven kan. In ieder geval als je een gave zoals die ik heb te leen krijgt, in plaats van er mee geboren worden.'

'Dat spijt mij.' Rowarn herinnerde zich wat Halrid Falkon hem in het Vrije Huis verteld had.

'Waarom ben je niet bij de anderen?' vroeg de Visioenridder met een strenge ondertoon. 'Heeft Olrig niet gezegd dat ik geen ontvangst of begeleiding wilde?'

'Ik heb niet op u gewacht,' mompelde Rowarn beschaamd.

Angmor reageerde geduldig en welwillend. 'Natuurlijk niet. Je bent jong en leert het leven pas kennen, net als deze wereld. Ik zie het in je ogen. Je bent beschermd en van de wereld afgesneden opgegroeid.'

'Ja, heer. Ik werd door Velerii opgevoed.' Rowarn lachte verlegen.

'Velerii!' Angmor was oprecht verbaasd. 'Ik heb al heel lang geen Paardmensen meer gezien. En hebben ze jou niet het nodige respect bijgebracht?'

Rowarn was het liefst in de aardbodem weggezakt. 'Ik vraag u om uw vergeving, heer. Ik heb gisteren veel vrienden verloren, die niet van de slag terug zijn gekeerd. Eén van hen leeft misschien nog, want hij is verdwenen. Ik ... moest simpelweg op u wachten om zeker te weten dat u ongedeerd bent.'

Angmor verstarde en Asduivel bleef staan. Na een tijdje zei hij: 'Ik begrijp het,' en hij draaide zich om naar de jonge Nauraka. Het schijnsel van het vuur flakkerde over zijn metalen gezicht en wierp er schaduwen op die het bijna tot leven deed komen. 'Waar ben je naar op zoek, jonge Rowarn?'

'Naar de moordenaar van mijn moeder,' fluisterde Rowarn. Hij kon niets voor deze man verborgen houden of liegen. De waarheid ontglipte hem, nog voordat hij er bij had nagedacht.

'Wraak dus.' Angmor wees om zich heen. 'Dit hier interesseert je helemaal niet, hè? Je gelooft dat anderen zich daarover druk moeten maken? Iemand als – ik?'

Rowarn ontweek hem. Hij keek naar de tenten, naar het vuur waar de mensen en Dwergen omheen dansten, terwijl ze lachten, zongen en dronken. 'Ik ben niet belangrijk,' zei hij zachtjes.'

Graum keek naar hem op. Zijn oranjekleurige ogen gloeiden in het donker.

'Je vergist je,' zei Angmor langzaam. Hij leek alweer wat op krachten te komen, want hij bleef staan zonder dat hij iets vast hoefde te houden. 'Iedereen is belangrijk. Je bent nu hier. Als je hier niet voor Ardig Hal staat en tegen Femris wil vechten, moet je gaan. Je moet dus beslissen. Je hebt nog meer vrienden, niet waar? Ze betekenen iets voor je. Dus beteken jij ook iets voor hen. Ik kan me niet voorstellen, dat je alles voor jezelf doet. Daarmee houdt je jezelf voor de gek en doe je anderen onnodig pijn.'

Rowarn had het gevoel, dat hij zich moest verontschuldigen. Hij voelde zich ellendig en dat op deze overwinningsavond.

Maar Angmor scheen geen zin te hebben om feest te vieren. De overwinning leek slechts op de tweede plaats te komen.

Alsof hij zijn gedachten had gelezen, zei de Visioenridder: 'Het is nog niet voorbij.'

Rowarn knikte. Het leek hem des te belangrijker om nu hier te zijn. Zeker omdat de Visioenridder zo zwak leek. 'Is er niet iets dat ik voor u kan doen?'

'Zeker,' zei Angmor verrassend genoeg. 'Spreek met niemand

over ... over mijn zwakte. En daarmee is het genoeg voor nu. Ik ga naar mijn onderkomen.' Hij wees naar een zwarte tent aan de rand van het kamp. 'Je zult me niet verder begeleiden en me geen verdere vragen stellen.'

'Eén ... vraag heb ik nog,' zei Rowarn gehaast voordat hij spijt kon krijgen van zijn dwaze moed en slechte gedrag. 'Waarom mag Graum mij? Hij gaat verder naar niemand toe.'

Toen lachte Angmor, rauw en zachtjes. 'De onschuldigheid van jouw jeugd. Hij plakt aan je als de zoete lucht van een krolse kat,' antwoordde hij. 'Het is dezelfde reden dat ik me met jou ophoudt, jonge Rowarn, want het is erg lang geleden dat ik iemand als jij ontmoet heb. Zo rein van hart, ongeduldig en rusteloos. Op zoek naar een doel dat je niet kent ... je kent de inhoud niet eens. Jij bent het voorbeeld waarom we voor Ardig Hal vechten, waarom we de splinter van Femris af moeten pakken. Het licht van de Regenboog omgeeft jou als een lichtende aura.' Hij knikte Rowarn toe. 'En daarmee was het echt genoeg voor vanavond. Ga naar de anderen. Vier feest en wees blij. Houd het geheim tussen ons voor jezelf, zoals ik niemand wat over jouw openbaringen zal vertellen. Morgen is er een nieuwe slag.'

Hij draaide zich om, nam Asduivel bij de teugel en was niet lang daarna met de schaduwlynx in het donker verdwenen.

HOOFDSTUK 18

De laatste slag

Het was nog geen middernacht toen het stil werd in het kamp. De vuren brandden lager en niets bewoog zich meer. Ook de vermoeide paarden waren gaan liggen.

Rowarn hield het niet uit in zijn tent. Morwen en Rayem waren dood, Tamron was verdwenen, Jelim was weg, Ravia en Kalem gewond. Van de honderdvijftig man uit Inniu waren er dertig gevallen. Ook de riddergarde van de legerheer had ridders verloren. Wie kon bevroeden wat hen nog te wachten stond? Rowarn wilde niet de hele nacht wakker gehouden worden door deze gedachten. Het was beter om op te staan en naar de sterren te kijken, rond te lopen, iets te doen.

De lucht was mild, de zomer stond voor de deur. Het was de tijd dat de jonge dieren voor het eerst de wereld gingen verkennen, bereid waren alle gevaren te trotseren. Rowarns peetouders zouden hun handen vol hebben aan de jonge veulens. Zouden ze aan hem denken, hem missen? Het leek al een half leven geleden te zijn dat hij afscheid had genomen van het lieflijke, afgelegen dal. Hij zag de oplichtende sneeuwtop van Fennóngar met daaronder de Galad-Mur, verheven en eeuwig, maar toch klein en breekbaar vanuit het oogpunt van de goden hoog boven hem in hogere sferen, waar de melodie van de werelden zich verenigde met de oermelodie.

Rowarn vroeg zich af of Lúvenor, als hij hier nog was, keek naar wat er allemaal op zijn wereld gebeurde. Was het voor hem belangrijk? Ja, zeker. De tabernakel *was* belangrijk voor hem. Hij was door Erenator zelf geschapen. Waarschijnlijk wist zelfs de Lichtgod niet waar hij voor diende. Als schepper mocht hij niet ingrijpen en wie weet, misschien had Erenator ervoor gezorgd, dat geen enkele god zijn handen op de tabernakel zou leggen. Waarschijnlijk had hij al sinds het ontstaan van Woudzee in zijn schrijn gelegen. Misschien was de wereld oorspronkelijk wel als bescherming voor de tabernakel ontworpen, om het voor de ogen van de machtigen te verbergen.

Van de andere goden wist Rowarn niet veel. Olrig vertelde graag over Lugdur, de schepper van de Dwergen, maar er waren er nog zoveel. Alleen de mensen hadden geen god. De Warinnen daarentegen hadden zich tot de god van de Demonen van Woud-zee gewend. Rowarn wist niets van de reputatie van deze god, want Fashirh stamde van Xhy en had op de "lachwekkende knaap" gespuugd, hetgeen Rowarn wat had gechoqueerd. De andere Demonen hadden toenadering van zijn kant tot nu toe niet toegelaten. Alhoewel ze zich met alle kracht inzetten voor Ardig Hal en tot nu hard hadden gevochten, was net als eerder een gesprek met hen niet mogelijk en hielden ze zich minstens op een speerworp afstand. Ze volgden uitsluitend Fashirhs bevelen op, die hij weer van Noïrun kreeg.

De fakkels voor de tent van de vorst brandden nog en tot zijn verrassing zag Rowarn Olrig en Noïrun ervoor zitten met een beker wijn en een pijp in de hand. Rowarn twijfelde of hij bij hen kon gaan zitten en naderde hen ietwat schuw, ieder moment be-reid om snel weer te verdwijnen.

'Pak een stoel jongen,' klonk de stem van de krijgskoning ter-wijl hij hem wenkte. 'Kom bij ons zitten.'

Niet lang daarna had ook Rowarn een beker kruidenwijn in zijn hand. Het voelde weldadig, verwarmde zijn binnenste en bracht rust in zijn maag.

'Het is een mooie nacht,' sprak Olrig en wees naar de met ster-ren bezaaide hemel, waar Ishtrus Tranen als juwelen pronkten. 'Jammer om te gaan slapen. Wie weet, hoeveel er morgen voor eeuwig zullen rusten. Zo zijn deze spaarzame uren in ieder geval nog van nut.' Hij klopte op Rowarns arm. 'De weg was lang voor ons boomaapje, niet?'

Noïrun knikte zwijgend. Hij trok aan zijn pijp en bewonderde de hemel. Af en toe zette hij de beker wijn aan zijn lippen.

Olrig lachte. 'Je hebt het goed gedaan, jongen. Je houdt het ridderdom in ere. Ik heb er nooit aan getwijfeld. Iemand die bij de Velerii opgegroeid is, moet wel bijzonder zijn.' Hij onderbrak zichzelf en maakte een afwerend gebaar. 'Verontschuldig me, ik werd sentimenteel. Deze nacht nodigt daar voor uit.'

'Je zou een lied voor ons voor kunnen dragen,' stelde Noïrun met een onverwacht zachte stem voor. 'Geen heldenepos, niets groots, maar iets zachts dat je zelf gecomponeerd hebt.'

'Alles, dat mijn legerheer wenst,' lachte de Dwerg fijntjes.

'Zachtaardige poëzie dus en het hoeft niet eens te rijmen.' Zacht begon hij te zingen:

'Stap voor stap. Rij voor rij
Hark voor hark, spade voor spade
Bereid ik de tuin voor
Ik heb niet veel nodig, slechts harken en aarde
En de kracht van mijn handen.
Pluk het onkruid, pak de stenen
Trek de vore, zaai de zaden
Groeien zul je, oh mijn tuin
In zomerzon en voorjaarsregen
Vruchten en koren zullen gedijen, net als mijn kinderen
Dat is, wat ik schep
Wij zijn gemaakt, van dromen en botten
In boeien, zoeken wij de weg
Naar geluk en naar heil
Maar ik blijf hier en laat het groeien
En de hongerige kraaien, kijken mij aan
Ik werp wat koren in hun snavels
Want in mijn tuin, ben ik vrij.'

Daarna brachten zij de rest van de nacht in stilte met elkaar door.

Onder aanvoering van Angmor overschreden de troepen van Ardig Hal in de vroege morgenstond de magische grens, waar ze reeds opgewacht werden; waarschijnlijk al sinds het aanbreken van de nacht. Het leek wel of Rowarn nu de angst van de vijand kon ruiken en ondanks de wapenuitrustingen van de tegenstander, dacht hij de onzekerheid in hun houding te kunnen zien, in hun afhangende en zelfs ingetrokken schouders. *Ditmaal zal het me lukken,* dacht hij. *Voor Morwen, voor Rayem, voor Tamron, waar hij ook zijn mag. En voor mijn moeder, waar ze ook mag rusten. Ze zullen weten dat de erfenis van de Nauraka niet geheel verloren is. Dat de eer van de familie, die de zee verlaten heeft, weer hersteld is. De Bepheron is niet meer. De meeste Demonen zijn vernietigd, net als de beesten. Wij hebben de machtigste krijger ter wereld aan onze kant en we zijn verder gekomen dan ooit tevoren. Dit zal het beslissende moment zijn. Nu zullen we de zegen binnenhalen.*

Graum ging al tekeer onder de vijand, tezamen met Fashirh en de soldaat-Demonen, terwijl Angmor snelle bevelen gaf en iedere soldaat naar zijn plaats leek te dirigeren. Ze sloegen zich door het leger van Dubhan met een ongelooflijke snelheid. Het leek alsof de magie van de Visioenridder op hen overgedragen werd. Nee ... het *was* zo. Rowarn, die zich afgevraagd had hoe Angmor het grote leger als een eenheid zou leiden, voelde plotseling wat zijn tegenstander het volgende moment zou gaan doen en was hem voor. Hij *wist* dat hij nagenoeg ongrijpbaar was geworden – zolang niemand hem in de rug aan zou vallen. De magie werkte alleen als hij er zijn ogen op kon richten.

'Hoe doe je dat,' riep hij sprakeloos, toen hij bij Angmor in de buurt kwam.

'Het is ... heel vermoeiend,' hoorde hij dof onder het masker vandaan komen. 'Denk niet teveel na jongen, vecht!'

Graum snelde sissend aan hem voorbij en viel het paard van een vijandelijke mensenkrijger aan, die hen net in volle galop wilde aanvallen.

Toen het tegen het middaguur liep, begonnen de Dubhani zich terug te trekken. Hun aantal was zo gedecimeerd, dat ze ondertussen stelselmatig het onderspit dolven, terwijl de verliezen aan de kant van Ardig Hal te verwaarlozen waren; de meeste verliezen waren aan de buitenflanken, want zover reikten Angmors krachten niet.

Rowarn zag de verhoging voor de tweede maal voor zich, waar de bevelhebbers in panische angst heen en weer liepen, hun zwepen lieten knallen, de hoornblazers schetterden en in alle richtingen hun bevelen riepen. Noïrun zorgde ervoor dat van hun kant op passende wijze geantwoord werd om de vijand nog verder in verwarring te brengen.

En toen zag hij hem.

Femris.

Er verscheen er een grote, slanke man op de heuvel. Hij droeg een lichte lederen uitrusting zonder helm. Zijn haren waren lang en vaalzwart en zijn huid was licht en het grotendeels lichtgevende groen van zijn ogen was ijskoud. Een niet minder koude blauwe aura omgaf hem en als hij zich bewoog, leek het alsof alles om hem heen werd uitgewist. Zijn dunne lippen vertrokken zich in een spottende, superieure lach. Langzaam stak hij zijn hand in de lucht en Rowarn herkende het bruine, kleiachtige brokstuk. Onooglijk en toch – dat begreep hij meteen – het voorwerp waar deze oorlog om begonnen was. Hij liet het hen zien en lachte erbij hard en wreed. Hij toonde het hen bewust.

Tamron had gelijk gehad. Hij herkende de onsterfelijke meteen.

'Daar is Femris!' riep Angmor met donderende stem. 'Voorwaarts, Asduivel. Hij kan ons nu niet meer ontkomen!'

'Wij geven je dekking!' riep Olrig. 'Noïrun, Rowarn, volg me! Nu of nooit!'

Ze stormden achter de reusachtige hengst aan en Rowarn verschoot al zijn pijlen in een razend tempo om de weg voor de Visioenridder vrij te maken. Zijn lans had hij allang verloren en toen ook zijn pijlenkoker leeg was, hing Rowarn hem aan de zijkant van zijn zadel en verzamelde onderweg zoveel speren als hij kon en slingerde ze naar elke tegenstander die binnen zijn bereik kwam.

Femris stak zijn hand op en riep met schallende stem een woord.

De Visioenridder had de heuvel bereikt, toen Asduivel onverwacht en abrupt stopte, alsof hij tegen een muur was gerend. Het paard kon zich nog net overeind houden, toen steigerde het en danste hinnikend op zijn achterbenen. Angmor kon zichzelf nog net in het zadel houden en vocht om zijn evenwicht te bewaren.

Rowarn stond zelf half in het zadel, toen de uitlopers van de magische ban hem raakte, zoals de boeggolven een schip op volle zee. Hij hoorde Noïrun en Olrig kreunen, maar ze hielden stand. Toen draaiden ze zich om, de krijgskoning naar opzij en de koning naar achteren om Angmors rug vrij te houden. Rowarn nam de andere zijde voor zijn rekening en keek naar het duel van de beide machtige tegenstanders die met geweld op elkaar klapten.

Angmor had zijn evenwicht hervonden, stak zijn hand op en vocht tegen de ban. Rowarn kon de macht die van hem uitging, duidelijk voelen. Ze was anders, veel minder pijnlijk dan de magie van Femris die steeds weer in pijnlijke golven tot hem doordrong.

Stap voor stap vocht Asduivel zich de heuvel op. Zijn flanken trilden van inspanning en waren bedekt met vlokken schuim. Er stak een onnatuurlijke wind op, terwijl de Onsterfelijke en de Visioenridder met hun krachtmeting bezig waren. Het bruiste om hen heen, trok aan hen en rukte de mantels bijna van hun schouders, totdat de lucht tussen hen in begon te knetteren en vonken.

Femris had beide armen opgeheven. Zijn gestalte lichtte op in een onwerkelijk licht. Rowarn geloofde zijn honende gelach te kunnen horen.

'Angmor heeft onze hulp nodig,' riep Rowarn toen hij de Visioenridder in het zadel zag wankelen. Hij heeft al teveel van zijn kracht aan ons gespendeerd. Kom op, Stormwind!'

Hoewel zijn kleine paard trilde van angst, proestte en snoof en met zijn ogen rolde, ging hij dapper de heuvel op. Maar ook voor hem werd het steeds moeilijker om vooruit te komen. De magische storm beroofde Rowarn bijna van zijn adem en zijn haren gingen overeind staan toen hij zich door de knetterende atmosfeer vocht. Kleine, gloeiende vonkjes sprongen over zijn handschoenen en brandden er gaatjes in.

De Onsterfelijk richtte zijn uitgestrekte vinger op Angmor en het volgende moment kwamen er witte bliksemstralen uit. Ze sloegen op een onzichtbaar schild dat de Visioenridder had gevormd. Maar hij kon niets meer doen tegen de volgende magische aanvalsgolf die Femris gelijktijdig naar hem toe slingerde. Angmor gleed van zijn zadel en Asduivel raasde er luid hinnikend vandoor, zijn meester in de steek latend. Rowarn kon het hem niet kwalijk nemen, hij redde het zelf maar net om Stormwind in bedwang te houden. Die protesteerde bokkend en sloeg met zijn hoofd.

De storm die Femris nu ontketende, deed zand en stof omhoog wervelen en ging op in een geweldige windhoos die als een draaiende muur tussen Rowarn en de Visioenridder schoof.

Fashirh stampte met grote passen naar hen toe, zijn gehoornde hoofd half naar beneden. 'Ik neem het over!' Zelfs hij moest door het dreunende orkaangeweld heen brullen. 'Haal Angmor en breng hem hier weg! Olrig en Noïrun houden je rug vrij!' De rode Demon gooide zichzelf midden in de windhoos en verdween achter een dichte sluier.

Rowarn bracht Stormwind verder voorwaarts en galoppeerde een stuk de heuvel op, waar Angmors roerloze lichaam lag en sprong vlak voor hem uit het zadel. Op dat moment had Femris zijn krachten verbruikt. Hij wankelde, probeerde een paar stappen te zetten en stortte toen ook in elkaar.

De strijd tussen de beide machtigen was beëindigd, maar de storm niet. Femris had de controle verloren en het ontketende natuurgeweld woedde ongehinderd verder.

Toen Rowarn de Onsterfelijke in elkaar zag storten, begon hij te twijfelen. Moest hij dit moment van zwakte niet gebruiken? Het waren nog zeker vijftig passen tot aan Femris en er was geen Dubhani te zien om zijn heer bij te staan. Angmor was niet in onmiddellijk gevaar, Olrig en Noïrun hielden stand.

Rowarn stond vrij en Femris was dicht in de buurt. Evenals de splinter, die hij zojuist nog trots had laten zien. De oorlog kon in enkele ogenblikken ten einde zijn!

Vastbesloten kwam de jonge ridder in beweging, in de richting van de onsterfelijke. Toen zag hij plotseling een schemerige gestalte vanaf de andere kant op Femris afkomen. Hij leek geen vaste vorm aan te willen nemen in het schemerige licht en liep er als een schaduw doorheen.

Rowarns adem stokte.

'Nachtvuur,' fluisterde Rowarn en alles in hem kromp in elkaar. Zijn pols ging als een razende tekeer.

Daar waren ze allebei, zo dicht in de buurt! De jonge ridder trok zijn zwaard en rende naar voren, maar hij kwam maar enkele passen ver, want toen trof de magische wervelstorm hem met volle kracht. Rowarn slaakte een kreet, verloor zijn evenwicht en viel op zijn rug. De storm drukte hem tegen de grond, drukte de lucht uit zijn longen. Moeizaam draaide hij zich op zijn buik, pakte zijn zwaard en probeerde op handen en voeten verder te kruipen.

Hij kwam enkele speerlengtes ver, toen kon hij niet meer. De storm werkte hem tegen, donderde in zijn oren en beroofde hem bijna van zijn gezonde verstand. Rowarn voelde hoe er bloed uit zijn neus en oren liep. Zijn hoofd leek uit elkaar te klappen van de pijn. Alles in hem vibreerde en hij begreep dat het zijn dood kon betekenen als hij probeerde verder tegen de magie te vechten.

Het was zonder meer al te laat. Rowarn zag hoe het schemerfiguur zich over Femris boog en hem optilde om hem met zich mee te nemen in de schemerwereld. Meteen daarna waren beiden verdwenen.

De jonge man vloekte en verbitterde tranen blonken in zijn ogen, versluierden zijn zicht. Vertwijfeld draaide hij om en kroop een stuk terug, tot hij weer op kon staan. Hij strompelde naar Stormwind, die ondanks zijn angst bij Angmor was blijven staan en pakte hem bij de teugel. 'Knielen,' schreeuwde hij tegen het verwarde paard. 'Kom op, buig je. Het lukt me niet zonder jouw hulp.'

Het kleine paard gehoorzaamde hortend en stotend. Zo had hij zijn heer nog nooit meegemaakt. Hij was nat van het angstzweet en zijn flanken gingen gehaast op en neer. Hij overwon zijn natuurlijke instincten echter en gehoorzaamde zijn meester.

Trillend van woede en teleurstelling trok Rowarn de bewusteloze Visioenridder over het zadel en ging achter hem zitten.

Stormwind hijgde en pufte onder het gewicht van de ridders, ofschoon hij de kracht van een werkpaard had. Toen ging hij er vandoor. Hij had geen bevel nodig, hij wilde gewoon weg van deze vreselijke plaats. De angst gaf hem vleugels en liet hem zijn zware last vergeten. Hij rende in gestrekte galop terug.

Ze lieten de verschrikkelijke zone al snel achter zich en Rowarn zag dat Noïrun en Olrig de terugwijkende Warinnen aanvielen, terwijl hij voorbijraasde. Graum jaagde met wijd open gesperde kaken de vluchtende Dubhani achterna en Fashirh dook op uit de in elkaar stortende windhoos. Toen bereikte Stormwind de Magische Barrière die merkwaardig oplichtte. Rowarn merkte dat hij niet het gebruikelijke kriebelen voelde aan de rand, maar lette er verder niet op.

In het kamp heerste een bijna net zo grote chaos als op het slagveld. Er kwamen constant nieuwe gewonden binnen, die andere gewonden of dode soldaten – waarvan sommigen onderweg gestorven waren - met zich meesleepten. Rowarn wist dat het nutteloos was om naar het lazaret te gaan, het was hopeloos overbelast. Dus sleepte hij de Visioenridder met zijn laatste krachten naar diens tent en legde hem op zijn bed.

Stormwind bleef met hangend hoofd en hijgende flanken voor de tent staan. Het zweet droop van hem af en zijn hijgende adem was tot in de tent te horen.

Rowarn wist niet wat hij moest doen. Misschien had Angmor water nodig, maar hij kon de gesloten helm niet afnemen of openen.

Het lichaam van de Visioenridder werd door een heftige kramp getroffen en hij kreunde van de pijn toen hij langzaam bijkwam en zijn hand bewoog.

'Wat ... waar ...' klonk het rauw.

'U bent in uw tent,' verklaarde Rowarn. 'De slag buiten is bijna ten einde en het ziet ernaar uit dat we het leger van Femris verslagen hebben, maar hijzelf is ontkomen ...'

Angmor vloekte. 'En we waren zo dichtbij ...' zuchtte hij. Het was teveel, mijn krachten hebben mij verlaten.' Hij ademde zwaar en reutelend.

'Mocht het een troost voor u zijn, het ging Femris niet beter af. 'Hij was bewusteloos toen hij opgehaald werd.'

'Ja, zo gaat het iedere keer tussen ons ... verdomd. En deze keer dacht ik echt ... ik had hem ...' mompelde Angmor vermoeid.

'Als u de helm afneemt, kunt u misschien wat beter ademen en dan kan ik u water geven,' stelde de jonge ridder met een bonkend hart voor.

'Dat gaat niet,' weerde de Visioenridder af. Hij ademde nu al wat rustiger. 'Jij kunt mijn aanblik niet verdragen, geloof me. De geruchten over mijn gezicht zijn waar. Ik *heb* geen gezicht meer.'

'Wat heeft uw gezicht dan zo misvormd?' waagde Rowarn.

'Een scherp zwaard. De rest is gedaan door een olielamp die Femris naar me toe heeft gegooid. Ik heb wekenlang op het randje van de dood gelegen. Ik heb het overleefd dankzij koningin Ylwa's heelkunst, hoewel ik nu misvormd ben.'

'U ... u hebt haar gekend?' Rowarns stem trilde en verried zijn inwendige opwinding.

'Natuurlijk. De orde van Visioenridders staat in dienst van Ardig Hal. We waren bondgenoten tegen Femris, maar ook vrienden. Wat ligt er op je hart, jongen? Ik zal je vraag beantwoorden, want eerder zal ik niet de rust vinden, die ik zo dringend nodig heb.'

Rowarn wist even niet wat hij moest zeggen. Maar hij had al een doel op moeten geven en nu lag er een ander doel misschien voor het grijpen en dat wilde hij niet ook verliezen. 'Ik ... ik wilde u vragen, of ... er een mogelijkheid is om dankzij uw gave ... een spoor van Tamron te vinden.'

'Tamron? De onsterfelijke? Wat heb je met hem te maken?'

'Hij is mijn vriend.'

'Jouw ... vriend?' De Visioenridder richtte zich half op. 'Je bent een onervaren naamloos groentje. Hoe kom je erbij dat uitgerekend een grote Onsterfelijke als Tamron jouw vriend is?'

'U praat toch ook met mij?' antwoordde Rowarn dapper.

'Alleen maar omdat ik te zwak ben om weg te lopen of om jou minstens te knevelen.' Angmor liet zich kreunend terugvallen en

Rowarn was bang voor een nieuwe aanval. De Visioenridder bleef echter rustig liggen. 'En omdat ik mijn leven aan jou te danken heb. Dus spreek en verklaar je vraag.'

Rowarn sloeg zijn ogen neer. 'Tamron verdween in de slag voordat u kwam. Dat heb ik u verteld.'

'Ja, ik herinner het me.' Angmor zuchtte. 'Op het ogenblik kan ik niet eens zien of ik deze inspanningen zal overleven, Rowarn. Ik kan je niet helpen. Je moet je geen zorgen maken om hem, maar om jezelf.'

Rowarn wreef door zijn gezicht. 'Hij had beloofd mij te helpen ...' fluisterde hij.

'Waarbij? Helpen bij je wraak? Dat past wel bij hem. Het begint me langzaam duidelijk te worden. Hij heeft een zwak voor eenzame jongens als jij.' Angmor pakte Rowarns arm vast. 'Kom op, jongen. Waarom ben je werkelijk in Ardig Hal? Ben je hier op zoek naar je wraak?'

Rowarn gaf toe. 'Gedeeltelijk. Ik hoopte echter ook om een spoor van mijn vader te vinden. Voor een ogenblik had ik zelfs de dwaze hoop dat het Tamron was.'

Hij onderbrak zichzelf, toen Angmor een langgerekte kreet slaakte die hem diep schokte.

De Visioenridder liet Rowarns arm los. Zijn handen grepen naar zijn helm en hij slaakte een tweede kreet, maar nu vervuld van zoveel pijn.

'Geen woord meer, ik kan het zien,' hoestte hij hees. 'Ik ben een dwaas. Ik had je niet aan moeten raken, nu komt het. Grote God, neem deze vloek weg van mij, die ze een gave noemen, als ik zulke dingen moet zien!'

Rowarn wist niet wat hij moest zeggen. Het bracht hem in verwarring om deze grote man zo buiten zichzelf te zien. Schuldgevoelens begonnen aan hem te knagen, terwijl hij nerveus op zijn onderlip beet. Hij vervloekte zichzelf om zijn opdringerigheid, zijn koppigheid en hij schaamde zichzelf diep. 'Wat heb ik u aangedaan ...' bracht hij uiteindelijk uit.

'Daar is het te laat voor. Ze was jouw moeder, nietwaar?' zei Angmor zacht. 'Koningin Ylwa, die men de maagd van Ardig Hal noemde, ze heeft jou ter wereld gebracht. Ik kan het duidelijk zien. Ik ben echt een dwaas, daar had ik geen visioen voor nodig moeten hebben! Maar ik heb er niet op gelet, hoe had ik ooit kunnen vermoeden, dat de koningin ...'

'Mijn peetouders hebben het mij verteld,' mompelde Rowarn. 'Omdat de Witte Valk dit jaar wegbleef ... en toen ze hoorden, dat koningin Ylwa vermoord was, door de Demon Nachtvuur ...'

'Stil, laat het me *zien*. Nachtvuur ... ja. Ja, het ziet er naar uit. Wat een ironie. Of ... nee. Het is boosheid. Waarschijnlijk is hij erachter gekomen ...'

Rowarn had plotseling het gevoel dat de grond onder zijn voeten wegviel. Hij werd duizelig en vermoedde dat hij nog lang niet op de bodem aangekomen was, dat er nog steeds veel van zijn leven over was dat vernield kon worden.

'Nachtvuur? Waar is hij achtergekomen?' fluisterde hij. Er bleef hem niets anders over, nu moest hij de waarheid weten.

'Er bestaat geen twijfel,' mompelde Angmor. 'Ik kan het duidelijk zien, ondanks mijn zwakte. Jij hebt het in werking gezet en ik kan er niets tegen doen. Het beeld is er en ik kan er mijn ogen niet voor sluiten.'

'Alstublieft ...' smeekte Rowarn. Hij trilde over zijn hele lichaam.

Angmor zuchtte zwaar. 'Waarom ben je naar mij toegekomen, jonge dwaas! Waarom kon je je moeder niet in vrede laten rusten? In plaats van naar wraak te zoeken, die je nooit zal kunnen nemen? Niet tegenover een Demon als Nachtvuur, zelfs als je mij en Tamron aan je zijde hebt!' Zijn adem stokte en hij hoestte. De inspanningen hadden hem veel kracht gekost. 'Begrijp je niet, wat je jezelf ermee aandoet?'

'Wat heb je gezien?' riep Rowarn. 'Zeg het me alstublieft!'

'Ik zeg het je, ook al denk ik dat het je in het ongeluk zal storten. En dat is niet waarvoor ik vecht, waar ik mijn krachten voor gebruik! Maar ik heb geen keus, daar ben ik me ook van bewust en jij hebt het recht om het te weten. Jij arm, beklagenswaardig kind.' Angmor richtte zich op en draaide zich om. Rowarn had het gevoel, dat hij door een paar gloeiende ogen werd doorboord.

Een blik vol machteloze woede en pijn.

De Visioenridder moest zo iets verschrikkelijks gezien hebben, dat zelfs hij tot het diepst van zijn ziel geschokt was. Een ijskoude hand greep naar Rowarns ziel. Hij vermoedde dat het beter was geweest, dit geheim te laten voor wat het was. Maar nu was er geen weg terug meer mogelijk. 'Vergeef me de pijn die ik u toegebracht heb,' fluisterde hij. 'Dat wilde ik niet ...'

'Zoals ik al zei: Te laat – voor jou, jongen. En het doet mij pijn vanwege jouw ziel. Maar de waarheid wordt niet ongedaan gemaakt door haar te verzwijgen. Mijn enige wens was, dat je het aan een ander had gevraagd, op een ander tijdstip en op een andere plaats.' Angmor kreunde en zijn stem werd zwakker. Hij had amper nog de kracht om te praten. Toen gooide hij het eruit:

'Nachtvuur – *hij* is je vader, Rowarn!'

'Wa...' Rowarns stem weigerde. Zijn mond klapte geluidloos open en dicht.

Voor enkele ogenblikken voelde hij zich als verlamd, probeerde hij om het vreselijke nieuws dat hij zojuist te horen had gekregen, te begrijpen.

Angmor hoestte en zakte terug op het bed. Zijn arm viel slap naar beneden en hij ademde vlak. Hij had opnieuw het bewustzijn verloren, de afgelopen minuten hadden zijn laatste krachten gevergd.

Het begon eindelijk tot Rowarn door te dringen wat de Visioenridder hem had geopenbaard en hij werd door een vloedgolf van emoties overweldigd. Hij had het gevoel binnenstebuiten gekeerd te worden. Hij rende de tent uit, viel op de knieën, sloeg zijn armen om zich heen en slaakte een luide, klagelijke kreet. Snikkend gaf hij over, spuwde alle afschuw en huiver eruit in de hoop om op deze manier ook zijn leed en vooral het weten van de waarheid kwijt te raken, ondanks het feit dat hij hier al die tijd juist naar op zoek was geweest en het hem nu slechts pijn bracht.

Hij was nog half buiten zinnen en volledig uit het lood geslagen, toen hij plotseling het fluiten en zoemen van pijlen en doffe inslagen hoorde, gevolgd door de schreeuwen van mensen en dieren. Vlammen laaiden hoog op, rook steeg op en toen vielen ze aan.

'Alarm!' schalde het door het kamp. 'Te wapen, voor wie het nog
kan! De Gandur en de Kúpir zijn verslagen aan de Stenen Hoorn!
De versterking voor Femris is gearriveerd!'

Gelijktijdig galoppeerde de vaandeldrager van Ardig Hal met
wapperende banier langs en schreeuwde met overslaande stem:
'De ban is verbroken! De muur is gevallen! Femris is vrij!' Hij
ging door tot hij in het centrum van het kamp was en herhaalde
de mededeling, want hij zag, net als Rowarn, hoe een groot leger
als een springvloed van de heuvel afkwam. De eerste golf was al
bijna bij hen. Er waren niet meer dan een honderdtal man en enkele gewonden die in staat waren om wapens te dragen. De
vaandeldrager draaide zich haastig om en stormde, de hakken in
de flanken van zijn paard duwend, terug in de richting van Ardig
Hal. 'Dit vaandel zal nooit vallen! Dood de aanhangers van de
duisternis!' brulde hij en was toen verdwenen.

Rowarn knipperde en wreef door zijn ogen. Alles gebeurde zo
razendsnel en zijn eigen bewegingen schenen zo langzaam. In
zijn binnenste brandde een vuur dat hem bijna van zijn zinnen
beroofde. Hij had het gevoel in tweeën gescheurd te worden, toen
de twee door de schok ontwakende machten in hem leken te
vechten. Hij zag de soldaten, gewonden, ridders en knechten met
troebele blik door elkaar rennen en naar alles grijpen dat maar
enigszins op een wapen leek. Tegelijkertijd zag hij de troepen van
Ardig Hal terugkomen om het kamp te bij te staan. Ze waren veel
te ver verwijderd. Ze zouden niet meer op tijd aankomen en bevonden zich middenin in de troepen van Femris, tussen diegenen
die vanaf Ardig Hal oprukten en de versterking, welke samen
een geweldige overmacht vormden.

'Nee,' zei hij krachteloos. Zijn verstand was in een taaie massa
veranderd die alle gedachten opzoog, om ze niet meer vrij te laten. 'Nee, dat niet ...'

Rowarn stond in een laatste geweldige krachtinspanning op
en strompelde terug in de tent. 'Angmor!' schreeuwde hij en
schudde de Visioenridder die er als dood bij lag heen en weer.'

Word wakker, we worden aangevallen! Je moet bijkomen. We moeten weg, snel!'

Maar het was te laat. Het kamp werd al overvallen en hij hoorde de schreeuwen van het gevecht al, gevolgd door de pijnlijke kreten, het barsten en knallen van brekende pijlen en speren en het gebrul van de dieren. Twee Warinnen stormden de tent in en richtten hun speren op Rowarn, die zich omdraaide, zijn zwaard trok en zich beschermend voor Angmor opstelde.

'Zinloos,' klonk een rauwe stem en een vijandelijke officier liep op hem toe. Een man in een grauwe uitrusting en met gesloten vizier. 'Zet je leven niet nodeloos op het spel, jonge ridder. Het is voorbij.'

'Ik geef me niet over,' grauwde Rowarn hees. 'Ik sterf liever!'

De beide Warinnen leken dat als uitnodiging op te vatten, maar opnieuw werden ze door een teken tegengehouden. Vijf Dubhani kwamen de tent binnen en Rowarn zag in dat hij er in deze kleine ruimte maximaal twee of drie met zich mee zou kunnen nemen, voordat hij zelf zou sterven. En nu sterven was inderdaad zinloos. Er viel niets meer te winnen, hij hoefde zichzelf niets wijs te maken. Geen eervolle dood, maar een domme. Voor alles kon hij Angmor niet redden. Er moest een andere weg zijn, voor hen beiden. Hij kon de Visioenridder niet in de steek laten.

Het verbaasde hem dat ze hem gevangen wilde nemen, maar hij stelde geen vragen. Zonder een woord te zeggen liet hij zijn zwaard vallen en twee soldaten bonden hem de handen op de rug, terwijl de anderen kreunend de bewusteloze Visioenridder de tent uitdroegen.

'Eindelijk, na al die jaren,' zei de man in de grijze uitrusting met een tevreden klank in zijn stem. Zonder Rowarn nog een blik waardig te keuren, verliet hij de tent.

Toen Rowarn naar buiten gesleept werd, brandde het hele kamp al en alle soldaten waren gevangen of op de vlucht geslagen.

Dit was dus het einde. Anders dan ze allemaal gedacht hadden. Zo vlak voor de overwinning hadden ze de laatste slag verloren. En dat niet alleen. Het was Femris eindelijk gelukt om de ban te verbreken. Hij kon niet meer gestopt worden. De splinter was verloren.

Rowarn zag hoe ze Stormwind en de andere paarden bij elkaar bonden en meenamen, hoe ze uit het gehele kamp gevangenen samendreven en klaar maakten voor transport. Hij zag een lichtpuntje: buiten op de vlakte zag hij Graum met grote sprongen naar het noorden rennen. Geen speer of pijl kon hem meer bereiken en al snel versmolt de Schaduwlynx met het land.

Van Fashirh, Olrig en Noïrun ontdekte Rowarn geen spoor en hij hield dan ook een sprankje hoop. Hij bad dat ze de hopeloosheid van de strijd op tijd in hadden gezien en gevlucht waren. Ze *moesten* ontkomen, omdat dan niet alles voor Ardig Hal verloren was!

'Daar heb ik lang op gewacht!' klonk onverwacht een hese stem en Rowarn keek verrast in Monegs ontsierde gezicht. De man grijnsde hatelijk en haalde uit met zijn vuist.

Toen werd alles donker.

DE WOUDZEE KRONIEKEN

Boek 2: Nachtvuur – verwacht medio 2013

Boek 3: Parelmaan – verwacht begin 2014

Meer spannende en mooie boeken kun je
vinden op de sites van de uitgevers:

www.uitgeverijmacc.nl

www.zilverspoor.com